Une vie sans peur
et sans regret

Du même auteur

Une enfance à l'eau bénite, Le Seuil, 1985 ; Points, 1990.
Le Mal de l'âme (avec Claude Saint-Laurent), Robert Laffont, 1988 ; Le Livre de poche, 1991.
Tremblement de cœur, Le Seuil, 1990 ; Points, 1992.
La Déroute des sexes, Le Seuil, 1993 ; Points, 1996.
Nos hommes, Le Seuil, 1995 ; Points, 1997.
Aimez-moi les uns les autres, Le Seuil, 1999.
Lettre ouverte aux Frnaçais qui se croient le nombril du monde, Albin Michel, 2000.
Ouf !, Albin Michel, 2002 ; Le Livre de poche, 2004.
Et quoi encore !, Albin Michel, 2004 ; Le Livre de poche, 2006.
Propos d'une moraliste, Montréal, VLB Éditeur, 2005.
Sans complaisance, Montréal, VLB Éditeur, 2005.
Edna, Irma et Gloria, Albin Michel, 2007.
Nos chères amies..., Albin Michel, 2008 ; Le Livre de poche, 2009.
Au risque de déplaire, Montréal, VLB Éditeur, 2008.
L'Énigmatique Céline Dion, XO, 2009.
Ne vous taisez plus ! (avec Françoise Laborde), Fayard, 2011.
L'Anglais, Robert Laffont, 2012.
Vieillir avec grâce (avec la collaboration d'Éric Dupont), Montréal, Éditions de l'Homme, 2013.
Dictionnaire amoureux du Québec, Plon, 2014.
Jackpot : plaisirs et misère du jeu, Éditions de l'Homme, 2015.
Plus folles que ça tu meurs, Flammarion, 2017.

Denise Bombardier

Une vie sans peur et sans regret

PLON
www.plon.fr

12, avenue d'Italie
75013 Paris
Tel : 01 44 16 09 00
Fax : 01 44 16 09 01
www.plon.fr
www.lisez.com

Dépôt légal : octobre 2018
Mise en page : Graphic Hainaut
ISBN : 978-2-259-25997-2

Imprimé au Canada – Marquis imprimeur

À ma petite-fille Rose-Éléonore

Avant-propos

Je suis une parvenue au sens propre du terme. Issue d'un milieu modeste, culturellement pauvre, j'ai gravi l'échelle sociale en ayant accès à l'éducation. La langue française m'a offert sa richesse ; sa beauté m'a émerveillée, sa complexité m'a permis de me dépasser. Et le désir d'en maîtriser toutes les subtilités m'a ouvert un univers inespéré.

Ayant choisi ma profession sans élaborer de plan de carrière, j'ai gagné ma vie en parlant et en écrivant. Sans jamais avoir eu le sentiment de travailler. Le journalisme m'a donné accès aux grands de ce monde, côtoyés en éprouvant souvent de l'admiration, parfois de la déception, mais toujours en réussissant à conserver une distance critique à leur égard. Souvent seule femme dans un monde d'hommes, j'ai refusé – par tempérament – de jouer à la victime. Car une victime n'a d'autre avenir que son bourreau. Or personne ne devait freiner ma rage de vivre.

J'ai un jour atterri en France, le pays de mes ancêtres et de mon cœur, où je fus accueillie avec affection, terre où j'ai conforté mon identité québécoise sans jamais me sentir dépaysée ni en venir à folkloriser ma pensée. Car mon amour passionné des mots fut la seule clef permettant d'ouvrir nombre de portes sans avoir à insister.

Je l'avoue : la controverse et la polémique m'attirent par conviction et par plaisir. Ayant seulement peur de l'indifférence et du silence, vides et asséchants, depuis les années soixante je me suis efforcée d'être à la fois spectatrice et participante – contradiction juste apparente dans les termes dont je m'accommode bien – des événements marquants de la politique dans mon pays, en France comme ailleurs. Indépendante et engagée, en somme.

Au bout du compte, alors que je m'attelle à mes mémoires, je constate que je ne regrette rien. Que j'ignore le ressentiment tout en étant consciente que la faiblesse humaine ne me surprend plus. Pour autant, je sais chaque jour un peu plus que les héros ne courent pas les rues, que les honnêtes gens sont plus nombreux que ne le donnent à penser les réseaux sociaux et que les grands sentiments habitent toujours les âmes nobles. N'est-ce pas là le plus beau des messages d'espoir après tant d'années riches en rencontres et moments forts ?

Au final, que dire ? Que «Je me souviens», la devise du Québec, a toujours guidé ma vie. Et qu'elle inspire cet ouvrage, où la mémoire, la subjectivité et un recul obligatoire aident à voir le passé sans fard ni artifice, et avec une sincérité qui va en agacer – et non surprendre – plus d'un. Mais aussi réjouir tous les autres.

Chapitre 1

En tombant enceinte, ma mère a brisé le rêve de sa jeunesse, celui de parfaire ses études. Benjamine d'une famille modeste de onze enfants – un nombre normal dans le Québec catholique de la revanche des berceaux sur la conquête anglaise –, la jeune fille, curieuse de tout mais effacée et gauche, qui habitait chez ses parents, s'est retrouvée un jour prisonnière de son corps et honteuse d'avoir péché.

Elle s'est toujours refusée à me préciser la date de son mariage, dont je sais qu'il fut célébré à la sauvette dans la sacristie de la paroisse Saint-Denis de Montréal, sur le Plateau Mont-Royal, aujourd'hui le quartier des branchés. Et je suis née prématurée, m'a-t-elle toujours répété – façon d'ajouter les quatre ou cinq semaines permettant de combler les neuf mois de grossesse légitime, je suppose.

Mon père, de vingt ans son aîné, avait bourlingué et arpenté tous les ports de la Terre, lui l'officier télégraphiste de la marine marchande britannique qui avait séduit la jeune vierge blonde, mince, aux yeux verts (dont j'ai hérité), chez son frère Émile, marié à Edna, sœur adorée de maman. Cette tante – ma marraine – menait son mari par le bout du nez, jurait comme un charretier et buvait jusqu'à plus soif. Une fois, bien plus tard, au cours d'une soûlerie familiale à laquelle j'avais depuis longtemps l'habitude d'assister, elle m'a confié, dans son ivresse, le secret de ma naissance prématurée : un mariage forcé. À l'âge adulte, j'ai donc tanné ma mère pour qu'elle me confirme s'être «mariée obligée», comme on disait jadis au Québec. Mais même si nous étions toutes deux affranchies de la culture catholique dans laquelle nous avions longtemps baigné, où le péché d'impureté est omniprésent, elle a toujours résisté. «Allez maman, tu peux bien me le dire maintenant», ai-je encore insisté, d'un ton qui se voulait léger, quelques semaines avant sa mort. «Arrête tes folies de romancière», m'a-t-elle rétorqué. J'ai alors compris que la blessure qui défigura sa jeunesse jamais n'avait cicatrisé.

*

J'ai pris tôt conscience de la violence passionnelle de notre relation et du fait que ma mère se réaliserait à travers moi. Comme je devais échapper au fatalisme familial, à son destin de très jeune fille mariée de force à cause d'un moment d'égarement, à son regret de ne pas avoir fait assez d'études pour «s'élever», je serais, moi, instruite.

À trois ans, je fus donc inscrite au cours de diction de la célèbre Mme Audet, à laquelle Robert Charlebois fait référence dans sa chanson «Miss Pepsi». Toute jeune je me retrouvai du jour au lendemain dans l'univers d'une femme extravagante, qui idolâtrait la France et sa culture, nous enseignait à parler français sans faute. Du coup, grâce à sa passion, j'ai appris à dire «salle à manger» et non «salle à dîner» (*dining room*), «salle de bains» (avec un *s* car on en prend plusieurs) et non «chambre de bain» (*bathroom*). Mieux, elle polissait notre accent montréalais, nous faisant, à haute voix, nous les petits, prononcer maman et non «môman», Canada et non «Canadâ».

D'origine irlandaise, Mme Audet, née Duckett, était férue de phonétique. Entre 1930 et 1960, elle a formé, à Montréal, nombre de jeunes qui deviendront de célèbres comédiens, parce qu'elle leur apprenait par ailleurs l'art dramatique. Comme je fus son élève plus de dix ans, mon vocabulaire s'est enrichi grâce à elle. J'ai aussi appris à ne plus rouler les «r» à la façon des religieuses d'alors – qui allaient vite devenir mes enseignantes, en parallèle – et des Bourguignons d'aujourd'hui. Grasseyer m'est même devenu une seconde nature !

En constatant cette sorte de métamorphose, ma mère était fière de moi. À l'école primaire, grâce à ces cours particuliers, je me distinguais par mon langage, bien plus châtié que celui de mes camarades, par mon vocabulaire qui suscitait des haussements d'épaules, voire des rires méchants, dont je me fichais. Et pour cause, je me classais dans les premières, j'étais souvent la chouchoute de la maîtresse et j'apprenais davantage de choses que ce qu'on m'enseignait à l'école, d'autant qu'en plus, le soir, ma mère m'obligeait à mémoriser de nouveaux mots et à assimiler la leçon du lendemain dans le manuel de grammaire. En fait, de façon inconsciente, elle s'efforçait de m'éloigner de la culture populaire dans laquelle nous baignions, tellement désireuse de me voir sortir du rang et lui permettre de prendre sa revanche à travers moi. La mobilité sociale ascendante était ma trajectoire, celle qu'elle me traçait.

Revers de la médaille, j'eus une enfance plutôt solitaire tant mes connaissances et mon côté singe savant provoquaient le rejet de mes camarades de classe. Mais qu'importe : j'adorais apprendre, j'aimais les maîtresses et déifiais même certaines religieuses qui furent des modèles.

De cette période, j'ai en mémoire des centaines de poèmes de Verlaine, Baudelaire, Hugo, des extraits de pièces classiques – Corneille, Racine, Molière –, textes que je récitais sans me faire prier à l'école, dans des soirées comme devant des inconnus. Les soirs d'Halloween où, déguisés, nous sollicitions des bonbons chez les voisins, je remplissais rapidement mon sac de friandises en déclamant devant les adultes un compliment bien senti et inspiré de mes lectures qui les ravissait. Et, bien sûr, je décrochais les premiers rôles dans les saynètes ou les pièces de théâtre que mettaient en scène les sœurs, de quoi affirmer mon tempérament. De quoi aussi combler ma mère, qui disait : « Moi, j'ai toujours été derrière les colonnes à l'école, toi t'es en avant de la scène. C'est ta place pour la vie. » Comment ne l'aurais-je pas crue ?

*

Maman ne pouvait évidemment imaginer que je dépasserais ses propres rêves. Ni avoir conscience du déracinement qu'elle m'imposait en me poussant à suivre des études, donc un jour à quitter notre quartier de Villeray. Or j'aimais énormément ces lieux ainsi que mes tantes maternelles, mais d'abord j'aimais ma grand-mère – que ses filles vouvoyaient et appelaient «la mère».

Comme je tutoyais celle-ci – à sa demande –, je me sentais presque plus forte que ma mère. En vérité, ce clan de femmes fut, dès ma petite enfance, le bouclier qui me protégea de mon père, rude, incapable d'exprimer des sentiments, iconoclaste, imprévisible et mal embouché. Puisque ces femmes avaient à peine fréquenté l'école, ce qu'elles déploraient, car à leurs yeux il me fallait échapper à «leur maudite vie» – d'accord avec maman sur ce point –, elles appuyèrent mon émancipation culturelle. Hélas, en me poussant hors de mon milieu d'origine, elles ignoraient combien elles effilochaient aussi nos liens familiaux.

Pour l'heure, mes tantes se réjouissaient de voir combien ma façon de parler s'éloignait de la leur et elles s'enorgueillissaient de mes réussites scolaires, succès qui, à leurs yeux, me permettraient un jour de «fréquenter le grand monde», comme elles qualifiaient la petite-bourgeoisie. En fait, Lucienne et Irma, beautés dans leur jeunesse, rêvaient pour moi de ce qu'elles avaient frôlé et perdu. Ayant eu comme amants des hommes des beaux quartiers qui les comblaient de cadeaux mais n'auraient jamais voulu les épouser, elles, ouvrières dans l'industrie du textile, projetaient sur la génération suivante l'émancipation sociale dont on les avait privées.

De fait, mes tantes vécurent dans le ressentiment jusqu'à la fin de leur vie. Lucienne, par exemple, célibataire permanente, se laissa fréquenter durant des décennies par un homme que j'appelais «mon oncle Jos», un type nerveux, d'une générosité à la limite du sacrifice personnel, fou de sa «belle noire» et par extension de moi, sa nièce préférée, mais qui jamais ne se maria. Tante Lucienne riait de lui derrière son dos et parfois même devant tout le monde, ce qui me peinait. Pourquoi ? Parce qu'il ne lui semblait pas à la hauteur de ses rêves d'antan ?

De plus, sa détestation de son beau-frère alimentait la mienne : si bien que dès l'âge de quatre ou cinq ans je souhaitais changer de père. Ni plus ni moins.

*

Ma petite enfance s'inscrivit donc au cœur d'une identité paradoxale. Née dans un milieu culturellement pauvre où l'on s'aimait sans se le dire, où les rancœurs ne manquaient pas, où l'argent faisait défaut à la différence de l'alcool, je me voyais transformée en caméléon par les cours de diction de Mme Audet, la volonté de ma mère et le soutien de mes tantes tandis que mon père s'isolait dans son indiffèrence. En somme, j'en venais littéralement à parler deux langues qui s'opposaient. Inévitablement le «beau français» m'entraînait vers un savoir étranger à ma famille maternelle, que ma mère encourageait. Comme mes tantes, qui n'auraient pas supporté que je m'exprime comme elles et me voulaient elles aussi singulière, ce qui ajoutait à la pression qu'on me mettait. Car plus les succès scolaires s'accumulaient, plus mes connaissances augmentaient, en orthographe par exemple, plus je ressentais la distance qui s'allongeait avec ces femmes que j'aimais, si affectueuses avec moi. Elles méprisaient «les faibles, les bons à rien et ceux qui pétaient plus haut que leur cul», mais, devant moi, se liquéfiaient d'amour et rêvaient de me voir aller loin. J'oscillais donc entre exaltation et tristesse. J'étais vivante certes, je découvrais la lecture bien sûr, mais les grandes bouffées de joie s'inséraient à travers… les peurs.

CHAPITRE 2

J'ai cru, jusqu'à l'âge adulte, que mon père était l'homme le plus étrange et le plus inquiétant que j'aurais à connaître. Il n'a jamais interpellé ma mère qu'en lui criant « Eille », ni utilisé mon prénom pour s'adresser à moi. Ma tante Edna m'a confié d'ailleurs qu'il avait exigé que je porte un prénom en « ette » ; je fus donc baptisée Marie-Louise-Yvette-Denise. Tout cela parce que, au cours de sa vie bambocheuse, il avait eu une maîtresse prénommée Colette qui avait réussi à lui tenir la dragée haute et dont il avait la nostalgie. J'appris également que la bague de mariage de ma mère avait d'abord été offerte à cette femme, qui la lui avait lancée à la tête lors d'une de leurs multiples scènes de rupture. Était-ce la vérité ? En tout cas, il s'agissait de la version de ma marraine.

Rétrospectivement, le prénom d'Yvette, qui m'a longtemps horripilée et lui rappelait sa Colette, me paraît être la seule preuve concrète de son intérêt pour moi. Car il n'a jamais su mon âge, ignorait à quel niveau scolaire je me situais et ne participait à aucune activité ayant un lien avec l'école. Lorsque, plus tard, je jouai dans des pièces de théâtre où j'étais en vedette, il m'ignora. Jamais il n'émit le moindre commentaire lorsque je devins animatrice d'émissions politiques à la télévision de Radio-Canada. À la vérité, il ne se préoccupait guère plus de mon frère ni de ma petite sœur, mais quand même, combien son éternelle et apparente indifférence m'a peinée, voire meurtrie.

Son seul combat nous concernant fut aussi le seul que remporta ma mère contre lui.

Il aurait ainsi souhaité nous inscrire à l'école anglaise, donc protestante, au lieu de celle française et catholique. «Les Anglais sont nos maîtres», clamait-il lorsque l'alcool déliait sa parole. Anticlérical, il vouait une haine particulière à l'Église catholique, omnipotente au Québec, comme son père avant lui. Tante Edna, mon informatrice, aimait répéter la phrase que mon grand-père appelé Exaré-Elzear Bombardier prononçait à la fin de chaque repas : «J'ai bien bu, j'ai bien mangé. Et au diable les calotins.» Ma tante m'a certes transmis l'admiration qu'elle portait à ce grand-père délinquant, qui faisait figure d'Antéchrist, et que j'ai regretté plus tard de ne pas avoir connu car il mourut quelques mois avant ma naissance, mais ses idées ne me facilitaient pas la vie. À tout le moins, son fils avait hérité de son anticléricalisme. Mais, cette fois, ma mère tint bon.

*

Écrivons les choses nettement à notre époque où on entend et lit le pire sur ces sujets : mon père ne nous a jamais battus ni abusés sexuellement. Mais c'était un terroriste familial. Dès qu'il entrait dans la maison, l'atmosphère s'alourdissait et nous étions sur le qui-vive, aux aguets, inquiets. Nous ne prenions par exemple jamais nos repas en sa présence. Dès que nous eûmes la télévision – à la fin des années cinquante seulement car il refusa longtemps de faire entrer le monde dans notre demeure –, nous mangions sur nos genoux devant l'écran de toutes les distractions (et en silence) pendant que lui manipulait des fils et branchements dans une pièce, qu'on appelait la chambre de radio et où nous ne pénétrions jamais de peur d'être électrocutés.

Sans doute pour ne pas avoir à nous voir, nous entendre ou supporter nos jeux d'enfants, lui, le taciturne, trouvait refuge dans les systèmes de son et les tables tournantes rudimentaires qu'il construisait avec passion. Il se procurait ces appareils dans des catalogues américains. Partageant le même ancêtre que le génial inventeur de la motoneige, Joseph-Armand Bombardier, aucun des mystères de la technologie de l'époque n'échappait à cet homme aux traits fins et d'allure inoffensive. À Air Canada, où il travailla jusqu'à sa retraite en 1965, sa compétence de spécialiste en boîtes noires lui valut une certaine aura. De fait, à la fête d'adieu qu'organisèrent ses confrères lors de son départ, je découvris un autre homme que l'être imprévisible et effrayant qui hantait la maison. Ses camarades firent l'éloge d'une espèce de Graham Bell, l'inventeur du téléphone, le décrivirent en être secret certes mais affable, infatigable et supérieurement compétent. À les entendre, il n'avait qu'un défaut : jamais il n'expliquait la façon dont il réparait les instruments.

Ma marraine fut la seule personne capable de lui tenir tête, surtout lorsqu'elle se soûlait en sa compagnie. Il la redoutait d'ailleurs. Haute comme trois pommes, elle s'interposait lorsqu'il tentait d'allonger le bras vers ma mère, elle-même imbibée d'alcool. Plus tard, à la fin de mon adolescence, j'osai un jour l'affronter en menaçant de lui lancer au visage une bouteille en verre lorsqu'il amorça le geste de frapper maman en criant : « Ma tabarnak de chienne ! » Haussant à peine le ton, tenant la bouteille à bout de bras, je m'étais approchée à quelques pieds de lui et j'avais dit, en le dévisageant : « Avance donc, mon écœurant. » Stupéfait, il se figea net. Je mis des mois à me remettre de mon geste. Oui, s'il n'avait reculé, je l'aurais défiguré !

*

Une enfance difficile forme le caractère. Ma vie ne s'explique pas si on ignore la lutte quotidienne que j'ai dû mener pour contrer la violence paternelle. Instinctivement, j'ai cru que l'homme dont je porte le nom était un fou, un impulsif capable de cogner pour une contrariété, et que tous les autres hommes se révélaient meilleurs que lui. Bien que mon père ait compliqué par son attitude mes relations avec eux, il n'est pas parvenu à me briser ou m'en dégoûter. Et j'ai su aimer les hommes qui m'ont aimée, valorisée, admirée, protégée, ceux qui ont illuminé ma vie.

À quoi tenait sa violence ? Pourquoi était-il aussi dur avec nous ? Je crois que mon père avait toujours le sentiment d'être exploité. « Mes crisses, vous voulez qu'on se retrouve le cul sur la paille », répétait-il *ad nauseam* et limite hystérique dès qu'il s'agissait de débourser de l'argent. Résultat, chaque vendredi, nous, les enfants, devions participer à la chasse aux dollars afin que maman puisse acheter la nourriture de la semaine. Car, à l'instar des écureuils, il dissimulait son argent. Heureusement, ma mère connaissait sa cachette dans la salle à manger. Le long des plinthes, nous glissions un couteau effilé et les billets, qu'il avait insérés en les pliant en accordéon, surgissaient sous nos yeux. Le rituel nous enchantait. Ma mère prétendait alors que notre père avait la mémoire courte et ne se rendrait pas compte qu'on le volait. Était-ce vrai ? J'en doute. Toujours est-il qu'à l'adolescence, alors que le manège se perpétuait, je me suis demandé si ce jeu, sadique, n'était pas une autre manière, pour lui, de nous contrôler.

Plus tard, lorsque j'entreprendrai des études secondaires en vue du baccalauréat, il financera mes classes sans le savoir. Car maman pigera dans ses poches les quinze dollars de frais mensuels nécessaires. Après quatre ans de ce subterfuge, auquel s'ajoutaient des injures qui n'en finissaient plus quant à ma supposée fainéantise, je quitterai l'école. J'avais seize ans. Quand il faut déjà se battre contre son père pour étudier, on mène double combat.

*

Dans des albums de photos, je découvris un jour la vie aventureuse de mon géniteur. Photographe habile et curieux, il avait multiplié les clichés pris dans tous les ports où, autrefois, accostaient ses navires. En Afrique, en Russie, en Espagne, en Grèce, il semblait un autre homme. Sur plusieurs photos, on le voit enlaçant des femmes de toutes couleurs et toutes tailles. Dont il avait découpé systématiquement la figure. Ma tante Edna prétendait que c'était pour épargner la jalousie de ma mère. Plus tard, au cours de la psychanalyse que je n'avais pas manqué d'entreprendre, j'en vins à la conclusion qu'il agissait ainsi surtout pour effacer ces femmes de sa mémoire. Ma mère affirmait, de son côté, être responsable de cette éradication, mais je ne l'ai jamais crue : car elle craignait trop son mari pour oser cette censure jalouse.

*

Dans la chambre de radio où il s'enfermait à double tour, les branchements de ses appareils couvraient les murs. Il nous arrivait parfois d'entendre le bruit d'une chaise tombée au sol. « C'est pas grave, ton père vient de prendre un choc », assurait maman tandis que nous l'imaginions raidi à cause d'une électrocution.

L'électricité le fascinait. Les rares fois où il m'a demandé de venir vers lui, c'était pour que je touche sa main alors que, dans l'autre, il tenait un fil caché dans son dos. J'avais quatre ou cinq ans alors et, au contact de ses doigts, un courant me traversait le corps. J'ai gardé intactes, à ce jour, la sensation terrible et la peur panique qui s'ensuivaient. Lorsque je pleurais de ces séances d'électrocution, ma mère expliquait qu'il s'agissait d'un jeu. Adulte, j'en ai conclu que l'homme paralysé d'angoisse qu'était mon père avait découvert les bienfaits des électrochocs, méthode utilisée en psychiatrie pour apaiser certains patients. Et j'en suis venue à lui accorder le bénéfice du doute. Sans doute croyait-il nous mettre à l'abri de sa propre terreur en nous faisant subir ce type de traitement. Mais on pourrait aussi interpréter ce genre de jeu pervers comme une sorte de sadisme. Ou, pire, peut-être ne se rendait-il pas compte de ce qu'il faisait.

Dans cette petite enfance, il nous soumettait aussi à de longues séances photos avec des appareils qu'il avait lui-même construits. Traumatisée par ses comportements, j'étais incapable de comprendre que ce désir de nous photographier était sa façon, bien particulière, de s'intéresser à nous. En regardant plus tard les différents albums réunissant les images familiales, j'ai constaté que celles me représentant s'arrêtent vers mes cinq ans. C'est-à-dire l'âge où j'ai choisi mon camp, celui de mes tantes maternelles, qui ne se gênaient pas pour critiquer mon « énergumène de père ».

Chapitre 3

Je suis entrée à l'école à cinq ans. À l'époque, il n'y avait ni garderie ni apprentissage préscolaire, nous allions donc en classe pour apprendre à lire, écrire, compter et, bien sûr, prier. On nous enseignait très tôt l'histoire sainte. Quant au cours d'arithmétique, il consistait à additionner, soustraire, diviser et multiplier des chapelets et des médailles.

L'école publique, jusqu'à l'université, était placée sous le contrôle de l'Église. À la fin des années quarante, la toute-puissance cléricale s'exerçait donc sur nous, et seuls des personnages extravagants comme mon père abhorraient ce système. Dès lors, à cinq ans, je voyais en lui une exception maudite. En première année de classe, l'événement majeur devait être notre première communion au printemps suivant ; aussi, dès l'automne, la religieuse préparait-elle notre âme. Elle nous parlait du diable, cet être maléfique, qui, à mes yeux, ressemblait trait pour trait à mon père.

*

En déifiant l'école, ma mère avait exacerbé mon désir d'apprendre. Mais l'apprentissage avançait trop lentement. Dès septembre, l'impatience me gagnait à force de subir le rythme trop lent pris par la maîtresse pour nous enseigner les différentes matières. Passionnée, j'avais toujours la main levée pour répondre aux questions et séduire sœur Sainte-Élizabeth, de la communauté des sœurs de Sainte-Croix et des Sept Douleurs, envers laquelle j'éprouvais une passion aveugle.

À mes yeux, sœur Sainte-Élizabeth, aux joues rouges comme une pomme d'automne, était surhumaine et échappait à tous les besoins corporels humiliants. J'avais donc honte d'oser lui demander la permission d'aller à la toilette. Jusqu'à un après-midi où, paniquée, je fis pipi dans ma culotte et vis une flaque sous mon pupitre me trahir.

Je n'étais pas la seule à subir ce genre d'humiliation. D'autres fillettes commettaient ce péché, mais la sœur les laissait mariner dans leur urine jusqu'à la fin du cours. Avec moi, en revanche, elle se montra compréhensive et ordonna même à l'une des « pisseuses » habituelles de nettoyer mes dégâts, abandonnant ensuite la classe pour m'amener avec elle à la salle de bains. Dévastée, pleurant comme une madeleine d'être souillée, je la vis me quitter quelques minutes puis revenir avec une grande culotte de coton blanc, qui sentait le savon frais. « C'est pas grave mon enfant. Calmez-vous », dit-elle en souriant et en entourant mes épaules de son bras. Paralysée de gêne, je me sentais impudique ainsi mais j'éprouvais en même temps une étrange joie. Sœur Sainte-Élizabeth m'aimait !

De retour en classe en sa compagnie, je vis quelques fillettes me jeter des regards assassins. Je fis profil bas, devinant que j'aurais un prix à payer pour ce traitement de faveur. Ce qui arriva. À la sortie de l'école, des élèves – dont une grande de sept ans, qui avait redoublé et qui portait un uniforme couvert de taches – me coincèrent sur le trottoir et me tirèrent les cheveux jusqu'à ce que je crie à tue-tête pour les faire fuir.

Comme je compris rapidement que mes « ennemies » allaient récidiver, par la suite je m'abstins de venir seule à l'école. J'arrivai même à la dernière minute, juste avant la sonnerie de la cloche, évitant d'avoir à les affronter dans la cour de récréation. Et puis, heureusement, je m'étais fait d'autres camarades.

*

Je venais d'un milieu modeste mais j'avais un statut de première de classe. Et celles qui me tapaient dessus étaient de « queues », avec des cahiers de devoir sans étoiles ni anges à chaque page, des filles qui accumulaient les mauvaises notes et étaient cantonnées au dernier rang. Aussi, de nouvelles amitiés s'étaient créées entre celles assises à l'avant qui apprenaient vite et bien. Notre maîtresse chérie s'adressait d'ailleurs toujours à nous, ce qui avait comme conséquence de nous stimuler davantage.

Je pris donc conscience dès mon plus jeune âge de la dure réalité des classes sociales. Notre cours se départageait entre bonnes élèves et mauvaises. Les premières étaient propres, polies, enthousiastes, obéissantes et les fillettes du fond, débraillées malgré l'uniforme, s'agitaient, se faisaient remarquer, punir, voire crânaient. Je craignais ces pimbêches agressives mais me fichais des niaiseuses ignorantes et n'avais aucun remords à leur égard, même si on m'incitait volontiers à pratiquer la charité chrétienne.

En fait, j'ai éprouvé le sentiment de l'imposture en fréquentant l'école. J'étais au ciel dans la journée, grâce au cours, au purgatoire à la récréation lorsque des élèves voulaient me battre ou me criaient des bêtises, et dans l'enfer familial, lorsque je revenais chez moi où résonnaient les blasphèmes et s'exprimait l'immoralité de mon père.

Auquel de ces mondes appartenais-je ? Il me faudrait plusieurs années pour le découvrir.

*

Pour être plus près de ma maîtresse, perçue comme l'épouse de Jésus, je devins très pieuse. En cours de préparation à la confirmation et à la première communion, j'appris par cœur les péchés, distinguant bien les mortels des véniels. Pour autant, je ne savais guère à quoi cela correspondait. Et pour cause, en première année de classe, on nous épargnait la description des différentes turpitudes concernées. Ce n'est que plus tard que nous aurons accès aux multiples, excitantes et perverses définitions du péché de la chair !

À six ans, durant ma première confession, après avoir murmuré au prêtre que j'avais péché en désobéissant à ma mère, je me convainquis d'avoir oublié d'autres fautes. Si bien que, dès ce moment et jusqu'à ce que je m'en affranchisse – à l'adolescence –, j'étais convaincue d'avoir fait ma première communion en état de péché mortel. De plus, comme même sous la torture, jamais je n'aurais avoué que mon père jurait, descendait tous les saints du ciel et attaquait l'Église et les prêtres, je m'étais mis en tête qu'en ne le contredisant pas je m'étais condamnée à vivre perpétuellement l'âme noircie. Fille d'un mécréant, contre ma volonté j'étais une mécréante dont l'enfer serait la punition. La peur et la culpabilité devinrent une seconde nature tout au long de mon enfance.

Cette éducation bornée, je m'y conformais en sachant que mon père la rejetait. Une réalité que j'absorbais de façon inconsciente. À la maison, je vivais dans le désordre moral. J'étais témoin des beuveries au cours desquelles les membres de ma famille – qu'en dehors de mon père j'aimais de tout mon cœur – s'engueulaient, se lançaient des injures, se racontaient des histoires de c… auxquelles ma mère tentait, sans succès, de mettre un terme en dépit de son ivresse. « Pas devant les enfants », criait-elle alors autour de la table où trônaient le gallon de vin sucré, la grosse bouteille de gin De Kuyper et parfois de l'alcool à 60 % adouci au sirop d'érable.

Pour masquer les travers de cette vie familiale, je m'inventais des oncles médecins, de vagues cousins prêtres et même deux tantes religieuses, missionnaires l'une en Afrique, l'autre en Chine. Des saints hypothétiques parfaits pour répondre aux religieuses qui nous questionnaient parfois sur les nôtres. À huit ans, je déclarai par exemple devant la classe que mon père n'allait pas à l'église paroissiale car il préférait la chapelle de l'aéroport de Montréal, où il travaillait les dimanches. C'était faux mais je ne me serais jamais aventurée à confesser ce mensonge, car le rejet qu'il aurait provoqué chez mes maîtresses, qui me traitaient avec égard et m'enseignaient tant de choses, aurait brisé mon cœur et détruit mes rêves. J'avais une vie compliquée, pleine de secrets honteux, mais si palpitante, pourquoi risquer de la voir s'écrouler ? Apprendre n'était-il pas ce qui m'apportait le plus et me rendait heureuse ?

Chapitre 4

Vers l'âge de dix ans, mon sens critique – un héritage de mon père, à n'en point douter – s'exerça avec plus ou moins de bonheur. Je ne pus, ainsi, m'empêcher de contredire les enseignantes, en majorité religieuses comme on l'a vu. « Mes filles, nous dit la maîtresse un matin d'hiver, au début du cours de catéchisme, il ne faut jamais demeurer dans son bain après s'être lavée. » Comme elle proféra cette sentence d'un ton bizarre, troublant à vrai dire, le propos suscita ma curiosité. Pourquoi cette mise en garde ?

Le soir même, je m'enfermai dans la salle de bains et, après avoir mis le loquet sur la porte, je fis couler l'eau chaude. Installée dans la baignoire, j'attendis. De longues minutes. En vain. Je dus m'extraire du bain sans comprendre ce que la religieuse évoquait lorsque ma mère frappa à la porte, me criant de la déverrouiller. « Qu'est-ce qui te prend ? lança-t-elle en me regardant. — J'avais froid et je voulais me réchauffer », répondis-je béatement.

Le lendemain, à la récréation, je fis part de l'expérience à mes compagnes, les assurant que la sœur racontait des sornettes. « Je suis restée quinze minutes et rien s'est passé. J'avais juste le bout des doigts ratatinés. »

Inconsciemment, j'avais néanmoins perçu le malaise de la religieuse. Et c'est en grandissant que je constaterai combien l'éducation au péché d'impureté contribuait à notre initiation sexuelle, ce qui n'était assurément pas la vocation de la mise en garde proférée. Le « Culbec », terme inventé par mon père pour désigner le Québec pudibond, définissait bien une partie de la culture canadienne-française catholique de l'époque.

*

J'ai appris l'anglais en jouant avec mes petits voisins, les Jackson et les McClarnon, seuls anglophones de la rue et de tout le quartier. À trois ans, je me pris d'affection pour Mme McClarnon qui ressemblait à ma tante Edna. Elle parlait fort, buvait fort et se disputait avec les Jackson, qui étaient protestants quand elle était irlandaise donc catholique, et détestait les Anglais.

Elle me trouvait *smart* et me comblait de petits cadeaux, chocolat, gâteaux qu'elle cuisinait le samedi et qui embaumaient notre logis situé au-dessus du sien. Parfois, elle montait chez nous avec une caisse de bière et faisait honneur au gallon de Canadian Bright, le vin préféré de ma marraine.

Mes parents, ma tante Edna et son mari Émile, bilingues, aimaient converser avec elle comme avec les Anglais. Une partie de ma famille maternelle ayant vécu aux États-Unis, mes tantes se considéraient comme supérieures à tous les Canadiens français unilingues.

Elles regardaient également de haut leur parenté qui vivait à la campagne, cultivateurs pour la plupart, portées par le sentiment d'appartenir à une classe sociale plus attirante. Et ce, malgré le fait qu'elles n'avaient fréquenté l'école primaire que quelques années. Mais qu'importe, elles s'estimaient plus intelligentes que «les habitants de la campagne» qui craignaient de venir à Montréal, ville où ils se sentaient perdus.

*

Les rares souvenirs de la guerre qu'il me reste en mémoire – j'étais vraiment petite – sont les tickets de rationnement obligatoires pour acheter du beurre dont ma mère faisait une obsession. Je l'accompagnais au supermarché Steinberg, rue Saint-Denis, propriété d'une famille juive, où elle se rendait plutôt que dans les magasins canadiens-français grâce à mes tantes Edna et Lucienne, toutes deux ayant été ouvrières chez des patrons juifs. Grâce à elles, et à Steinberg, j'appris à aimer les Juifs, à les respecter et même à respecter leur culture. Cela parce que tante Lucienne assurait qu'elle aurait été instruite si elle était née juive plutôt que canadienne-française : « Ils sont intelligents, éduqués et vaillants », répétait-elle souvent.

Tout allait bien jusqu'au jour où, en classe, on m'enseigna que les Juifs avaient tué Jésus et qu'il fallait faire nos courses dans les commerces des Canadiens français et non dans ceux des Anglais et des Juifs. En revenant à la maison, rapportant le propos, j'entendis mon père dénoncer cet « achat chez nous ». Mieux, lorsque M. Cohen venait à la maison, deux fois l'an, pour nous vendre des vêtements, il n'engueulait pas ma mère au prétexte qu'elle dépensait son argent, mais faisait la conversation, en anglais s'il vous plaît, avec ce représentant charmant qui ne débarquait jamais sans offrir des bonbons à nous, les enfants, auxquels ce dernier parlait en français.

Dans le monde tricoté serré de l'école primaire, j'en venais à éprouver aussi un sentiment de supériorité parce que, moi, je connaissais des étrangers, qui plus est pas catholiques. Prudente, je ne m'en vantais cependant guère de peur de ne plus correspondre à l'image idéalisée qu'avaient de moi les maîtresses. J'étais donc convaincue d'être différente, de vivre à la fois dans une famille dont j'avais souvent honte – même si elle était plus ouverte d'esprit que certains mangeurs de balustrade – et dans une école où je devais rester sur le qui-vive, fébrile car ma vie telle que je la présentais en classe relevait du mensonge et m'obligeait à me souvenir des histoires de plus en plus élaborées que j'inventais. Craignant toujours d'être dévoilée, un syndrome d'imposture s'installa dans mon cœur et ce, pour des décennies. A-t-il vraiment disparu ?

*

Les seules sorties en famille – traduire avec mon père – consistaient à rendre visite à ma grand-mère paternelle, vieille femme sans sourire et hargneuse qui vivait en compagnie de sa seule fille, tante Germaine. Cette dernière, fort gentille, qui devait être âgée d'une quarantaine d'années lorsque j'avais cinq ans, me laissait taper des balles de golf dans le long corridor qui départageait les pièces de leur appartement, aussi sombre que les robes de ma grand-mère. Je la trouvais stupide de me laisser ainsi frapper et abîmer les murs mais j'y prenais grand plaisir. Effrayée de nature, de peur que mon frère et moi nous étouffions, aux repas elle préparait uniquement des purées et coupait la viande en petits filaments. Je protestais, en vain.

Ma grand-mère exigeait, de son côté, que nous laissions grande ouverte la porte de la salle de bains – qui se trouvait dans la cuisine – par crainte que l'on s'enferme de l'intérieur, promiscuité qui me dégoûtait. Ma mère, si causeuse d'ordinaire, face à ces manies restait muette. Quant à mon père, il s'isolait en plongeant dans des mots croisés et répondait à peine aux questions de sa mère. Le logement ressemblait à ses occupantes : propre, certes, mais terne, sombre et distillant l'ennui.

Quant aux bonbons que tante Germaine nous offrait, ils étaient plus vieux que moi, aussi je passais les deux heures de visite à les cacher dans les recoins des pièces ou sous les meubles. Et là je sentais combien toute la maisonnée dégageait l'odeur des boules à mites que mes grands-mère et tante répandaient dans leurs chambres et disposaient dans les garde-robes.

Lorsque nous prenions congé, affectueuse, tante Germaine glissait dans les poches de mon manteau quelques dollars et m'offrait une boîte de chocolats, stockée dans une armoire qui sentait le renfermé, donc qui avait transpiré et qu'on jetterait en arrivant à la maison.

*

Dans le tramway qui nous ramenait chez nous, je faisais semblant de dormir, épuisée par l'ennui de ces heures poussiéreuses bien que pleines d'attention. Alors, à l'arrivée, mon père était obligé de me prendre dans ses bras jusqu'à la maison. Ce furent les seuls moments où j'ai enlacé mon père. Hélas! vers cinq ans, pour lui j'étais devenue trop grande.

Au cours de ma vie, il m'arrivera à maintes reprises de faire défiler dans ma tête, comme au cinéma, ces scènes, rares, où je me suis blottie dans ses bras grâce à la feinte du faux sommeil. Si seulement son affection avait été réciproque.

CHAPITRE 5

Jusqu'à sa mort en 1990, mon père s'est toujours refusé à acheter une voiture. Or, dans les albums de photos d'avant son mariage, il apparaît souriant au volant d'une décapotable LaSalle, lancée aux États-Unis dans une gamme en dessous de la Cadillac. Toujours entouré de femmes à l'allure de pin-up. Pourquoi avait-il tant changé ?

*

Nous ne sortions donc jamais de la ville sauf lorsque mon oncle Émile et ma tante Edna, propriétaires d'un vieux Plymouth qui hoquetait, nous emmenaient pique-niquer à la campagne. Des randonnées estivales où nous, les enfants, mangions des sandwichs aux œufs, au poulet, au concombre et aux tomates-jambon en buvant du *cream soda* pendant que les adultes s'enivraient et poursuivaient tard le soir, puisque l'on s'arrêtait dans tous les bars-salons plus ou moins minables des villages traversés. Là, on nous bourrait de chips, de peanuts en écaille et de noix de Grenoble et nous attendions nos parents dans la voiture. Gavés, nous finissions par nous endormir jusqu'à ce que les cris joyeux ou rageurs de ma tante Edna, engueulant mon père, nous réveillent. C'était particulier, mais pas désagréable.

Personnellement, j'adorais l'idée de ces sorties mais je détestais, en revanche, subir leurs beuveries. Alors je refusais de me laisser embrasser par ma mère ou ma tante empestant l'alcool quand elles nous retrouvaient sur la banquette. Et lorsque, le lundi matin, la maîtresse nous faisait raconter nos fins de semaine durant le cours de français oral, je mentais en décrivant avec moult détails le décor champêtre de nos pique-niques bercés par de beaux chants d'oiseaux alors que lesdites mélodies champêtres avaient surtout le son éraillé de parents buveurs de bière et de gin.

*

Pendant ces années à l'école primaire, je ne me souviens pas avoir entendu parler de la guerre, qui s'était terminée par la victoire des Alliés. Je n'avais même jamais entendu prononcer le nom de Hitler. Pour autant, en classe, on nous apprit très tôt que Mussolini, en Italie, avait signé un «concordat» avec le pape. Si j'ignorais le sens de ce mot bizarre, je comprenais que le dirigeant romain était un bon catholique et, de surcroît, l'ami de Sa Sainteté le pape Pie XII, dont les portraits étaient affichés dans toutes les classes. J'ai seulement su vers l'âge de dix ans que ce Mussolini avait été l'allié de Hitler, aucun adulte auparavant n'ayant pris soin de mentionner ce détail qui n'en était assurément pas un.

Mes tantes, qui m'ont élevée dans le culte des Juifs, n'ont jamais évoqué non plus l'Holocauste. Comment les adultes autour de moi pouvaient-ils ignorer ce qui s'était passé durant la guerre ? Cachait-on des choses ? Pourquoi, lorsque mon oncle Roland, le frère de ma mère, revint à Montréal après avoir combattu sur les côtes françaises dans le régiment des Fusiliers Mont-Royal, composé de Canadiens français, ma mère et mes tantes m'interdirent-elles de lui poser des questions ? À coup sûr parce que ce qu'il avait enduré et découvert était terrible. «Ton oncle a besoin de se reposer la tête. Il faut qu'il oublie ce qu'il a vu», m'expliquait tante Lucienne.

Or cet oncle me montra un jour le poignard et la garcette qu'il avait volés sur le corps d'un soldat allemand. Et ce, au grand dam de ma grand-mère qui, manifestement, n'aimait pas l'idée non qu'il ait tué ce soldat, mais qu'il conserve de tels souvenirs bien en vue sur la commode de son bureau.

Perturbé, oncle Roland l'était. Tante Lucienne dut appeler la police, quelques mois après son retour, car la nuit, atteint de somnambulisme, il marchait en pyjama le long de la dalle du toit du second étage de la maison, qu'il enjambait à partir de l'appartement de ma grand-mère. Poignard à la main, il s'exprimait alors dans une langue étrangère, s'agitait, s'énervait jusqu'à ce que sa mère réussisse à l'éveiller doucement. Alors, les policiers le ramenaient vers sa chambre ouverte sur le balcon, celui par lequel il accédait aussi chez le voisin !

J'appris à ne jamais parler devant lui de son frère Alfred, mort à Dieppe en 1942 au cours du débarquement de son unité. « Ton oncle Roland est trop ébranlé », expliquait ma mère lorsque je voulais comprendre. La famille était particulièrement meurtrie du fait qu'on n'ait jamais récupéré son corps. Bien des années plus tard, dans la décennie quatre-vingt, j'ai tenté de retrouver ses traces dans les archives militaires canadiennes. En vain. Sans doute repose-t-il au fond de l'Atlantique et son nom n'existe-t-il plus, désormais, que dans ma mémoire et celle de mon frère et de ma sœur. Lorsque je vais parfois en Normandie et longe les plages du Débarquement, j'éprouve une pensée pour ce garçon de vingt-trois ans mort en défendant la France et la liberté.

*

Car cet oncle Alfred sauva l'honneur de la famille ! À l'inverse de son frère Romuald, connu sous le prénom de Pit, qui lui parvint à éviter l'envoi au front. Par quel miracle ? Une entaille au petit orteil avant l'examen médical exigé par les autorités de l'armée ! Qui lui a permis de passer la guerre au chaud, dans un camp militaire de l'Ontario où il s'occupait de tâches légères. Si oncle Roland méprisait ce peureux, tant que ma grand-mère vécut, il rongea son frein, ces deux célibataires n'ayant jamais quitté, comme ma tante Lucienne, le foyer maternel. Pour la petite histoire, cette dernière partageait même le lit de sa mère, faute de chambre supplémentaire. Dans mon enfance, je trouvais donc parfaitement normal que mes oncles occupent chacun une chambre mais que ma grand-mère n'en ait pas !

Lorsque ma tante découchait les fins de semaine, pour se rendre chez ses amis joueurs de cartes invétérés, j'avais le bonheur de dormir avec ma grand-mère. Toutes les deux sous les couvertures, bien au chaud, elle me racontait des histoires de feux follets et de loups-garous, mi-hommes mi-bêtes dont elle m'assurait qu'ils se promenaient la nuit, mais pas à Montréal parce que la ville était toujours illuminée !

Les récits de sorcière lui plaisaient aussi. Elle ne m'épargnait aucun détail sur Marie-Josephte Corriveau, dite la Corriveau, figure légendaire du folklore québécois qu'elle affectionnait, ne semblant pas blâmer cette sorcière tueuse en série avant l'heure, dont elle prétendait, reprenant la rumeur, qu'elle aurait éliminé ses sept maris. Un bilan exagéré puisque, en réalité, je l'appris plus tard, cette femme fut pendue en 1763 après avoir été condamnée par une cour martiale britannique pour le meurtre de son second époux. Ma grand-mère, qui terrifiait volontiers et avec délice ses proches en multipliant ce genre de récit, ne se lassait jamais de mettre sur la table le nom de cette veuve noire réhabilitée depuis par les féministes qui la présentent comme une victime du patriarcat et de l'oppression anglaise. Ma grand-mère, servante de ses enfants adultes – qui la décevaient par leur impiété dans le cas de ma tante Lucienne et par leur faiblesse de mâles alcooliques dans le cas de Roland et de Pit – aurait-elle aimé agir de même ? À tout le moins, inconsciemment. En tout cas, elle n'avait pas les hommes en haute estime bien que son mari, mon grand-père Joseph Désormiers, fût décrit par mes tantes – qui ne se consolaient pas de sa mort, survenue avant ma naissance – comme un saint homme.

*

Dès que j'eus l'âge de raison, un jour tante Edna m'emmena m'agenouiller devant la statue de sainte Philomène, dans la paroisse du même nom située au cœur du quartier Rosemont. Après la mort de son père idolâtré, ma marraine avait été terrassée par des crises d'asthme et un prêtre lui avait conseillé d'offrir à Dieu un objet qui lui était très cher. Edna adoptant les préceptes de l'Église et les recommandations des curés au gré de sa personnalité quelque peu délinquante et rétive aux ordres, elle offrit sa bague de mariage non à Dieu mais à Philomène. Et c'est ainsi que je me retrouvai à genoux devant cette sainte vénérée, dont la statue ornait un petit oratoire où les fidèles venaient, suite à une promesse, déposer des offrandes. Lesquelles consistaient essentiellement en bijoux.

Encore fallut-il expliquer la disparition du bijou à celui qui l'avait donné ! Mon oncle Émile a donc cru dur comme fer, jusqu'à sa mort, que tante Edna avait malencontreusement perdu sa bague, comme elle l'en avait assuré.

Un drame survint en 1961. L'Église supprima Philomène du calendrier liturgique, au prétexte que cette vierge martyre romaine n'aurait peut-être jamais existé. Lorsque la nouvelle fut diffusée, tante Edna se précipita évidemment à la paroisse pour reprendre son bien, le plus précieux qu'elle ait possédé. En vain, on s'en doute. Malin, le prêtre lui fit remarquer qu'elle avait été libérée de l'asthme, donc que la prière à cette sainte avait été exaucée. Reprendre le bijou n'aurait pas été moral. Ou chrétien. Et puis, à Rome, des esprits sous l'influence du diable ne pouvaient-ils avoir intoxiqué certaines autorités du Vatican pour en arriver à « désanctifier » Philomène ?

Tante Edna, scandalisée, ne remit jamais les pieds dans une église. Comme elle me l'expliqua par la suite alors que je l'interrogeais : « Je fais affaire directement avec le Bon Dieu. C'est fini pour moi les saints… » Chez Edna, bondieuseries et intelligence ne pouvaient faire bon ménage. Quant à l'église, elle fut débaptisée sans trop de remous. Mais jusqu'à sa mort, ma tante fit une fixation : qui donc possédait sa bague ?

Chapitre 6

Toute ma famille s'opposait au Premier ministre Maurice Duplessis, ce Canadien français conservateur qui dirigeait la province de Québec avec un mélange de paternalisme et d'autoritarisme. L'homme se vantait, en privé, de faire manger les évêques dans sa main. Et il est vrai que l'Église trouvait en lui le meilleur défenseur des valeurs catholiques et morales. Dans ma famille, tous détestaient la politique rétrograde du Premier ministre.

À tout le moins, Duplessis réussissait un miracle : mettre d'accord, contre lui, ma famille au grand complet. Sur son dos, même la branche maternelle s'entendait avec mon père mécréant. En revanche lorsque, par provocation et hargne, celui-ci se faisait le chantre de l'Union soviétique, évidemment rien n'allait plus. « T'es un maudit communisse », lançait tante Edna quand elle n'avait plus d'arguments à lui opposer lorsqu'il lui arrivait d'insulter la « race canadienne-française abrutie par les curés ». Mais au moins Maurice Duplessis cimentait notre famille. Une famille imbue d'un sentiment de supériorité vis-à-vis des tantes, oncles et cousins de la campagne, comme je le constatais et regrettais régulièrement.

*

Lorsque, bien rarement, nous allions rendre visite à cette parenté, contaminée par ce snobisme je jouais la princesse devant mes petits cousins. Je minaudais et les regardais de haut, ce qu'ils sentaient, savaient et voulaient me faire payer. Comment ? En m'entraînant dans l'étable pour que je salisse mes souliers en cuir vernis dans la bouse de vache. Un cousin de mon âge, qui me semblait gentil, m'invita un jour à m'approcher de la vache qu'il était en train de traire. Naïve, je n'avais pas compris qu'il visait le même but que ses frères mais se montrait plus malin. Mal m'en prit, car il dirigea le gros pis vers moi et m'arrosa de ce lait chaud, qui puait, provoquant les hourras des autres enfants, que mes larmes firent rire à gorge déployée. Si, pour rien au monde, je ne serais allée me faire consoler par les adultes, j'étais néanmoins humiliée, dégoûtée aussi de sentir le lait caillé et effarée de voir ma robe ressembler à un torchon mouillé. « Vous êtes tous des malotrus », leur ai-je jeté en courant vers la sortie, utilisant un mot appris chez Mme Audet et que je croyais assez insultant – et connu – pour les blesser et me venger. Effet manqué : ils se mirent à répéter en chœur « Malotru, malocul, malotru, malocul ! » et je n'atteignis pas mon objectif.

L'épisode me servit de leçon. Les mots que je connaissais mais que mon entourage ignorait n'étaient d'aucun secours, contrairement à ce que prétendaient ma mère et Mme Audet. Quant à la grossièreté de langage de mon père, qui me blessait tant, elle ne pouvait pas plus me servir d'arme contre les enfants méchants qui m'attaquaient dans la rue quand je me rendais à l'école. Je me devais donc de grandir vite pour que tous les termes complexes qu'on m'enseignait soient utiles dans le milieu social « supérieur » auquel ma mère souhaitait que j'accède.

*

Revers de la médaille de cette éducation menant à l'élitisme, jusqu'à l'âge de dix ans, environ, la solitude m'accablait. Comme je n'arrivais pas à trouver des amies qui me ressemblaient, je me sentais à l'aise avec les adultes. Et notamment avec Mme Patenaude, une veuve installée à deux maisons de chez moi. Cette vieille dame que mes petits voisins trouvaient malcommode car elle ne cessait de les chasser de sa pelouse, entretenue avec un soin quasi maladif, me recevait en revanche de longues heures durant lesquelles elle me racontait sa vie heureuse avec son mari, une vie assombrie par son impossibilité d'avoir un enfant.

Trouvant sans doute un substitut à cette absence avec moi, elle me posait des questions sur mes parents, sur mon père en particulier dont elle disait – en riant – qu'il était une ombre tant on ne le voyait jamais dans la rue. Grâce à elle, face à elle, j'enrichissais le personnage de mon père : « Il a travaillé à travers le monde. Il a connu des rois en Afrique et des chefs esquimaux au pôle Nord. » La dernière assertion était vraie. Mon père avait en effet aidé à recueillir une Esquimaude (une Inuit, de nos jours), laquelle avait dérivé sur une banquise en compagnie de son fils et de son mari alors qu'ils pêchaient. Après quelques jours, les hommes de sa vie étaient morts et elle avait dû les manger pour survivre. La photo de cette cannibale en parka prise par mon père me fascinait. Je la scrutais, la détaillais, essayant de percer ces yeux étranges, vides, perdus, en train de dévisager l'objectif de la caméra. À ces récits, Mme Patenaude considérait mon géniteur comme un vrai aventurier et en vint à vouloir le connaître. *« Tu pourrais venir manger ici avec tes parents »*, dit-elle une fois. L'invitation me fit peur. Et je cessai mes causeries hebdomadaires avec elle. Pas question de fréquenter un adulte qui souhaitait rencontrer mon père, ce loup solitaire sans amis dont j'avais tant honte.

*

L'autre sœur de ma mère, tante Irma, dite « la rougette » à cause de sa chevelure de feu, dotée d'une beauté à faire pécher un évêque, avait épousé un homme plus jeune qu'elle. Naïf, gentil et intellectuellement curieux. Enfin pas assez puisqu'elle était parvenue à lui cacher son âge afin qu'il l'épouse, elle qui avait eu dans sa vie de séductrice nombre d'amants riches de la haute société. Il est vrai qu'oncle Paul-Émile était plus ou moins puceau, lors de leur rencontre, à ce qu'elle racontait. Et qu'il avait, le soir de sa nuit de noces, téléphoné à sa vieille mère comme il le faisait tous les jours. Ce dont tante Irma ne s'était pas remise. À l'instar de Lucienne avec son grand Jos, ma tante imbue d'elle-même parlait de son conjoint comme d'un enfant niaiseux, bonne pâte et malléable. Ce qui m'attristait.

L'oncle Paul-Émile m'intéressait, pourtant, lui qui rêvait de visiter les vieux pays, la France avant tout. Affectueux, attentif, il avait compris mon envie d'apprendre et me parlait volontiers des grands peintres, Monet, Pissaro, Renoir avec des larmes dans les yeux. Seul adulte autour de moi à posséder des livres – une centaine d'ouvrages de la collection Nelson –, il était impatient de me les faire découvrir. C'est lui qui m'acheta mes premiers albums de Tintin – *Tintin au Congo* et *L'Oreille cassée* – quand j'avais neuf ans. Cette découverte fut un choc culturel pour moi. Car comme mon père, Tintin voyageait à travers la planète, mais, lui, en étant bon, compréhensif, futé et joyeux. Quant au capitaine Haddock, ce malcommode mal embouché, j'avoue qu'il me fascinait. Très vite je me mis à adorer sa manière d'injurier les gens. Et puis, contrairement à mon père, il ne blasphémait pas et ne sacrait pas en descendant tous les saints du ciel. Non, lui s'acharnait sur les ectoplasmes. Découvrir un alcoolique dont les colères ne faisaient pas peur mais rire me réconforta. Je possède tous les albums de *Tintin*, que je relis sans cesse depuis que ce cher oncle Paul-Émile, mon mentor en littérature, a transformé ma vie.

Il l'a transformée car, oubliant mon âge et heureux de briser son isolement culturel dans ce clan maternel où seule ma mère pouvait échanger avec lui, il m'initia très tôt à Victor Hugo. Pour lui faire plaisir, je lus *Notre-Dame de Paris*, *Les Misérables* mais aussi *Ruy Blas*. À neuf ans, sans aucun repère historique et avec un vocabulaire restreint, j'avalais – sans tout comprendre – ces chefs-d'œuvre aux personnages à la fois intimidants, méchants, torturés, mais si propices à l'évasion. J'adorais. Et quand, à l'école, je me vantais de lire Victor Hugo et constatais que cela n'impressionnait personne puisque ni les élèves ni les maîtresses ne connaissaient l'idole de mon oncle Paul-Émile, je m'en moquais : un nouveau monde s'ouvrait à moi.

« Faut lire des livres de son âge », rechignait parfois ma mère en me voyant plongée dans ces pavés. Je levais le nez de mes pages, la regardais et songeais que malgré ses dix années de scolarité elle ne dévorait que des magazines américains de romance comme *True Story*. Je repartais dans mon monde aux héros si complexes et aux mots si lumineux même lorsque je ne les saisissais pas.

*

Une autre étape cruciale fut franchie quand Renée, une fillette débarquée avec sa famille durant l'été dans notre rue, m'entraîna à la bibliothèque publique du quartier. Alors que, déjà, l'imagination ne me manquait pas, grâce à elle ma vie changea. Je lus non pas des livres pour filles – qui me barbaient – mais ceux réservés aux garçons. Je découvris ainsi dans la collection Signe de Piste des histoires de scouts français qui, en pleine guerre, se livraient à des activités clandestines contre les Allemands. Mon âme fébrile faisait le reste, d'emblée je regrettais de ne pas avoir été moi-même un scout résistant.

À vrai dire, le goût du livre, de la culture, le plaisir de la découverte, vivre ailleurs et autrement par procuration m'habitaient. Hélas ! le règlement de la bibliothèque interdisait de louer plus de trois livres par semaine. Or, une journée et demie suffisait pour que je termine les trois titres. En dépit des imprécations de ma mère, qui m'intimait d'aller jouer avec les enfants dans la rue, la ruelle ou sur les perrons, je préférais m'isoler avec ces adolescents fabuleux, le Prince Éric et ses camarades capables de risquer leur vie par amour de Dieu et de leur patrie.

Cette impatience à vivre dans ces récits plutôt que dans mon histoire familiale exacerbait ma sensibilité. Pourquoi, à entendre les adultes qui m'entouraient, lire était-il néfaste pour la santé ? Cette question me taraude encore.

Chapitre 7

J'avais environ dix ans lorsque ma mère m'annonça, un jour d'accalmie entre eux, que mon père nous emmènerait en voyage à New York l'été suivant. Les seules escapades de mon enfance ayant été les balades en voiture avec tante Edna et oncle Émile, les baignades sur les plages publiques autour de Montréal où ma marraine, un verre dans le nez, causait scandale en insultant gratuitement les baigneurs, qu'elle ciblait en fonction de leur allure insignifiante, ou les virées dans les bars, l'excitation de me rendre à l'étranger fut intense.

Mon désir, fébrile, de découvrir la ville dont ma mère me parlait avec passion depuis toujours fut cependant freiné par un point incontournable : si mon père nous invitait là-bas, il faudrait supporter sa présence continue durant trois jours et trois nuits. Car nous partagerions la même chambre, que ma mère qualifia de « suite » alors qu'elle se réduira à une seule pièce agrémentée de lits de camp pour trois enfants.

Ma mère m'avait prévenue d'autre chose : nous voyagerions avec des laissez-passer offerts aux employés d'Air Canada, ce qui supposait que, même une fois à l'intérieur de l'avion, il serait possible que nous soyons débarqués en cas d'arrivée de passagers de dernière minute.

Si bien que, plus la date du départ approchait, plus ma nervosité grandissait.

*

Voyager en avion, dans les années cinquante, était un privilège de riches. « Les passagers vont vous prendre pour des “big shots” », assurait tante Irma, marquée par sa fréquentation passée d'amants « aux poches bourrées d'argent », ainsi qu'elle prenait plaisir à le répéter. Certes, nous allions profiter de ce privilège, mais j'avais surtout une peur bleue de me voir expulsée devant tout le monde. Maman m'ayant fait jurer de garder le secret sur ce détail, mon petit frère et ma petite sœur ne furent pas avertis de cette éventuelle expulsion. Le poids sur mes épaules n'en fut que plus lourd.

C'est le cœur battant et avec une vague nausée que, le jour fatidique, j'ai subi, à l'aéroport, l'attente maudite jusqu'à l'embarquement. Une fois installée dans mon siège, j'ai fermé les yeux, incapable de supporter le défilé des voyageurs pénétrant dans la carlingue, redoutant à chaque instant qu'on me tape sur l'épaule pour nous déloger. Lorsque maman, toute souriante, annonça à un moment donné que nous roulions vers la piste de décollage, je pus enfin laisser exploser ma joie et savourer mon plaisir. Je me mis à observer les vrais passagers. J'étais une clandestine, mais eux l'ignoraient, nous croyaient des gens comme eux ! Nous pouvions donc avoir l'air d'une famille riche, et normale !

Pour correspondre davantage à notre statut social, je me mis à parler en anglais avec ma mère, comme lorsque nous allions magasiner chez Eaton, rue Sainte-Catherine Ouest dans le quartier anglophone, pour ne pas trahir mon origine « inférieure » de Canadienne française. En volant vers New York, j'eus l'étrange impression que ma vie future serait palpitante.

*

Je fus happée par l'énergie qui se dégageait de Manhattan. Instantanément, j'ai aimé le bruit incessant des klaxons des voitures, la gentillesse des New-Yorkais qui s'arrêtaient pour me féliciter de ma jolie robe en broderie anglaise. Je les remerciais en anglais, bien sûr. «D'où venez-vous ? demanda une dame à ma mère. — De France», répondit-elle en me jetant un regard entendu. «Mais pourquoi t'as raconté ce mensonge ? ai-je lancé lorsque la dame nous eut quittés. — Parce que les Français impressionnent les Américains», répondit maman. Mon père, lui, depuis cette réplique riait à gorge déployée, rire – bien rare – qui augmentait au gré de ses arrêts dans les bars où il assouvissait sa soif. «Les Français se font pas mener par les curés, eux», dit-il aussi à la cantonade. Or j'eus le sentiment qu'il s'adressait non pas à ma mère mais à moi.

*

Nous mangions uniquement dans une chaîne de fast-food peu coûteuse, l'Automat. Ancêtre des machines à sandwichs d'aujourd'hui, il n'y avait aucun personnel pour servir puisque, dans cette cafétéria immense, les murs étaient tapissés de petits espaces vitrés à ouvrir soi-même pour prendre le sandwich ou le gâteau désiré. Émerveillée, j'avais l'impression d'être au cœur du progrès et du chic.

Ma mère m'emmena voir, sur Broadway, son film fétiche : *Gone with the Wind* (*Autant en emporte le vent*) avec Clark Gable et Vivien Leigh. Ce fut l'un de mes rares tête-à-tête avec elle à cette époque. Ne ratant aucun film de Clark Gable qui lui faisait un effet incroyable, elle voulait me transmettre son engouement. Mais dans le rôle de Rhett Butler, il m'apparut si cruel, si cynique et fourbe que je me suis interrogée sur l'attirance, incompréhensible à mes yeux, de maman pour les hommes méchants.

Durant la moitié des quatre heures qu'a duré le film, elle a pleuré comme une Madeleine. Alors, afin de ne pas être en reste, j'ai versé aussi des larmes. Non pas par empathie avec Scarlett (Vivien Leigh) mais lorsque sa petite fille se tue à cause d'une chute de poney.

Je sortis du cinéma heureuse d'avoir été l'égale de maman pendant quatre heures, mais incapable de m'enthousiasmer comme elle. Ce film, acclamé par la planète, était «le plus beau et le plus grand qui existait», affirmait-elle tandis qu'à mes yeux l'histoire s'avérait trop triste, violente, et Clark Gable le portrait type du père aussi mauvais que le mien. Un seul me suffisait.

*

La honte, constance de mon enfance, ne m'épargna pas à New York. Lors d'une excursion à Coney Island, la plage populaire située à une heure de Manhattan, mon père voulut que nous allions nous baigner dans l'océan Atlantique. Que dis-je, il nous força à exécuter son caprice. Or, nous n'avions pas de maillot de bain et il n'était pas question qu'il en achète. «Baigne-les en sous-vêtements», ordonna-t-il à maman. Déjà traumatisée à l'idée de me montrer en petite culotte à la maison, cachant mon corps sous l'influence des religieuses, devant me battre l'été avec ma mère parce qu'elle m'achetait des robes soleil contre lesquelles nos maîtresses nous mettaient en garde – «Des robes sans manches sont une tentation pour les garçons», pérorait sœur Saint-Léon-de-Rome, petite femme sèche, rêche, colérique et obsédée par le péché mortel; je la détestais et ses remarques me troublaient –, comment aurais-je pu accepter sans rechigner de me baigner en petite tenue, face à des inconnus ?

Mais incapable de défier mon père, mal à l'aise et rouge de honte, j'ai barboté quelques minutes dans l'eau salée et vite prétendu ressentir des picotements sur la peau pour revenir vers la plage et me rhabiller au plus vite.

Hélas! je n'étais pas au bout de mes peines. Soudain, je découvris que ma mère, riant bruyamment, enlevait sa robe. Et je la vis courir se jeter à l'eau en soutien-gorge et culotte de soie blanche qui lui collait à la peau. Cette scène insoutenable me donna un haut-le-cœur. Voir mon père rigoler tout en buvant à même le goulot une bouteille de gin enveloppée dans un sac de papier brun, pour ne pas enfreindre la loi interdisant de consommer en public, n'arrangea rien. Je voulus fuir, quitter ce lieu, abandonner ces parents indignes et ramener ma petite sœur et mon jeune frère à l'hôtel Commodore où nous logions. Mais je n'avais que neuf ans et l'impuissance, le dégoût et le découragement m'écrasèrent.

Chapitre 8

Peu d'étrangers mettaient les pieds dans notre logement. À cause de mon père dont nous étions ni plus ni moins les prisonniers, lui qui refusait la venue de quiconque n'appartenant pas au clan. Conséquence, jamais ma mère ne recevait d'ami pour un repas. Et comme depuis sa jeunesse elle n'avait pu en conserver que deux ou trois, elle ne leur parlait au téléphone que lorsque son mari n'était pas là.

L'imprévisibilité de mon père, son refus de nourrir qui que ce soit le contraignant à débourser de l'argent supplémentaire et son incapacité à tenir une conversation normale m'obligèrent, en grandissant, à cacher davantage encore ce que je ressentais comme une tare : un cercle familial fermé aux autres, renfrogné, coupé de toute relation sociale. À la fin du primaire, vers onze ans, j'en suis même venue à classer de façon définitive mon père dans la catégorie des «fous». Durant nombre d'années ensuite, mon énergie servira à me prémunir contre sa folie.

Heureusement, j'avais un refuge : la lecture qui m'accompagnait, me rassurait, m'élevait et m'épanouissait. Avec elle je m'évadais. Je lisais dans le parc Jarry l'été et, dès que j'en avais l'opportunité, j'allais dormir chez ma grand-mère pour être en paix. Certes, elle aussi trouvait que j'abusais de la lecture, assurant : «C'est pas bon pour les yeux. Et faut pas que tu remplisses trop la tête!» Mais je l'aimais de façon trop inconditionnelle pour la contredire. Je ne croyais plus à ses histoires de loups-garous, de fantômes des neiges et de Christ qui versait des larmes le vendredi saint quelque part en Italie, mais j'avais d'autres héros dans mon panthéon personnel. Je grandissais plus indépendante et en voie de libération.

En revanche, je la suppliais de me parler de son enfance à L'Épiphanie, un village situé à cinquante kilomètres de Montréal dont l'accès était impraticable en hiver. J'aimais qu'elle me raconte ses histoires d'Indiens, qu'elle appelait les « sauvages », ajoutant : « Je descends moi-même des sauvages. Je suis une sauvagesse. C'est pour ça que je me fais une tresse. » Car ma grand-mère roulait tous les matins sa longue tresse autour de sa tête.

Elle affirmait que les gens comme elle, et donc comme moi, sa petite-fille, ayant du sang mêlé, étaient plus intelligents que les autres. « C'est pareil pour les animaux. Les chats et les chiens de race sont moins vifs que les bâtards. » Elle qui savait lire le journal mais que je n'ai jamais connue un livre entre les mains me transmettait une culture orale, héritage de sa propre grand-mère, que j'appréciais et qui m'enrichissait.

*

Dans le Québec des années cinquante, une famille qui comprenait un prêtre ou une religieuse aimait s'en enorgueillir. Hélas ! ça n'était pas mon cas. Et comme je rêvais – poussée par toutes les femmes du clan – à m'élever socialement, j'en vins, à cette époque, à m'inventer une parenté avec un prêtre séculier et une cousine religieuse missionnaire. Pourquoi un tel accès de mythomanie ? À cause d'un incident en classe qui m'avait décontenancée.

La sœur nous avait, ce matin-là, demandé si nous avions des religieux dans notre famille. Quelques élèves levèrent la main. « Et vous, mon enfant, vous n'en avez pas ? » s'enquit-elle auprès de moi. Sœur Sainte-Anatolie, dont j'étais follement amoureuse et que je n'aurais pour rien au monde souhaité décevoir, me regardait avec un sourire aussi bienveillant que désarmant. Alors, par envie de bien faire, je dis la vérité : « Non, mais ma grand-mère est une sauvagesse », ai-je répondu, croyant l'impressionner, et toute la classe par la même occasion. À ma grande surprise – après tout, ladite grand-mère ne prétendait-elle pas que les « sang-mêlé » se montraient plus intelligents – les élèves pouffèrent de rire et ma sœur adorée sembla déçue. Plus que déçue même car elle se tut ! Et je sentis, d'emblée, naître un malaise sans en comprendre le sens réel.

Instinctivement je sus qu'il fallait taire l'incident à ma grand-mère, elle aurait eu beaucoup de peine. D'autant qu'elle admirait et priait Kateri Tekakwitha, une jeune Indienne de la tribu des Agniers dont la mère algonquine s'était convertie au catholicisme, une Kateri déclarée vénérable par Pie XII et canonisée par Benoît XVI en 2012.

*

Plus j'apprenais des choses, plus je me sentais décalée par rapport à mes parents et mes proches. Sans le comprendre alors, je subissais un lent déracinement mais je n'arrivais pas pour autant à me faire des amies dans les cours de diction de Mme Audet. Les petites pimbêches que je côtoyais, filles de docteurs et d'avocats qui s'exprimaient avec moins d'aisance et d'assurance que moi, s'invitaient entre elles mais m'excluaient. Chez ces « gens-là », comme le chantera Jacques Brel, on refusait de se mélanger !

Jusqu'au jour où Louisette demanda à sa mère si je pouvais venir chez elle. Elle venait d'assister à l'éloge appuyé qu'avait fait Mme Audet de ma récitation de la fable de La Fontaine, « Les animaux malades de la peste », et, impressionnée, soudain me regardait d'un autre œil.

J'acceptai l'invitation avec hésitation. Car je savais qu'elle habitait dans une maison cossue de la rue Saint-Denis, à proximité de chez nous, et ne voulais surtout pas que sa mère connaisse ma rue, à mes yeux symbole trop évident de notre condition inférieure. Et qui sait, si cette dame, qui portait un tailleur marine et un chapeau assorti lui donnant fière allure, ne me demanderait pas à rencontrer ma mère, donc risquait de voir notre maison, ce que je ne voulais pour rien au monde ? La journée se passa bien avec Louisette, même si, au fond de moi, la frayeur d'être démasquée m'angoissait.

*

À vrai dire, ce sentiment de honte tenait au caractère étrange de mon père, certes, aux propos et ambitions pour moi de mes tantes et de ma mère, mais aussi au fait que notre logement me désolait. En comparaison de ce que j'imaginais chez les parents de mes camarades, je jugeais notre intérieur inmontrable à cause de mon radin de père.

Jusqu'à mon départ, vers vingt-deux ans, je n'ai jamais vu mon père acheter le moindre meuble pour embellir la maison. Nous héritions de ceux dont se débarrassaient mes oncles et tantes, personnes aux revenus modestes qui, elles, renouvelaient sans hésiter leur mobilier détérioré ou désuet. Parce que mon père était trop près de ses sous, je n'ai jamais eu de lit, sauf bébé, et dû partager avec ma jeune sœur le vieux lit au matelas gondolé de mon oncle Pit, qui pesait deux cents livres, tandis que lui s'en était procuré un neuf. Une promiscuité qui accentuait les tensions entre ma petite sœur de cinq ans ma cadette et moi.

Dans ce logement sans chaleur, au propre comme au figuré, nous arrivions à nous détendre en dehors de la présence de mon père, mais j'étais toujours sur le qui-vive une heure avant son retour du travail tant il était impossible de prévoir son état d'esprit au moment où il mettrait le pied dans la maison. Le décor ne risquait donc pas de rendre l'atmosphère plus chaleureuse. Et y inviter des camarades bien nourris et logés m'apparaissait totalement impensable.

*

Durant la septième et dernière année du cours primaire, ma mère prépara en secret mon entrée à l'école privée. J'allais suivre le cours « lettres-sciences » – qui représentait les quatre premières années du cours classique menant, éventuellement, à quatre années supplémentaires au sein d'un collège privé réservé aux filles en vue de l'obtention d'un baccalauréat ès arts. Un grand saut, en somme, mais qu'il convenait de préparer en secret pour ne pas subir la foudre paternelle. Car cette école, située à quelques rues de chez moi, était dirigée par les sœurs de Sainte-Croix et des Sept Douleurs, communauté à laquelle appartenaient les religieuses de l'école primaire de notre paroisse. Or, on l'a vu, mon père était à la fois avare et anticlérical.

Ma mère m'assura qu'elle trouverait les fameux quinze dollars mensuels de frais de scolarité, dont j'ai parlé plus haut. En prévision de cette rentrée scolaire, elle subtilisa donc, au cours des mois, des dollars dans les poches de mon père, qu'elle cachait dans une boîte métallique appelée non sans humour sa «banque».

Mais, une semaine avant le grand jour, elle fut bien obligée de révéler la vérité, d'informer mon père de mon entrée à cette nouvelle école puisque je changerais d'uniforme, ma nouvelle robe de serge marine avec vingt-deux boutons de nacre blanche alignés de l'encolure à la taille, un col triangulaire et manchettes en satin blanc ne pouvait passer inaperçue, même pour celui qui ne me regardait jamais.

La colère qui s'empara de lui fut à la hauteur du spectaculaire uniforme. Une rage qui dura plusieurs heures autour du thème : «Vous me prenez pour un cave. Vous voulez me mettre dans la rue. À quoi ça sert de se faire bourrer le crâne des maudites histoires de crisse de câlisse de curés qui veulent contrôler le Culbec ?»

Ce soir-là, maman, prudente, préféra nous éviter la fureur paternelle en nous faisant sortir par la porte arrière de la maison à l'insu de son mari en crise, et elle nous emmena manger une crème glacée loin de la maison. Loin de ses récriminations hystériques et tonitruantes.

*

Quelques jours plus tard, je revêtis la robe m'identifiant comme une élève de l'école privée et entrai dans ce lieu, sacré à mes yeux, où j'allais apprendre le latin et l'introduction à la philosophie à travers les syllogismes. « L'homme est un animal, le cheval est un animal, donc l'homme est un cheval. Cherchez l'erreur, mes filles », enseignait sœur Saint-Paul-Armand, professeur qui me plut immédiatement avec ses bonnes joues rondes et roses, et son sourire où flottait un soupçon de timidité. Hélas ! je serai vite déçue de découvrir les limites de son savoir, que je croyais pourtant, au départ, inépuisable.

CHAPITRE 9

Je quittais l'enfance avec soulagement. L'éducation à l'eau bénite avait, somme toute, fait peu de ravages sur moi tant la réalité familiale et les invectives paternelles m'inoculaient contre les bondieuseries et l'endoctrinement du milieu scolaire. Je croyais toujours au péché mortel, mais en étais moins affectée.

Je savais lire, écrire et compter, je connaissais l'histoire à travers le prisme de la religion. Mes notions de géographie étaient plus étendues que celles de mes compagnes – grâce aux photos de mon père prises dans des pays lointains et exotiques – et je possédais un vocabulaire plus riche et varié que celui de mes camarades grâce aux cours de diction. Mes maîtresses m'avaient aimée et entourée d'un intérêt soutenu. Grâce à elles, j'avais progressé. Quant à l'amour passionné de mes tantes et de ma grand-mère, il m'avait armée pour me défendre contre l'envie et la méchanceté d'élèves moins appliquées ou carrément cancres, des jeunes filles qui n'avaient pas peur des religieuses – qu'elles qualifiaient de «pisseuses» – ni des premières de classe comme moi qu'elles rabaissaient au rang de «lécheuses de pisseuses». Elles étaient hypocrites, bagarreuses et chicanières, mais je savais m'en accommoder puisque j'estimais vivre une situation bien pire à la maison.

*

Pourtant j'entrais dans l'adolescence avec un handicap de taille. Mon ignorance des choses de l'amour, en fait, du sexe. Or, mes nouvelles compagnes, plus âgées que moi, se chuchotaient à l'oreille des secrets qu'elles se réservaient, me montrant qu'encore une fois je n'étais pas des leurs.

C'est une étudiante plus délurée que moi, Claudette, qui m'apprit un jour les mystères de la vie. Mais à sa façon, et avec une absence de précision qui me plongea davantage dans la confusion et l'inquiétude qu'autre chose.

« Pour faire un bébé, la graine du père rentre dans la mère par un petit trou », me confia-t-elle un soir d'automne sombre et orageux alors que, de retour de l'école, nous marchions vers nos maisons respectives situées dans la même rue. À l'écoute du propos, je restai muette, en état de choc. Et quand elle ajouta : « Pour que le bébé naisse, il faut que les eaux soient crevées », j'ai failli me mettre à pleurer. Car croyant qu'elle parlait des « os », l'effarement – et la trouille – me gagnèrent. « J'en aurai jamais, ai-je alors lancé. — Tu veux que je t'en apprenne plus ? a renchéri Claudette, ajoutant : Parce que je sais tout. — Non, c'est assez pour aujourd'hui », ai-je répondu avec une rage à peine contenue, furieuse en vérité de découvrir combien elle semblait fière de son coup.

Son récit bousculait tout ce que je croyais connaître et ne faisait qu'aggraver ma vision de l'acte charnel et de l'accouchement, déjà bien négative depuis que, vers trois ou quatre ans, ma mère m'avait raconté que j'avais failli mourir à la naissance et que le médecin avait dû entrer son bras au complet dans son ventre pour me sauver, mais l'avait, ainsi, « toute déchirée », risquant par là même de la faire aussi mourir. Un propos sans cesse répété, qui me donna une peur bleue des médecins, surmontée sur le tard en me soumettant à des visites médicales routinières. C'est peu dire que ces deux « explications » ne me donnaient pas une vision vraiment positive de la maternité ni de ce qui la précède !

En arrivant chez moi, après ce premier cours particulier – et singulier – d'éducation sexuelle, je me suis précipitée vers le *Dictionnaire Larousse* en deux volumes, achetés par mon père à

Marseille durant l'un de ses voyages, en quête de la définition des termes « graine », « trou », « crever » et « os ». Sans y trouver, évidemment, la moindre correspondance avec les « informations » transmises par Claudette. Mais cela confortait mon sentiment : être fille relevait de la calamité, ce qui permettait de comprendre pourquoi aucune de mes tantes n'avait d'enfant.

*

Le dictionnaire, seul livre de la maison, me servait de bible. J'adorais le consulter, le feuilleter, y plonger, pour apprendre des mots inconnus que je tentais, avec maladresse parfois, d'introduire dans mes conversations. « Vous êtes distraite, me dit un jour la religieuse pendant le cours de latin. — C'est relatif, lui ai-je répondu tout de go. — Sortez de la classe immédiatement. L'impertinence n'a pas sa place dans notre école », renchérit alors sœur Jean-de-la-Croix. J'en tirai du coup une leçon. Ne jamais utiliser des mots sans en connaître réellement le sens.

Mais l'incident me rendit consciente du plaisir qu'il y avait à interpeller une personne, même aussi gentille que ma titulaire. « T'es pas gênée », me lança d'ailleurs à la suite de l'incident Marielle, une beauté fatale de treize ans qui en faisait quinze et qui se mettait du rouge aux lèvres – un sacrilège aux yeux des règles de l'établissement – dès qu'elle posait le pied sur le trottoir en sortant de l'école. « Ce que tu veux dire, c'est que je ne suis pas timide. Parce que le mot *gêner*, ça veut dire autre chose, lui avais-je rétorqué en souriant, forte de ce que m'enseignait Mme Audet. — Tu te prends pour qui toi ? — Pour le nombril du monde », avais-je alors lancé en éclatant de rire.

À douze ans, j'en paraissais dix mais, désireuse de me distinguer des autres, je ne me laissais pas impressionner par les filles excitées qui ne cherchaient qu'à se distraire et à courir les garçons, même si elles étaient douées en classe. Celle-là, je le lui avais fermé la trappe et elle ne m'en avait pas voulu.

*

À l'école supérieure Sainte-Croix cohabitaient deux groupes d'étudiantes. Celles du cours lettres-sciences, dont j'étais, et celles du cours commercial qui se destinaient à devenir des secrétaires, l'avenir obligé pour les filles en ces années cinquante.

Au début des classes, la responsable des études nous avait réunies, les nouvelles étudiantes de première année de lettres-sciences, afin de nous mettre en garde : « Mes filles, vous êtes l'élite de demain. Vous n'êtes pas ici uniquement pour apprendre les matières au programme, mais pour comprendre que nous vous préparons à une autre destinée que celle des filles du cours commercial. Si vous les croisez, soyez gentilles avec elles mais ne devenez amies qu'avec vos consœurs de classe. "Dis-moi qui tu fréquentes, je te dirai qui tu es" », conclut la sœur, fière de son effet.

La direction de l'institution allait plus loin en s'assurant que les contacts entre les deux groupes d'étudiantes soient limités. L'arrivée et la sortie de l'école étaient, par exemple, décalées. De même que les heures de récréation. Nous occupions aussi les deux premiers étages de l'établissement quand le troisième étage, plus fatiguant d'accès à cause de l'escalier, était à l'usage exclusif des filles du commercial. Même à la chapelle, on ne nous réunissait pas. J'ai donc vécu la différence de classes avant même de connaître le mot « hiérarchie ».

*

Les parents – dans mon cas c'était ma mère – souhaitaient, à cette époque, que leurs enfants bénéficient d'une éducation plus poussée et moins traditionnelle. Ma mère et mes tantes n'ont jamais utilisé le mot « suffragette », mais elles étaient fières d'exercer leur droit de vote, obtenu au Québec en 1940, plusieurs décennies après leurs consœurs des autres provinces du Canada. Dans ma famille, comme je l'ai signalé déjà, tout le monde s'opposait au Premier ministre Maurice Duplessis, le potentat local on ne peut plus rétrograde. « Y a juste les ignorants qui votent pour lui », assurait ainsi tante Edna, qui n'avait pourtant fréquenté l'école que quatre ou cinq ans. Et pour cause, elle détestait ce conservateur qui s'opposait, à l'instar de bien des politiciens avant lui, comme les autorités ecclésiastiques, du reste, à la possibilité d'entamer des études supérieures pour les filles.

Nos enseignantes, elles, demeuraient muettes sur les sujets polémiques, y compris la politique. Si elles défendaient l'Église et les prêtres aveuglément, elles racontaient moins de sornettes que les maîtresses de l'école primaire. Ces femmes qui connaissaient le latin, certaines les philosophes catholiques comme Jacques Maritain, Alain et même Pascal en raison de son pari sur Dieu, participaient à nous ouvrir l'esprit malgré la censure officielle et les livres mis à l'index.

Certes, elles avaient une notion rigide de l'autorité pour la plupart, plusieurs d'entre elles étant entrées fort jeunes en communauté, où on les avait formées à la soumission. Leurs vœux de pauvreté, de chasteté et d'obéissance nous les rendaient toutefois mystérieuses. Et à douze ans, j'avais la naïveté de penser qu'elles croyaient ce qu'elles nous enseignaient dans les cours de religion et de morale.

Elles évoquaient beaucoup l'adolescence, « cet âge entre deux âges où le cœur se retourne on ne sait vers quelle Asie », citation du père Albert Hublet, jésuite belge né en 1896 et mort en 1973, inscrite sur le tableau noir dans toutes les salles.

Ce prêtre écrivait des livres pour les jeunes, des histoires de scouts qui m'enchantaient, alors que mes amies préféraient les romans pour filles, débordant de bons sentiments et à mon sens inodores et insignifiants, ceux de Berthe Bernage, par exemple, écrivaine catholique que mon père aurait à coup sûr vomie.

Pour la petite histoire, lorsque mon fils eut dix ans, je me suis procuré les romans du père Hublet, croyant l'intéresser. Par curiosité autant que pour retrouver, croyais-je, le plaisir intense que j'avais éprouvé autrefois à leur lecture, je me suis replongée dedans. Et j'ai sursauté. Car il y régnait en fait une atmosphère si trouble et ambiguë entre garçons que j'ai préféré offrir à mon fils les albums de *Tintin* et d'*Astérix* ! À vrai dire, il ne faut jamais tenter de retrouver ses passions d'enfance.

*

Avec tous ces livres dévorés, forcément mon père avait une autre raison de râler : leur coût. Aussi, dès la première année de mon cours lettres-sciences, il ajouta à ses thèmes fétiches d'homme exploité radotant que nous allions le mettre à la rue, qu'il existait une collusion familiale contre lui et un pouvoir de nuisance de ma famille maternelle, celui des frais extravagants liés à mes études. Une ritournelle démoralisante et culpabilisatrice qui eut un effet terrible : à la fin de cette première année, mes notes avaient chuté. J'entrais en révolte contre lui et tous ceux qui me mettaient des bâtons dans les roues. Par religion du refus.

CHAPITRE 10

Parmi mes compagnes de classe, certaines filles nous snobaient. Parce qu'appartenant à des familles de parvenus canadiens-français – je n'ai rien contre le souhait de progresser socialement, chacun l'a compris –, elles nous méprisaient et croyaient moderne de se rebaptiser de prénoms anglais. Nicole exigeait qu'on la prénomme Nicol, en appuyant sur l'accent américain, Marguerite ne répondait qu'à Maggie, Lucie devenait Lucy, et toutes jugeaient tendance et chic de bouder leur identité française en faisant référence à leur «mom» et leur *dad.* Elles avaient évidemment des *boyfriends* et non des petits amis, ne juraient que par le magazine *Seventeen,* bible de la mode des adolescentes américaines, se vantaient de lire uniquement des romans en anglais et elles étaient bonnes en classe. Nous savions qu'à la fin de nos quatre années d'études, elles s'inscriraient dans des collèges anglophones pour filles. Chacun sa destinée. Et pour paraître jusqu'au bout affranchies elles organisaient des «party».

Mon premier «party» d'adolescente se déroula chez la fameuse Nicol, qui bien que snob m'invita car elle me trouvait *smart.* Ses parents habitaient Ville Mont-Royal, quartier moderne et cossu dont les vastes rues traçaient leur chemin de luxe entre des rangées d'énormes bungalows et de maisons *split-level* où bien peu de Canadiens français demeuraient à l'époque. Évidemment, l'événement nous avait occupé l'esprit quelques semaines : comment se comporter, s'habiller, quels types de garçons découvrirait-on… Les questions n'avaient pas manqué…

Lorsque le grand jour arriva, pour les quelques camarades de classe canadiennes-françaises pure laine choisies par Nicol et moi, le choc fut rude. Les garçons invités nous zyeutaient avec des sourires entendus. Joueurs de hockey sûrs d'eux (en apparence du moins), ils nous scrutaient comme des filles à coller. Sans hésiter, dès la musique mise sur le tourne-disque, ils voulurent danser, en profitant pour nous mouiller le cou de baisers saliveux. J'avais alors quatorze ans, je n'avais pas encore mes règles et ces frottis-frottas m'affolaient et me dégoûtaient à la fois. Bob, un géant, avait jeté son dévolu sur moi. « Aimes-tu les slows ? » m'avait-il demandé en m'entraînant sur la piste du sous-sol aménagé en bar hawaïen. — Oh oui », avais-je répondu niaiseusement. Habilement, il m'avait enlacée avant d'appuyer sa joue sur la mienne. Les sens en panique, je découvris qu'il s'était aspergé de l'Aqua Velva bleu après-rasage dont mon oncle Pit s'inondait pour atténuer l'odeur de l'alcool qu'il ingurgitait à doses de cheval. Goûtant peu sa technique, j'essayais avec délicatesse de me dégager de l'étreinte mais Bob sembla interpréter mon mouvement comme un désir de me coller davantage à lui. Rougissante, je me laissais faire quand je sentis une dureté sur mon bas-ventre. Je savais vaguement que le sexe des garçons se raidissait à notre contact, l'aumônier de l'école qui nous instruisait des choses de la vie nous ayant prévenues de cette métamorphose étrange qui faisait rire (sous cape) les élèves les plus délurées de la classe. Mais de là à en appréhender si tôt la réalité…

Or, phénomène inattendu, ce durcissement vibrait en moi, suscitait des sensations surprenantes, incongrues. J'avais l'impression que quelque chose bougeait dans mes entrailles et j'étais pétrifiée. J'attendis la fin du slow, dont je n'ai jamais oublié le titre et le chanteur. C'était « *I believe* », interprété par Perry Como, une chanson gospel qui s'adressait à Dieu, ce qui ajoutait à l'horreur de l'impureté dans laquelle je me noyais. Avant la fin de la chanson, j'eus la force de me dégager et de me précipiter à la toilette, seul endroit à l'abri du regard des autres invités. Ne sachant plus à quel saint me vouer, éperdue, perdue surtout, je me mis à réciter à voix basse mon acte de contrition.

Quelques minutes plus tard, je retournai m'asseoir dans l'antre du péché mais en prenant soin de choisir une chaise droite et non le canapé où je craignais que ce Bob entreprenant ne vienne déposer son grand corps indécent.

Je m'alarmais inutilement car, dès le slow suivant, il s'approchait de mon amie Renée, l'une des élèves les plus vives et appliquées de la classe, laquelle se retrouva vite dans la même position gênante que moi. Enfin, pas gênante pour tout le monde car, à mon effarement, non seulement elle ne tenta pas de se distancer de Bob, mais elle abandonna sa jolie tête à queue-de-cheval sur sa large épaule.

En constatant cette démonstration de lascivité, en voyant des filles à mes yeux irréprochables se laisser ramollir par les duretés des garçons en rut, j'eus la conviction que j'étais différente et n'appartenais pas au monde des plaisirs de la chair. Je refusai donc, cette année-là, toutes les invitations à danser, préférant me replier sur des ouvrages qui élevaient mon esprit et nourrissaient ma spiritualité !

*

Je découvris, dans la bibliothèque de l'école, une plaquette consacrée à sainte Thérèse d'Avila, carmélite espagnole du XVIe siècle dont le corps n'a pas pourri en terre après son décès. Exaltée – chacun ses bouffées de chaleur et de passion –, je m'emballais pour le mysticisme qui avait permis à cette femme de léviter durant ses propres bouffées d'amour, fusionnel, envers son divin époux.

J'entrai en communion quotidienne avec cette sainte devenue ma préférée au point de prendre des distances par le fait même avec la Vierge Marie. Comme j'avais des accrochages fréquents avec ma mère sur à peu près tous les sujets, jeter mon dévolu sur sainte Thérèse d'Avila, femme d'une intelligence supérieure, me fascinait davantage que vouer un culte à la mère de Jésus, si humble et docile. Je crus même sentir peu à peu en moi résonner l'appel de Dieu vers une vocation contemplative. En lisant les auteurs catholiques français que recommandaient nos enseignantes, je me laissai bientôt convaincre de la primauté de la vie spirituelle sur l'existence matérielle. Hélas, je ne connaissais aucune fille de mon âge avec laquelle partager les secrets de mon âme décidément tourmentée.

*

Le Québec du début des années cinquante était encore une société sous la mainmise de l'Église et entravée par la pensée unique. Mes compagnes se départageaient entre d'un côté les pieuses, obéissantes et appliquées qui cherchaient à se classer parmi les premières de la classe, de l'autre les hypocrites qui feignaient la docilité, se comportaient avec obséquiosité devant les sœurs mais riaient dans leur dos de leur naïveté. Et, à côté, nous étions quelques-unes à être à la fois dans l'obsession d'apprendre, et attirées par l'envie de remettre en question ce qu'on nous enseignait. Mes notes s'en ressentirent, mais au moins mon caractère se formait.

Parmi ces « têtes fortes », ainsi que les sœurs nous qualifiaient, je devins bientôt la plus prompte à les contredire. Avec politesse, me semblait-il, mais certaines religieuses ne l'appréciaient guère. Volonté habile de me canaliser ? Qui sait, toujours est-il que cette fougue verbale me valut d'être sollicitée pour jouer les premiers rôles dans les pièces de théâtre et invitée à lire devant l'ensemble des élèves de lettres-sciences les adresses aux autorités religieuses qui venaient nous rendre visite lors des remises de bulletins.

*

À la même période, j'entrepris une carrière de comédienne en herbe à la radio de Radio-Canada, participant à des émissions destinées aux enfants et dont on avait confié la conception et le texte à Mme Audet. Chaque semaine, cette dernière m'attribuait un rôle, parfois important, dans des histoires amusantes et inoffensives où il y avait place à des chansonnettes du répertoire français que nous entonnions en chœur. Il était question de patins à roulettes sur des passages cloutés, expression qui m'était pourtant inconnue.

Je pris goût à ces saynètes radiophoniques. Ma mère aussi, qui se vantait auprès de nos voisins de mes exploits sur les ondes. Reste qu'ils m'amusaient mais m'empêchaient de fréquenter mes (rares) nouvelles amies de classe. Car je devais, le samedi, consacrer des heures à me rendre à la radio pour enregistrer l'émission plutôt que discuter avec elles. Ma mère appréciait grandement le cachet de quinze dollars que me versait Mme Audet, d'autant que peu d'enfants acteurs avaient droit à l'enveloppe blanche donnée de la main à la main une fois l'émission finie. «Elle récompense ton talent», assurait ma mère. Ce cachet servait surtout à payer mes frais de scolarité et les livres obligatoires pour chaque matière, alors que j'aurais parfois aimé en profiter pour moi!

J'avais le vague sentiment d'être déjà en train de gagner ma vie, maman insistant pour que j'exprime aux responsables de Radio-Canada mon souhait de participer à d'autres émissions où des enfants étaient requis. «Elle va devenir comédienne, j'en suis sûre», disait-elle à mes tantes. Ma grand-mère semblait moins impressionnée : «C'est pas un monde pour les enfants. Ces acteurs-là, ça a pas de morale, ronchonnait-elle. — Voyons, la mère, rétorquait tante Irma, regardez, les actrices d'Hollywood sont toutes riches. Notre p'tite Denise, a va aller loin. Vous allez en être fière.» Pour une fois mes tantes et maman osaient contredire leur mère. La gloire, l'argent, la notoriété, la reconnaissance publique, un véritable paradis pour notre famille «née pour un p'tit pain». Si bien que toutes les trois se reposaient désormais quasiment sur moi pour briller socialement. Un poids de plus sur mes épaules.

Ma mère avait caché à mon père ces cachets supplémentaires. Aussi, lorsqu'il proférait ses sempiternelles injures sur l'argent qu'elle lui arrachait afin de me maintenir à l'école privée, ma haine à son endroit amplifiait et me plongeait dans des états qui m'inquiétaient. J'avais peur de perdre la tête tant je ressentais mon corps trop étroit pour absorber autant d'émotions intenses et contradictoires. Car je devais évidemment rester muette, ma mère préférant se constituer une réserve avec l'argent que je rapportais afin de nous acheter des vêtements, voire nous offrir quelques superflus.

Chapitre 11

Plus l'année scolaire avançait, plus ma déception grandissait. Notre responsable de classe n'était pas à la hauteur de mes espérances éducatives, réserves qu'elle-même exprimait à mon endroit. Nous ne nous comprenions pas. Chaque mois, mes notes de bulletin chutaient. Inquiète, ma mère se mit à me reprocher ma fainéantise et mon éparpillement, visant notamment l'émission radiophonique du samedi – dont elle-même tirait pourtant profit – parce que Mme Audet exigeait parfois, quand mon rôle était substantiel, de me soumettre à une répétition le vendredi soir après l'école. Je quittais donc la classe à 16 heures et ne revenais à la maison qu'à 19 h 30. Ce que maman en vint à trouver inadmissible.

De mon côté, je détestais les vendredis soir à la maison, lorsque les bouteilles d'alcool réapparaissaient, où l'ambiance s'électrisait et les scènes, les cris, les menaces et les propos graveleux se multipliaient. Lorsque ma mère buvait en compagnie de son mari, nous, les enfants, préférions nous réfugier dans nos chambres.

*

Grâce à un sursaut de travail et d'énergie, par bonheur mes résultats scolaires s'améliorèrent et je décrochai la note de passage à la fin de l'année. Mais mon vrai fait de gloire fut de jouer le rôle de Bernadette Soubirous dans une pièce qui en portait le nom.

La sainte était devenue au milieu du XIXe siècle une célébrité internationale pour avoir vu la Vierge dix-huit fois à Lourdes, en France. Lors d'une de ces apparitions, elle lui aurait même déclaré : «Je suis l'Immaculée Conception.» Cette figure forte du catholicisme, forcément à l'école on voulut l'honorer. Et la sœur responsable des activités théâtrales, sœur Marie-Madeleine, qui m'avait prise sous son aile et m'enseignera en dernière année de lettres-sciences, insista pour que je joue ce rôle. À condition d'assister à la messe plusieurs fois par semaine et de prier sainte Bernadette, histoire que celle-ci m'aide à l'incarner avec dignité. «Le public doit sortir grandi de la pièce. Vous devez élever leur âme, ma fille. C'est une responsabilité non seulement esthétique mais spirituelle.»

À quatorze ans, même imprégnée d'élans mystiques grâce à ma maîtresse en la matière – sainte Thérèse d'Avila –, j'avais néanmoins des réserves quant aux apparitions revendiquées par les bergers (comme les trois enfants de Fatima au Portugal) et cette chère Bernadette Soubirous, mais je me gardais bien d'en faire part à sœur Marie-Madeleine, de peur qu'elle m'ôte la joie de monter sur scène.

Cette religieuse se distinguait de ses compagnes. Sûre d'elle, hautaine même, elle s'exprimait dans une langue châtiée. Contrairement aux autres sœurs, elle possédait un doctorat décroché à la Sorbonne, sa thèse portant sur le théâtre de Racine. Sa culture, son savoir, son intensité aussi m'attiraient. À part Mme Audet, je n'avais en effet jamais rencontré femme aussi cultivée. Je la craignais, mais voulais l'impressionner en même temps. Alors je m'engageai à assister à la messe en semaine. Si bien que, sortie de la maison à 6 h 30, je me rendais à l'église Saint-Vincent-Ferrier effectuer mes dévotions avec un mélange de ferveur mystique... et esthétique.

À ce rythme, vite je m'épuisais. Et les répétitions durèrent plus de deux mois. Et c'était l'hiver. Et je n'avouais pas à mon exigeante et illuminée metteure en scène que, durant mes agenouillements contemplatifs, j'implorais davantage sainte Thérèse d'Avila que cette Bernadette, à mon sens primaire et guère éduquée.

Durant les répétitions, sœur Marie-Madeleine se montrait avare de compliments et ne se gênait pas pour rudoyer de mots blessants, du genre «Ayez l'air intelligente», «Sortez de votre passivité», «Articulez bouche molle», mes compagnes auxquelles elle avait attribué des rôles. Elle en remercia même deux après trois semaines en leur assénant devant toute la troupe : «Vous êtes inaptes et vous n'avez aucune présence sur scène.» À moi, elle reprochait surtout de manquer de modestie dans mon jeu. J'encaissais le reproche, bien incapable de lui avouer que j'aurais préféré jouer la grande Thérèse, si mystique.

Le soir de la première, sœur Marie-Madeleine s'isola avec moi en coulisse et me fit prier pour notre succès à venir. Lorsque, après une heure et demie sans entracte, le rideau tomba, les parents et les élèves applaudirent à tout rompre. C'est alors que cette femme, d'ordinaire distante, me serra sur son cœur. «Ma fille, vous ne m'avez pas déçue», murmura-t-elle, vibrante, les yeux dans l'eau. J'étais comblée, sur un nuage. Et sentis de nouveau que la vie, malgré les obstacles, m'apporterait des joies insoupçonnées.

*

J'achevai cette année scolaire avec un atout imprévu : enfin je me trouvais hors de l'anonymat. J'étais devenue Bernadette Soubirous ! Certaines camarades, que notre éducation à odeur de cierges et d'encens laissait de glace, riaient de moi : «T'es une sainte, tu sais pas ce que tu vas perdre», murmuraient ces obsédées des garçons qui, une fois sorties de l'école, se barbouillaient de rouge à lèvres et noircissaient leurs yeux au crayon gras.

Quant aux religieuses du collège, par la grâce d'une interprétation théâtrale, elles semblaient m'avoir désormais placée dans une niche, comme elles le faisaient des statues, et s'attendaient à ce que je me comporte en élève modèle. Or je devenais, avec l'âge et ma notoriété nouvelle, plutôt dissipée – et inquiète à la fois. Ma piété diminuait non pas de fréquence mais de nature : mon sens critique s'aiguisait. Je revendiquais en vérité une foi plus intellectuelle. Sans doute les propos iconoclastes paternels influençaient-ils mon tempérament à mon insu. Si quelqu'un m'avait dit : « Tu es comme ton père », je lui aurais sauté à la figure.

*

L'été suivant, j'ai vécu un épisode qui m'a bouleversée, dégoûtée, révoltée à jamais et qui expliquera mes dénonciations futures des pédophiles.

Le réalisateur des émissions de Mme Audet « adorait les enfants », assuraient tous les parents qui, en sa présence, se bousculaient pour mettre leurs rejetons devant lui. Spécialiste, en quelque sorte, des émissions enfantines de Radio-Canada, M. R. de V. ne s'embarrassait pas de mots, affichant un regard fuyant et s'adressant aux filles et garçons, en les frôlant et les touchant, mais personne ne le voyait ou ne voulait le voir. Pierrot, jeune acteur de quinze ans, drôle et rieur, disait pourtant volontiers de lui qu'il était un « colleux », rien n'y faisait.

Un jour, en juin, R. de V. téléphona à ma mère afin de l'informer qu'il me choisissait pour coanimer une émission à la rentrée suivante avec Robert, un garçon de mon âge efféminé que j'aimais beaucoup à cause de son extravagance et de son sans-gêne. Mais R. de V. souhaitait me connaître mieux, alors il convainquit maman de m'envoyer à son bureau de Radio-Canada « une fois ou deux par semaine ». Ma mère s'empressa de lui répondre qu'elle était ravie – adieu ses récriminations sur l'éparpillement de mon emploi du temps – et qu'il n'aurait aucun regret de m'avoir donné un contrat. Très excitée, elle me communiqua la bonne nouvelle. « Tu vas l'aider à mettre de l'ordre dans ses dossiers. En plus, il va te payer et, en septembre, tu deviendras une vedette. Tout le monde va t'apprécier. Monsieur de V. m'a confirmé qu'il t'obtiendra un salaire de 15 dollars par semaine. » À l'époque, vers 1955, c'était le pactole pour un enfant.

Emballée, je l'étais curieusement un peu moins que ma mère. Je pris donc le bus seule, quelques jours plus tard, pour me rendre à Radio-Canada, dont les locaux étaient alors situés dans l'ouest de Montréal. R. de V. m'accueillit à l'entrée de l'immeuble, puis me fit découvrir le bureau où j'aurais à travailler, et je passai des heures en tête à tête avec lui, entourée de dossiers poussiéreux à trier, dont une partie des pages allait à la poubelle.

Dans cet espace petit, encombré de classeurs, j'avais noté dès mon entrée qu'il avait mis le loquet à la porte. « Pour qu'on ne soit pas dérangé », avait-il dit en souriant. J'ai un souvenir inaltérable de cette journée car peu à peu je me mis à éprouver un malaise indéfinissable. De retour à la maison, ma mère m'obligea à un « debriefing » en règle, trop heureuse de l'avenir qui s'ouvrait devant nous. Je ne lui dévoilai rien de mes sentiments inquiets et de l'ambiance nauséeuse.

J'y retournai quelques jours plus tard. Même atmosphère, même scénario, sauf que mon « employeur » m'emmena déjeuner d'un hamburger dans un fast-food. Subrepticement, il me parla de sa femme « très malade » alitée depuis des mois, puis me confia sa passion pour la photographie, ajoutant, avec un détachement trop évident, qu'un « ami » débordait de contrats pour prendre des photos de jeunes filles en bas de nylon destinées à des magazines. Et qu'il lui avait demandé de l'aide. « Peut-être que tu aimerais me servir de modèle ? dit-il. — Je ne mets pas encore de bas de nylon, répondis-je brusquement, mes signaux d'alerte en éveil. — Ça peut venir bientôt », ajouta-t-il, le regard fixe.

En revenant chez moi, je déclarai d'emblée à ma mère que je ne souhaitais plus retourner « travailler » pour lui. « T'es folle ou quoi ? dit-elle, l'air ahuri, ne comprenant rien. — Je n'aime pas ça. C'est ennuyant », me souviens-je lui avoir répondu. Mais elle insista : « Je ne te laisserai pas commettre une bêtise pareille. » Je n'avais pas osé dire quoi que ce soit.

Chapitre 12

Dans l'incapacité de lui désobéir, prise au piège, d'une certaine manière, je retournai à Radio-Canada à deux ou trois reprises. Désormais, M. R. de V. ne m'attendait plus dans le hall et je montais seule, directement, à son bureau. « La réceptionniste sait que tu vas animer l'émission en septembre. Elle m'a assuré que c'est une bonne idée car elle t'a déjà entendue dans d'autres émissions et trouve que tu as beaucoup de talent. Je ne suis pas seul à le penser, tu vois », me disait-il. Tandis que je classais des papiers, lui s'affairait. Il sortait du bureau, revenait une heure plus tard. Parfois, il faisait de nouveau allusion à des photos, moi je me taisais. Il lui arrivait de frôler ma taille, de me pincer le bras un peu trop longtemps ; j'éprouvais un malaise difficile à circonscrire, mais ne bronchais pas.

À la fin d'une matinée, il m'a dit : « On va aller manger un *smoked-meat.* » Et j'aimais le *smoked-meat.* Dans l'ascenseur, alors que nous étions seuls, il ajouta : « Pour les photos avec des bas de nylon, il faudrait que je prenne tes mesures. » Une fois dans le hall, plutôt que de se diriger vers la sortie, il m'entraîna vers les studios. Certains étaient occupés mais il en trouva un libre. Une fois entrés dans le petit vestibule à peine éclairé qui menait au studio, lui-même plongé dans le noir, sortant un galon à mesurer de sa poche, il s'agenouilla devant moi. Alors j'ai senti le long de ma cuisse le ruban puis sa main tremblante, qu'il a rapidement posée sur ma culotte. Lorsqu'il m'a ordonné « Écarte les jambes », j'ai obéi. Le galon a glissé de gauche à droite, à l'horizontale puis à la verticale jusqu'à mon nombril. Ses doigts me touchaient. R. de V. respirait très fort. Totalement pétrifiée, j'ai supporté son manège, qui a duré de longues secondes. Puis il s'est relevé, a remis le galon dans sa poche et nous sommes sortis de cet entre-deux portes. Moi consciente de la flétrissure mais incapable de trouver des mots ou de faire un geste, lui rouge et satisfait d'avoir osé cet attouchement interdit.

*

Une fois dans la rue, ce monsieur, auquel les parents confiaient leurs enfants comme ils les auraient donnés au Bon Dieu a parlé de tout et de rien. Comme si de rien n'était. Comme si je n'avais pas subi ses assauts ! Au restaurant, il a assuré que j'aurais une belle carrière comme mannequin et animatrice de radio et je crois bien que j'ai répondu « Merci ». Je suis retournée au bureau en sa compagnie car il m'a fait remarquer que je n'avais pas fini de classer ses dossiers.

En rentrant à la maison je suis allée directement me coucher. Ma mère m'a demandé ce qui m'arrivait. « Je suis morte de fatigue », ai-je réussi à dire. Les jours suivants, j'ai répété à plusieurs reprises que je ne voulais plus aller au bureau de R. de V. ; en vain. Mon comportement étrange n'ouvrit les yeux de personne. Ma mère a même fini par hausser le ton : « T'es une égoïste. Je me suis sacrifiée pour te faire prendre des cours de diction, je me bats contre ton père pour te faire instruire et, quand la chance se présente pour toi de devenir quelqu'un au-dessus des autres, tu t'écrases. » Comment lui dire, comment lui faire comprendre l'agression dont j'avais été victime ?

*

La semaine suivante, j'ai demandé à ma nouvelle amie de lettres-sciences, Félicia, qui suivait aussi des cours avec moi chez Mme Audet, de m'accompagner à mon « travail ». Elle ne m'a posé aucune question. Elle est venue, et le prédateur a semblé pris au dépourvu en la découvrant. Elle m'aida à trier les papiers toute la journée. Si bien qu'à la fin de l'après-midi R. de V. m'a entraînée dans le corridor. «Je n'aurai plus besoin de toi cet été. On va te téléphoner à la rentrée pour l'animation de "Bonjour Dimanche"», a-t-il dit. Comprenant que j'avais convoqué un chaperon pour échapper à ses sales pattes et à ses effleurements, le salaud abandonnait sa proie.

J'étais parvenue à mettre un terme aux tête-à-tête avec R. de V. et à conserver mon émission. Malgré mon dégoût et ma peur, j'avais trouvé la force de me soustraire à ses agressions. Jamais plus je ne serais seule en sa présence. Mon amie Félicia était devenue mon ange gardien.

*

Ma mère fut irritée de me voir congédiée de ce travail d'été mais assurée que je deviendrais une vedette et gagnerais de quoi payer mes études, elle se calma. Pour autant, si la menace immédiate s'éloignait, revenait en moi le sentiment de souillure, de salissure, dès que mon agresseur apparaissait. À la rentrée, ma haine augmenta d'un cran lorsque je vis des mères pousser leurs fillettes dans ses bras et fermer les yeux lorsqu'il les cajolait. «Il est très affectueux avec les enfants», assura même une fois Madame T. à une mère ambitieuse qui assistait à un enregistrement dans lequel sa fille bénéficiait d'un petit rôle.

Durant cette année d'animation du magazine pour les jeunes, mon coanimateur Robert me servit à son tour de chaperon. Il ignorait tout mais constatait bien que je fuyais les rendez-vous en tête à tête avec le réalisateur. Ma mère, elle, aveugle et sourde, ne comprenait rien à mes préventions, me prémunissant même contre ce qu'elle appelait mon «petit caractère», lequel risquait d'indisposer M. R. de V. À la fin de la saison, en mai, mon contrat ne fut pas renouvelé. Même Mme Audet, qui me reconnaissait du talent, ne s'expliquait pas que je sois ainsi remerciée. Elle poursuivit sa collaboration avec R. de V., l'homme sournois et pervers qui protégeait son statut de réalisateur d'émissions enfantines en refusant les affectations à des programmes pour adultes. Et pour cause, «il aimait tellement les enfants»!

*

J'ai gardé le silence durant des décennies sur cet épisode. Une mésaventure odieuse qui m'a mise en garde contre les adultes recherchant trop la présence d'enfants autour d'eux. Dans les années qui ont suivi, je ne me suis plus jamais sentie protégée par eux, ma mère au premier chef.

*

L'adolescence m'étouffait. Une colère sourde montait en moi, s'amplifiait, me donnant envie de contredire la terre entière alors que mon impatience d'apprendre se voyait, elle, freinée par mon incapacité à admirer plus avant les religieuses. Désormais, je les trouvais trop naïves, trop obéissantes et trop farouches dès que je remettais en cause leurs propos. Croyante, je fréquentais assidûment l'église, mais en dehors des activités liturgiques. Je croyais toujours au péché, et l'orgueil m'apparaissait le plus attirant, car plus intellectuel. Je m'en accusais donc régulièrement, et non sans fierté.

Le Québec de 1956 n'annonçait pas encore la Révolution tranquille des années soixante. Le Premier ministre Maurice Duplessis régnait toujours en maître et, en classe, jamais il n'était question de politique. Mes compagnes n'avaient aucune velléité d'ouvrir la cage. Nous connaissions à peine l'existence des suffragettes et les sermons que nous assénaient les prêtres invités par les autorités de l'école nous mettaient en garde contre la tentation de nous croire égales aux garçons. «Vous êtes là pour empêcher les garçons de tomber dans le péché d'impureté, mesdemoiselles. N'oubliez jamais que le désir des jeunes hommes est si puissant qu'il peut faire décoller une fusée», osa nous confier un jour l'abbé Lalonde, un prêtre fat et pédant… que la plupart des sœurs adoraient.

L'abbé nous rappelait sans cesse notre rôle traditionnel. « Ce n'est pas parce que vous vous instruisez que vous devez perdre de vue votre mission. Vous vous préparez avant tout à être des mères, à épauler vos maris, et les connaissances que vous transmettent vos dévouées religieuses vous serviront à être des personnes plus à même de discuter avec vos garçons qui deviendront des médecins, des avocats ou des prêtres. »

Heureusement, contre ce conservatisme indigent et cet infériorisation des femmes, certaines parvenaient à s'indigner. Dans l'école, un petit groupe de cinq ou six élèves, plus révoltées, vives, curieuses, ambitieuses et plus dissipées que les autres émergea. Dont j'étais. Face à ces chipies en jupons, la direction du collège eut une idée de « génie » : nous mettre dans une classe à part, avec d'autres camarades tout aussi curieuses mais plus appliquées. Classe à laquelle on affecta une jeune religieuse inexpérimentée que, la pauvre, nous avons vite torturée avec la cruauté dont les jeunes sont capables. Au point qu'elle tomba en dépression, et dut quitter l'école après quelques semaines seulement d'enseignement.

Pas de doute, pour les instances du collège, il y avait péril en la demeure. Il fallait nous mater. Sœur supérieure fit donc venir de la maison mère de la congrégation une maîtresse de discipline. Qui, dès les premières minutes, nous terrifia ! Avec cette femme, vite baptisée sœur Sainte-Épeurante, impossible de se révolter ouvertement. Alors on fila doux. Mes notes remontèrent mais mon moral s'affaissa.

*

L'été suivant, je le passai à la bibliothèque de mon quartier et chez mon amie Félicia dont les parents – italiens – m'accueillirent à bras ouverts. Je devins une sorte de réfugiée chez les Italiens de Montréal.

Chapitre 13

Mes tantes maternelles estimaient que les études m'éloignaient d'elles. « T'as beaucoup d'affaires dans la tête. C'est bon l'instruction, mais pas trop », entonnait tante Edna, qui en avait parlé à ma grand-mère. À l'évidence, ces femmes sans enfants se rendaient compte que je leur échappais. Ma mère, elle, m'accordait une liberté à laquelle aucune de mes compagnes de classe ne pouvait accéder. L'atmosphère à la maison demeurait toxique et je ne cessais quand même de l'affronter, faute d'oser le faire avec mon père. Un mot de trop de sa part et ma réplique – cinglante – déclenchait cris et larmes. C'était épuisant.

Ma grand-mère, de son côté, vieillissait mais continuait d'être la servante de mes oncles Pit et Rolland et de ma tante Lucienne, tous trois à la fin de la cinquantaine. Elle ne se plaignait cependant jamais, ne me faisait aucun grief de prendre quelques distances. « Laisse-la vivre sa jeunesse », disait-elle devant moi à tante Lucienne, qui me reprochait – avec affection – d'être devenue une sans-cœur.

Mes résultats scolaires mensuels oscillaient à la façon d'un sismographe. À quatorze ans, toujours prépubère, je vivais entre l'exaltation et la rage. Cette année-là, je signais donc chaque fin de mois mon bulletin en imitant l'écriture de ma mère, et surtout celle de mon père, inconnue de mes maîtresses puisque jamais il n'avait paraphé un seul document depuis mon entrée à l'école primaire. Je n'étais pas dupe du silence de ma mère à propos de mes notes : à cause de nos relations conflictuelles, et de mes absences régulières, elle jouait à l'indifférente au sujet de mes études car elle se sentait impuissante devant une telle révolte.

*

Chez les Piatti, en revanche, je revivais. Les tantes de Félicia m'appréciaient ; j'adorais Charly, le père, qui préparait tous les dimanches des festins où l'on se retrouvait à dix ou douze personnes et où la famille entonnait en chœur des chansons italiennes. Livia, la mère de mon amie, me traitait comme sa propre fille. Cette femme indépendante, qui se faisait servir par son mari, possédait un caractère vif et pouvait être intimidante par sa force et son sens aigu du ridicule. Si bien que le dimanche soir, après trois jours et deux nuits passés dans cette sorte de famille d'accueil, rentrer chez moi me plongeait dans une tristesse sans fond. Mais, pour une raison mystérieuse, je n'arrivais pas à être découragée. Personne ne me déposséderait de ma propre existence.

Félicia quitta notre école à la fin de la troisième année du cours lettres-sciences pour aller parfaire ses études en anglais chez les Dames de la Congrégation de Notre-Dame. Ses parents souhaitaient qu'elle soit bilingue, mais j'eus un sursaut de patriotisme – on ne parlait pas encore de nationalisme dans mon milieu clos de 1956 – en apprenant ce choix qui la plongeait dans le monde anglophone. De fait, notre amitié se vivait en français, la langue que nous utilisions dans le respect de son génie grâce, entre autres, à l'influence de notre chère Mme Audet.

*

Cet été-là, je vécus à travers les livres et ne fréquentai que de rares amies. En particulier Andrée, étudiante au cours lettres-sciences que j'affectionnais pour sa capacité à rire et à regarder la vie sans préjugés. Elle habitait une maison très bourgeoise au bord de la Rivière-des-Prairies, ce qui me permit de découvrir le confort, l'aisance matérielle et les préoccupations culturelles. Comme ses parents étaient des mélomanes mais aussi des catholiques fervents, il était impossible de trouver des livres à l'index dans leur grande bibliothèque garnie de romans français et d'ouvrages signés Jacques Maritain, Henri Ghéon ou la poétesse Marie Noël – qui nous tombaient des mains.

J'ai découvert chez Andrée les repas servis par une bonne, les conversations feutrées, bref, le charme discret de la bourgeoisie canadienne-française. Contrairement à moi, mon amie pratiquait la politesse, se gardant bien de contredire ses parents, lesquels nous prémunissaient sans cesse contre les pièges de l'adolescence. Pour autant, lorsque nous étions seules, Andrée m'entraînait dans la bibliothèque à la recherche des livres médicaux où nous pourrions explorer le corps humain. Ces ouvrages se trouvaient évidemment hors de vue, derrière ceux, plus orthodoxes, reliés en cuir. Mais nous restions, hélas, sur notre faim en lisant les descriptions techniques du système génital tant celles-ci n'avaient vraiment rien d'excitant.

Le samedi soir, Andrée avait souvent une *blind-date*, rendez-vous organisé parmi les jeunes de son milieu. Il lui arrivait de me dégoter un garçon sur le carreau, de ceux qui n'avaient pas trouvé de filles désireuses de les accompagner. C'est dire que j'héritais de falots, d'ennuyants, de maladivement timides et gauches et qui avaient les mains moites, tandis que ceux qui m'attiraient, eux, me snobaient ou me trouvaient trop « discuteuse ». Je crois aussi que, faute d'avoir des seins, mes chances de séduire étaient quasi nulles. « T'es faite comme une église, t'as les seins en dedans », m'avait ainsi dit Marie, la grande sœur d'une autre Andrée dont j'étais proche, compagne de classe très affranchie qui m'impressionnait par sa force de caractère et ses propos directs.

Mais j'étais trop exaltée pour me décourager et trop volontaire pour me complaire dans le malheur. J'attendais même avec fébrilité le retour à l'école supérieure où j'allais terminer mon cycle d'études, que j'espérais poursuivre en vue de l'obtention du baccalauréat.

*

Dès le premier jour de rentrée, je fus heureuse de me retrouver dans la classe de sœur Madeleine, la metteure en scène qui m'avait choisie pour jouer sainte Bernadette Soubirous. Convaincue qu'elle était intervenue pour que je sois son élève, reconnaissante, je souhaitais me surpasser à ses yeux.

En vérité, sœur Madeleine pratiquait une discrimination ouverte. Elle ne s'adressait qu'à quelques élèves – dont j'étais – sous prétexte d'appliquer la maïeutique si chère à Socrate. «Mon rôle, mes filles, est d'accoucher vos esprits», dit-elle ainsi au début de la classe. Les étudiantes qui pouffèrent de rire à ce propos devinrent ses boucs émissaires, les cibles de son arrogance pour le reste de l'année.

Mes notes grimpèrent mais je continuai à imiter la signature de mon père. Ma mère avait bel et bien lâché prise. Au fil des mois, elle cessa même d'aborder le sujet de mon avenir scolaire. Je suppose qu'elle se sentait incapable de mener le combat contre son mari à ce propos. Elle qui avait rêvé d'une carrière pour moi se laissait peu à peu convaincre, par mes tantes, que ma voie était toute tracée : devenir secrétaire de direction. Puisqu'il existait une école bilingue Mother-House dirigée par les Dames de la Congrégation de Notre-Dame, l'une des communautés fréquentées par les filles de bonne famille, qui formait en deux ans les futures secrétaires des avocats et des médecins, pourquoi ne pas envisager de m'y inscrire un jour ?

Lorsque mes tantes s'excitaient à ce sujet, je hurlais de rage. «C'est la meilleure façon pour toi de te trouver un mari docteur, avocat ou même dentiste», assurait tante Irma. Les avocats, ses amants qui la courtisaient dans sa jeunesse, étaient sa référence de réussite sociale. Malheureusement, ces avocats-là n'épousaient pas des «filles de manufacture», rétorquait tante Lucienne, demeurée célibataire avec son «grand Jos», fou d'elle mais qui lui servait de souffre-douleur et dont elle continuait à se gausser devant ses amis.

Sœur Madeleine tenait un discours décalé sur la vie. Elle aimait les gens orgueilleux, au caractère d'acier, et sa foi, nous confiait-elle, lui apportait des joies aussi subies que bouleversantes. Elle aussi éprouvait une attirance pour la grande Thérèse d'Avila, supérieure à ses yeux à la petite Thérèse de Lisieux. « Ah, mes filles, un jour si Dieu vous choisit, vous connaîtrez l'extase mystique. »

Je buvais ses paroles. Et, sur son conseil, je m'efforçai de lire *Les Confessions* de son « si cher » saint Augustin. C'était rébarbatif mais j'acceptais de me ressentir comme un être inférieur inscrit dans la trajectoire de la supériorité intellectuelle. Si bien que, dans mes conversations avec les garçons, je citais saint Thomas d'Aquin et sainte Cécile – car sœur Madeleine aimait la musique – ainsi que Charles Maurras, parce que ma figure tutélaire avait pour lui une ferveur particulière – je comprendrai plus tard la trajectoire de ce dernier. C'est peu dire que, toujours dans l'attente de mes règles, sans poitrine et intellectuellement fiévreuse, les garçons m'évitaient.

Chapitre 14

J'admirais la démarche intellectuelle de sœur Marie-Madeleine tout en prenant mes distances avec l'éducation entachée de vertu et d'interdictions qu'on nous prodiguait. Je devais être l'une des seules étudiantes exposées chaque jour au discours iconoclaste et violent d'un père comme le mien, qui vitupérait sur l'Église, la foi et le clergé. Ses propos en arrivaient d'ailleurs à déteindre sur moi, ce dont je commençais à prendre conscience.

Je percevais sœur Marie-Madeleine comme appartenant à une espèce d'aristocratie catholique. L'attirance qu'elle éprouvait pour certains philosophes et théologiens ainsi que la distance dédaigneuse qu'elle affichait face aux niaiseries des péchés mortels me la rendaient admirable. Dans la Trinité, par exemple, Dieu le Père et Dieu le Fils l'intéressaient moins que l'Esprit saint envers lequel elle exprimait une passion singulière. « Le Saint-Esprit incarne l'intelligence absolue, mes filles », aimait-elle à répéter. La plupart de mes compagnes la trouvaient déconnectée, moi j'aspirais à la dépasser sur ce terrain sans avoir hélas les instruments intellectuels que possédait cette docteure en littérature classique de la Sorbonne. Mes efforts tombaient donc à plat.

*

J'étais inquiète, aussi, de mon avenir immédiat. Quelques semaines après la rentrée scolaire, je décidai donc que j'abandonnerais les études après l'obtention de mon diplôme du cours lettres-sciences. Une envie de liberté me gagnait. Et pour cause : le climat à la maison m'accablait. Les crises de mon père m'affectaient au point d'en venir à l'affronter verbalement. Se multipliaient entre nous les insultes, malgré la présence de ma mère, incapable de s'interposer. Or, j'avais désormais plus peur de moi que de lui puisque j'en étais arrivée à souhaiter sa mort. Une haine qui me minait.

Résultat, je trouvais souvent refuge chez mes rares amies, Félicia et Andrée, ce qui me permettait de croire qu'en dehors de chez nous existait une vie normale avec des adultes apparemment en contrôle d'eux-mêmes. L'espoir d'arriver à me libérer de mon enfance demeurait au cœur de mon combat pour faire triompher la vie sur la folie.

*

On l'a vu, j'avais, au cours des années précédentes, joué de petits rôles à la radio et à la télévision. Lors du choix de carrière – 1956-1957 était l'année de l'obtention d'un diplôme qui se terminait par un bal de « graduation » – j'écrivis, dans le livre des finissantes, que je me destinais à exercer le métier de comédienne. Convaincue, je pris mon bâton de pèlerin pour aller frapper aux portes des réalisateurs tout en inscrivant mon nom dans les auditions générales organisées par la télévision de Radio-Canada, dont les programmes avaient débuté cinq ans plus tôt, en 1952.

Ma vie d'adulte commençait. Je résistais à l'idée avancée par ma mère et mes tantes de poursuivre mes études en techniques de secrétariat, sentant instinctivement que cette voie reviendrait à un cul-de-sac dont je resterais pour toujours prisonnière. Je ne rêvais ni de mariage ni d'enfant et n'avais pas encore lu Simone de Beauvoir. Lors du bal de fin d'année, ma mère trouva l'argent pour m'acheter une robe cocktail en mousseline bleu pâle avec des picots blancs, que je portai par-dessus une crinoline à cerceau, accessoire qui faisait fureur chez les adolescentes lectrices assidues du magazine *Seventeen*. Maman investit dans cette tenue avec l'espoir que le garçon qui m'accompagnerait s'attacherait à jamais à moi.

Or, un mois avant le jour fatidique, personne n'avait réussi à trouver un garçon susceptible de m'accompagner. Je fus sauvée par une connaissance dont un cousin, disponible sur appel, dit oui. Le soir du bal, il vint me chercher en taxi. Je fus agréablement surprise par son allure. Blond, délicat et quelque peu maniéré, il s'empressa de me confier qu'il ne pourrait m'offrir, lors du dîner, le cocktail Pink Lady que buvaient les filles de bonne famille parce qu'il était abstinent et qu'il lui était interdit de faire boire de l'alcool à autrui. Lorsque le bal débuta, l'orchestre entama un slow des Four Aces, groupe à la mode. « On danse ? lui demandai-je alors qu'il demeurait assis. — Si tu le souhaites », dit-il. Une fois sur la piste, je fus surprise de voir qu'il m'effleurait à peine, gardant même une distance ridicule entre nous. « J'ai une chose à te dire », murmura-t-il alors à mon oreille. Comme il avait, du coup, appuyé sa tête contre la mienne, j'avais le cœur battant. « En septembre, je rentre au séminaire. Je me destine à la prêtrise. » D'un coup, je me sentis découragée. « Mes souliers me font mal. On pourrait retourner à la table ? répondis-je, toute désappointée. — Avec plaisir », commenta-t-il.

À la fin du repas, comme si cette surprise ne suffisait pas, il annonça qu'il ne pourrait me raccompagner chez moi faute d'argent. « Pas de problème, sens-toi bien à l'aise », murmurai-je. Humiliée, j'en perdis la voix. Vers minuit, alors qu'il fallait rentrer il s'excusa encore : « Je sers la messe à 7 heures demain matin. » Sur le coup, je me faisais pitié. Étais-je condamnée à subir les assauts de garçons testostéronés ou la distance de puceaux abstinents ? N'y aurait-il donc que les livres pour m'exalter et les mystiques pour m'accompagner dans ma pauvre vie de fille de seize ans en attente impatiente de ses menstruations ? Les garçons le sentaient-ils lorsqu'ils m'approchaient ?

Une copine et son amoureux offrirent de me raccompagner. Assise à l'arrière de leur voiture, je dus les regarder s'embrasser à pleine bouche à tous les feux rouges. J'en comptai vingt-deux jusqu'à la maison, où ma mère m'attendait dans la cuisine, un sourire aux lèvres. « Il t'a trouvée à son goût et toi aussi ? demanda-t-elle d'emblée. — Il aime mieux Jésus-Christ », rétorquai-je en grimpant l'escalier quatre à quatre vers la chambre où dormait ma jeune sœur. Je jetai ma robe de bal dans un coin et sanglotai jusqu'à l'aube.

*

Durant l'été, je vendis des robes chez Eaton, rue Sainte-Catherine. Mais, après trois semaines, je perdis mon emploi. Une collègue m'avait dénoncée car je m'étais vantée de réduire les prix lorsqu'une cliente de milieu modeste me paraissait à court d'argent. La responsable du rayon m'affronta, je fus incapable de mentir. « T'es chanceuse que j'appelle pas la police, grogna l'employée modèle. Tu te prends pour Robin des Bois ou t'es communiste ? » Et je me retrouvai sur le trottoir dans les minutes qui suivirent. J'étais donc à la rue, sans emploi, avec un rappel espéré de Radio-Canada qui ne venait pas. Ma mère, elle, était complètement déprimée.

Personnellement, je ne savais plus à quel saint me vouer. Au point de cesser d'assister à la messe le dimanche, ce qui rendit ma mère furieuse. « Si tu persistes, va te trouver une chambre ailleurs, hurla-t-elle. — Je fais comme lui », lui ai-je crié par la tête. Cet après-midi-là, je courus me réfugier chez ma grand-mère. « Ça va pas, ma p'tite fille. Je le vois dans ton visage. T'es toute blêmousse, me dit-elle. — Maman m'a mise dehors », répondis-je en éclatant en sanglots. Ma grand-mère se dirigea vers le téléphone et composa le numéro de la maison. De sa voix froide comme un glaçon, sans dire bonsoir ni élever le ton, elle écrasa ma mère de son autorité : « On ne traite pas sa fille plus mal que son mari », l'entendis-je déclarer. J'étais vengée.

Évidemment, je n'avais pas rompu avec la foi. Simplement j'avais décidé que les préceptes de l'Église ne guideraient pas ma vie ni mon rapport à l'Esprit saint puisque je n'étais désormais en conversation intérieure qu'avec Lui. J'imitais, en cela, ma chère sœur Madeleine. Qui plus est, les hommes – et surtout Dieu le Père – ne m'attiraient guère dans les circonstances.

*

En rentrant chez moi, le lendemain soir, ma mère s'est bien gardée de me faire des reproches. De peur de subir les nouvelles foudres de sa mère, j'imagine. Au contraire, elle m'accueillit avec une excitation extrême. Et pour cause : j'étais convoquée à une audition pour un rôle dans un téléroman de Radio-Canada destiné aux adolescents. Mais, pour l'énerver, je pris la nouvelle avec indifférence – « Ça ne veut rien dire. Il y aura sûrement cinquante comédiennes. » Je changeai de vêtements et quittai la maison comme si de rien n'était. « Je vais coucher chez Félicia et je ne sais pas quand je vais revenir. De toute façon, ça te fait une bouche de moins à nourrir. »

Une fois sur le trottoir, je me sentis coupable. Aussi, après avoir fait le tour du pâté de maisons, je remontai chez moi. « J'ai changé d'idée, déclarai-je en allant m'enfermer dans la chambre avec ma petite sœur, ajoutant avant qu'elle n'ouvre la bouche : Tu ne me parles pas, je lis. — Je vais voir maman, répondit-elle désemparée par ma mauvaise humeur. — C'est ça. Bonne idée. » Lorsqu'elle revint une heure plus tard, je feignis le sommeil. Elle s'étendit à mes côtés, dans le lit au matelas gondolé et, après quelques minutes, s'assoupit.

Je sortis ma lampe de poche du tiroir afin de poursuivre ma lecture jusque tard dans la nuit. Comme mon père, qui dormait tôt, fermait toutes les lumières de la maison une fois au lit, dévorer des pages sous les couvertures en bravant son interdit me paraissait encore plus désirable. Mais il ne fallait pas éveiller ma petite sœur et éviter de faire des ombres sur le plancher visibles sous la porte, qui me trahiraient.

Or cela arrivait parfois. Et mon père, que je soupçonnais de m'espionner, se laissait emporter par des colères subites et interminables. Un soir, il déboulonna même les pentures, décrocha notre porte et la remisa au sous-sol. Durant plusieurs semaines, je ne pus m'adonner à l'évasion nocturne permise par les livres, alors, je regardais le plafond et je m'épuisais à inventer des stratagèmes pour sortir de ce foyer où, décidément, je me consumais.

Chapitre 15

Par chance, je décrochai un rôle. Dans un téléroman d'Alec Pelletier intitulé *Demain dimanche.* Fière, ma mère se procura six copies du *Journal des Vedettes* annonçant la série parce qu'il contenait un encadré avec ma photo et qu'il était écrit que la jeune découverte (en l'occurrence moi) avait un tempérament de tragédienne et de remarquables dons comiques. À vrai dire, mon rôle était secondaire, «épisodique» comme on me le dit, ce qui me poussa à fouiller les dictionnaires encyclopédiques pour avoir une définition exacte du mot. Du coup, je compris que ce n'était pas en interprétant le personnage de Christine, dénommée Titine, l'amie de la vedette de la série, Louise Rémy, que la gloire me ferait signe.

Je ne gagnerais donc pas ma vie avec à peine une dizaine d'apparitions dans l'année, même si ma mère espérait que je vole la vedette et que mon rôle s'étoffe. Dès la première répétition, je compris que j'avais des croûtes à manger. Entourée d'acteurs mythiques de l'époque, tous joyeux et passionnants à côtoyer, je fus surprise de les voir me traiter avec une affection immédiate, comblée de leurs attentions. Mais, très vite, je réalisai que les acteurs, par définition, jouent en vérité avec les sentiments. Car, à mon grand étonnement, leur connivence avec moi s'évaporait dès que nous terminions le travail. Au fil des mois, ils se mirent même à m'effrayer par leur liberté de langage, leurs comportements plus qu'affectifs entre eux et… leur critique sans retenue du gouvernement de Maurice Duplessis que ma famille n'aimait pas mais qu'eux détestaient copieusement.

Ce monde fut un choc anthropologique. Sans la violence et la folie, ces artistes ressemblaient en fait à mon père. Car, comme lui, ils se moquaient des curés et du péché. Certains ne se gênaient pas pour caresser furtivement les actrices, qui semblaient y prendre plaisir. Moi, je demeurais farouche, empêtrée dans mes élans mystiques, gagnée par la crainte de subir leur influence, mais j'observais tout. Après les répétitions, qui se déroulaient au centre-ville, je m'empressais de me réfugier à la cathédrale de Montréal, située tout près de Radio-Canada, histoire de me remettre des émotions que leurs commentaires à caractère sexuel avaient produites en moi. Ces libres-penseurs pratiquaient l'amour libre – hommes et femmes en parlaient ouvertement –, ce qui ne cessait de me choquer.

Car si j'avais enfin eu mes règles quelques mois plus tôt – en juin, juste après mon bal – malgré ma prétention à la lucidité et au désir de faire triompher la raison, je n'étais pas loin de croire qu'un baiser mouillé la bouche ouverte, le fameux *french kiss* des Français, si peu hygiénique, était une étape pour tomber enceinte !

*

Malgré mes quelques apparitions à la télévision, je ne réussis pas à décrocher d'autres rôles. Donc impossible de gagner suffisamment d'argent pour payer une pension à ma mère, pratique courante dans les familles modestes et nombreuses à l'époque.

*

Félicia, plus délurée que moi, m'entraînait parfois dans des cafés où se retrouvait une faune d'artistes en herbe ou en attente d'inspiration, à laquelle s'ajoutaient des garçons aux yeux de velours et à la langue bien pendue – pendante aussi, car à la recherche de niaiseuses de mon acabit. Parce que Félicia, elle, les laissait s'approcher de nous, j'avais l'impression, dans ces lieux enfumés et sombres, de fréquenter l'antichambre de l'enfer. En fait, nous jouions aux « existentialistes », même si j'ignorais alors les écrits de Sartre, de Beauvoir et Nietzsche auxquels les habitués faisaient souvent référence. Vêtue de noir, je buvais des cafés qui me pompaient le cœur et dont je détestais le goût âcre, je ne refusais pas une cigarette par crainte qu'on rie de moi, mais, incapable d'aspirer la fumée, je la gardais dans ma bouche en l'exhalant à petits coups. « Tu as un beau genre quand tu fumes », me dit un vieux de vingt-cinq ans auquel je ne sus quoi répondre, incapable de saisir le sens réel de sa remarque.

Félicia se présentait comme étudiante au chic Collège Marianapolis et moi comme comédienne. Or aucun de ces « existentialistes » ne regardait la télé. Mon effet tombait donc à plat.

*

Cette année qui s'était annoncée faste se termina dans la déprime. Harcelée par ma mère qui voulait que je trouve du travail dans un bureau, je résistais encore. Et je m'inscrivis à la bibliothèque municipale de Montréal où je passais les journées à lire ce que la bibliothécaire me conseillait. C'est ainsi que j'entrai dans le monde de Kierkegaard et de Stefan Zweig.

Le philosophe danois me posa des problèmes que je jugeai insurmontables : ces textes étaient ardus. Cependant, lorsque je compris que, pour lui, la liberté de l'homme ne pouvait s'accomplir que si elle résidait en Dieu, je déchantai. Moi, je voulais plutôt croire que ma liberté m'appartenait en propre.

Quant à Stefan Zweig, j'avoue que, malgré les embûches du texte pour une inculte de dix-sept ans, je fus éblouie par la capacité de l'écrivain à me faire pénétrer les méandres de l'âme humaine. Je lus deux fois de suite la *Confusion des sentiments,* l'émotion dans laquelle me plongeait le texte me confirmant que j'appartenais à cet univers de déchirements, de désirs et d'espérances. Je compris aussi qu'en m'incitant à lire ces penseurs chrétiens mais non catholiques, sœur Marie-Madeleine m'avait ouvert la voie vers tous les écrivains interdits par l'Église. Je ne pouvais donc plus douter de ma capacité à trouver les moyens de m'élever et me dépasser intellectuellement. Ma naïveté me sauvait, dès lors, du découragement.

*

À dix-sept ans, ma vie se déroulait à l'extérieur de chez moi. Je devais trouver du travail et, surtout, échapper à la pression maternelle. Or ma foi dans mon choix de carrière de comédienne diminuait : je décrochais peu de contrats et ce n'est pas un rôle dans le téléroman *Demain dimanche*, tout aussi épisodique la seconde année que la première, qui allait changer la donne. Comme je gagnais peu d'argent, ma mère, toujours soumise à la tyrannie financière de mon père, m'accablait. « Mange pas trop de beurre, y a augmenté, il coûte trente sous la livre », disait-elle entre autres litanies. En fait, à la maison, tout était chiffré : la nourriture, les vêtements, les billets d'autobus, etc. Et l'argent restait le sujet d'accrochages constants avec ma mère. Or si j'en étais horripilée, j'étais aussi humiliée de constater que cette contagion – mettre des signes de piastres partout – m'atteignait. Lorsque je m'entendis dire à une amie que j'avais payé dix dollars une nouvelle jupe, je me serais giflée sur-le-champ.

Grâce à la fréquentation de la colonie artistique, je découvris une autre façon de manger, et surtout d'autres produits. Une comédienne me fit par exemple découvrir les artichauts. De son côté, Pierre Gauvreau, le réalisateur de l'émission, qui avait signé avec d'autres le *Refus global*, texte de révolte contre le gouvernement conservateur et autocrate de Maurice Duplessis devenu culte, lorsqu'il invita toute l'équipe chez lui, à l'occasion de Noël, m'ouvrit de nouvelles perspectives culinaires. Éblouie par la beauté de l'appartement qu'avait aménagé son épouse d'alors, Madeleine Arbour, décoratrice à la mode également signataire du texte séditieux, j'eus le sentiment que je mettais pied sur une autre planète que, d'emblée, je ne désirais plus quitter. J'étais émue aux larmes. Mieux, en buvant un verre de vin rouge pour la première fois de ma vie, la tête me tourna. J'aime à penser que ce verre savouré dans un tel décor, entourée d'artistes sans complexes et aussi révoltés que gais, fut, pour moi, une seconde naissance. Et cette fois, je ne risquais pas de mourir.

Chapitre 16

Mon intérêt pour la politique s'est développé grâce à ces comédiens, qui n'avaient de cesse de critiquer le régime de Maurice Duplessis. Le Premier ministre, qui qualifiait les poètes – dont il déformait le terme en «pouète» – de «pelleteux de nuages», avait consenti, sous la pression de la hiérarchie de l'Église, à voter des lois destinées à censurer les films. Il faudra d'ailleurs attendre le changement de gouvernement, en 1960, pour qu'au Québec la censure cinématographique soit abolie. Aussi, dans le milieu artistique, nombre de gens – dont les comédiens avec lesquels je travaillais – s'offraient des escapades à New York afin de voir les films français non victimes de coupures de scènes jugées trop osées par les ciseaux cléricaux.

*

Durant cette seconde année à chômer – sauf lorsque mon personnage de Titine Beauchamp réapparaissait dans un épisode –, j'errais à travers la ville. Je quittais la maison pour éviter les accrochages avec ma mère, qui me renvoyait l'image de la déception que je lui causais. Je montais dans un autobus un livre à la main et me rendais jusqu'au terminus. Pour éviter de payer un billet de retour, j'affirmais au conducteur que, distraite par ma lecture, j'avais oublié de descendre à l'arrêt prévu. La plupart du temps, mon explication était suffisante et je refaisais la route à l'envers. Un jeu à l'image de mon désarroi tant je n'étais pas dupe de l'intolérable sentiment qui m'habitait : je me sentais au bord de rater ma vie.

Trop jeune pour me faire des amies dans le milieu artistique, détachée des liens créés en classe malgré les lectures nombreuses et intellectuellement dispersées qui nourrissaient mes doutes, en froid avec l'Esprit saint dont la flamme vacillait à mes yeux, l'ennui m'écrasait comme une chape de plomb.

Je pensais à toutes mes amies qui poursuivaient leurs études au collège en vue du baccalauréat et j'en avais le cœur brisé. Je me définissais comme autodidacte, mais à part quelques naïfs croisés par hasard et impressionnés par ce mot dont ils ignoraient le sens, je ne trompais personne. J'étais une comédienne en herbe épisodique, une décrocheuse scolaire, une jeune fille qui ne gagnait pas sa vie et autour de laquelle aucun garçon ne tournait. Je connaissais désormais des acteurs qui menaient une existence de glamour, habités par des préoccupations esthétiques, artistiques et politiques, mais moi je n'arrivais pas à m'insérer dans leur monde.

*

Après deux ans d'apparitions furtives dans le téléroman d'Alec Pelletier, un rôle me fut offert dans un autre téléroman, *Le Mors aux dents,* écrit par Lise Lavallée. Encore plus secondaire. Cette auteure s'était rendue célèbre avec *Opération-Mystère,* une série pour enfants qui avait projeté Louise Marleau, devenue mon amie, dans le firmament des stars. J'acceptai évidemment le rôle de Gaby Fournier, adolescente issue d'un milieu défavorisé. À l'évidence, aux yeux des cinéastes, je devais avoir le physique de la modestie. D'ailleurs, je ferai une apparition, quelque temps après, dans une création de l'Office national du film (ONF), réalisée par le célèbre Bernard Devlin, étoile de l'ONF de l'époque. Où, de nouveau, je personnifierai une pauvresse. Quand j'osais me regarder dans le miroir m'apparaissait une jeune fille très mince au visage pâle, aux yeux cernés, au regard incandescent mais triste.

Je me rendais parfois à Radio-Canada avec l'espoir de rencontrer des réalisateurs qui verraient en moi la comédienne exceptionnelle. Je frappais à leur porte. Sans grand succès. Parfois, certaines de leurs scripts-assistantes me prenaient en pitié, fixaient des rendez-vous futurs avec leurs patrons, mais ceux-ci me faisaient faux bond au jour et à l'heure prévus. J'allais alors m'enfermer au Café des artistes, restaurant miteux et mythique situé à côté des studios, où j'étais assurée de trouver d'autres éclopés du métier comme moi.

Là, nous partagions nos frustrations. Et ceux qui en avaient les moyens en venaient à s'y s'enivrer lentement. Lorsqu'une vedette reconnue débarquait, forte de son assurance, de sa superbe et de sa condescendance à notre endroit, nous nous ressaisissions. Et ces acteurs se retrouvaient d'un coup entourés de filles – dont je ne faisais pas partie – prêtes à tout, je le compris plus tard, pour décrocher un rôle.

*

Un après-midi où un réalisateur s'était désisté, je rejoignis le café de mon supplice avec l'espoir d'être singularisée enfin. Et un homme, jeune encore, m'invita à rejoindre sa table. Entouré de garçons et filles sur lesquels il exerçait un ascendant évident, Pierre Bourgault s'exprimait dans une langue soutenue, au vocabulaire riche et percutant. «Je sais qui tu es, me dit-il d'emblée. Je t'ai vue à la télévision. Tu as du tempérament. Je suppose que la politique t'intéresse. Alors écoute-moi bien : nous, les Canadiens français, sommes colonisés par les Anglais depuis 1760. Cette humiliation collective doit s'arrêter. Avec des camarades, nous allons fonder un mouvement qui révolutionnera le Québec. Notre objectif est de faire l'indépendance et de posséder notre propre pays. On a besoin de jeunes comme toi. Souviens-toi bien de ce que je viens de te dire, Denise Bombardier : l'histoire du Québec indépendant est en train de s'écrire et j'espère que tu nous rejoindras bientôt.»

Ce moment demeure encore vivace à ma mémoire. Pierre Bourgault dégageait une telle force de conviction que l'on pouvait déjà deviner le fabuleux tribun qu'il deviendrait. Je me souviens très bien que, lorsqu'il s'est levé de table pour aller répandre sa parole auprès d'autres jeunes artistes, j'ai soufflé à l'oreille d'une comédienne aussi en herbe que moi : « Il est fou, celui-là. » J'étais sidérée, éblouie et inquiète à la fois. Cet homme d'une trentaine d'années, qui possédait un verbe inépuisable et projetait une ferveur contagieuse, m'avait déstabilisée.

Les fondateurs du Rassemblement pour l'indépendance nationale (RIN), dont Bourgault était l'un des membres les plus charismatiques et le futur président, se réunissaient alors pour élaborer le programme de ce qui deviendra, deux ans après l'élection du Parti libéral du Québec, un mouvement politique moderne. Le RIN secouera le nationalisme traditionnel et se transformera en parti politique marginal, certes, mais progressiste. Quelques années plus tard, le RIN dirigé par Pierre Bourgault se fera hara-kiri au profit du Parti québécois dont René Lévesque deviendra le chef en 1968.

Je n'aurais pu imaginer, lors de cette première conversation avec Bourgault, que j'adhérerais des années plus tard au RIN et que je deviendrais même présidente de sa section universitaire à l'Université de Montréal. Au cours de cette époque de turbulences, les premières bombes du Front de libération du Québec (FLQ) exploseront. La présidence du RIN étudiant, qui me mettra dans la ligne de mire de la police fédérale, rendra mon père paranoïaque, seul bénéfice (marginal) d'une situation par ailleurs tragique puisqu'il y eut mort d'homme.

*

Ma famille s'était toujours enorgueillie – on l'a vu – de s'opposer à Maurice Duplessis, chef de l'Union nationale, et à son parti « d'arriérés de la campagne », comme le clamaient mes tantes, sans instruction mais fières d'être montréalaises. Le jour où le Premier ministre mourut à Schefferville, dans le Nord québécois en septembre 1960, j'étais en répétition à Radio-Canada. La nouvelle se répandit dans l'édifice comme une traînée de poudre.

Bien qu'adversaire de la politique du défunt, je fus choquée et scandalisée de voir le comportement des acteurs, qui applaudissaient et criaient de joie sans retenue. Certes, j'étais trop jeune pour avoir souffert du régime politique borné et autocrate de cet homme, qui avait dirigé la province de 1936 à 1939 et de 1944 à 1959, mais j'estimais aussi que les morts avaient droit au respect – bien que j'aie pu imaginer déjà vivre la disparition de mon père sans verser une larme ; pour autant l'idée de me réjouir le jour où il disparaîtrait m'était impensable. Et Duplessis, tout comme mon père, n'était quand même pas Hitler.

Face à mes camarades qui parlaient de « grand soir », de « renaissance québécoise » et de « révolution tranquille », j'étais dubitative, sans doute parce que peu politisée. Mais à la maison, le samedi soir suivant, ma famille elle-même fêta le décès du Premier ministre. L'alcool rendit mon père plus loquace que d'ordinaire, enjoué même : il était donc semblable aux artistes pour lesquels j'avais une admiration mêlée de malaise ! La découverte me surprit.

Chapitre 17

Cet événement majeur marqua, en quelque sorte, mon baptême politique. J'allais passer d'une foi à l'autre.

Car j'avais cessé de fréquenter l'église après avoir tenté, en vain, de trouver un directeur spirituel à l'écoute au sein de la maison des Jésuites qui jouxtait mon ancienne école supérieure. Le père que l'on m'avait assigné bâilla en effet lors de notre première rencontre, tandis que je lui expliquais ma démarche. Mon âme et mes prétentions mystiques n'avaient aucun intérêt à ses yeux, mes aspirations de comédienne le laissaient de glace et le désert amoureux dans lequel j'évoluais – il m'avait demandé si je fréquentais un garçon – avait mis un terme à sa patience. N'étant sans doute pas un « cas » assez passionnant pour lui, ce disciple de saint Ignace de Loyola me recommanda de prendre rendez-vous avec un abbé de ma paroisse, un prêtre séculier faisant suffisamment l'affaire à ses yeux. Je me trouvai donc bien sotte d'avoir espéré que ma démarche spirituelle pût intéresser ce membre de l'élite cléricale, qui comptait pourtant, m'avait assuré sœur Marie-Madeleine, parmi les grands esprits de l'Église.

*

À l'aube des années soixante, la vie intellectuelle se déroulait dans des milieux qui m'étaient étrangers. Or Pierre Bourgault avait suscité en moi l'envie de m'engager dans une cause et de vibrer avec des gens qui la partageraient de concert. J'étais fière d'être une Canadienne française – ne serait-ce qu'en réaction aux propos méprisants de mon père sur le Culbec – mais je me rendais compte qu'un mentor capable de guider mes lectures s'imposait, moi qui choisissais plutôt des auteurs ardus dont les textes, la plupart du temps, me rebutaient.

C'est à cette époque que je lus Zola. Dont l'univers vite m'étouffa. La pauvreté, la laideur et la méchanceté décrites me déprimèrent. Pour prendre de la hauteur, je me rabattis quelques semaines sur Racine et Corneille, dont j'avais jusqu'alors survolé les œuvres grâce à sœur Marie-Madeleine. Je me mis à réciter les vers à haute voix durant des heures, enfermée dans ma petite chambre pendant que ma sœur était en classe puisque je ne savais où me réfugier.

Je m'appliquais aussi à lire régulièrement le journal afin d'y percevoir la fébrilité politique en train d'émerger dans le pays. Comme nous possédions enfin la télévision, je regardais aussi les émissions d'affaires publiques, celles notamment où Pierre Elliott Trudeau, alors professeur à l'Université de Montréal, Jacques Hébert l'éditeur, Jean Marchand le syndicaliste discutaient de l'avenir du Québec. Tous souhaitaient que le Parti libéral remporte les élections prévues en 1960.

Paul Sauvé, le Premier ministre qui avait succédé à Maurice Duplessis en septembre 1959, eut à peine le temps d'annoncer une forme de rupture avec le régime de son prédécesseur puisqu'il mourut subitement après trois mois de règne en janvier 1960. Quelques années plus tard, je choisirai, comme mémoire de maîtrise en sciences politiques à l'Université de Montréal, ces cent jours de pouvoir de Paul Sauvé à la tête de la province, prémonitoires de la Révolution tranquille qui allait rejeter hors du Québec ces démons anachroniques qu'étaient la domination de l'Église, le conservatisme social et l'asphyxie culturelle.

*

Parallèlement, la carrière de mon amie Louise Marleau avait pris son envol. La fillette ayant fait place à la plus éblouissante et émouvante beauté du Québec, la jeune actrice hérita de tous les rôles de premier plan distribués à la télévision comme au théâtre. Nous étions désormais très proches. Un jour, Louise, qui avait dû quitter l'école à l'adolescence, sa carrière étant incompatible avec les exigences scolaires, m'annonça que l'Université de Montréal offrait des cours le soir menant au fameux baccalauréat que j'aurais tant voulu décrocher. « Tu peux t'inscrire, me dit-elle, et continuer d'exercer le métier. »

Puisque je gagnais peu et ne pouvais compter sur ma famille pour m'aider depuis que ma mère n'avait plus grand espoir en ma carrière et s'était résignée à ne pas affronter son mari à ce sujet, l'idée de retourner aux études me hantait. Grâce à la suggestion de Louise, par miracle un regain d'énergie me gagna. Hors de question de gâcher ma vie, de m'épuiser à cumuler ces échecs qui me collaient à la peau, mieux valait changer de voie.

Lorsque j'annonçai ma décision à ma mère, elle fut désespérée. « Où vas-tu trouver l'argent de la scolarité ? demanda-t-elle. — Je vais me débrouiller », ai-je répondu, n'ayant pourtant aucune idée en tête. Mais j'avais l'air si convaincue et si entêtée qu'elle se contenta de soupirer : « Je ne sais pas où tu t'en vas comme ça. J'te reconnais plus. — Je pourrais dire la même chose de toi », ai-je répliqué avant de remonter dans mon antre.

Le lendemain, je me rendis – émue et excitée – au bureau d'admission du baccalauréat pour adultes de l'Université de Montréal. En ayant l'impression tenace de poursuivre l'imposture qui définissait ma vie puisque j'estimais devenir étudiante par la voie de garage. Tout le monde croirait que j'étais étudiante à plein temps, un baccalauréat en poche, je ne les contredirais pas, mais au fond de moi un goût de faux subsistait. Reste que je reprenais enfin ma montée dans la hiérarchie sociale, la tentative d'y arriver en devenant comédienne ayant échoué. Une nouvelle étape commençait.

*

Dans ces cours du soir, je me retrouvai entourée d'enseignants du primaire et du secondaire, empressés d'obtenir le fameux bac permettant de s'élever dans l'échelle salariale. Et qui assistaient aux séances en prenant docilement des notes et en se gardant bien d'interrompre le professeur comme je le faisais. Ayant une conception sacrée de l'éducation, j'avais rêvé d'échanges intellectuels constants et stimulants avec les professeurs qui augmentaient eux-mêmes leurs salaires en œuvrant dans ce département réservé aux adultes sans diplôme. C'était raté.

Il va sans dire qu'avec mes interventions je ne me rendis pas très populaire auprès des élèves-enseignants épuisés par leur journée de classe, qui souhaitaient juste recevoir la matière obligatoire en vue de l'examen final et non échanger sur tel ou tel sujet. Certains m'exprimèrent d'ailleurs ouvertement leur hostilité, m'expliquant que je perturbais les cours et distrayais le professeur en l'incitant à des considérations philosophiques, littéraires et historiques qui les ennuyaient et même agaçaient au plus haut point. Leur émissaire, un Jean-Paul à l'allure de voyageur de commerce, me mit carrément en garde : « Si tu continues avec tes élucubrations intellectuelles, on va se plaindre à la direction du département. Il n'est pas question pour nous de devenir des intellectuels. On veut du concret. On a des familles à faire vivre », dit-il un soir à la pause-café. Il ajouta cependant que j'avais du chien, étais intelligente et que ça l'excitait. « Mes confrères m'ont demandé de te parler. Je suis d'accord avec eux mais ça ne veut pas dire que tu me déplais. Au contraire. T'as un chum ? » ajouta-t-il avec un drôle de sourire.

Non seulement je n'avais pas d'amoureux mais je me languissais, bien qu'entourée par nombre d'étudiants de mon âge croisés à la cafétéria qui me regardaient à peine. Devinaient-ils que j'étais une fausse étudiante ? Me trouvaient-ils, comme moi, laide ? Comprenaient-ils que, derrière l'agressivité naturelle qui m'empêchait de minauder comme tant de filles de mon âge, j'avais d'autres qualités ?

Jean-Paul, spécialiste en mathématiques, me désarçonnait carrément. Je le craignais personnellement et le méprisais intellectuellement. « Vous êtes marié ? lui demandais-je pourtant un jour pour le déstabiliser. — Ça dépend des jours », rétorqua-t-il en m'observant avec des yeux qui me déshabillaient. À la fin d'un cours, il offrit de me raccompagner en voiture. Je vivais à une heure de l'université, c'était donc tentant mais pas assez pour céder à ce maquereau inculte qui trompait sa femme et faisait des avances avec la subtilité d'une moufette en chaleur.

Ce soir-là, dans l'autobus qui me ramenait à l'extrême nord de Montréal, au cœur de la nuit noire et froide de cet automne 1959, je me sentis comme un boxeur avant de monter dans le ring. J'étais fébrile, inquiète et sûre de moi à la fois. J'avais résisté. Même si j'avais encore ma virginité, je me consolais en constatant combien ma naïveté s'amenuisait.

CHAPITRE 18

Entre mes apparitions bimensuelles à la télévision qui exigeaient trois ou quatre jours de répétition, je prenais mes quartiers à la cafétéria du centre social des étudiants. Où je me nourrissais de hot-dogs, de frites molles en avalant maints cafés histoire de me donner un genre car j'en détestais le goût. Je ne connaissais personne, ma présence ne suscitait aucun intérêt de la part des étudiants qui me croisaient, mais il me semblait important d'être là.

Un après-midi où j'avais eu le coup de génie de prendre à la bibliothèque *Le Prince* de Machiavel, ouvrage que je lisais ostensiblement, deux garçons, l'un petit, gras, frisé et l'autre, grand, maigre et boutonneux, s'arrêtèrent à ma table. « Tu as de bonnes lectures, me dit le premier. — La politique t'intéresse, je suppose », ajouta son compagnon. Polis – un bon point pour eux, en dépit de leurs physiques – ils demandèrent la permission de s'asseoir à mes côtés. Ils étudiaient en droit ; de mon côté, je n'eus pas le courage de leur avouer que je n'étais pas inscrite dans une faculté. Aussi je prétendis être en lettres, ce qui faisait à la fois intellectuel et artistique.

En fait, les deux larrons étaient des recruteurs du Parti libéral du Québec. Qui souhaitaient me vendre une carte de membre. « C'est seulement un dollar, dit le petit. — Le prix d'un hot-dog, d'une frite et d'un ginger ale, répondis-je. — Tu signes ta carte de membre et on te paie ton hot-dog. » C'est ainsi que je devins militante administrativement en règle du Parti libéral, dont tout le monde croyait qu'il allait prendre le pouvoir l'été suivant. Je souhaitais que le Québec se débarrasse de l'Union nationale qui le dirigeait, rassemblement qui dénonçait les artistes, les intellectuels et les communistes.

Ma carte du Parti libéral en main, dûment signée par Albert et Louis – qui s'étaient nommés dès que j'eus acquiescé à leur offre –, j'éprouvai un sentiment de fierté et d'appartenance. Je partageais désormais avec tous les jeunes libéraux côtoyés ou aperçus un espoir : celui de sortir le Québec de l'étouffement, de la morale bornée transmise par des curés autoritaires et des évêques arrogants qui imposaient leurs lois et leur paternalisme lénifiant.

J'assistai à mes premières réunions politiques en compagnie de mes recruteurs. Ceux-ci me présentèrent à des garçons, futurs avocats pour la majorité et que l'on qualifierait aujourd'hui de machos, tant peu de filles étaient présentes. Mais c'était aussi une époque où peu d'entre elles étaient inscrites en droit. Quand on songe qu'aujourd'hui les femmes sont majoritaires à l'université et particulièrement en droit et en médecine, on mesure le chemin parcouru. Je devins rapidement une militante remarquée car j'intervenais régulièrement dans les discussions. J'aimais polémiquer, en particulier avec le président des jeunes libéraux Marcel Prud'homme, qui deviendra par la suite député fédéral et sénateur. En 1960, il voulut se présenter dans le comté de Laurier, mais Jean Lesage, qui sera élu Premier ministre en juin, lui préféra René Lévesque, le journaliste le plus admiré alors au Québec.

*

À cette époque, les jeunes libéraux de l'Université de Montréal avaient une influence considérable sur le parti. Plusieurs firent carrière en politique ou grâce à la politique. Je n'étais pas alors en âge de voter – n'ayant pas vingt et un ans – mais je consacrai des semaines à travailler en vue de l'élection du 22 juin avec le sentiment que j'écrivais l'histoire à ma manière : en collant des enveloppes, en téléphonant aux électeurs et en distribuant des tracts sur le campus.

Cela dit, j'éprouvais quelques réserves au sujet de mes camarades. J'estimais leur ambition trop voyante, leurs convictions peu réfléchies et leur supériorité de classe – ils étaient pour la plupart des petits-bourgeois ou en train de le devenir – trop affichée. Mais j'avais compris que le Parti libéral du Québec était la seule voie vers le progrès et l'affranchissement des Canadiens français. J'adhérais donc à son slogan : «Il est temps que ça change» dans lequel mon impatience naturelle trouvait écho.

*

Reste que, sentimentalement parlant, je ne rencontrais toujours personne. Il est vrai que je ne réussissais pas à charmer les garçons qui m'attiraient. Je les aimais allumés, drôles, curieux mais pas entreprenants tant, sous mes dehors affirmés, j'étais en fait farouche. Les baisers mouillés, la langue vive comme une couleuvre dans la bouche me levaient le cœur. Dans nos soirées du samedi, à l'université, les garçons qui m'invitaient à danser sans me connaître et qui cherchaient uniquement à se coller contre moi ne me redemandaient jamais pour une seconde danse. Et pour cause, je refusais toujours ce qu'ils attendaient. Je me rabattais alors sur ceux que les filles fuyaient à cause de leur gaucherie, de leur timidité maladive ou de leur allure de commis de bureau, souvent des jeunes hommes qui avaient des hobbies. Ces collectionneurs de timbres, de cartes de hockey ou ces joueurs d'échecs, en général, ne savaient pas danser. Pour meubler la gêne et les silences, j'embrayais donc sur la politique. Intarissable, ayant conscience de vivre un moment de rupture sociale, je les abreuvais de discours. Qui ne les passionnaient pas forcément.

*

Heureusement, quelques enseignants des cours du soir, moins ternes et moins fatigués que leurs confrères, s'empressaient de me retrouver durant la pause-café pour discuter. Avec ceux-là, je rêvais à voix haute de l'arrivée des libéraux au pouvoir. Reste que ce militantisme et cette nouvelle vie d'étudiante à quart de temps ne remplissaient ni mon porte-monnaie ni mon agenda. J'avais perdu de vue mes amies des cours lettres-sciences, sauf Félicia et Andrée que je voyais à l'occasion. On faisait appel à moi pour de petits rôles dans diverses émissions, ce qui me donnait quelques revenus, mais je peinais à subvenir à mes besoins. Quant à la maison, j'y passais le moins de temps possible. Heureusement, jamais ma mère ne s'inquiétait de mes absences. Je suppose que, impuissante à changer le climat instauré par mon père que j'avais toujours peine à supporter et fatiguée de m'entendre l'accuser, elle, d'en être responsable, elle préférait que je ne sois pas dans son champ de vision. À la vérité, j'étais odieuse avec elle et nos engueulades nous épuisaient d'autant plus qu'elles étaient sans issue. Financièrement, il m'était impossible de quitter le foyer familial, lieu de toutes mes angoisses et de mes rages, mais Dieu que j'en avais envie !

J'avais aussi pris mes distances avec mes tantes, lesquelles se morfondaient de voir leur nièce adorée toujours sans amoureux. Irma, qui espérait pour mon bonheur qu'un gros homme d'affaires jette son dévolu sur moi, me conseillait d'abandonner les cours : « T'apprends trop de choses, c'est pas étonnant que tu sois toute mêlée », rabâchait-elle. Au moins trouvions-nous un terrain d'entente en politique. Elle était pâmée devant Jean Lesage, le chef du Parti libéral. « Ça, c'est un homme », disait-elle en levant le menton vers son mari, mon oncle Paul-Émile, l'air de dire : « C'est pas comme lui. » Cette cruauté me scandalisait.

Mon oncle n'était pas peu fier, lui, de me voir inscrite à l'université. « Ah l'instruction ! Les Canadiens français sont trop pauvres et ignorants pour l'apprécier, disait-il, avant d'ajouter : On fait pitié, ma Denise. » Je le vois encore assis devant moi, les yeux embués, me serrant les mains très fort. Ce jour-là, à l'insu de ma tante, il glissa cinq billets de cinq dollars dans la poche de ma veste. De l'argent qu'il avait économisé je suppose car, chaque vendredi soir, il donnait une enveloppe brune contenant son salaire à tante Irma, qui lui remettait un ou deux billets d'un dollar selon son humeur pour ce qu'elle appelait « ses dépenses ».

Les visites chez mes tantes me ramenaient à mon enfance. Ma grand-mère maternelle était morte depuis un an et je me sentais toujours coupable d'avoir, pendant son séjour à l'hôpital, espacé mes visites. Je ne croyais pas qu'elle allait mourir. Elle ne pouvait pas m'abandonner, elle qui m'avait tant protégée, tant cajolée, elle qui avait nourri mon imagination de toutes les histoires de loups-garous et de sorcières du Québec profond, elle qui m'avait convaincue que du sang indien coulait dans nos veines.

Pour tout dire, je sais, maintenant, qu'elle était une vraie « sauvagesse ». Il y a quelques années, je me retrouvai en effet à la frontière de l'Ontario, dans l'État de New York, sur le territoire des Mohawks (Iroquois), et plus précisément à Akwesasne. Ma grand-mère m'avait toujours répété que, petite fille, elle allait sur la rivière Saint-Régis, l'été. Quelle ne fut pas ma stupéfaction, en roulant à travers ce territoire, de traverser un jour un pont où coulait, paisiblement, une petite rivière appelée Saint-Régis ! Elle avait dit vrai ! Sur le fond, je ne saurai jamais si grand-maman s'était inventé un personnage à l'opposé de la femme sédentaire et sévère qu'elle était devenue, mais je lui avais permis, durant mon enfance, de s'extraire de son dur et austère parcours, existence de servante pour ses enfants, mes oncles et ma tante Lucienne, lesquels se montraient incapables de lui exprimer leur affection, empêtrés qu'ils étaient dans leurs vies de secrets et de honte.

Chapitre 19

Quiconque n'a pas eu le privilège de vivre l'année 1960 au Québec a été privé d'une des rares exaltations historiques du XXe siècle. À l'Université de Montréal, peu d'étudiants se proclamaient en faveur de l'Union nationale de feu Maurice Duplessis. Et surtout pas moi, comme chacun l'a compris. Pour autant, j'appréciais l'audace de Jacques Laurent – devenu un brillant avocat par la suite –, étudiant en droit qui, avant l'élection du 22 juin, nous cherchait noise avec un humour irrésistible. Lui vantait l'Union nationale, le «seul parti véritablement provincial» à ses yeux, se revendiquait du nationalisme de l'historien et chanoine Lionel Groulx, ardent défenseur de la «race canadienne-française catholique», comme on désignait dans le passé les Canadiens français. Au moins, crânement il assumait ses opinions. Ce qui n'était pas forcément le cas de tous.

Il est vrai qu'avec mes camarades libéraux, nous en menions large sur le campus. Chaque étudiant que l'on croisait était interpellé. «Un vote, ça se gagne un par un», répétaient les organisateurs du PLQ. Notre fièvre, notre ferveur, notre espérance nous fouettaient. Ma vie se déroulait sur le campus, et je partageais mon temps entre mes quatre cours hebdomadaires du soir et les locaux du centre social des étudiants, lieu de nos activités où le flirt occupait une place non négligeable.

Je rentrais par le dernier bus à Cartierville, vers minuit, et rêvais du jour où je quitterais ma famille intoxicante. Les fins de semaine, j'allais chez mes amies dont Andrée, chez qui je me croyais dans un hôtel cinq étoiles. Elle m'accueillait avec chaleur et respect. Mais ses parents catholiques fervents ignoraient nos dévergondages (bien innocents). Andrée était en effet plus audacieuse que moi, qui avais encore des réticences à me laisser caresser et refusais toujours les *french kisses*. Les garçons qui m'entouraient en riaient, d'ailleurs : « Denise ne frenche pas », prévenaient-ils leurs copains. Je ne me sentais nullement harcelée, j'en souriais plutôt, compensant cette image par la force de mon militantisme. J'étais en effet incollable pour épuiser l'étudiant qui osait polémiquer avec moi et exprimer des réserves sur « notre » parti, celui qui s'apprêtait à prendre le pouvoir.

*

Le matin du 22 juin, j'éclatai en larmes, inconsolable de ne pas avoir le droit de vote alors fixé à vingt et un ans.

Ce soir-là, nous nous sommes réunis chez une fille qui habitait sur les hauteurs d'Outremont, et dont le grand-père était un illustre avocat. Je fis semblant d'être à l'aise parmi ces gens avec lesquels je partageais les mêmes convictions. Un maître d'hôtel nous avait accueillis et des bonnes en uniforme noir, comme dans les films étrangers, offraient aux visiteurs des jus et du vin posés sur des plateaux d'argent. Je n'avais jamais imaginé que Michelle, qui s'était usé la langue à coller des enveloppes comme moi dans notre humble local du Parti libéral du campus, appartenait à une des rares familles francophones d'alors qui constituaient la haute bourgeoisie. Et encore moins envisagé que sa résidence familiale jouxte celle des parents de Pierre Elliott Trudeau, alors professeur de droit à l'Université de Montréal, futur Premier ministre du Canada et père de Justin Trudeau, qui a suivi ses traces.

Dans les salons de la vaste demeure, la fébrilité était palpable. Je ne m'y sentais pas étrangère, mon adhésion au parti justifiant ma présence dans ce monde où les hommes portaient le costume trois-pièces que certains étudiants en droit adoptaient également.

Les filles ne déparaient pas, dans leurs robes chic et classiques comme celles de leurs mères.

Lorsque la télévision annonça la victoire, les murs de ce château – à mes yeux – tremblèrent. Tout le monde s'embrassa, les vieux notables nous serraient dans leurs bras et quelques-uns de mes camarades me frenchèrent proprement. Dans les circonstances, il eût été déplacé de protester et j'avoue que ces baisers de la victoire ne me déplurent qu'à moitié. Je n'allais pas, par un excès de pudibonderie, briser la joie contagieuse de l'assemblée, dont nombre de membres deviendront des personnalités de marque de la Révolution tranquille.

Ce soir du 22 juin 1960, j'eus le sentiment que j'amorçais, moi aussi, ma révolution personnelle. À la fois sociale, politique et affective. Que j'échapperais au déterminisme de mon milieu et accéderais à un monde où l'esprit, les idées et les sentiments allaient m'anoblir.

*

Cet été-là fut une saison euphorique. J'acceptai même que quelques amies m'organisent des *blind dates*. Durant plusieurs semaines, je me laissai donc courtiser par un bel Allemand blond qui roulait en MG décapotable gris métallisé, une rareté alors, et qui me trouvait, à l'évidence, distrayante. Il parlait peu, la politique le laissait de glace, mais il m'écoutait, un sourire permanent aux lèvres, lui décrire les changements qui s'amorceraient dans son pays d'adoption. Mon enthousiasme l'excitait puisqu'il n'avait de cesse de me caresser les cheveux et le cou durant mes emballements verbaux. Mais, réservé par ailleurs, ses baisers de fin de soirée n'étaient jamais mouillés. Il parlait français avec un accent prononcé et préférait s'exprimer en anglais. Ce dont je m'agaçais. Mais, comme le répétait Andrée, qui faisait office de rabatteuse pour moi : «Il est *cute*, sexy, et avec son auto sport toutes les filles sont attirées par lui.» Elle s'étonnait même qu'il s'intéresse à moi, l'intellectuelle. «Peut-être ne comprend-il pas vraiment mes envolées oratoires», ai-je alors pensé.

Un vendredi soir, veille du jour où nous devions nous rendre à une soirée prévue de longue date, il me téléphona pour m'annoncer qu'il devait partir pour Toronto le lendemain matin. Et c'est ainsi que prit fin mon histoire avec ce bel Allemand auquel je n'avais jamais osé demander, par lâcheté, ce que faisait son père pendant la guerre. Mais, au moins, je n'avais pas été confrontée au problème d'avoir à accepter des baisers non hygiéniques.

*

La plupart de mes camarades militants étaient injoignables cet été-là. Certains diplômés s'étaient ainsi trouvé des emplois dans les cabinets ministériels. N'étant membre d'aucun réseau social digne de ce nom, j'étais moi aussi en quête d'emploi. Ce qui faisait se lamenter ma mère, désolée de constater mon incapacité à faire de l'argent, puisque le téléphone ne sonnait plus pour m'offrir de petits rôles.

Si je réussissais à me faire inviter dans des danses du samedi soir, c'était sans garçon pour m'accompagner. Lorsque Elvis entonnait le slow troublant «*Love me tender*» et que les couples se formaient, me laissant seule sur ma chaise, je me précipitais aux toilettes. Quand les slows s'arrêtaient et que les chansons rock and roll reprenaient, je revenais sur la piste, dansant avec frénésie autour des couples. À la fin de la fête, une amie gentille convainquait toujours son copain de me ramener à la maison. Et une fois dans mon lit, aux côtés de ma petite sœur, j'imaginais l'heureux couple qui m'avait accompagnée en train de se caresser quelque part dans une rue déserte. Et je ne trouvais le sommeil qu'au moment où je réussissais à me substituer à la copine tout juste quittée. Même si son amoureux était moche, je l'embrassais, en pensée, la bouche ouverte!

*

Je passais mes journées à la bibliothèque municipale où je lisais à un rythme effréné. Je procédais de façon systématique, ne sélectionnant que des œuvres d'auteurs décédés. C'est ainsi que je dévorai Bernanos, Maupassant, Voltaire et les *Mémoires d'outre-tombe* de Chateaubriand. Même lorsque ces livres m'ennuyaient ou m'obligeaient à des relectures constantes, je persistais. Je n'étais pas tentée de demander conseil à quiconque, estimant que le choix des ouvrages me révélerait aux autres, or lire était une activité secrète qui me plaçait en distance. J'avais, ainsi, le sentiment de m'appartenir.

En septembre, je retournai à l'université, le cœur allégé et la tête remplie de ces lectures éclectiques. Fébrile, j'attendais que le slogan du Parti libéral – « Il faut que ça change » – se concrétise. Ayant moi-même commencé à changer, je sentais que, d'une façon ou d'une autre, je ne serais pas déçue.

Chapitre 20

L'euphorie de la victoire ne nous quittait plus. Pour la première fois de notre vie nous éprouvions la fierté d'être des Canadiens français. Car le Québec de Maurice Duplessis, sous le joug de l'Église, de la censure, de l'absence de liberté et d'ouverture au monde, n'avait vraiment rien pour nous emballer. Là, enfin, nous étions de plain-pied dans le changement.

Je ressentais chaque jour une émotion en ouvrant le journal que je lisais religieusement. J'y apprenais que la censure du cinéma allait être remise en question, que le système scolaire serait décléricalisé, que l'électricité, notre précieuse richesse naturelle, serait retirée du contrôle des compagnies anglo-américaines grâce à une nationalisation, mot qui nous galvanisait. Comme il n'était question que de justice, d'équité, de progrès, nous, les jeunes, étions emballés de devenir les acteurs de la formidable révolution en marche.

*

J'appartiens donc à la génération à laquelle le Québec joyeux, bruyant, allumé, lançait tous les défis. Nous admirions nos nouveaux dirigeants. Le Premier ministre Jean Lesage en imposait par sa stature, sa faconde, ses dons d'orateur et sa voix aussi puissante que mélodique. Dans la première partie du mandat de ce politicien lyrique, entre 1960 et 1962, il s'est senti emporté par la vague de fond de ce peuple impatient de s'installer dans la modernité, alors que lui-même appartenait à une génération modelée à la prudence, au respect des institutions et du Canada anglais. N'avait-il pas d'ailleurs fait carrière en politique fédérale et même été ministre à Ottawa dans le gouvernement de Louis St-Laurent ?

Sa volonté de secouer institutions et mentalités nous permettait de rêver notre Québec. Le nouveau Premier ministre avait accepté de venir à l'Université de Montréal quelques mois après son élection afin de s'adresser aux étudiants. Il fut accueilli en triomphateur. Installée au premier rang, je me précipitai au micro bien avant la période des questions pour avoir le privilège de m'adresser à lui. Le cœur battant, je me souviens de ce que je lui ai demandé : « Monsieur le Premier ministre, quand allez-vous créer le ministère de l'Éducation ? — Mademoiselle, répondit-il de sa voix vibrante, il vous faut être patiente. Nous allons d'abord nationaliser l'électricité. » Je fus déçue car je ne comprenais pas vraiment pourquoi l'électricité devait avoir la primauté sur l'éducation.

En fait, j'ignorais alors que René Lévesque, icône journalistique et le plus formidable vulgarisateur au Québec, avait abandonné son émission culte à la télévision de Radio-Canada, « Point de mire », pour rejoindre l'équipe libérale seulement s'il prenait les rênes du ministère des Richesses naturelles afin d'être l'artisan de la nationalisation annoncée, qui a permis aux Québécois de se débarrasser de leur complexe de gens « nés pour un petit pain ».

Comment aurais-je pu imaginer qu'une dizaine d'années plus tard j'épouserais par ailleurs Claude Sylvestre, le réalisateur de ladite émission, « Point de mire », et l'un des pionniers de la télévision de Radio-Canada ? Et que, dix ans après ma question au Premier ministre Jean Lesage, je me retrouverais à l'antenne du magazine d'affaires publiques « Format 30, Format 60 » en tant qu'intervieweuse ? Dont Claude Sylvestre était l'un des responsables.

Mon parcours familial, scolaire et artistique atypique ne m'avait pas autorisée à faire un choix de carrière. Celle-ci s'était simplement imposée à moi.

*

En ce début de la Révolution tranquille, j'avais seulement comme objectif de terminer ce baccalauréat sans lequel je ne pourrais devenir étudiante en sciences politiques à plein temps. J'ignorais comment j'allais payer mes études ainsi que le moment où je pourrais quitter le domicile familial devenu un lieu de passage plutôt qu'un point d'ancrage.

Dans les années soixante, peu de jeunes, contrairement à l'époque actuelle, quittaient leur famille pour une colocation avec des camarades de leur âge. À l'université, seuls les étudiants de l'extérieur de Montréal accédaient à cette liberté. Il n'était pas question, dans ce Québec officiellement catholique, donc puritain et soumis à la morale de l'Église, de voir les jeunes s'installer en ménage et vivre accotés, comme on disait alors, au vu et au su de tout le monde. Je n'appartenais pas à la bourgeoisie bien-pensante, mes tantes et ma mère n'étaient guère des mangeuses de balustrades, ces femmes bigotes qualifiées en France de grenouilles de bénitier, la piété ne les étouffait guère mais elles auraient quand même vu d'un très mauvais œil ce type d'emménagement, qu'elles auraient assimilé à du dévergondage. Elles m'idéalisaient, sans aucun doute.

Par mon éducation, à leurs yeux je me devais d'être parfaite, y compris face au sexe. Et moi-même je n'étais pas loin de penser pareil. Ainsi, mes expériences amoureuses étaient tempérées par ma peur de « faire l'acte », comme on disait couramment. Je vibrais à l'idée mais ne consentais qu'à des baisers mouillés, des caresses plus frôlantes qu'invasives, et comme il n'était pas question de me laisser approcher par des garçons que n'emballait pas la Révolution tranquille... En toute franchise, je crois que les retombées de cette révolution m'apportaient des émotions érotiques qui me satisfaisaient bien davantage que les flirts, ma peur des gestes sexuels n'étant pas sans lien avec la crainte de tomber enceinte. Qui plus est s'ajoutait à ces réticences et à ce côté presque fleur bleue une vision sentimentale et passionnelle de l'amour. Dans mon esprit, par ailleurs politiquement progressiste, le premier garçon auquel j'offrirais ma virginité serait aussi le dernier et le seul de ma vie.

*

Trois mois après l'élection du Parti libéral fut créé le Rassemblement pour l'indépendance nationale (RIN). C'est dire l'effervescence politique qui se répandait à travers le Québec. Le président fondateur du mouvement, André D'Allemagne, Français d'origine, traducteur puis publicitaire calme, réfléchi, qui exprimait avec une passion retenue ses convictions, consacra toute sa vie à la cause de l'indépendance sans jamais en tirer le moindre profit personnel. Au contraire, cet engagement a plutôt nui à sa carrière de publicitaire.

Jusqu'à l'élection de 1962, déclenchée par le PLQ pour rallier une majorité d'électeurs à la nationalisation de l'électricité, je vécus dans un véritable tourbillon politique. Le thème de la campagne électorale étant on ne peut plus clair « MAÎTRES CHEZ NOUS », je ne tardais pas à me laisser convaincre par des garçons commis à la cause de la libération de notre peuple que, pour être « maîtres chez nous », il fallait carrément prendre possession de la maison. En quelques mois, je m'éloignai donc de mes amis libéraux pour finir par adhérer au mouvement dont Pierre Bourgault m'avait parlé quelques années auparavant.

Nous, les convertis à l'indépendance, étions alors perçus comme des trouble-fête et des agitateurs, ce que nous étions, à vrai dire. Nous passions nos journées à faire du prosélytisme à la cafétéria du centre social et à introduire la « bonne parole » dans les assemblées de l'association étudiante. Enfin, je vibrais à mon rythme ! Et mon énergie à défendre nos idées épuisait nombre d'étudiants. Mon père ne m'avait jamais prénommée mais, sur le campus, mon nom résonnait. On m'appelait Miss quatre-moteurs, Miss B-52, la Bombarde et autres surnoms fort légers. Je ne m'en formalisais pas et préférais ces qualificatifs à ceux de Miss Pétard, Miss Jane Mansfield, le sexe symbole de l'époque, ou Miss agace-pissette dont les étudiants désignaient, avec leur raffinement de mâles en rut, les étudiantes qui, je l'avoue, étaient en quête moins d'une carrière que de se retrouver au pied de l'autel en robe blanche.

Je me languissais toutefois d'arriver enfin à séduire un garçon, tant la plupart de ceux sur lesquels je jetais mon dévolu persistaient à fuir. Sans s'intéresser aux Miss Pétard – ne se qualifiaient-ils pas de gens de gauche ? –, ils avaient tendance à fréquenter des filles moins accaparantes, donc plus dociles que moi. Quelques garçons m'avaient bien fréquentée l'espace de week-ends, mais mon côté farouche en fin de soirée leur avait coupé le sifflet et fait prendre la poudre d'escampette.

Dès lors, je me contentais de vivre l'amour à travers mes lectures. J'en étais à Maupassant, Jane Austen et Flaubert, et je ne doutais pas que, quelque part à Montréal, un garçon m'était forcément destiné. Mes emballements politiques compensaient mes battements de cœur sans objet.

Chapitre 21

Il m'arrivait encore d'être sollicitée en vue de petits rôles dans des téléthéâtres ou des téléromans. J'acceptais pour le cachet mais ce milieu d'émotions à vif, feintes ou réelles, de dédoublements et d'angoisses, aussi créatrices fussent-elles, m'insécurisait. Sans doute avais-je trop enduré, dans mon enfance, de violences verbales, de crises permanentes et de tragi-comédies imprévisibles. Moi qui aimais comprendre, raisonner, réfléchir, je découvrais que la politique, telle qu'elle se déroulait sous mes yeux, alliait à la fois raison et passion. Mieux valait donc cette théâtralité de la vie plutôt que celle, factice, de la scène. D'autant que je craignais de me noyer dans ce monde d'acteurs tous plus émotifs, irrationnels et égocentriques les uns que les autres, sachant pertinemment qu'une partie de moi leur ressemblait trop. Il me fallait plus d'oxygène, plus de distance critique et plus d'espace de doute. Je commettais une erreur en croyant que la politique serait ma voie, mais j'étais naïve du simple fait de croire ne pas l'être et débordais de l'enthousiasme des néophytes.

*

Nous avions l'habitude, militants du RIN, de nous réunir sous le moindre prétexte. Parce que nous aimions nous alimenter les uns les autres de nos lectures révolutionnaires, parce que le mouvement de décolonisation de l'Afrique entamé à l'époque nous servait de référence et, pire, de modèle. Nous lisions Frantz Fanon, l'essayiste et psychiatre français né en Martinique – qui abandonnera, quelques années plus tard, sa nationalité et choisira d'être algérien après avoir pris fait et cause pour la révolution du FLN. Nous analysions durant des heures son essai le plus célèbre, *Les Damnés de la Terre*, un manifeste en faveur de la lutte anticolonialiste qui m'apparaissait tout de même quelque peu inadéquat avec notre situation québécoise, malgré la séduction que la pensée de Fanon exerçait sur moi. Mon aveuglement avait en effet des limites : j'estimais que la situation des anciennes colonies de la France ne pouvait être comparée à la nôtre. Je me démarquai donc rapidement de cette vision du nationalisme révolutionnaire, qui m'apparaissait bien outrancière. Mais je dévorai *Peau noire, masques blancs* : l'approche psychanalytique de Fanon du racisme, et du colonialisme linguistique en particulier, me donnait le sentiment d'être en terrain familier. La domination de la langue anglaise, l'attitude méprisante à l'endroit de notre peuple (illustrée en particulier dans le rapport Durham) trouvaient des correspondances avec le colonialisme de gentleman des Anglais conquérants ailleurs dans le monde.

Lord Durham ? Envoyé par Londres, en 1838, faire enquête sur les causes des rébellions de 1837-1838 alors que les Patriotes s'opposaient à l'armée britannique, de retour en Angleterre, il avait déposé un rapport dans lequel il proposait – avec une brutalité bien peu anglaise, les Anglais étant les rois de l'euphémisme politique – l'assimilation systématique des Canadiens français, «ce peuple sans histoire et sans littérature», écrivit-il. L'essai de Frantz Fanon nous permettait donc de cerner les contours d'un colonialisme psychologique qui avait miné la confiance collective. En le lisant, lord Durham m'apparut de plus comme l'inspirateur de mon propre père, qui n'avait de cesse de répéter que les Anglais étaient nos maîtres et qui avait souhaité que nous fussions scolarisés en anglais. C'est donc sur ce terreau psychopolitique pour le moins fertile que mon engagement en faveur de l'indépendance du Québec s'inscrivit.

*

La campagne électorale de 1962 tournant autour de la nationalisation de l'électricité exposa au grand jour, si besoin en était, le mépris des anglophones envers l'idée – ceux-ci étant opposés en majorité à la mainmise de l'État québécois (à travers Hydro-Québec) sur les compagnies privées d'électricité, sociétés jusque-là chasse gardée des mêmes anglophones, qui s'étaient enrichis et croyaient faire perdurer ce privilège *ad vitam aeternam.* Nombre d'entre eux, membres éminents du monde des affaires, ne se gênaient pas pour dénoncer la prétendue inefficacité des Canadiens français. Donald Gordon, président du Canadien National (plus officiellement la Compagnie des chemins de fer nationaux du Canada), justifia même l'absence de francophones dans les dix-sept membres du conseil d'administration de l'entreprise appartenant à l'État parce qu'il n'aurait pas réussi «à trouver un Canadien français compétent». Et il enfonça le bouchon en affirmant que jamais il ne nommerait vice-président du service public des chemins de fer un francophone.

Ce qui explique pourquoi j'ai participé, en novembre 1962, à une manifestation bruyante et violente tenue devant l'hôtel Reine-Elizabeth, situé boulevard Dorchester – qui sera rebaptisé René-Lévesque après le décès de ce Premier ministre souverainiste adulé et respecté –, établissement appartenant alors au Canadien National. Comme le Parti libéral était revenu au pouvoir, que les électeurs s'étaient prononcés en faveur de la nationalisation et que le ministre des Richesses naturelles, le même René Lévesque, s'empressa de la mettre en marche, il fallait être là. Par la suite, on vit émerger une classe d'ingénieurs francophones qui consacrèrent leur vie à créer ces cathédrales incroyables que sont les grands barrages hydroélectriques du Nord québécois. La compétence, contrairement aux dires de Donald Gordon, fut au rendez-vous et suscita une fierté collective d'une intensité jamais exprimée. La nationalisation eut un effet de catharsis sur la psyché québécoise.

Au cours de cette manifestation, première d'envergure de la Révolution tranquille, nous, les jeunes, devions composer avec les policiers, dont plusieurs à cheval, ce qui n'était pas courant à Montréal. Dans cette atmosphère électrique, les mouvements de foule oscillaient entre les offensives des cavaliers et celles des policiers, qui fonçaient vraisemblablement aussi apeurés que nous en maniant leurs matraques à la manière des majorettes. Je reçus un coup violent à la hauteur des omoplates qui provoqua sur-le-champ une douleur intolérable. De cette première – et dernière – blessure de guerre, je tirai au moins un avantage : l'agression me procura un bénéfice inespéré, l'un des camarades du RIN sur lequel j'avais des visées m'entoura de son bras et m'emmena à l'écart.

Éloignés du champ de bataille, avec mon protecteur je me suis retrouvée dans une cafétéria de la rue Sainte-Catherine, où aucun serveur ne parlait français. En 1962, c'était courant. « *Two hot chocolates* », commanda l'infirmier improvisé. Nous avons passé ensuite deux heures à discourir des retombées politiques de la manifestation.

À certains moments, quand je grimaçais de douleur, le galant s'emparait de ma main, qu'il cajolait doucement. « Tu as mal ? demandait-il, compatissant. — Ça s'endure », répondais-je en retenant mes larmes. J'en arrivais à presque bénir le policier qui m'avait matraquée !

À la suite de cet événement médiatisé dans le Canada tout entier, nous nous sommes fréquentés quelques semaines. Hélas, ce petit ami ne retrouvait plus dans la battante épuisante la démunie blessée qui l'avait touché. Et pour cause, redevenue plus combative que jamais, j'affichais partout ma blessure encore sensible comme un trophée.

Un vendredi, en sortant du cinéma où nous avions été bouleversés par le film d'Alain Resnais *L'Année dernière à Marienbad*, il m'annonça que nous ne pouvions plus nous fréquenter. « Tu vas aller trop loin pour moi. Émotivement, je n'arriverai pas à te suivre, je ne vais que te décevoir. » Comme tant d'autres garçons qui rompent, il m'offrit son amitié. « Et nous rêvons tous les deux d'avoir un pays. C'est un lien fort entre nous », ajouta-t-il en effleurant ma joue pour la dernière fois.

Je ne pouvais me leurrer. Il ne faut pas confondre les blessures d'amour-propre et les peines d'amour. Je versai quelques larmes et refusai son invitation à me ramener en autobus à Cartierville. Impossible de lui en vouloir de quoi que ce soit. Durant le trajet, je décidai d'accepter l'offre d'être membre de l'exécutif national du RIN. Nous étions le fer de lance de l'avenir, à moi d'y participer.

*

Pierre Elliott Trudeau, alors professeur à la faculté de droit et commentateur cinglant et brillant à la télévision de Radio-Canada, venait parfois, mine de rien, boire un café à la cafétéria des étudiants pour discuter avec nous, les séparatistes. Il nous prenait de haut, toujours souriant, l'air de dire : « Prouvez-moi que vous en valez la peine intellectuellement. » Ce qui m'enrageait, mais je ne baissais pas la garde pour autant.

Au cours de ma carrière, j'aurai l'occasion de m'entretenir souvent avec lui. D'abord, quand il sera ministre du gouvernement de Lester B. Pearson, puis lorsqu'il deviendra le Premier ministre le plus flamboyant et charismatique du Canada. Nos échanges virulents, sinon virils, lorsque j'étais étudiante, m'avaient inoculée contre la trudeaumanie, qui a sévi d'un océan à l'autre comme hors de nos frontières. Car Pierre Elliott Trudeau fut l'ennemi irréductible des souverainistes. Si, au début des années soixante, nous nous sommes tous retrouvés emportés par le vent de changement insufflé par la Révolution tranquille, ce fut la seule posture consensuelle partagée avec cet adversaire aussi cassant que dilettante.

Chapitre 22

C'est avec une émotion sincère et solennelle que, lors de l'élection générale anticipée de 1962, la main tremblante, j'ai posé une croix sur mon bulletin de vote en faveur du candidat libéral. Alors que j'adhérais aux idées du Rassemblement pour l'indépendance nationale, le mouvement ne s'était pas encore transformé en parti politique : je n'avais donc aucun problème de conscience à agir ainsi. Mes camarades et moi étions même tous favorables à la nationalisation de l'électricité, qui faisait l'enjeu de ce scrutin.

Chaque jour je bénissais le ciel – sans trop y croire – de vivre dans un tourbillon politique qui nous galvanisait, nous permettait d'espérer tout possible, faisait que nos désirs, nos rêves, nos espoirs d'un monde meilleur, notre foi en la politique comme instrument de changement ne relevaient pas des chimères. Quel contraste avec les filles de mon entourage, dont beaucoup n'avaient comme ambition que de mettre au monde plusieurs enfants, à l'instar de nos grands-mères.

Sur le campus, grâce au RIN, nous avions la cote. Tout le monde cherchait à discuter avec nous, à l'exception des plus prudents ou ambitieux qui craignaient de se voir jugés s'ils s'affichaient de façon trop amicale en notre compagnie. Normal, car notre objectif – l'indépendance – faisait peur. Les jeunes libéraux enviaient notre liberté de parole mais, en se faisant offrir des postes dans les ministères à Québec ou à Ottawa, ils auraient la chance d'être au cœur de l'action, ils pensaient paver la voie au progrès. L'idée de rompre avec le Canada était alors intolérable même aux plus nationalistes d'entre eux. C'était le cas de Bernard Landry, président de l'association étudiante et futur Premier ministre du Québec (2001-2003) : à la fin de ses études de droit, il rejoindra le cabinet de René Lévesque à Québec et participera à l'élaboration de la politique énergétique, source de notre enrichissement collectif. Quelques années plus tard, il adhérera au Parti québécois.

*

Ainsi, si je poursuivais mes cours en vue d'obtenir le baccalauréat ès arts, la politique occupait une place prépondérante dans ma vie. Mon cercle de camarades s'élargissait, ce qui augmentait au moins mes chances de rencontrer un amoureux que j'arriverais à séduire autrement qu'intellectuellement. J'avais remarqué par exemple un garçon tiré à quatre épingles et à l'allure mystérieuse qui venait parfois assister à nos réunions informelles de recrutement. Plus âgé, il se faisait discret et, à l'évidence, préférait s'adresser à une personne à la fois plutôt qu'à toute l'assemblée.

R. devint un habitué de nos rencontres. Mais dès qu'on s'adressait à lui, il rougissait. Petit, viril, délicat, mélange troublant à mes yeux, non seulement il hochait la tête quand je parlais à la cantonade mais dès que je levais les yeux, je saisissais son regard posé sur moi. Au début, nos échanges personnels furent pourtant très limités. Il m'informa juste qu'il étudiait l'histoire et qu'il enseignait, de façon épisodique, comme remplaçant dans les écoles secondaires de Montréal. Pour le reste, rien.

Après un mois d'observation réciproque, j'osai lui demander, un jour, de m'accompagner à la danse, prévue le samedi soir suivant au centre social. Quand il vint me chercher à la maison, je découvris, estomaquée, qu'il possédait une voiture de sport, anglaise de surcroît. Ses interventions révolutionnaires truffées de références à Marx, Lénine et Rosa Luxemburg ne m'avaient pas préparée à accueillir un prétendant sorti tout droit des films de romance américains. J'avais aussi pris la précaution de lui demander de ne pas sonner à la porte de chez moi, sous prétexte que mon père était «spécial». Étant lui-même particulier, il ne chercha pas à comprendre et m'attendit sagement dans sa voiture.

Nous avons passé la soirée à danser des slows étroitement serrés l'un à l'autre. Moi, troublée et consentante. Lui, doux et tendre. Lorsqu'il souriait, ses yeux bleus délavés s'embuaient. Il avait apporté deux bouteilles miniatures de vodka, que nous avons mêlée à nos jus d'orange, gracieuseté de l'association étudiante. Qu'il fût radin m'a effleuré l'esprit, moi, marquée à vie par l'avarice de mon père. Mais la langueur et un vague sentiment d'être dans les bras de celui que j'attendais m'imposèrent une autre interprétation : j'avais affaire à un original, particulièrement atypique. Sa garde-robe et son auto n'en témoignaient-elles pas ?

Il me reconduisit chez moi en fin de soirée, après un détour par l'esplanade du Mont-Royal où, devant Montréal illuminée à nos pieds, nous nous sommes embrassés jusqu'à ce que j'en perde mon nom.

En arrivant devant ma résidence, il m'enlaça et murmura : «Je ne suis pas un surhomme, Denise. Et on ne peut pas continuer à s'embrasser de cette façon. C'est au-dessus de mes forces.» Il monta les quelques marches du perron et, prenant mon visage entre ses mains, me dit : «Si tu veux, on va se voir beaucoup.» Puis il me quitta en soufflant des baisers sur sa main.

Une fois dans mon lit, aux côtés de ma jeune sœur devenue adolescente qui dormait du sommeil du juste, je roulai d'un côté à l'autre en essayant de me refroidir les esprits. «Je suis en amour», ai-je articulé pour entendre l'écho de ma voix.

Et pour le croire.

*

Et puis, R. m'échappa un temps. Durant plusieurs semaines, j'ai même ignoré où il habitait. Alors, je racontai à mon amie Louise aimer le mystère qu'il entretenait. Malgré les apparences, il ne menait pas grand train. À l'université, où je le revis, il apportait souvent sa nourriture, y ajoutant un sandwich pour moi que nous allions manger sur la montagne derrière le bâtiment. Ces escapades se poursuivirent jusqu'à ce que le froid automnal nous en empêche, et nous en profitions pour nous embrasser.

Lorsqu'il se morfondait, sachant que je n'arrivais pas à consentir à faire l'amour, il se faisait violence et nous discutions politique.

Quelques semaines avant Noël, je lui fis part de mon désir de passer les fêtes en sa compagnie. « Ça s'avère compliqué, dit-il. Je dois visiter ma famille et j'en profiterai pour faire du recrutement. Tout nouveau membre du RIN est une victoire contre les colonialistes. » Si je n'usais pas de ce vocabulaire, trop chargé à mes yeux, je l'interpellai vivement pour masquer ma profonde déception. « Ma foi, t'es communiste. » Il me regarda tendrement et éclata de rire. « Tu me fais penser à Rosa Luxemburg », dit-il avant de m'embrasser avec ardeur. Et d'ajouter : « Tu m'excites quand tu discutes politique. » Lorsque nous nous sommes quittés en fin d'après-midi, il m'assura qu'à son retour, le 2 janvier, il aurait « une surprise pour moi ». « Ce sera mon cadeau », ajouta-t-il.

*

En attendant, je décidai d'offrir mes services au *Quartier latin*, le journal des étudiants. Mes camarades, au premier chef R., estimaient que nous, indépendantistes, devions noyauter tous les organismes estudiantins. J'avais une facilité à écrire, un « certain talent », avait même assuré ma professeure de littérature, l'écrivaine Monique Bosco, avec laquelle je suivais un cours obligatoire dans le cadre du baccalauréat, donc autant m'en servir. Âgée d'une trentaine d'années, elle débutait à l'université. Vive, cultivée, originale, agréablement hystérique, je la croyais française. Très discrète sur sa vie personnelle, nous savions seulement qu'elle était une amie proche d'Anne Hébert, l'une de nos grandes romancières installée de longues années à Paris.

Je n'ai appris que bien des années plus tard qu'elle était juive autrichienne, donc que sa langue maternelle était l'allemand, mais qu'elle avait choisi le français. J'ai pensé, par la suite, qu'elle voulait s'éloigner de l'Autriche hitlérienne. En tout cas, c'est grâce à elle, et à sa passion, que les grands écrivains français Diderot, Voltaire, Flaubert, devinrent encore plus mes proches. Grâce à cette pédagogue à l'enthousiasme contagieux, dégagée de toute la religiosité dans laquelle nous avions baigné, d'autres portes s'ouvraient à mon insatiable curiosité.

Dans l'un de ses cours, je me pris d'amitié pour une religieuse à peine plus âgée que moi que sa communauté envoyait à l'université en vue de devenir professeure de lettres. Un jour, Monique Bosco nous demanda de choisir un roman parmi les œuvres des romanciers des XVIIIe et XIXe siècles. Sœur Hélène leva la main. « Je choisis *La Religieuse* de Diderot, ça s'impose pour moi », dit-elle en riant. Mme Bosco devint écarlate et son malaise palpable. Les étudiants, qui connaissaient le contenu anticlérical de ce roman magnifique, riaient déjà sous cape. Monique Bosco, avec beaucoup de délicatesse, tenta d'expliquer à l'étudiante qu'elle pouvait peut-être choisir un autre auteur. Pour briser l'atmosphère, je levai la main et m'adressait à sœur Hélène : « Cette histoire n'est pas une histoire pieuse, ma sœur. Au contraire. » Notre camarade rougit à son tour, très belle avec son charme irrésistible, et déclara : « Il faut s'ouvrir l'esprit, de nos jours. L'Église doit évoluer et, nous aussi, les sœurs. » La classe, épatée, l'applaudit. Et Monique Bosco jubila. Ce fut aussi, cela, la Révolution tranquille.

Chapitre 23

Les étudiants menaient le bal à l'université en exigeant toujours plus de changements. Le gouvernement de Jean Lesage ne pouvait accélérer davantage la cadence tant les réformes dans l'éducation, l'économie, le domaine social et la culture s'enchaînaient à un rythme aussi exaltant qu'essoufflant pour la population. Il fallait donc faire preuve de pédagogie, de grandes capacités à convaincre, et rassurer les inquiets, nombreux et ébranlés, il faut le reconnaître, par les bouleversements successifs.

On peut affirmer que le Québec du début des années soixante est l'une des rares sociétés modernes à avoir réussi à bousculer les institutions tout en limitant les dégâts. C'est seulement trente ans plus tard que l'on put prendre conscience des traumatismes de la Révolution tranquille : on ne décléricalise pas un peuple en quelques années, on ne déstabilise pas la famille, pilier de la survivance des Canadiens français, sans provoquer des réactions psychologiques violentes. Et l'on ne plonge pas le Canada dans un chaos appréhendé sans que les autorités réagissent avec fermeté. L'éclatement éventuel du pays devint un enjeu politique qui s'incarna à travers les frères ennemis que furent Pierre Elliott Trudeau, devenu Premier ministre du Canada, et René Lévesque, Premier ministre du Québec.

*

Au cours des débats internes à la section universitaire du RIN, j'admets que nous foncions tête baissée dans le militantisme romantique. Nous étions, sauf exception, intransigeants et défendions notre cause avec une arrogance proportionnelle à notre âge comme à nos peurs secrètes.

J'avoue d'ailleurs avoir été trop souvent cassante et sans compromis, rabrouant les camarades qui tentaient d'apporter des nuances aux débats. J'en venais même à utiliser des références bibliques du genre « Les tièdes, je les vomirai » lorsque je manquais d'arguments. Avec certains, je me suis même laissé convaincre durant quelques mois (*mea culpa*) que, ne pouvant obtenir une majorité d'appuis chez les Canadiens français à cause de nos divisions sur l'indépendance, il fallait interdire le vote des anglophones du Québec sur cet enjeu. À mes yeux, l'indépendance ne pouvait pas être leur combat puisqu'il s'agissait de la survivance de la langue et de la culture françaises alors qu'eux, à la quasi-unanimité, refusaient de parler français et de reconnaître la distinction culturelle du Québec au sein du Canada. Selon plusieurs anglophones, le Canada français était rien moins qu'une erreur historique.

En 1968, la poètesse Michèle Lalonde mettra en mots cette grande bataille dans son long, sublime et douloureux poème, « *Speak white* », devenu notre Guernica culturel à nous.

> [...] *ah! speak white*
> *big deal*
> *mais pour vous dire*
> *l'éternité d'un jour de grève*
> *pour raconter*
> *une vie de peuple-concierge*
> *mais pour rentrer chez nous le soir*
> *à l'heure où le soleil*
> *s'en vient crever au-dessus des ruelles*
> *mais pour vous dire oui que le soleil se couche oui*
> *chaque jour de nos vies à l'est de vos empires*
> *rien ne vaut une langue à jurons*
> *notre parlure pas très propre*
> *tachée de cambouis et d'huile* [...]

Avec le recul, j'admets ne pas avoir d'excuse quant à la dérive intellectuelle et démocratiquement odieuse de mes vingt ans. J'avais, à mon corps défendant et avec inconscience, calqué mon militantisme sur le modèle d'engagement de mon père qui, lui, apostrophait les «Culbéquois» et voyait dans les Anglais nos maîtres. Enfant, comment pouvais-je interpréter ses paroles ? Lorsque ma mère m'affirma plus tard – et je la crus – qu'il avait voté oui au premier référendum sur la souveraineté (en 1980), je compris que ses paroles blasphématoires sur les Canadiens français recouvraient une vérité. Durant des années, en tant qu'officier télégraphiste de la marine marchande britannique, il avait dû entendre, du fait de ses origines, des quolibets, voire subir des humiliations de la part des officiers anglais qu'il côtoyait. Et j'en conclus, aujourd'hui, qu'il en fut blessé à vie.

*

Ma mère, de son côté, s'inquiétait : mes activités politiques au sein du RIN compromettaient mon avenir, répétait-elle chaque fois que je tentais de la convaincre du bien-fondé de l'indépendance. Surtout, elle craignait que mon engagement ait une incidence négative sur l'emploi de mon père à Air Canada, société d'État sous contrôle d'Ottawa.

Tante Edna, au contraire, se réjouissait que je sauve l'honneur de la famille. «Denise se tient debout, clamait-elle. Elle a du front tout le tour de la tête. Elle s'écrasera pas. Elle est plus instruite que nous autres. Elle comprend qu'il est temps qu'on arrête de se faire manger la laine sur le dos.»

*

Le 24 juin, jour de fête nationale des Canadiens français, le défilé traditionnel était clôturé par le char allégorique représentant saint Jean-Baptiste personnifié par un enfant blond aux cheveux frisés, accompagné d'un petit mouton. C'était le moment fort qu'applaudissait à tout rompre la foule, joyeuse et nombreuse, dispersée de chaque côté de la rue Sherbrooke. Symbole s'il en est, le défilé, qui débutait à l'est de Montréal, se terminait à la frontière invisible entre l'Est francophone et l'Ouest anglophone. Hugh MacLennan, écrivain anglophone montréalais, avait d'ailleurs évoqué dès 1945, dans un roman célèbre, *Les Deux Solitudes*, l'incommunicabilité entre les deux peuples.

L'expression « se faire manger la laine sur le dos » utilisée par ma tante se réfère à une définition accablante des Canadiens français, peuple de moutons, de suiveux, de taiseux, comme certains le prétendaient alors. L'on ne comprend pas les Québécois d'aujourd'hui en ignorant le complexe d'infériorité qui a marqué la culture passée et contre laquelle nous nous insurgions en combattant en faveur de l'indépendance en ce début des années soixante. Lorsque le Premier ministre René Lévesque déclarera, le soir de la victoire électorale du Parti québécois, le 15 novembre 1976, « On est peut-être quelque chose comme un grand peuple », il se référera – avec la modestie quasi douloureuse qui était la sienne – au sentiment humiliant qui nous a habités depuis la conquête d'être un « petit peuple », docile comme un mouton. Quelques années plus tard, saint Jean-Baptiste sera en revanche représenté par un adulte barbu, fort, grand et sans mouton. Et les années suivantes, dans la foulée de la décléricalisation de la fête nationale, le saint disparaîtra même du défilé.

*

À l'université, Jacques Girard, alors directeur du *Quartier latin*, écrivit, au début des années soixante, un éditorial qui provoqua des secousses telluriques. *Nous voulons un recteur laïc* est l'un des textes qui s'inscrivent dans l'histoire de la Révolution tranquille. Et pour cause : l'Université de Montréal étant alors un établissement pontifical dont le Vatican nommait le responsable et où les professeurs devaient, solennellement, se déclarer catholiques, l'article ne pouvait que faire grand bruit.

Quand, quelque temps plus tard, j'amorçai ma collaboration avec *Le Quartier latin*, je savourai le fait d'écrire dans une tribune de choix. Je deviendrai rapidement rédactrice en chef du journal alors que Serge Ménard, futur ministre du Parti québécois, allait diriger le journal. À vrai dire, j'appartenais à un groupe d'activistes. Dont les batailles se déroulaient sur plusieurs terrains à la fois. Nous étions indépendantistes mais la décléricalisation de la société était indissociable à nos yeux du combat pour l'affranchissement collectif. R., qui me courtisait patiemment, se montrait plus radical. Sa vision du Québec à venir n'excluait pas la violence, puisque le capitalisme, à ses yeux, était un système violent par excellence.

Amoureuse de lui, sa tendresse et sa douceur à mon endroit compensaient ses positions idéologiques extrêmement poussées. Mon état d'esprit en ébullition ne freinant plus mes dernières craintes, je consentis à tout ce qu'il souhaitait. Toutes les femmes espèrent une première nuit d'amour comme celle que j'ai vécue. Il m'emmena dans un chalet sans chauffage ni électricité construit au bout d'un chemin isolé dans un village des Laurentides. C'était en février, il faisait − 25 °C mais nous avons traversé la nuit devant une immense cheminée, dont les bûches se consumaient toutes les quinze minutes. Nous gelions, brûlants d'amour. J'avais eu raison de me soustraire aux quelques garçons aimables, gauches ou machos, avec lui j'avais trouvé l'homme de ma vie. Si je n'arrivais pas à le faire parler de son passé, si son radicalisme politique me dérangeait, grâce à mon amour j'étais sûre de parvenir à le convaincre de devenir plus modéré.

Par la suite, comment nous retrouver ? Habile, il réussissait à trouver des appartements – plus ou moins miteux – où nous pouvions faire l'amour, lui qui n'avait pas d'argent pour louer un motel. Et comme à l'époque le toit familial était le dernier endroit sous lequel on pouvait se réfugier, pour s'aimer, il fallait avoir des contacts, de l'imagination ou de l'argent. À défaut du dernier, il usait des précédents. Est-ce par peur de la réponse que je n'ai jamais osé lui demander pourquoi nous n'allions pas chez lui ?

Toujours est-il que, aveuglée d'amour et exaltée par la découverte de ma sexualité, je me suis tue.

Et puis, une fin d'après-midi, dans un appartement minuscule du centre-ville de Montréal, R. éclata en sanglots. Je me souviens avoir posé les mains sur mes oreilles, refusant d'entendre ce qui allait suivre puisque je devinais le pire. Il m'annonça qu'il était marié, que sa femme payait ses études, qu'il devait la respecter mais qu'il m'aimait au-delà de l'amour. En entendant son récit, je me mis à crier, à pleurer, je hoquetais, je voulais mourir. Ma vie s'effondrait.

Dans les jours et les semaines qui suivirent, je réappris à souffrir. Étant incapable de le quitter, nous nous retrouvions dans des lieux plus qu'improbables. Heureusement l'été arriva et mit un terme à nos problèmes d'organisation : nous allâmes nous étendre dans des champs en banlieue de Montréal où seuls les maringouins, qui nous piquèrent allègrement, étaient témoins de nos ébats.

Hélas ! je ne m'étais pas méfiée de l'herbe à puces. Le matin suivant de ce qui fut notre dernière escapade, je m'éveillai couverte de cloques à m'arracher la peau.

Aucune crème ne calmait les démangeaisons. Alors, un médecin vint à la maison et m'injecta un calmant. « Elle va dormir vingt-quatre heures », prédit-il à ma mère. Au bout de cinq heures, j'étais éveillée et hurlais à faire bouger les murs. « Mais qu'est-ce que t'as fait pour attraper ça ? me demanda maman. — Je suis allée aux framboises. — Oui, mais t'as le dos rempli de cloques. — Accable-moi pas davantage. J'ai dû toucher les feuilles et me gratter après. »

L'herbe à puces avait mis fin à mon histoire d'amour. Et je n'ai jamais oublié R. grâce à cette première fois, sublime. Je ne lui en ai pas voulu, non plus. Il m'aimait vraiment, le pauvre. Par la suite, il ne cessa de se battre pour le prolétariat tout en continuant de flirter avec la violence révolutionnaire… à laquelle je devins particulièrement allergique.

Chapitre 24

Le vent de la décléricalisation nous enivrait. Pendant ces années euphoriques, notre éducation à l'eau bénite en prenait pour son rhume. Mais nous n'avions pas la même frénésie d'évolution dans l'affranchissement personnel. Et pour cause : on n'abandonne pas sans appréhension ni hésitation des décennies de culture du péché mortel. Parmi les filles, on trouvait désormais des coucheuses qui ne s'embarrassaient plus des conséquences éventuelles d'une nuit d'amour puisque les garçons fournissaient volontiers les condoms. Libérées de l'angoisse de tomber enceintes, elles s'en donnaient à cœur joie. Revers de la médaille, elles étaient étiquetées par les garçons comme des filles faciles, si bien que les pudiques comme moi préféraient s'installer tôt en couple et reproduire le modèle de papa-maman, quitte à changer plus ou moins régulièrement de partenaire. Pas question, cependant, de se mettre en ménage à long terme : surtout dans cette bourgeoisie où les parents continuaient d'être les pourvoyeurs de leurs enfants.

Pour la plupart des étudiants, il n'était pas question d'amener leurs amoureux dormir à la maison. Les jeunes tenaient les parents à l'écart de leur vie sexuelle en cette première moitié des années soixante. Une de mes amies de la haute bourgeoisie, plus audacieuse que nombre d'entre nous, accueillait son amoureux chez elle, mais seulement en l'absence de ses parents. Plutôt que de faire l'amour dans sa vaste et belle chambre, elle acceptait, succombant à la demande de son amant iconoclaste, fils d'ouvrier qui se définissait de gauche, des ébats dans le lit parental. Tout cela parce que son chéri assurait que briser ce tabou ajoutait à la jouissance et à l'intensité de l'orgasme. J'avoue avoir trouvé cette amie plus osée que je l'imaginais, ayant, personnellement, toujours eu le sens du sacré. Et l'idée de folâtrer dans les draps parentaux me donnait plus de haut-le-cœur qu'autre chose. Comme j'éprouvais déjà du dégoût à l'idée que ma mère puisse copuler avec l'Antéchrist qui était l'auteur de mes jours, aller aussi loin me semblait infaisable.

*

Je subissais encore les effets secondaires de mon herbe à puces de l'été – qui m'obligeait à me couvrir le corps d'une crème à l'odeur repoussante visant à éliminer les picotements qui m'arrachaient la peau – lorsque je rencontrai, à la cafétéria de l'université, durant l'automne, un garçon qui ressemblait à l'acteur Anthony Perkins. Mince, de taille moyenne, il avait des manières de prince, des yeux très bruns, parlait peu et posément. Plus âgé que moi de quelques années, introverti, timide et sérieux, il étudiait en sociologie. Jacques Lamontagne m'avait entendu discuter de l'indépendance au cours d'un débat-midi, une activité très prisée sur le campus, et souhaitait, me dit-il, échanger avec moi.

Nous avons parlé durant plus d'une heure, après quoi il s'excusa pour se rendre à un cours. «Je ne manque jamais mes cours. Lorsqu'on paie ses études, on ne se comporte pas en dilettante.» Il me fixa un rendez-vous pour le lendemain midi, j'acquiesçai.

À mes yeux, ce qui comptait – à part son physique et son calme –, c'était sa vision de l'ébullition du Québec. Il trimait dur, travaillait à temps partiel comme guide à la télévision de Radio-Canada, avait peu de temps pour s'agiter socialement et, tout en appuyant la modernisation du Québec, se tenait à distance du Rassemblement pour l'indépendance. Il ne s'y opposait pas mais tout en lui était raisonnable. Et il était doux. D'une douceur qui m'émouvait.

Je découvris le lendemain qu'il partageait avec un copain un appartement situé face à l'université. Nous nous sommes fréquentés rapidement et j'appréciais sa modération, sa délicatesse, son ambition intellectuelle, tout en le trouvant beau malgré sa minceur. Enfin quelqu'un me plaçait dans un universel émotionnel que j'ignorais. Après quelques mois, Jacques et moi nous sommes installés en ménage. Nous étions convenus d'une entente : il terminerait sa scolarité de maîtrise, qui durerait deux années, période durant laquelle je gagnerais notre vie, moi qui allais obtenir enfin mon baccalauréat ès arts. Lorsque Jacques aurait décroché son diplôme, je m'inscrirais à mon tour à plein temps en sciences politiques. Mon amoureux prendrait alors le relais en décrochant un emploi de professeur. À cette époque d'explosion des sciences sociales, les postes dans l'enseignement et la fonction publique fédérale et provinciale nous étaient quasiment assurés.

*

Désormais, je passais mes journées à convaincre, à revendiquer et à m'indigner à travers le RIN et au sein du journal, *Le Quartier latin*. Le soir, j'entrais dans une zone sans turbulence avec un garçon qui m'aimait doucement et que j'aimais sagement. J'invitais mes camarades à la maison lorsque la tranquillité des lieux me stressait trop, et nous faisions la fête en nous engueulant joyeusement et parfois immodérément. Jacques se retirait alors dans son petit bureau pour avoir la paix. Sans me faire le moindre reproche.

Avec mes camarades du *Quartier latin*, nous avions découvert que l'association des étudiants, l'AGEUM (Association générale des étudiants de l'Université de Montréal), contribuait à hauteur de 50 % au salaire de l'aumônier chargé de s'assurer de la spiritualité de nos âmes, lesquelles ne demandaient désormais qu'à noircir tant la levée des interdits moraux et sexuels nous pâmait. Nous attendions tous que le statut d'université pontificale devienne caduc et cherchions par tous les moyens à poursuivre notre œuvre de décléricalisation du Québec. C'est ainsi qu'après une discussion enflammée un consensus surgit dans notre comité éditorial pour dénoncer cette subvention. J'héritai la tâche de pondre un texte percutant, signé de mon nom, explosif et exigeant que l'association étudiante se penche sur la possibilité d'abolir le salaire de l'abbé, prêtre pourtant doux comme le mouton de la Saint-Jean-Baptiste et plus enclin à nous donner raison qu'à se ranger derrière le recteur, son patron.

Ayant passé des heures à étudier Lénine, nous étions adeptes du noyautage institutionnel. Nos arguments étaient cependant minces, face à la quasi-totalité des étudiants catholiques. Mais illuminés de la laïcité, nous avions découvert que quelques étudiants bouddhistes venus du Viêtnam étaient inscrits à l'École polytechnique. J'écrivis alors qu'il était insoutenable, et discriminatoire, d'imposer la foi de l'Église à des adhérents bouddhistes. Comme nous avions aussi trouvé trois Berbères, nous les avons ajoutés à la liste des non-catholiques, laquelle comportait moins de dix étudiants. Qu'à cela ne tienne, le climat survolté de l'époque joua en notre faveur. Dans le meilleur des cas, croyions-nous, l'aumônier perdrait son poste dans un an ou deux. Or, la semaine suivante, l'AGEUM, impressionnée par nos arguments aussi tirés par les cheveux qu'intellectuellement malhonnêtes, vota à l'unanimité l'abolition de la partie du salaire du prêtre, payée par nos cotisations.

À l'obtention de cette « victoire », je me souviens que nous nous sommes défoncés au mousseux dans les locaux du journal et que, pour ma part, je terminai la soirée à vomir cette infâme piquette. Cette nuit-là, je me suis juré que si, un jour j'en avais les moyens, je ne boirais que du champagne. Parole tenue, même si j'ai longtemps attendu, faute d'argent, le rendez-vous avec la Veuve Clicquot.

Peu après, en arrivant au local de notre journal, mes camarades m'accueillirent tous plus excités les uns que les autres : le secrétaire du cardinal-archevêque de Montréal, Paul-Émile Léger, un vrai prince de l'Église originaire de Valleyfield dont le père était marchand général, cherchait à me joindre. Devant l'hystérie de mes camarades, j'exigeai qu'ils quittent les lieux tant il était hors de question qu'ils assistent à ma communication téléphonique.

Ils s'exécutèrent de mauvaise grâce, me laissant en compagnie du plus calme de mes confrères. Je composai le numéro de l'archevêché. On décrocha. Un jeune abbé à la voix fluette me répondit :

« Mademoiselle Bombardier, Son Éminence souhaiterait vous rencontrer afin de discuter avec vous. »

Je me retins de sauter au plafond, essayant de garder la tête froide. « Je suis d'accord, mais je souhaiterais que notre conversation fasse l'objet d'un article dans *Le Quartier latin*. J'aimerais aussi prendre une photo avec Son Éminence, pour publication, évidemment.

— Je crois que cela ne posera pas de problème à Son Éminence. Je vous rappelle demain à la même heure pour confirmer le tout, mademoiselle. Au revoir, me répondit-il de sa voix de crécelle.

— Au revoir, monsieur l'abbé. »

Après avoir raccroché, il me semble m'être littéralement roulée par terre. Quelle vie m'attendait !

Chapitre 25

Tel un athlète olympique, je me suis préparée mentalement au tête-à-tête. Il faut avoir vécu cette époque d'omnipotence de l'Église pour saisir le défi personnel et intellectuel que représentait, chez une fille de vingt-deux ans, l'obtention d'un rendez-vous avec la hiérarchie de l'Église catholique. Je crois, en vérité, que peu de confrères m'auraient enviée. Car le cardinal Léger était un personnage extravagant, théâtral, émotif, que les honneurs avaient comblé mais aussi altéré. Lorsqu'il était revenu de Rome après avoir été sacré archevêque au début des années cinquante, il avait débarqué gare Windsor, au centre-ville de Montréal, en s'exclamant sur le quai, devant une foule pieuse, émue et intimidée par le faste qu'il dégageait : « Montréal, tu t'es faite belle pour recevoir ton prince ! » Le fils du marchand général de Valleyfield avait, à l'évidence, laissé la modestie, l'humilité et le complexe d'infériorité des Canadiens français aux portes du Vatican.

Mes camarades toujours surexcités avaient organisé des paris misant sur mon comportement en présence du cardinal. Ils se départageaient entre ceux qui gageaient que je n'aurais pas l'audace de refuser de baiser sa bague et ceux qui, au contraire, me considéraient comme assez gonflée pour repousser ce signe de soumission. La cagnotte du journal s'éleva à une vingtaine de dollars, joli montant à l'époque.

*

Le jour venu, accompagnée d'un photographe – garçon taciturne, peu avenant mais doué pour saisir le moment clé d'une prise de photo –, nous sommes arrivés avant l'heure au palais cardinalice attenant à la cathédrale Marie-Reine-du-Monde, boulevard Dorchester – futur boulevard René-Lévesque.

Nous fûmes accueillis par son secrétaire, enveloppé dans une soutane trop ample pour sa taille, qui nous installa dans une salle décorée avec pompe, aux murs lambrissés et où de lourdes tentures en velours grenat pendaient des fenêtres. Sur un trône était installé le fauteuil légèrement surélevé de Son Éminence. Face à un tel décor, j'étais dans un état second. Et j'entendais mon cœur battre. Non d'affolement mais d'excitation.

Une porte latérale s'ouvrit subitement. Le jeune et maigre abbé céda le pas au cardinal, qui crut bon de lui adresser un signe bref que j'interprétai – avec ma mauvaise foi d'alors – comme une sorte de : « Dégage. »

Paul-Émile Léger s'avança vers moi et tendit sa main, dont une énorme bague recouvrait l'annulaire. Je tendis la mienne à mon tour, de façon à ce qu'il comprenne que je ne baiserais pas l'anneau offert par le Pape. Je crus déceler un léger mouvement d'étonnement dans son visage tourmenté puis bientôt entendis le clic de l'appareil photo : mon camarade avait réussi à fixer l'instant qui confirmait ma réputation et justifiait mon nom !

Le cardinal nous enjoignit de prendre place sur les deux chaises rembourrées installées au pied de son trône, trône sur lequel il s'installa en s'assurant de lisser les plis de l'éblouissante soutane rouge qu'il portait. Il attendit quelques secondes avant de prendre la parole, puis plongea son regard douloureux vers moi.

« Mon enfant, dit-il, vous avez fait pleurer mon cœur de père. »

J'accusai le coup. J'avais tout prévu… sauf pareille remarque. Voici donc que le prince de l'Église établissait avec moi une relation père-fille. Et ce père, contrairement au mien, me faisait comprendre que je le peinais. Mais je ne sais quel instinct de survie s'empara alors de mon esprit. Et fit monter en moi une énorme colère contre cet homme qui, je le perçus ainsi, tentait de me déstabiliser. À l'époque, j'avais l'agressivité à fleur de peau. Je m'accrochai donc à elle.

« Éminence, rétorquai-je, en accélérant mon débit déjà rapide, je crois que l'Église doit céder une part de son pouvoir historique aux laïques. Les Canadiens français veulent s'affranchir. La Révolution tranquille ne sera pas freinée. Nous sommes de plain-pied dans la modernité, désormais. »

Je sentis mon photographe trembler sur sa chaise. Le cardinal, lui, me fixa comme si j'étais une extraterrestre. Il se racla la gorge.

« Mon enfant, le Bon Dieu vous a donné de grands talents pour écrire et vous exprimer. Mais vous et vos camarades devez faire preuve d'humilité et de patience. La Révolution tranquille est une contradiction dans les termes. Une révolution est toujours inquiétante. » Et d'ajouter qu'il comprenait, de par sa fonction de père, que les Canadiens français avaient été humiliés à travers leur histoire. « Mais ne vous trompez pas d'ennemis, dit-il.

— Vous voulez parler des Anglais ? demandai-je.

— Je fais confiance à votre intelligence », répondit-il.

Puis il s'enferma dans un long monologue évoquant le rôle du clergé dans l'émancipation collective, durant lequel je perçus sa crainte que l'ingratitude populaire prenne le dessus. Avant de s'étendre longuement sur les bonheurs de la foi et sur l'amour que Dieu porte à ses enfants. Soudain, il parut fatigué. Accablé même. Et, d'un coup, il signifia la fin de l'entretien.

Il ne tendit pas la main mais offrit de nous bénir. J'y consentis. Son cœur souffrait trop pour que je lui refuse ce geste, qui n'allait rien changer à ce que je croyais profondément. Surtout, il n'avait pas tenté d'user d'arguments d'autorité.

*

Près de vingt ans plus tard, le même Paul-Émile Léger m'accorda un entretien exclusif dans le cadre de l'émission « Noir sur blanc », que j'animais à la télévision de Radio-Canada. Le cardinal, qui alors avait pris sa retraite et s'était réfugié, en quelque sorte, en Afrique pour consacrer le reste de sa vie aux lépreux, arriva en studio avec, en poche, l'entretien d'antan publié par *Le Quartier latin*. Heureux de me surprendre en citant le texte.

Je lui ai demandé à l'antenne : « Éminence, pourquoi l'Église catholique n'a-t-elle pas tenté de lutter afin de garder son autorité sur le peuple alors que vous déteniez le pouvoir grâce à votre situation hiérarchique ? » Resté muet deux ou trois secondes – dans une émission en direct, c'est long –, il eut cette phrase historique : « Chère Denise Bombardier, le cardinal Léger ne voulait pas que le sang coule dans les rues de Montréal. »

Contrairement aux esprits retors, j'ai cru qu'il avait sincèrement pensé que des militants laïques auraient été, alors, capables de déboulonner l'Église. La suite nous a d'ailleurs appris que le cardinal avait joué un rôle de pacificateur au sein de la hiérarchie, qui ne manquait pas d'évêques conservateurs et autoritaires. C'est pourquoi j'ai toujours conservé de l'affection pour cet homme mystérieux, psychologiquement fragile, qui fut l'un des plus flamboyants Canadiens français de son époque.

Chapitre 26

Après ma rencontre mémorable avec le cardinal Léger, c'est l'archevêché de Montréal qui assura entièrement le salaire de l'aumônier. Une victoire dont nous n'étions pas peu fiers. Mais, pour nous, un autre combat débutait : faire abolir ni plus ni moins le poste d'aumônier. Il faudra attendre 1965, et la nomination du premier recteur laïque – dont l'un des objectifs fut de préparer la nouvelle charte laïque – pour l'obtenir. La charte fut adoptée en 1967, permettant à l'établissement de devenir laïque. La modernisation de l'Université de Montréal fut l'un des acquis majeurs de la décléricalisation du Québec.

Je crois qu'il est difficile de comprendre l'état d'esprit qui présidait aux chambardements, pour ne pas dire aux chamboulements, d'une des sociétés les plus soumises au pouvoir de l'Église d'alors. Sans caricaturer la réalité, on peut affirmer que le Québec d'avant 1960 était à la fois l'Irlande, l'Italie et peut-être la Bretagne, voire d'autres régions sous l'emprise de l'Église de Rome. Avec les coups de boutoir donnés, le catholicisme craqua de toutes parts, et nous, les jeunes activistes, avions le sentiment d'être au cœur du progrès qui s'installait et dépassait nos propres rêves.

*

Mon amie Louise Marleau, dont la notoriété grandissait encore, me servait de pourvoyeuse en tout. Car à côté de ces engagements militants, il fallait bien manger et trouver les moyens de nos actions. Exigences quotidiennes auxquelles elle répondait volontiers. Comme elle gagnait remarquablement bien sa vie grâce à la télévision et au théâtre, où elle s'imposait dans tous les rôles de jeune première, sa générosité amicale (mais aussi pécuniaire) à mon endroit était sans réserve. Elle arrivait ainsi à l'appartement que nous partagions, Jacques et moi, les bras chargés de nourriture et de bouteilles de vin. Un an ou deux auparavant, nous nous étions affirmés comme des séparatistes audacieux. En compagnie de Paul, son amoureux, et d'un copain commun Jacques, nous avions, dès les premières manifestations politiques, posé des gestes illégaux.

Ainsi, le samedi soir, après être allés danser au centre social, nous allions peinturer les stops de la ville d'Outremont, foyer de la bourgeoisie canadienne-française où habitaient Paul et Jacques, ardents militants du refus de l'affichage en anglais. Cette balade dans l'illégalité nous procurait des sensations d'autant plus fortes que nous commettions ces délits à bord de l'énorme Chrysler du père de Paul, ex-conseiller législatif du Premier ministre Maurice Duplessis, et membre du conseil d'administration du quotidien populaire de l'époque *Montréal-Matin*. Lorsque, chaque dimanche matin, après nos frasques, le journal titrait : «Des terroristes à l'œuvre à Outremont», cela nous plongeait dans des frémissements et plaisirs jusque-là ignorés.

Quand, en 1963, la première vague du Front de libération du Québec (FLQ) entra en action, je revins sur terre. Le FLQ s'attaqua, en mars, à des casernes militaires en usant de bombes incendiaires. Elles firent peu de dégâts et, surtout, ne blessèrent personne, mais j'avoue avoir éprouvé un sentiment partagé. Le 21 avril suivant marqua un tournant. Avec Louise, Paul et Jacques, nous étions allés au cinéma au centre-ville de Montréal. En sortant de la séance, nous découvrîmes, stupéfaits, la rue Sainte-Catherine encombrée de voitures de police. On nous apprit qu'une bombe venait de tuer le gardien de nuit du Centre de recrutement de l'armée canadienne, situé à quelques intersections de la salle de projection. Je me souviens du choc, suivi de la peur, qui s'emparèrent de nous. Paul, étudiant en droit, fut le plus prompt à réagir : « On s'en va d'ici. Avec nos opinions, on pourrait passer pour des suspects. » Dans la voiture en route vers Outremont, trop estomaqués pour parler, nous restions muets. Je ne sais si nous saisissions vraiment la gravité de cet attentat et surtout comprenions ses inévitables conséquences sur la vie politique québécoise, mais qu'un homme soit mort au nom de notre cause faisait chanceler nos certitudes. Cette nuit-là, je crois avoir vieilli.

*

J'occupai pendant quelque temps la présidence du RIN universitaire, dont personne ne voulait assumer la fonction. J'ai cru que nos débats permettraient de calmer les esprits, pensé qu'en acceptant le poste je parviendrais, par la force des choses, à tempérer les uns les autres, et moi-même à conserver la distance critique nécessaire sans laquelle je risquais de déraper. Car j'avais conscience que le climat politique s'électrisait de semaine en semaine. Et pour cause, le FLQ recrutait toutes les têtes brûlées, tous les militants aveuglés par leur haine des Anglais et tous les idéologues désireux d'imposer au Québec le nationalisme révolutionnaire à l'œuvre en Algérie, à Cuba et au Moyen-Orient.

En tant que présidente, je siégeais aussi au conseil général du RIN, expérience pour moi aussi éclairante que salutaire. Entourée des membres fondateurs tels André D'Allemagne, Marcel Chaput, l'avocat de Québec Guy Pouliot et l'architecte Rodrigue Guité, j'ai pris de vraies leçons de démocratie. Une nécessité quand, à vingt ans, en ces années-là, la tentation est grande de s'enfoncer dans le romantisme et d'admirer Guevara. Car, après avoir lu *Portrait du colonisé, précédé du portrait de colonisateur*, d'Albert Memmi, force est d'admettre que nous étions tous plus ou moins intoxiqués par les idées de la gauche tiers-mondiste.

À la suite des arrestations de certains jeunes felquistes accusés d'avoir posé des bombes, j'ai signé un article dans *Le Quartier latin* où j'écrivais : «Je ne tenterai aucunement de faire ici le procès du FLQ ni même de justifier leur conduite, je ne veux que protester contre la façon inhumaine et illogique dont ils sont traités.» En vérité, notre inexpérience et notre aveuglement nous portaient à exiger que nos jeunes camarades soient reconnus comme des prisonniers politiques, un statut qui nous apparaissait plus digne de l'idéalisme qui présidait à leurs actions criminelles.

Avec le recul, je ne suis pas fière de ces écrits, mais il m'a fallu peu de temps pour comprendre qu'un statut de prisonnier politique, inexistant en droit au Canada, aurait en fait été une erreur magistrale. Nous étions jeunes, hélas, si naïfs. C'est ce qui a conduit certains à s'enfoncer dans la violence, laquelle explosera durant la crise d'octobre 1970, que j'aborderai plus loin.

*

J'ai éprouvé peu de regrets au cours de ma vie – à part le moment où j'ai pu blesser des personnes par manque d'empathie ou par distraction – mais je ne me suis jamais pardonné d'avoir, avec quelques militants du RIN, fait abolir le salaire du président Marcel Chaput, l'un des fondateurs du RIN. Ce nationaliste, chimiste de profession, avait encouru tous les risques en s'engageant – il fut d'ailleurs congédié par le gouvernement fédéral à cause de son combat en faveur de l'indépendance –, mais, poussés par quelques purs et durs, nous avions un jour déclenché une bataille interne contre lui.

Au nom de la noblesse de la cause, quelques-uns, dont moi-même, nous étions laissé convaincre qu'il fallait travailler gratuitement pour le parti. Or Marcel Chaput touchait un salaire plus que modeste financé par les dons des militants. Cette rémunération, à nos yeux, était une honte. Je me souviens d'avoir pris la parole au moment du vote sur ce point en affirmant, avec une bêtise abyssale, qu'on ne peut être payé pour défendre ses idées. La proposition fut adoptée. Et Marcel Chaput, père de famille, se retrouva sans le sou. Et nous, les imbéciles sans attache et responsabilité autre que d'assurer la pureté de notre foi, avons eu le sentiment d'une victoire sur l'intérêt personnel alors que nous fragilisions un admirable patriote du Québec contemporain.

J'en rougis encore en écrivant ces mots.

Chapitre 27

À l'époque, le militantisme m'accaparait à un point tel que j'en devenais épuisante. Je partageais ma vie avec Jacques mais j'avais conservé une partie de mes vêtements chez ma mère. Dans ces années-là, je n'utilisais plus l'expression « chez mes parents », ayant décidé de « scotomiser », comme disent les psychiatres, mon père. Évacué de mon environnement, il me servait désormais de personnage comico-terrifiant dans un monologue très réussi que je présentais lors des soirées étudiantes où de nouveaux camarades n'avaient jamais entendu ma prestation. Je réussissais à faire rire même les plus flegmatiques en le décrivant et l'imitant, retirant un plaisir certain à ce jeu qui apaisait ma vieille blessure non cicatrisée.

Les jeunes de ma génération inscrits à l'université s'étaient fait répéter, durant leurs années aux collèges classiques, qu'ils représentaient les élites futures du Québec. Plusieurs s'activaient au sein du *Quartier latin*, dans les associations étudiantes comme à l'intérieur des facultés, ainsi qu'à la Société artistique où s'affirmaient déjà Denis Arcand, Denis Héroux et Stéphane Venne.

Avoir vingt ans relevait en ce temps-là du cadeau du ciel. Nous étions survoltés, grisés et en ébullition. Les adultes nous admiraient malgré leur inquiétude d'une effervescence sociale pas toujours évidente à maîtriser si jamais… Mes tantes subissaient mon influence, moi qui incarnais leur rêve de jeunesse. « Toi, tu t'en sors. Tu te laisseras pas écraser et t'auras jamais honte d'être ignorante », disait ainsi tante Edna. Quant à ma tante Irma, elle me suppliait « de faire de l'argent vite. Comme ça, personne va te marcher sur les pieds. Personne va t'écœurer ». Et ma mère, pourtant obsédée par l'argent pour avoir été et être sous l'emprise de mon avare de père, répétait tel un leitmotiv que la richesse résidait dans le savoir et la culture. Tout en s'inquiétant de mon parcours de militante du RIN parce que, à ses yeux, être étiquetée séparatiste risquait d'hypothéquer mon avenir.

*

Elle n'avait pas tort ! En 1966, lorsque je poserai ma candidature pour obtenir un travail d'été au service de presse de l'Exposition universelle de Montréal, je serai reçue gentiment par le responsable qui m'interrogera, entre autres, sur mes accointances politiques. Je ne mentionnerai ni mon adhésion au Parti libéral du Québec du début des années soixante, ni mon engagement au RIN – je n'avais pas renouvelé ma carte de membre quelques mois plus tôt –, mais l'aimable et suspicieux interlocuteur, en me regardant dans les yeux, me déclarera : « Vous m'avez tout raconté, j'espère. Car vous savez, à l'Expo, nous avons des moyens de savoir si les candidats, à quelque poste que ce soit, nous mentent. » Et de conclure, un sourire aux lèvres : « En fait, on vous radiographie. »

Quelques jours plus tard, je recevrai un appel de lui. « Vous êtes une petite cachottière, dira-t-il d'emblée d'un ton badin. Dommage, vous aviez la personnalité et l'expérience pour joindre notre service. » Ce qui me confirmera que j'avais été fichée par la Gendarmerie royale du Canada. Lorsque je téléphonerai à ma mère pour lui raconter l'incident, elle s'alarmera : « Ton père va être mis dehors d'Air Canada. Quand vas-tu arrêter de m'énerver ? Qu'est-ce que je t'ai fait ? » gémira-t-elle, au bord des larmes, alors que cette femme, qui avait peur de tout, m'avait élevée pour que je ne sois pas comme elle. En vérité, je penserai ce jour-là qu'elle avait réussi mon éducation puisque je serai plutôt fière de payer un prix pour mes idées. Je le lui dirai, ce qui la rendra enragée au point de me raccrocher au nez. Une manière récurrente, chez elle, de se soustraire à mes remarques, qu'elle jugeait et jugera toujours insupportables ou déplacées.

*

Jacques et moi faisions des projets d'avenir. Et je crois avoir été la première à parler mariage. L'idée de m'installer en ménage officiellement devant Dieu et les hommes, pour utiliser la formule consacrée, m'attirait. Jacques venait lui aussi d'une famille dysfonctionnelle dans un milieu défavorisé. Distingué, raffiné, réservé – et trop sérieux –, j'avais dû lui faire l'effet d'un feu d'artifice au début de notre vie de couple. Solitaire, il avait très peu d'amis, à part Georges, un garçon silencieux à l'humour subtil que j'aimais beaucoup. Un contraste certain avec mes propres amis qui, lorsqu'on faisait la fête, bruyants, drôles, dérangeants et gueulards, faisaient trembler les murs de l'appartement. Quant à ma chère Louise Marleau, elle nourrissait en souriant tous ces étudiants sans le sou qui devaient se mettre à trois pour acheter une bouteille de vin potable ! Jacques ne rechignait pas, mais sa capacité d'absorption des énergumènes venus dans l'appartement atteignait parfois ses limites. Alors, dans ces moments-là, nous mettions tout le monde à la porte… aux petites heures du matin.

Nous avons donc décidé, sous ma pression, je l'avoue, de nous marier à l'été 1964. Jacques a consenti sans se faire prier, éprouvant tous deux le besoin de nous sentir socialement « normaux ». Malgré les divergences fondamentales de nos tempéraments, nous étions l'un et l'autre issus d'un milieu social peu enviable dont nous espérions nous extraire par des études avancées et cette union consacrée. Respectant le pacte conclu entre nous, je trouvai facilement un emploi afin qu'il puisse étudier à plein temps sans avoir à travailler plusieurs heures par semaine. C'est ainsi que je devins enseignante dans les écoles secondaires de Montréal. Enseignante… remplaçante.

*

Chaque matin, vers 7 heures, j'attendais avec anxiété la sonnerie du téléphone, appel m'annonçant qu'une enseignante venait de se déclarer malade et que j'allais enfin travailler. Je parcourus durant un an la ville de Montréal d'est en ouest et du nord au sud dans une Volkswagen d'occasion. Dès qu'une enseignante déclarait forfait, je me retrouvais devant une classe d'adolescentes qui m'attendaient de pied ferme, croyant qu'elles feraient la fête. Ce fut une expérience très formatrice et des plus précieuses. Dans certaines classes de quartiers défavorisés, des filles plus grandes et plus fortes que moi décidaient de m'affronter. À moi de m'imposer en matant la plus délinquante grâce à l'humour, pratiqué à ses dépens afin d'impressionner la classe et de réussir à me faire obéir. Cette année marqua ma vie en me confirmant que la colère est la pire conseillère !

Si mes tentatives de transmettre des connaissances aux élèves rencontrées ne furent pas à la hauteur de mes attentes, je m'intéressais à ces filles et elles m'en étaient reconnaissantes. Comme il m'arrivait de passer un mois dans la même classe, je pouvais leur communiquer ma passion du français. Je leur donnais ainsi des dictées, les faisais s'exprimer devant la classe et leur enseignais l'histoire du Canada à ma façon. Certes, je découvrais que ces filles rêvaient davantage de garçons que d'indépendance, et que la plupart ignoraient l'existence d'une Révolution tranquille se déroulant autour d'elles.

Lorsque je deviendrai journaliste, je n'oublierai jamais combien la vulgarisation et le rappel incessant du passé sont essentiels pour informer le public. Combien il ne faut en aucune façon présumer des connaissances des citoyens. Parler ou écrire pour ses pairs est un luxe d'universitaire.

Tant et si bien que, par la suite, ce ne sont pas les matières et sujets que j'ai abordés mais la langue volontairement policée dont j'ai usée qui m'a valu, dans la bourgeoisie populiste qui s'efforçait de parler peuple, c'est-à-dire en joual, l'étiquette d'élitiste. Et ce alors que les classes populaires me félicitaient de mon

« beau » français. En fait, j'ai toujours parlé une langue plus ou moins soutenue par passion et reconnaissance envers ma mère, qui s'était serré la ceinture pour me payer des cours de diction, et envers mes tantes, qui éprouvaient pour leur nièce une fierté qui me touchait profondément.

Chapitre 28

Les activités terroristes du FLQ, en ces années soixante, compliquaient notre engagement en faveur de l'indépendance. Je sortais des interminables réunions du RIN, épuisée et découragée. Nos débats étaient imprégnés d'affrontements violents, de soupçons et de reproches. Je me rappelle avoir reçu une note d'un militant, pendant des discussions enflammées, m'informant qu'un de nos camarades camouflait sous la table un magnétophone miniature. En tant que présidente de l'assemblée, je n'ai pas osé interrompre les échanges mais j'eus peine à contenir mon effarement à l'idée que le confrère serviable, aux propos modérés et dénués d'aveuglement idéologique que j'avais apprécié, était en fait un espion.

Après la réunion, je l'ai confronté. Sans se démonter une seconde, il m'a expliqué qu'il enregistrait les propos pour ses archives. « Mais pourquoi ne pas l'avoir fait devant tout le monde ? ai-je demandé. — Parce que plusieurs n'exprimeraient pas le fond de leur pensée. Et dans le contexte actuel, c'est important de savoir si des membres appartiennent au FLQ. »

Je découvrirai, plus tard, que quelques étudiants plus jeunes que nous, admis au RIN universitaire faute d'organisation dans les écoles secondaires, appartenaient bel et bien au FLQ. Nous avons alors compris que le RIN servait d'écran aux activités des felquistes. Et que la plupart d'entre nous étions novices en infiltration, et naïfs. Le RIN attira aussi son lot de caractériels paranoïaques, qui déliraient à haute voix et que j'avais peine à contrôler malgré l'autorité que j'exerçais. Après quelques mois de cette atmosphère toxique, je pris mes distances, préférant investir mes énergies dans le journal étudiant.

*

J'allais me marier. Et cette idée m'apaisait. Rêvant d'une robe blanche et de grandes orgues, je pris en main l'organisation du mariage, à l'exception du choix du célébrant, un prêtre connu de Jacques.

Cet abbé aux manières étranges, professeur de théologie à l'université, tenait devant les étudiants un discours quasi anticlérical. Disons, pour faire court, qu'il séduisait ainsi nombre de jeunes. Dans nos rencontres à trois, à l'évidence il s'intéressait uniquement à Jacques. J'arrivais à peine à placer un mot, ce qui, je l'admets, n'a jamais été ma marque de commerce. En fait, avant même qu'il nous unisse, je compris l'ambiguïté de son attirance pour mon futur époux si doux et si beau. Mais celui-ci, comme beaucoup d'hommes dans ma vie, distrait, était peu porté à l'interprétation psychologique. Je souhaitais un prêtre atypique, j'héritai d'un gay. Comme à l'époque le camouflage s'imposait, c'est seulement plusieurs années plus tard que l'orientation non pas théologique mais sexuelle de l'abbé, alors vieillissant, fut connue des étudiants.

Mon désir de mariage n'était pas étranger au fait d'y trouver l'occasion, excellente, de quitter définitivement la maison familiale, que j'utilisais pour dormir à de rares occasions. Les accrochages avec ma mère s'étaient, par la force des choses, espacés. J'avais accumulé quelques économies en faisant de la suppléance dans les écoles. Et mon salaire s'élevait à soixante-cinq dollars par semaine, à condition d'avoir travaillé cinq jours – en fait, j'avais séduit au téléphone la responsable du service des absences, ce qui, après deux mois, me permit d'être en haut de la liste des personnes disponibles chaque jour. Résultat, je réussissais à établir avec les élèves des relations chaleureuses et je crois bien que je les fascinais par la passion qui m'habitait. Je n'enseignais pas selon l'orthodoxie pédagogique, m'ajustant plutôt à leur état d'esprit et leur capacité de concentration, et cela leur plaisait. Donc on me réclamait.

Étant enseignante de passage, j'en profitais pour les convaincre que respecter la langue revenait à se respecter, perpétuant ainsi l'enseignement de mes chères religieuses. Car les élèves me demandaient d'abord si j'étais française, remarque qui m'a toujours poursuivie ensuite au Québec malgré ma notoriété. En réponse, j'expliquais l'importance de posséder un vocabulaire riche et varié. À leurs yeux, j'étais donc « spéciale », comme ils disaient. Durant les cours, je les initiais également aux romans québécois de Gabrielle Roy et Roger Lemelin, et si elles en manifestaient le désir, leur faisais découvrir mon cher Maupassant, pour qui, on l'a vu, j'avais eu un énorme coup de cœur à seize ans. Prudente, je m'abstenais cependant de parler politique, n'ayant pas abandonné la culture religieuse bornée pour la remplacer par le prosélytisme des militants indépendantistes obtus !

Les jeunes exigeaient de moi des réponses simples : qu'est-ce qui est bien ou mal ? Bon ou mauvais ? Je leur répondais par de nouvelles questions, ayant retenu la méthode socratique d'accouchement des esprits apprise à l'adolescence. Dans certaines écoles, des élèves parlaient de mes cours à d'autres enseignants, ce qui me valut à diverses reprises des interrogatoires serrés de quelques directions. La Révolution tranquille et ses bouleversements commençaient à essouffler l'opinion publique et les esprits plus conservateurs regagnaient du terrain.

*

De mes soixante-cinq dollars par semaine, il n'en restait que quinze pour la nourriture. Le loyer, les frais de la voiture achetée à crédit et le salaire de la femme de ménage absorbaient cinquante dollars. Cette dernière fut mon premier luxe – qui n'en était pas du tout un à mes yeux –, ayant trop vu mon père, soûl, lancer les serviettes et torchons à vaisselle par terre en criant à ma mère : « Ramasse ! » Face à de tels comportements, je m'étais juré de ne jamais faire toutes les tâches réservées aux femmes. Voir ma mère silencieuse ainsi humiliée m'avait fait trop souffrir.

Le mariage posait cependant un problème insoluble : je ne pouvais compter sur la participation de mon père aux frais de la réception. Mes tantes se cotisèrent pour m'offrir la tenue de rêve que j'avais dénichée dans un magazine américain, longue robe en broderie anglaise décorée de larges rubans bleu pâle aux manches et au bas de la jupe. Cette robe, baptisée *Belle du Sud*, ressemblait à celles portées par les personnages d'*Autant en emporte le vent*, le film culte de ma mère, et suggérait une pureté virginale – que j'avais conservée dans mon cœur malgré la perte récente de mon hymen. Grâce au prêt étudiant et à l'argent que maman avait subtilisé à mon père durant les quelques mois précédant la cérémonie, je payai tous les autres frais. Jacques, lui, régla le voyage de noces au Cape Cod.

Le jour des noces, André Dubois, l'un des membres du célèbre groupe d'humoristes Les Cyniques, toucha les orgues de la chapelle du Sacré-Cœur attenante à l'église Notre-Dame, brûlée, hélas, plus tard mais reconstruite par la suite à la grande déception de ceux qui, comme moi, l'avaient connue dans sa splendeur patrimoniale.

Notre abbé à la mode négocia, de son côté, la question argent avec le chanoine de l'église Notre-Dame, qui ne nous envoya jamais d'honoraires. C'est seule que je déboursai le prix de la limousine noire qui m'emmena, en compagnie de mon père, de la Rivière-des-Prairies au Vieux-Montréal. Un trajet de seize kilomètres, la plus longue distance que je parcourus en tête à tête avec lui de toute ma vie. Ne nous étant jamais parlé vraiment, le jour de mon mariage je n'avais rien à lui dire, sinon qu'il faisait beau et qu'il me faisait plaisir en s'étant acheté un costume pour la circonstance. « On (il désignait ma mère) m'en a acheté un il y a vingt-cinq ans et celui-ci va faire l'affaire jusqu'à ma mort », répondit-il. Je suis sûre, aujourd'hui encore, qu'il s'était laissé convaincre par sa femme d'être présent, mon mariage ne provoquant aucune réaction particulière en lui. J'ignorais s'il se souvenait même du prénom de mon presque époux.

Je suis entrée à son bras dans la sublime chapelle. En arrivant devant la balustrade, il eut le réflexe de se diriger vers le banc où se trouvait ma mère plutôt que vers le fauteuil qui lui était réservé à mes côtés. Tout était dit.

La réception se déroula à l'hôtel Queen, en plein centre-ville de Montréal, établissement miteux mais historique. Mes amis Les Cyniques déridèrent la quarantaine d'invités. Les humoristes ont, en fait, constitué le clou de cette journée aussi étrange que celui qui me servait de paternel. Nous avons rapidement épuisé le vin de mauvaise qualité – le seul que je pouvais offrir –, piquette que mon père et ma famille avaient bu cul sec pour en emmagasiner l'effet euphorisant. Je bénis le ciel que nul incident gênant et nul juron n'aient terni la fête. Laquelle fut de courte durée.

Chapitre 29

J'étais désormais Mme Denise Bombardier-Lamontagne. Un nom à rallonge car il faudra attendre 1983 pour que, sous pression du mouvement féministe au Québec, le seul nom légal d'une femme soit celui de jeune fille. Personnellement, j'étais ambivalente face à ce double nom. J'éprouvais une réelle satisfaction puisqu'il m'indiquait mariée, alors qu'à cause de ma combativité et de mes frondes des hommes m'affublaient d'épithètes raffinées dont celle de n'être pas baisable, remarque qui – on le verra – m'a poursuivie tout au long de ma carrière comme réflexe spontané des idiots testostéronés incapables de capacité érectile face aux anti-Barbie. En revanche, je n'arrivais pas à me rebaptiser. Parce que j'aimais être une Bombardier et non une Latendresse ou Ladouceur, patronymes trop révélateurs de sensibilités intimes. Enfin, je ne souhaitais pas disparaître dans Lamontagne, même si j'aimais mon mari tout neuf. Plus tard, avec la notoriété grandissante liée à mon métier, mes compagnons de vie seront vite interpellés par des M. Bombardier bien sentis qui, je l'avoue, les feront plus ou moins sourire selon leur tempérament…

Pour autant, je ne retirais aucune satisfaction à me faire craindre, à me voir qualifiée d'agressive ou d'hystérique par des garçons, mais aussi quelques filles. Je menais une vie passionnante, j'étais entourée de gens aussi harangueurs et idéalistes que moi, fière d'avoir un mari qui ressemblait à l'acteur Anthony Perkins et qui ne cherchait pas à contrôler ma vie mais plutôt à encourager les emballements et les indignations que j'exprimais dans mes articles du *Quartier latin*. Lesquels me valaient des critiques acerbes mais aussi élogieuses. Tout cela était un prix que j'étais prête à payer, celui du qualificatif caricatural, mais, consciente que les jeunes femmes autour de moi avaient de la difficulté à subir pareils hostilité et rejet de la part de trop de garçons. Reste que, à ce moment de ma vie, je n'étais pas encore apte à remercier mon père, grâce auquel j'avait été obligée de me blinder contre les émotions négatives.

*

En somme, je me sentais protégée par mon gentil mari, à la fois studieux, discret et si distrait, qualités qui lui permettaient d'être indifférent à mon agitation. Enfermé à la bibliothèque où il passait ses journées en dehors de ses cours, je ne le retrouvais que le soir.

Notre demi sous-sol sombre me semblait un paradis. Et nos amis appréciaient grandement cet humble logis. Nous y organisions des fêtes pour tous les prétextes et j'avais le sentiment de faire salon comme au XIXe siècle à Paris. Sans l'ameublement, la domesticité et le faste. Les sujets de conversation étaient riches en affrontements intellectuels entre indépendantistes de gauche, de droite et quelques fédéralistes qui témoignaient de notre ouverture d'esprit mais aussi du plaisir pervers retiré à pimenter les joutes verbales. L'époque bruissait de débats vifs, dans une ambiance passionnante et passionnée qui trouva un aboutissement tragique avec la crise d'octobre 1970. Un climat spécial flottait que le Front de libération du Québec alimentait par ses attentats plus ou moins ratés, comme par ses infiltrations dans nos mouvements étudiants et le milieu intellectuel en général.

*

Pierre Bourgault devint le président du RIN en 1964. Je le croisais sans lier de relation particulière avec lui. Il transforma en parti politique le mouvement que j'avais quitté et permit au RIN de devenir, grâce à sa popularité, très présent dans les médias.

À vrai dire, je me suis toujours méfiée de lui. Sa personnalité abrasive, son agressivité mal contrôlée, son besoin viscéral de polémiquer et de choquer me rendaient mal à l'aise. S'ajoutait à cela son homosexualité tapageuse – à une époque où celle-ci était mal considérée – qui risquait, si elle était dévoilée, d'entacher la cause. Plusieurs responsables du mouvement considéraient que ses porte-parole devaient être prudents et discrets sur leur vie privée pour ne pas susciter des scandales qui nuiraient à tous.

Lorsque René Lévesque deviendra chef du Parti québécois, il se méfiera toujours de ce Pierre Bourgault brillantissime orateur, incarnation d'une gauche extrême qui irritait le futur Premier ministre. L'entourage de ce dernier savait aussi que les frasques gays du tonitruant Bourgault le dérangeaient, ce qui était un comble si l'on songe, avec les yeux d'aujourd'hui, à l'attitude équivoque de Lévesque avec les femmes. Au moins ne s'entourait-il pas de jeunes filles en fleur alors que son adversaire avait une cour de jeunes hommes. Comme, à l'époque, plusieurs militants indépendantistes craignaient l'utilisation par leurs adversaires du moindre prétexte susceptible de ternir leur image de sérieux et de modération, et que les homosexuels, quel que soit le parti politique auquel ils adhéraient, étaient mal vus, il existait un véritable malaise à ce sujet. La reconnaissance officielle des gays viendra beaucoup plus tard.

*

L'effervescence politique des années fastes du gouvernement libéral de Jean Lesage nous avait quittée. Désormais, nous n'adhérions plus au fédéralisme canadien. Journaliste au *Quartier latin*, je fus invitée à plusieurs reprises par des associations étudiantes du Canada anglais, qui nous diabolisaient et nous craignaient pourtant, certains exprimant même de l'hostilité à notre endroit. Il serait malhonnête de prétendre que cela ne nous plaisait pas. Et j'admets même aujourd'hui que nous étions baveux et arrogants.

D'autres, heureusement, admiraient nos performances d'orateurs, étant quelques-uns habiles à manier l'anglais avec une maîtrise et une aisance qui bluffaient ces unilingues.

Comme le Canada anglais puritain a toujours été facile à culpabiliser, nous ne nous privions pas de les accuser de tous les maux, nos arrière-pensées n'étant pas forcément toutes très pures. Hélas, nous attaquions plutôt les plus ouverts d'esprit, les plus progressistes et les plus enclins à nous comprendre, voire à nous défendre auprès de leurs compatriotes. Car c'étaient eux qui souhaitaient nous côtoyer.

Je me souviens d'une soirée à Toronto après un colloque où j'avais été d'une malhonnêteté aussi honteuse qu'efficace puisqu'elle avait permis de kidnapper en quelque sorte l'événement, celui-ci en venant à ne parler que du Québec. Au point que quelques étudiants furent presque tentés de me sauter à la figure. Moi, je jubilais intérieurement. Je les traitais de colonisateurs, d'exploiteurs, de racistes et d'ignorants. J'usais et abusais de tous les arguments. « Vous êtes des unilingues bornés », « Vous êtes des sous-Américains et un sous-produit des Anglais britanniques », telles étaient mes phrases passe-partout.

Pourtant, au fond, je me lassai de cette mission de mère Fouettarde québécoise du Canada anglais. Et peu à peu j'en vins à cesser de jouer ce rôle, posture où je caricaturais mes convictions profondes et ma capacité intellectuelle à user des mots avec force, certes, en recourant à des formules lapidaires à l'évidence, mais dont j'aurais aimé que l'on en découvre les nuances et la modération.

Les indépendantistes n'étaient plus un groupe tricoté serré portant la bonne nouvelle de façon quasi confidentielle comme au début des années soixante. Le cercle des militants s'élargissait, même si les rinistes étaient encore perçus comme appartenant à un courant suscitant une grande sympathie parce que limité en nombre.

Pendant ce temps, le Parti libéral, lui, se rendait compte de l'essoufflement des citoyens, ayant dû absorber en quelques années des changements nécessaires mais bien nombreux. En 1965, les critiques politiques, y compris celles des indépendantistes, se firent moins bruyantes. Les Canadiens français rebaptisés Québécois s'ennuyaient d'une certaine routine. Les nouveautés pouvaient attendre.

Chapitre 30

La transformation frénétique de la société québécoise dérangeait et rebutait une partie de la population. Nous étions bien naïfs de croire que le courant progressiste qui nous portait à vivre dans l'euphorie sociale et politique allait perdurer.

C'est pourquoi la victoire de l'Union nationale, revampée et dirigée par Daniel Johnson, à l'élection de juin 1966, nous a renversés. D'autant plus que le parti de feu Maurice Duplessis reçut l'appui de 40,9 % des voix alors que les libéraux recueillirent 47,2 % des suffrages. Le découpage de la carte électorale favorisant les comités ruraux donnait 56 des 108 sièges à l'Union nationale. Un revers pour nous.

René Lévesque, vedette incontestable du gouvernement de Jean Lesage, avait fait profil bas durant la campagne électorale. Alors que, de notoriété publique, l'enfant chéri, responsable de la nationalisation de l'électricité, ruait dans les brancards. Le nationalisme progressiste des indépendantistes ne le laissait guère indifférent. Dès 1964, toujours ministre, il s'était opposé à son Premier ministre sur sa position constitutionnelle, Lévesque militant pour un statut particulier du Québec au sein du Canada.

Les indépendantistes se mirent donc à rêver d'une défection de Lévesque. Nous passions des heures, mes camarades et moi, à discuter l'éventualité de voir le trublion rejoindre le camp indépendantiste. Mais les plus radicaux, eux, qui se réclamaient aussi de lui, étaient des purs et se méfiaient de l'homme providentiel.

«On a donné dans la Providence», assurait par exemple Guy, mon camarade du *Quartier latin* qui, lui, appuyait le Mouvement laïc de langue française (MLF) fondé par l'écrivain Jacques Godbout et le Dr Jacques Mackay au début des années soixante.

En fait le RIN de Pierre Bourgault appuyait officiellement le MLF qui prônait la laïcité scolaire, l'instauration du mariage civil et la suppression du serment religieux obligatoire devant les tribunaux. J'avais, je le rappelle, adhéré au Parti libéral avant que le RIN devienne lui-même un parti politique, et accepté durant une courte période de présider la section universitaire du Mouvement laïque. Ne reculant devant rien, je devins même présidente, le temps d'une élection partielle fédérale en 1964, du Parti Rhinocéros créé un an plus tôt par les Drs Jacques et Paul Ferron, écrivains et hommes de lettres. Dont l'objectif était de se moquer du régime fédéral. Ce mouvement affirmait que «les politiciens par nature ont la peau épaisse, se déplacent lentement, ont l'intellect faible mais courent en cas de danger».

Dire que ma jeunesse d'alors fut intense à tous égards me semble, avec le recul, un euphémisme.

*

C'est en 1966 que je devins officiellement étudiante en sciences politiques à l'Université de Montréal. J'avais quelques années de plus que les garçons et quelques filles sortis tout droit des collèges classiques le baccalauréat en poche. Mon parcours atypique, cependant, me distinguait d'eux. J'étais mariée, je possédais une expérience journalistique acquise au *Quartier latin* et la politique militante m'avait modelée. Mon passage en tant qu'enseignante au secondaire m'avait aussi permis de garder les pieds ancrés dans le réel. Ma vision politique reposait désormais sur le pragmatisme : les tentations totalitaires et dogmatiques coulaient sur moi comme l'eau sur les ailes d'un canard, armée contre les pièges idéologiques du Québec en ébullition. Du moins je m'en convainquais, même si ma tête bouillonnait plus souvent que nécessaire. Il arrivait d'ailleurs que mon mari m'invite à calmer mes transports. Alors je faisais un effort. Sans beaucoup de succès.

Tous les politiciens du Québec, le Premier ministre en tête, venaient se coltailler aux étudiants de l'Université de Montréal qui avaient la réputation d'être les plus coriaces à leur endroit. Daniel Johnson accepta un jour notre invitation, et mes amis et moi l'attendîmes de pied ferme. À cette époque, la majorité des étudiants intéressés par la politique n'étaient inscrits ni en sciences, ni en médecine, ni à polytechnique ni à HEC, facultés réputées trop exigeantes sur le plan académique où l'on retrouvait la future élite sérieuse et en quête d'enrichissement du Québec en marche vers sa modernité toute neuve. De leur côté, les «scientifiques», en général, n'affichaient pas d'idées très progressistes et ne cachaient pas qu'ils souhaitaient gagner beaucoup d'argent. En sciences sociales et en lettres, nous étions donc les chantres de la gauche charitable bien que la charité fût un concept transmis par cette culture catholique que nous malmenions par ailleurs.

*

Daniel Johnson, baptisé Danny Boy, avait fait de la politique depuis ses études en droit à la manière d'un cow-boy. Dans l'Union nationale, parti conservateur et populiste, l'on ne s'enfargeait pas dans les fleurs du tapis. Aussi Johnson avait-il une réputation sulfureuse à cet égard et des mœurs politiques à l'avenant. On l'attendait de pied ferme, en francs-tireurs studieux ayant pris soin de préparer leurs munitions avec de nombreuses heures passées à lire des dossiers sur les invités. Avant Internet, la recherche n'était pas à portée d'un clic distrait. C'est peu dire que la paresse et le dilettantisme faisaient mauvais genre à nos yeux.

Je me souviens très bien de l'arrivée de Daniel Johnson parmi nous. J'étais au premier rang et, est-ce le hasard, il s'est dirigé vers moi. Ses yeux d'un bleu intimidant et sa voix modulée de charmeur de femmes me firent perdre pied l'espace d'un instant, moi qui, à l'époque, diabolisais ceux que je considérais comme des adversaires pour ne pas perdre ma force de frappe intellectuelle. Je fuyais les hommes qui me charmaient et possédaient, de fait, le pouvoir de m'émouvoir.

Je m'installai donc près d'un micro afin d'être parmi les premiers à lui poser une question. Il s'adressa à nous sans tenter de nous flatter. En fait, il parla de la fierté d'être québécois, de l'importance de garder des liens étroits avec le Canada anglais et, avant tout, de travailler à un nouvel ordre constitutionnel construit sur l'égalité entre nos deux nations fondatrices du pays.

Daniel Johnson, attendu avec une brique et un fanal, reçut plutôt une ovation. Le Premier ministre Johnson, politicien populiste et démagogue, se transformait sous nos yeux. Par la suite, le Danny Boy laissa vite tomber ses oripeaux de politicailleur pour revêtir les habits d'un chef d'État. Il fut l'un des rares hommes politiques que j'ai côtoyés habité par sa fonction au point d'en être radicalement métamorphosé.

Lorsqu'il accueillera, durant l'été 1967, à titre de Premier ministre, le général de Gaulle, venu inaugurer le pavillon de la France dans le cadre de l'Exposition universelle de Montréal, il subira un spectaculaire baptême du feu. Comme tant de Québécois, le « Vive le Québec libre » lancé du haut du balcon de l'hôtel de ville de Montréal par le chef d'État français l'ébranlera. Contrairement au maire de Montréal, Jean Drapeau, lui ne blâmera pas Charles de Gaulle, qui l'avait qualifié de « mon ami Johnson ».

J'ai eu l'occasion de revoir le Premier ministre Johnson dans le cadre des débats-midi que nous organisions avec les élus. Se souvenant de mon nom – qualité rare et non négligeable pour un politicien –, il me demanda d'entrée de jeu si j'avais lu son livre *Égalité ou indépendance*. « Vous me sous-estimez », ai-je répliqué un peu sèche, oubliant mon humour coutumier, ce qui le fit rire. D'emblée, l'ancien député conservateur formé à l'école de Maurice Duplessis remportait sa bataille et nous avait encore conquis.

*

On sait que Daniel Johnson avait le cœur fragile. Et j'ai toujours pensé que cet homme charismatique n'avait pas eu le temps de franchir le pas menant à l'indépendance à cause de cet organe malmené, déchiré aussi par une telle option. Ses deux fils, Pierre Marc et Daniel, qui devinrent Premiers ministres du Québec, le premier sous la bannière du Parti québécois durant moins de trois mois en 1985 et le second à la tête du Parti libéral du Québec en 1994 durant près de neuf mois, incarnaient, me semble-t-il, ce déchirement paternel, eux qui avaient de grandes divergences politiques.

Daniel Johnson fut d'ailleurs terrassé par une crise cardiaque dans son sommeil, lors d'une visite au chantier du barrage Manic-5, à près de 1 000 kilomètres de Montréal, dans le Grand Nord québécois. C'était en septembre 1968. À croire que le destin se répétait puisque Maurice Duplessis, son mentor en politique, était mort d'une hémorragie cérébrale en septembre 1959 à Schefferville, ville minière située à la limite de la forêt boréale, à cheval sur la frontière du Québec et du Labrador. Soit à plus de 1 143 kilomètres de Montréal.

Chapitre 31

Comment mon mariage aurait-il pu résister à l'énergie que je déployais avec tant de frénésie, grisée – pour ne pas dire soûle – de toutes les libertés qui s'offraient à moi ? Insatiable, je vivais à un rythme qui ne pouvait convenir à mon mari. Pour faire image, je résumerais notre couple de la sorte : lorsque j'avais terminé le dessert, Jacques en était encore au potage. Les contraires s'attirent, je ne le nie pas, mais ils ne survivent guère à des rythmes si opposés. S'ajoutait à cela mon impatience devant le temps qui s'écoule sans être meublé ni par la parole ni par l'action. J'avais un mari que la lenteur animait alors que, moi, elle m'étouffait.

*

À l'été 1966, nous avons réalisé un vœu en partant en Volkswagen pour le Mexique. Si les voyages forment la jeunesse, m'étais-je dit, le long périple à travers les États-Unis d'est en ouest et du nord au sud, trajet vers l'exotisme garanti, serait une manière de retrouvailles. Que j'étais naïve !

Les premiers jours se déroulèrent sans anicroche mais l'obsession de Jacques de respecter à la lettre les limites de vitesse – qui se modifiaient d'un État à l'autre et me rendaient folle tant nous étions doublés en permanence par des conducteurs au klaxon apeurant – fut le prétexte d'une tension qui s'installa entre nous. Pourtant nous roulions en écoutant Janis Joplin qui m'émouvait tant, cette diva qui se défonçait avec les drogues, buvait du Southern Comfort, liqueur à base de whisky-bourbon que ma chère tante Edna et ma mère adoraient et que je bus, avec modération dans mon cas, tout au long de notre traversée des États du Sud.

Nous avons du reste dormi en Louisiane là où cette liqueur a été inventée – du moins je le croyais. À La Nouvelle-Orléans, Jacques, lui, irradiait, passionné qu'il était par les grands jazzmen de l'époque, Miles Davis, Louis Armstrong, Duke Ellington, John Coltrane et tant d'autres. Dans des bars enfumés, il a passé des heures de grand bonheur… malgré mon humeur chagrine pour ne pas dire désagréable.

Durant la descente des États-Unis, je me soumis à la douloureuse introspection que je balayais de la main et refusais d'entamer depuis des mois. Je me sentais coupable de ne pouvoir rendre mon mari heureux. À l'évidence, je n'étais pas une femme pour lui. Arrivée au Texas, je ne me faisais donc plus d'illusions : notre union ne survivrait pas à ces deux mois en tête à tête. Cependant, l'idée de faire demi-tour et de remonter vers Montréal me paniquait. Je n'en glissai donc mot à Jacques par crainte de sa réaction. Et pourquoi gâcher ce qui serait notre dernier voyage en couple, le premier ayant été celui de nos noces jusqu'au Cape Cod dans le Massachusetts ?

*

Durant les jours suivants comme lorsque nous avons franchi la frontière, je m'efforçai de jouer la légèreté. Jeu qui sonnait faux car le passage du Texas au Mexique fut un choc à la fois culturel et personnel, qui me fit un temps oublier nos problèmes. Instinctivement, je me mis à me rapprocher de Jacques, désemparée par tous ces barbus tonitruants, soûls et aux regards obscènes qui me déshabillaient des yeux, consciente aussi que mon frêle mari ne pourrait me secourir en cas d'attaque. Ce pays, que j'avais fantasmé à travers la lecture d'écrivains dont Carlos Fuentes, m'agressait. La chaleur moite m'étouffait, le bruit incessant des klaxons, les cris stridents, la musique envahissante, les foules bigarrées et bruyantes, les odeurs violentes, mélange de gazoil, d'épices, de détritus à ciel ouvert dans Matamoros, ville frontière hystérique à mes yeux, accentuèrent cette panique intérieure. En 1966, dans Matamoros – aujourd'hui ville de millions d'habitants –, les rues poussiéreuses, impraticables en voiture, ressemblaient au vestibule de l'enfer. Heureusement, Jacques maniait l'espagnol et réussit à trouver un bon samaritain qui nous guida vers un hôtel situé à l'écart, dans une rue paisible. Je retrouvai enfin un semblant de calme, incapable pourtant de me ressaisir complètement. J'étais dans un cul-de-sac face à un nœud gordien !

Ma mémoire – pourtant vive – a effacé les jours suivants durant lesquels nous nous sommes arrêtés dans des villes improbables où nous visitions des musées et des sites archéologiques perdus au milieu d'étendues semi-désertiques. Nous conduisions tour à tour, trajets nous obligeant à parler comme si de rien n'était. Une angoisse sourde ne me quittait cependant pas. Le Mexique se transformait en cimetière de ma vie de couple. Je me disais que jamais plus je ne reviendrais sur ces terres de mon échec sentimental et amoureux. Et je n'osais pleurer, de peur de ne plus pouvoir m'arrêter. Nous persistions à visiter avec une frénésie épuisante tous les lieux dits touristiques, histoire de nous endormir fourbus… avant de nous réveiller aux aurores.

*

Un matin je me levai les mains recouvertes de cloques au point d'être incapable de faire ma toilette et de m'habiller seule. D'abord je refusai de consulter un médecin, mais après vingt-quatre heures de démangeaisons à la limite du supportable, Jacques, qui devait me vêtir comme on le fait avec des enfants, m'accompagna dans une clinique où je n'aurais jamais fait soigner mon chat. Tant pis pour l'hygiène et la modernité : je hurlais de douleur, les démangeaisons s'étant transformées en brûlures. Le médecin rigola en me voyant arriver et transmit son diagnostic à Jacques sans même jeter un coup d'œil plus attentif à mes plaies. « Tu en as pour trois jours à mettre une crème qui fera sécher tes cloques », me dit mon mari.

Alors que je pleurais comme une Madeleine, Jacques ne me consola pas. En vérité, je pleurais ma vie, qui allait être ratée, et me convainquais que ces cloques brûlantes incarnaient le débordement de mon cœur crachant de la lave. Deux jours durant, je restai enfermée dans la chambre d'un hôtel de Taxco, pittoresque petite ville de haute montagne où florissait le commerce de l'argent. Jacques, lui, visitait la région avec méthode au point qu'aucune pierre digne d'intérêt n'a échappé à son regard. À la fin de la seconde journée, comme je voulais m'acheter un bracelet, il me guida vers la grande place où affluaient les touristes. Je choisis une chaîne et un bracelet que je payai, estimant ne pas mériter de cadeaux. Puis nous nous sommes installés à une terrasse. Allais-je avoir le courage de parler ou préférerais-je me taire ? Au fond de mon lit, esseulée, j'avais compris que c'était moi qui oserais mettre en mots notre rupture.

Alors je me suis lancée, en ne prononçant qu'une seule phrase. Jacques, si ma mémoire est bonne, sembla soulagé. Triste mais soulagé. Ses paroles, cependant, me dévastèrent. « Je vais partir pour Montréal en avion et je te laisse remonter l'auto. » Après des pleurs, des hocquettements et des supplications, je réussis à le faire changer d'avis. Nous allions poursuivre le voyage « en amis » et au retour notre rupture s'accomplirait. J'avais vingt-cinq ans ; au Québec, le divorce était encore interdit et l'Église m'excommunierait. À coup sûr mon père, l'anticatholique, serait satisfait.

*

J'ai saisi beaucoup plus tard que Jacques et moi étions, tous deux, des résilients. Lui était meurtri par une enfance blessée, un homme sensible mais cadenassé qui avait compris que l'accès à l'éducation constituait la voie royale pour vivre dans la dignité et savourer le bonheur que procure la curiosité intellectuelle. Pour moi, ce mariage avait été la seule manière de quitter la maison familiale sans trop de culpabilité face à une mère que j'abandonnais à mon terrible père. Il me faudra une thérapie de quelques années pour admettre que, contrairement à ce que je voulais croire, ma mère n'était pas la victime de mon père, qui l'insultait à longueur de journée, mais aussi une victime consentante. De fait, jusqu'à la fin de sa vie, bien que veuve, elle tentera de me convaincre que mon père m'aimait et, pire, qu'il avait été un bon mari pour elle. Reste que je ne lui ai jamais pardonné réellement d'avoir fait subir à ses trois enfants une vie de famille où violence verbale, grossièreté, délires paternels et même menaces de mort constituaient le seul univers émotionnel et affectif.

Le retour du Mexique se déroula sans anicroche entre nous. Sauf en Caroline du Nord, alors que nous nous étions arrêtés pour manger dans un restaurant déglingué car à court d'argent liquide. Nous avions décidé de loger le soir dans les Holiday Inn où nous pouvions utiliser notre carte de crédit pour régler le prix élevé d'une chambre à deux lits, décision prise d'un commun accord puisqu'à Montréal nous réglerions nos dettes communes. Or, dans ce piteux *shack* où les *fried clams* coûtaient deux dollars, nous avons découvert, stupéfaits et scandalisés, des toilettes ségréguées. *White only* et *colored* indiquaient les deux portes devant nous. Par refus de ce racisme, je voulus entrer dans celles réservées aux Noirs, mais Jacques, terrifié, me retint, m'entraîna de force vers le stationnement et m'obligea à monter dans la Volkswagen, qui attirait tous les regards. Avec le recul, il avait raison, ma provocation aurait été stupide dans une région où le Ku Klux Klan en menait encore large. Perturbée par notre décision de Taxco, je n'eus pas la force de me disputer et choisis de me taire tout au long des longues heures de remontée vers ma future vie de femme séparée.

Ma mère ne s'étonna guère lorsque je lui appris la nouvelle. Elle s'inquiéta seulement de l'argent, puisque Jacques et moi étions convenus qu'à la fin de ses études, alors qu'un poste de chargé de recherches l'attendait au département de sociologie, je pourrais à mon tour étudier à temps plein. Notre rupture, en septembre 1966, me laissait donc coite. Je réussis à faire augmenter mon prêt-bourse et, durant quelques mois, nous allions partager notre sous-sol. En étant passé du statut de conjoint à celui de colocataires amis. L'accommodement me semblait raisonnable mais ma mère, dans son obsession, ne cessa de radoter. « Il t'exploite et tu le laisses faire. » Venant d'elle, victime consentante et championne de tous les dénis, l'argument me laissait heureusement froide.

*

Mes cours en sciences politiques m'emballaient. J'ai gardé un souvenir impérissable du sociologue Guy Rocher, le plus spectaculaire et vibrant pédagogue croisé dans ma vie qui assurait l'introduction à la sociologie dans un amphithéâtre où se bousculaient les étudiants, dont un certain nombre venus en clandestins des autres facultés comme médecine et polytechnique attirés par le bouche-à-oreille propagé sur le campus.

Tout au long de mon cursus universitaire, et jusqu'au doctorat à Paris, j'ai eu la chance de rencontrer quelques professeurs éminents. De ceux qui nous obligent par leur passion d'enseigner et leur talent de diffusion du savoir à nous dépasser nous-mêmes. L'admiration que commandent certains est même indépendante, parfois, de l'intérêt de l'étudiant pour la matière divulguée. À la fin de mon baccalauréat, je dus ainsi suivre un cours obligatoire de mathématiques où j'étais nulle. Pire, n'y comprenant rien, je me sentais intellectuellement handicapée. Or le professeur, un vieux jésuite qui croyait peut-être davantage dans les chiffres qu'en Dieu, réussit à me dessiller les yeux. En quelques leçons, je découvris, à mon propre ébahissement, que les maths n'étaient qu'une autre façon d'appréhender le réel. Et j'obtins une note de 85 % à l'examen où j'avais échoué deux fois, seul échec scolaire de ma vie. Hélas, aucun professeur digne de ce jésuite – devant le tableau noir, il mordait sa craie, tic qu'à l'évidence il ne contrôlait pas – n'a su soulever autant mon enthousiasme pour les matières scientifiques, moi qui estime que les sciences sociales appartiennent plutôt à la catégorie des sciences « molles ».

*

L'un de mes premiers gestes marquant officiellement ma rupture fut de reprendre mon nom de jeune fille. En vérité, je n'avais jamais intégré l'identité imposée d'être désormais Denise Bombardier-Lamontagne. Tant et si bien que lorsque j'épouserai Claude Sylvestre, le père de mon fils, je demeurerai Bombardier.

N'étant pas du genre à rechercher désespérément le regard des hommes pour me sentir exister, je me comportai en femme fidèle tous ces mois de vie en couple avec mon ex-époux. Toutefois, cette vie à deux devenant de plus en plus lourde, Jacques s'installa rapidement avec un camarade à quelques rues de chez nous. Entre mes cours, mes activités journalistiques et mes amis qui débarquaient sans crier gare, par chance j'avais peu de temps à consacrer à ma peine d'amour. C'était d'ailleurs plutôt un sentiment d'échec qu'une blessure au cœur que j'éprouvais.

Pendant ce temps, l'évolution du Québec, même freinée par l'arrivée du gouvernement de Daniel Johnson, poursuivait sa trajectoire et me galvanisait. L'indépendance gagnait des adeptes et le RIN, dirigé par Pierre Bourgault, s'affirmait. Sans compter la présence au parlement d'Ottawa des « trois colombes », autrement dit Pierre Elliott Trudeau et ses amis, le bouillant dirigeant syndical Jean Marchand et le journaliste respecté Gérard Pelletier, qui incarneront, avec quelques autres, le French Power qui secouera le Canada anglais. Ces fédéralistes sans complexe étaient des adversaires de taille pour les indépendantistes. Et les journalistes étudiants comme nous devions être armés afin de nous montrer à la hauteur des débats qui se déroulaient à travers le pays. Nous passions des heures à déchiffrer les textes de loi et les journaux, conscients du privilège de participer à de tels exercices. La barre était haute : en raison de nos désaccords avec ces puissants polémistes, il nous fallait être structurés, informés et documentés pour écrire nos articles. Ce fut pour moi une formation parallèle à celle reçue en cours.

Une de mes grandes amies, la journaliste Lysiane Gagnon, déjà en train d'imposer son talent au journal *La Presse*, était alors mariée à André D'Allemagne, l'un des fondateurs du RIN. C'était d'ailleurs par ce dernier que j'avais connu Lysiane, que j'admirais déjà, elle qui se faisait remarquer malgré son jeune âge dans le milieu journalistique alors très majoritairement masculin. Pour elle, qui avait toujours sacralisé l'objectivité nécessaire à la pratique du métier, le défi de conserver de la distance par rapport à l'engagement de son remarquable mari constituait un tour de force qu'elle sut relever.

Un soir, nous nous sommes retrouvées à Lachute, petite ville ouvrière proche de la frontière ontarienne, dans une assemblée d'ouvriers du textile en train de mener une grève interminable pour obtenir des conditions de travail décentes. La grève, difficile, perdurait, et les médias nationaux finissaient par s'y intéresser. C'est ainsi que, ce soir d'automne froid et pluvieux, nous nous sommes rendues, elle pour *La Presse* et moi pour *Le Quartier latin*, dans la ville déchirée par ce conflit.

Après les discours des syndiqués, un prêtre d'une paroisse locale, l'abbé H. s'adressa à l'assemblée. Blond, pas très grand de taille, une figure irradiant de bonté, dès qu'il s'adressa à l'assistance, l'émotion remplit la salle. L'homme portait un col romain, mais il était l'opposé du curé à sermon. Il prononça des mots qui réconfortèrent les grévistes avec un ton où l'on devinait son indignation retenue. Ce prêtre n'avait rien des théologiens de la Libération qui connaissaient alors leur heure de gloire dans certains pays d'Amérique du Sud, car l'abbé n'était pas un idéologue mais un humaniste empreint de dignité et allergique aux « touristes » d'une certaine gauche qui débarquaient dans sa ville pour venir s'émousser des malheurs des pauvres gens. Lysiane et moi avons été bouleversées par le discours de ce petit abbé enveloppé de douceur et d'une pureté déconcertante, de cet humble parmi les humbles. J'ignorais que l'aumônier des grévistes illuminerait mes années à venir.

Chapitre 32

Je revis l'abbé au cours de l'automne. En sa présence, j'étais bouleversée, émue, troublée. J'avais beau avoir pris mes distances avec l'Église, lui incarnait un tabou. L'on ne s'affranchit pas d'une éducation catholique faite d'interdits et de péchés sans éprouver des tiraillements intérieurs. Mais l'idée même de rompre nos conversations sans fin, où les mots prononcés nous liaient inextricablement, se transformant en demi-aveux, qui ressemblaient à une confession mutuelle, me paraissait impossible. Durant celles-ci, je plongeais dans des extases qui me rapprochaient de celles décrites par ma chère Thérèse d'Avila. Y mettre fin m'accablait. Je me rassurais de ces tremblements de cœur en imaginant pouvoir vivre un amour platonique avec lui. J'ai même cru, durant quelque temps, que je parviendrais à sacrifier ma sexualité pour l'extase amoureuse sublimée avec un être de cette trempe.

Un mardi matin, de novembre je crois, j'ai reçu un appel. Avec une voix calme et néanmoins remplie d'émotion, l'abbé m'annonça qu'il revenait de l'évêché de son diocèse, où il avait rencontré l'évêque à sa demande. J'ai dû bafouiller des « Pourquoi ? » mais je me souviens que je tremblais : « Je lui ai annoncé que je quittais la prêtrise. »

La tête me tourna. Enfermée dans ma stupéfaction, paralysée de peur, j'ai failli raccrocher. H. murmura : « Je pourrais être chez toi dans une heure et demie, le temps de m'y rendre. » J'ai répondu : « Je t'attends » et raccroché. J'ai un instant pensé quitter la maison, tant aucune émotion ne m'épargnait. D'abord la culpabilité, puis la honte d'avoir entraîné cet homme consacré à Dieu pour la vie sur une autre voie. Du coup je me sentis indigne, irresponsable d'avoir consenti à nos tête-à-tête sublimisés, incapable d'assumer pareille relation. Face à moi-même, face à cet être si vibrant et face à la société. Mon comportement était donc inqualifiable : j'avais trahi cet homme naïf, pur et démuni devant une femme. Ne m'avait-il pas avoué que la femme était un mystère pour lui qui n'avait jamais fréquenté de jeunes filles avant d'entrer au séminaire ?

Cette heure et demie d'attente m'épuisa. J'avais l'impression que ma vie m'échappait, alors que, malgré des choix antérieurs pas toujours heureux, jusqu'ici je n'avais jamais eu le sentiment de perdre pied. Avec H. j'avais découvert un homme habité d'abord par ses convictions et sa conscience. Un homme inspiré, incapable de feindre et convaincu que toute personne commande le respect en toute occasion. Or, à ce jour, il n'avait jamais abordé la possibilité de quitter la prêtrise. Durant cette heure et demie d'attente, j'ai tenté de me convaincre qu'il n'avait pas le droit de me placer dans pareil dilemme. En revanche, il me semblait impossible qu'il ait agi ainsi pour me soumettre à une pression, la manipulation lui étant étrangère. Pourtant, mon cœur s'affolait, j'aurais voulu fuir, tout en sachant que ma vie basculerait dès que j'entendrais la sonnerie de la porte.

*

Lorsque enfin il fut devant moi, tout de noir vêtu mais sans col romain, je m'apaisai. Il m'embrassa pudiquement sur les joues sans chercher à m'effleurer et prononça des mots qui résonnent encore dans ma tête. «Je n'ai pas voulu te parler à l'avance de ma démarche car elle m'appartient. Tu es libre de ton propre choix. Cela fait des années que je songe à quitter la prêtrise. Je suis serein face à moi-même. Ne te sens aucune obligation envers moi.» Et avec infiniment de délicatesse et quelques gaucheries, il sollicita la permission de m'embrasser «pour de vrai».

C'est ainsi que j'entrai dans une période de ma vie où le bonheur me frôla sans que ce soit un rêve. Avant de retourner, ce soir-là, dans le presbytère de sa paroisse à Lachute, il me demanda de l'accompagner s'acheter des vêtements civils. Ébahie, je me retrouvai donc au centre-ville, dans les magasins de la rue Sainte-Catherine, en train de conseiller H. pour sa nouvelle garde-robe. Il choisit un costume brun foncé, des chemises beiges et des cravates d'un brun plus clair que le costume, incapable de se vêtir de couleurs plus joyeuses comme je le lui conseillais pourtant.

La transition dura quelques mois, période pendant laquelle il absorba le choc de quitter son monde austère, codifié et contraignant. Il lui arrivait, certains soirs, de se réfugier dans son église éclairée des seuls scintillements des lampions pour pleurer sa vie passée et son avenir d'homme amoureux. Car notre passion se mit en veilleuse, décision commune tant qu'il n'aurait pas quitté définitivement sa paroisse. Il souhaitait en effet attendre une autorisation officielle du Vatican. Mais celle-ci ne vint pas. Il décida, alors, que Rome ne gérerait plus sa vie. Et loua pour nous un sous-sol dans une grande maison bourgeoise d'Outremont, près de l'université.

Lorsque j'annonçai à ma mère que je me mettais en ménage avec un homme particulier car prêtre abandonnant le sacerdoce, elle retrouva son esprit de repartie : «Je n'aurais jamais pensé que tu étais aussi anticléricale.» Par son regard, je sus que je l'épatais. Elle m'avait souhaitée différente des autres, là j'étais à la hauteur de ses expectatives. Un peu trop, sans doute.

*

Durant cette nouvelle période, je fus plus qu'heureuse. Je frémissais de joie, de plaisir et de vie. H. trouva facilement un poste de travailleur social à la prison, façon sans doute de continuer à servir les marginaux et à demeurer dans un système hiérarchique rigide et autoritaire. Façon, aussi, de ne pas être trop dépaysé de son expérience cléricale.

Il entra dans mon monde en ayant gardé peu de contacts avec le sien. C'est à travers lui que je fis la connaissance de celui qui deviendra l'un de mes amis les plus chers, le chanoine Jacques Grand'Maison, né à Saint-Jérôme comme mon nouveau compagnon. J'ai adoré Jacques Grand'Maison, homme admirable, courageux, qui a assumé sa foi non sans des sacrifices à mes yeux surhumains. Celui, entre autres, de se priver de la compagnie des femmes, lui si sensible à leurs charmes. Cet intellectuel fut un rebelle dans l'Église. Il refusera de s'élever dans la hiérarchie en devenant évêque car se disant incapable de défendre certaines positions de l'Église. Sur la contraception, sur l'interdiction aux sacrements pour les catholiques divorcés, sur l'avortement, toute cette morale déconnectée de la réalité des gens dont il connaissait les souffrances en tant que confesseur, il avait des avis et positions opposés.

H. ne souhaita pas fréquenter les clercs durant les premières années suivant son retrait de l'Église. Il cessa aussi de pratiquer. Si bien que nous avions peu de discussions sur la religion. Sans doute son apprentissage de la laïcité exigeait-il cette distance. Mes amis, qui étaient pour la plupart des iconoclastes – Les Cyniques par exemple –, n'avaient de cesse de le taquiner. André Dubois, l'un des membres, interpellait ainsi mon amoureux en lui lançant un « H., mon calvaire ! » bien tonitruant, qui le faisait rire de bon cœur.

Nous vivions donc un amour foudroyant, entourés de gens allumés, politiquement bruyants, aussi les prétextes pour fêter, boire et chez plusieurs tirer des joints s'imposaient. Personnellement, je buvais peu, ne fumais pas de cigarettes, à plus forte raison de la mari, mais j'ai adoré Robert Charlebois dès son premier album – le plus sage, en 1965 comme plus tard en 1968 lorsqu'il ferait planer toute notre génération, avec *Lindberg* et ses autres chansons qui marquèrent notre époque lyrique et déjantée.

H. entra sans transition dans ce monde de jeunes exaltés, frondeurs, ambitieux et grisés par les tourbillons politiques, sociaux et culturels. Son monde à lui, celui des humbles, des pauvres, des éclopés de la vie, ce monde meublé par la solitude, la prière, la mortification lui manquait forcément par moments. La passion dévorante que nous partagions ne pouvait combler totalement sa quête spirituelle ni son besoin viscéral de se consacrer aux autres. Aussi je me rendis compte, après quelques mois, que l'idéalisme qui avait présidé à sa vocation religieuse l'empêchait de s'adapter à la vie civile. Il demeurait prêtre, recherchait les contacts avec des gens qui avaient besoin de sa présence rassurante, de son ouverture d'esprit, de son écoute dénuée de tout jugement. C'est ainsi qu'il devint le « confesseur » de certains de mes amis, turbulents en apparence mais inquiets de cette révolution sociale dont ils s'estimaient, non à tort d'ailleurs, des cobayes consentants.

*

De mon côté, j'appréciais ma vie partagée entre les sciences politiques, *Le Quartier latin* – où je sévissais sans remords avec des articles provocants qui dérangeaient et augmentaient le nombre de mes ennemis mais aussi de mes admirateurs. Clivante avant que le mot devienne à la mode dans les années deux mille, j'encaissais les attaques non sans blessures superficielles, mais qu'étaient ces dernières comparées à celles de mon enfance ? Et le regard de H. me servait de sas, de filtre et d'armure contre les angoisses qui surgissaient sans crier gare.

La thérapie analytique, à laquelle je m'étais astreinte durant trois ans et que j'avais débutée lorsque je vivais avec Jacques, m'aidait à me distancer de moi-même. En arrivant un jour chez mes parents pour présenter H. à ma mère, je me suis retrouvée face à face avec mon père. Avec une amabilité empressée, H. lui a tendu la main. « Bonsoir monsieur Bombardier, je suis très, très heureux de vous connaître. » Mon père a reculé sur place, puis tendu la main à son tour. « Bonjour monsieur. » Après être allés retrouver ma mère dans la cuisine, j'en ai profité pour retourner voir mon père au salon. « T'as rien remarqué ? lui ai-je demandé. — De quoi parlez-vous ? » a-t-il dit, les rares fois où nous échangions quelques mots il me vouvoyait. — La dernière fois que je suis venue avec un homme, j'étais avec mon mari. » Il a juste haussé les épaules, l'air de dire : « Et alors. » Encore aujourd'hui, cette scène absurde m'étonne. Et j'ai compris, quelques années plus tard, que mon père n'avait sans doute pas été étranger à mes choix amoureux. Mes amies proches s'étaient elles-mêmes interrogées : comment avais-je pu m'enticher d'un prêtre, aussi remarquable, sensible et séduisant fût-il ? Je crois que l'anticléricalisme paternel virulent a guidé mon choix d'amis. H., le curé, incarnait ce qu'il détestait de tout son être. Et mon amour viscéral du Québec est sans doute ma réponse à son mépris du « Culbec ».

*

H. avait hérité, au moment de nous mettre en ménage, un montant conséquent d'une tante célibataire. « Pour les bonnes œuvres », avait-elle stipulé dans son testament. Sans doute seraitelle morte en apprenant que son pieux et vertueux neveu s'était défroqué, toujours est-il que cet héritage tomba du ciel comme une manne. Nous avons acheté une Volvo rouge et projeté un voyage en France. H. touchait un salaire plus que décent, j'avais un prêt-bourse à rembourser mais seulement à la fin de mes études : partir devenait possible. J'ignorais encore où me conduiraient mes années d'université puisque, contrairement aux étudiants en droit, en médecine, à polytechnique, je n'avais aucun plan de carrière, mais je savais heureusement parler, écrire et bénéficiais d'une curiosité intellectuelle flambant en permanence comme des bûches d'érable dans l'âtre. Aussi je constatais, avec satisfaction et même surprise, que bien qu'ayant baigné dans l'obsession quotidienne de l'argent, je souffrais peu d'insécurité matérielle.

*

En 1967, Montréal s'apprêtait à recevoir l'Exposition universelle, dont nous ignorions évidemment qu'elle transformerait à jamais les mentalités au Québec. J'avais échoué dans ma tentative de me faire embaucher pour l'été à l'Expo à cause de mon engagement pour l'indépendance du Québec, mais ma réputation de pamphlétaire au *Quartier latin* et quelques apparitions remarquées à la télévision sur des panels en tant qu'étudiante engagée portèrent autrement fruits. Gérald Godin – le poète qui battra en 1976 le Premier ministre Robert Bourassa dans sa circonscription et deviendra ministre de l'Immigration puis de la Culture dans les gouvernements du Parti québécois – était, cette année-là, responsable de la recherche dans l'émission d'affaires publiques de la télévision de Radio-Canada «Aujourd'hui». En mars, il me convoqua à ses bureaux et m'offrit un poste de recherchiste pour l'été suivant. La proposition me réjouit et j'étais d'autant plus folle de joie que j'allais toucher cent soixante-cinq dollars par semaine, le pactole à mes yeux. Si ma mémoire est bonne, je crois même qu'une fois rue Sainte-Catherine je me suis précipitée à la cathédrale de Montréal pour y allumer un cierge. Comme, à l'époque, il n'y avait aucun iPhone pour joindre ma mère et H., j'avais besoin de remercier quelqu'un. Je doutais de l'existence de Dieu mais au moins j'endossais le pari de Pascal. J'ignorais que débutait véritablement mon entrée dans le monde adulte. J'avais, à seize ans, quitté l'école, pour tenter ma chance comme comédienne grâce à mon amie Louise Marleau ; je m'étais inscrite à l'université pour terminer un baccalauréat ès arts, clef d'entrée à la faculté de sciences sociales ; le militantisme au sein du RIN m'avait appris que la politique active exacerberait ma tendance à dramatiser – ce qui me plongeait dans des états où je craignais de perdre pied –, cette fois une nouvelle porte s'ouvrait.

Moi qui m'étais mariée pour me sentir normale et atténuer la culpabilité éprouvée en prenant des distances avec ma mère, la «trahissant par sa faute» puisque je répondais à son désir de m'expulser de notre classe sociale afin de monter en grade dans un monde où j'éprouverai longtemps un complexe d'imposture – n'étais-je pas en quelque sorte une immigrante de l'intérieur ? –, je voyais enfin d'autres horizons s'annoncer. Jacques et moi nous étions séparés sans trop de heurts. Quant à mon amour atypique, mais si authentique, avec un homme inclassable, je devinais qu'il ne pourrait s'éterniser. Mais je ne reculais pas car j'avais appris, par expérience, que l'amour est indissociable de la douleur et que cette douleur d'aimer, je l'avais ressentie depuis le début de mon histoire sur Terre.

Chapitre 33

Je n'ai rien oublié des détails des quelques mois de lune de miel vécue avec H., période savourée dans un état de béatitude qui se voyait dans mes textes du *Quartier latin*. J'avais perdu de mon mordant, l'indignation qui coulait de source en moi était moins vive et, plus inquiétant, je trouvais de la crédibilité à des camarades que j'avais jusqu'ici considérés sans esprit donc sans intérêt. Le bonheur, à vrai dire, me faisait du bien au cœur mais seyait mal et affadissait ma personnalité. J'étais devenue une « gentille », ce trait que l'on applique à des personnes auxquelles on ne trouve pas d'autres qualités probantes. Or je n'avais jamais voulu être « gentille » avant tout. Dans l'ordre des compliments, la gentillesse s'inscrivait, à mes yeux, en bas de liste.

L'hiver fut rude mais je m'en fichais. Les tempêtes bloquaient Montréal et je les bénissais car H. et moi pouvions nous réfugier dans notre cocon, blottis au fond du lit durant tous ces jours où la ville était impraticable à cause des bancs de neige. Quand les rues étaient dégagées, nous nous rendions au lac aux Castors sur le Mont-Royal où nous patinions au son des valses de Strauss, moi lui tenant la main. Par amour, mais aussi parce que H. peinait à avancer alors que je glissais sans effort, et m'amusais à faire des vrilles et des arabesques, me prenant pour une championne olympique. J'adorais éblouir H., qui en redemandait.

*

Ce bonheur devenait insupportable aux autres, notamment mes camarades du *Quartier latin*. Le rédacteur en chef de l'époque, Guy Bertrand, un garçon bourru donc hypersensible, étudiant à polytechnique donc féru de sciences, me fit comprendre un jour qu'il me fallait atterrir. «C'est la Bombardier que je veux retrouver dans tes articles. Si tu veux écrire dans Harlequin (une collection de livres dégoulinant de romance à l'eau de rose), je n'ai plus besoin de toi.» Vexée, je me suis mise à l'invectiver, le traitant de crétin, d'imbécile, de frustré parce que les filles rôdaient rarement autour de lui ; en fait j'étais enragée. Alors il sourit. «Enfin, je te retrouve», dit-il, triomphant. Et c'est ainsi que je me ressaisis. J'étais aveuglément amoureuse mais la passion ne devait pas m'ankyloser.

Au Québec, 1967 fut une année charnière. Tandis que les militants de l'indépendance poursuivaient leur prosélytisme, le gouvernement de l'Union nationale de Daniel Johnson déposa une loi visant à interdire le droit de grève dans les écoles si les autorités jugeaient les droits des enfants menacés ; les syndicats d'enseignants violèrent la loi dès qu'elle fut adoptée, descendant dans la rue pour vingt-quatre heures. Trois jours plus tard, le 20 février, leur retour au travail eut lieu, leurs dirigeants ayant accepté des aménagements gouvernementaux. Mais ce clash annonçait les débordements syndicaux des années soixante-dix.

À Ottawa, Pierre Elliott Trudeau – qui avait joint le Parti libéral du Canada en 1965 et été élu député puis secrétaire parlementaire du Premier ministre Lester B. Pearson alors que le gouvernement libéral était minoritaire – devint ministre de la Justice en 1967. En proposant, à la fin de l'année, un projet de loi légalisant l'homosexualité, l'avortement et le divorce, il s'imposa comme un grand réformateur social. «L'État n'a pas sa place dans la chambre à coucher des citoyens», dit-il de manière lapidaire pour justifier cette révolution morale.

Trudeau rallia à lui tous les progressistes du Canada, y compris, bien sûr, les indépendantistes, pourtant ses ennemis épidermiques jusqu'à la fin de sa vie. Ses combats futurs contre le nationalisme québécois seront d'autant plus virulents, violents et efficaces qu'il accéda l'année suivante, en 1968, à la tête du gouvernement canadien, incarnant alors les bouleversements que connurent tous les pays occidentaux en ces temps chahutés.

Moi-même je m'étais frottée à la dialectique trudeauesque en tant qu'étudiante et militante du RIN au cours des premières années de la décennie soixante. La légalisation du divorce proposée ensuite me concernait, puisque, séparée de fait, le divorce m'était jusqu'à la fin 1967 interdit. J'y recourrai au début des années soixante-dix lorsque Claude Sylvestre et moi souhaiterons nous marier.

*

H. quitta son travail à la prison, milieu qui lui rappelait trop la prêtrise, monde qu'il vivait dorénavant comme une forme d'embrigadement. Tout bêtement, il se sentait prisonnier, sentiment qui l'avait envahi au cours de ses années de sacerdoce. Entré au grand séminaire à dix-sept ans, il quitta donc le clergé à l'âge du Christ, trente-trois ans, comme il aimait le rappeler. Il trouva un emploi auprès de la Compagnie des jeunes Canadiens, organisme fédéral où se retrouvaient des gens aux profils proches de ceux des prêtres, personnes politiquement à gauche désireuses d'aider les opprimés de la société. À cette époque glorieuse où l'on formait des animateurs sociaux, H. en fut l'un des meilleurs de par son expérience antérieure.

Bien qu'heureuse pour lui de cette conversion, peu à peu, je me mis à percevoir des changements. Je croyais l'entraîner dans le monde réel, mais nombre des nouveaux collègues qui avaient abandonné le catholicisme adhéraient à la nouvelle religion marxiste, projetant ainsi les dogmes anciens sur leur nouvelle idéologie. H. se retrouvait dès lors émotivement plongé dans le sacrifice de sa propre personne alors que j'espérais en devenir la bénéficiaire exclusive.

Une évolution d'autant plus inquiétante que je m'apprêtais à rejoindre la télévision de Radio-Canada. Je m'imaginais que cet emploi d'été, avec un peu de chance et en m'investissant à corps perdu pour être la meilleure recrue de Gérald Godin, mon patron, m'ouvrirait la voie au rêve légitime de gagner ma vie en parlant et en écrivant, ce que, à ce jour, je crois faire le mieux. De fait, le militantisme politique me semblait désormais incompatible avec le métier de journaliste qui m'attirait. Mes engagements reposaient toujours sur la conviction que le Québec formait une nation et que l'indépendance assurerait sa pérennité. Mais j'avais été trop marquée par l'endoctrinement catholique, dont je pensais m'être affranchie, pour considérer l'indépendance comme une nouvelle religion. Hélas, je discernais chez nombre de mes amis une tendance à en faire un absolu.

H. demeurait un catholique de gauche. Bien qu'il ne pratiquât plus et restât discret sur sa foi qui, j'en avais l'impression, en arrivait même à vaciller, il refusait de s'engager dans l'armée des anticléricaux virulents qui se déchaînaient. L'Église en prenait pour son rhume mais H. ne se laissait aucunement instrumentaliser par tous ceux qui, à la manière des dragons, crachaient un feu dévastateur sur l'institution qui avait modelé – pour le pire mais aussi pour le meilleur – le Québec traditionnel que nous quittions.

H. n'était pas un intellectuel et n'avait jamais été un homme de l'appareil religieux. Son expérience de modeste vicaire nourrissait son sens de la justice et renforçait son indignation devant l'exploitation des démunis, qualités marquantes de sa personnalité. Contrairement à ses camarades animateurs sociaux, qui avaient sauté à pieds joints dans un marxisme mal digéré et en menaient large dans le Québec, ne résistant pas à jeter le bébé avec l'eau du bain, H. demeurait authentique. S'inspirant des Évangiles, lui prêchait par l'exemple. N'ayant jamais eu à gagner sa vie, qu'il avait vécue avec un minimum de besoins matériels contrairement aux prêtres de cour, il pratiquait, avant la lettre, la simplicité volontaire. Et distribuait de l'argent à certains renards pauvres, l'un n'empêche pas l'autre, qui profitaient de lui facilement. À la limite, il aurait même consenti à travailler pour les démunis sans être payé.

Ayant connu l'obsession pathologique de mon père envers le « maudit argent », je constatais, au fil des mois, que ce travers risquait de me faire régresser. Je n'ai jamais rêvé de richesse mais il apparaissait indispensable à mon équilibre psychologique que je normalise mon rapport à l'argent. Je souhaitais m'en affranchir, refusais d'en être prisonnière, mais aussi de passer ma vie à compter mes envies à cause du prix des choses. H. et moi étions en somme dans deux mondes à ce sujet. Mais la passion qui nous consumait faisait table rase de ce qui devint par la suite des divergences. Je crois en outre que j'en avais plus conscience que lui, novice dans les choses de l'amour.

*

Mon emploi d'été à la télévision me comblait. Au milieu de recherchistes beaucoup plus âgés que moi, qui m'accueillirent comme un électron libre, tous des vieux de la vieille qui avaient vu couler sous les ponts et dont les carnets d'adresses débordaient de noms de gens connus susceptibles d'être invités de l'émission « Aujourd'hui », j'appris beaucoup. Ces journalistes hors antenne tutoyaient les trois quarts des célébrités québécoises de l'époque. Et la plupart avaient le cœur à gauche. Ayant tous lutté contre Maurice Duplessis, la Révolution tranquille avait comblé leurs vœux. Quelques-uns étaient plus forts en gueule que les autres, et veillaient au grain en critiquant plus ou moins violemment tout ce qui bougeait. Toutefois, s'ils m'épataient, intellectuellement ils me décevaient. Il est vrai que je me croyais sortie de la cuisse de Jupiter parce que étudiante en sciences politiques de l'Université de Montréal alors que la majorité de mes confrères étaient des autodidactes qui tournaient les coins ronds.

Mon enthousiasme, ma rapidité d'exécution et ma curiosité les impressionnaient et les agaçaient à la fois. « Calme-toi les nerfs », répétait sans cesse la responsable de l'équipe, Gisèle Bergeron, une militante de la première heure du Parti social démocratique du Canada, l'ancêtre du Nouveau Parti démocratique actuel, lorsque je recontactais toutes les cinq minutes l'invité désigné pour l'émission de fin de journée qui ne rendait pas mon appel. « Ils veulent tous venir à l'émission sauf ceux qui ont des choses à cacher», affirmait-elle avant d'ajouter : «Prends le temps de vivre. On n'est pas ici pour s'énerver.» De fait, cette équipe de gourmets disparaissait à midi pour aller manger dans des restos de bonne cuisine pas trop chers où ils avaient tables attitrées.

Certains préféraient se nourrir de dry martini et, l'après-midi, roupillaient malgré le brouhaha créé par l'urgence de boucler une émission diffusée en direct à 6 heures. Sauf exception, à 4 h 30, tout le monde quittait le bureau. Et rares furent les moments où cette façon détendue, pour ne pas dire désinvolte, de travailler créa des impairs visibles à l'antenne. Je fis donc mes classes avec de joyeux lurons qui pratiquaient un humour décapant, qui draguaient les assistantes – celles-ci en redemandaient – et qui me racontèrent les travers et les faiblesses des personnalités politiques de l'époque. «Qui couchait avec qui», était un thème récurrent. Quant à l'usage de l'alcool, l'exemple venait d'en haut puisque le responsable de l'émission rentrait tous les après-midi au bureau dans un état d'ébriété avancé. Il avait droit, parfois, à des engueulades ciblées de sa secrétaire, dont tous savaient qu'elle était aussi sa maîtresse. Quelques années plus tard, alors que j'étais devenue journaliste permanente au sein du service, ce patron, par ailleurs brillant, raffiné et à l'humour caustique, rejoignit les Alcooliques anonymes. Il se transforma alors en personnage rangé, trop rangé, appliquant les règles de cet organisme avec rigidité. Il ne riait plus. À notre grand désappointement. Mais au moins sauvait-il sa peau. J'ai en tout cas éprouvé du respect et de l'admiration pour cet homme cultivé et distingué même dans l'éthylisme.

*

Tous les pays attendaient les visiteurs sur les îles du fleuve Saint-Laurent, durant cet été plus que mémorable de l'Exposition universelle de Montréal. Il fallait même faire la queue des heures pour entrer dans certains pavillons, comme ceux de l'URSS, de la Tchécoslovaquie et de Cuba. Cette attraction hors normes s'expliquait en partie, à mes yeux, par le frisson et le sentiment de commettre un péché mortel que beaucoup ressentaient en entrant dans ces antres du communisme. Y aller, c'était braver un interdit, avec une allégresse mêlée de culpabilité, voire de peur. D'autant que circulaient, concernant ces pavillons, nombre de rumeurs. À les en croire, les Soviétiques et les Cubains débarqués à Montréal étaient pour la plupart des espions ; les frôler de près ajoutait à l'engouement des Québécois. Détentrice d'une carte de presse, je pus éviter les interminables files d'attente. Surtout, les soirs d'été, avec H. nous pouvions aller déguster au pavillon cubain des riz aux crevettes qui avaient le goût sulfureux de la révolution castriste. Des Québécoises n'ont pas attendu mai 1968 pour établir des relations intimes avec des membres de la délégation, faisant connaissance bibliquement avec des Cubains, espions ou pas, qui les envoûtaient sexuellement et, qui sait, les endoctrinaient peut-être politiquement dans le même souffle.

Autre événement à portée internationale, le 9 mai, le paquebot *France* mouilla pour la première fois dans le port de Québec. Le Premier ministre Daniel Johnson fit, de son côté, une visite à Paris du 17 au 19 mai, où il fut reçu en grande pompe tel un chef d'État. Ces deux événements firent l'objet de discussions passionnées parmi les indépendantistes et les nationalistes, lesquels ne pouvaient percevoir dans ces signes avant-coureurs la secousse tellurique qui commotionnera le Québec, le Canada, la France et la planète entière au cœur du mois de juillet suivant. Personne en effet n'aurait pu émettre d'hypothèse aussi démesurée sur le voyage, hautement chargé de symboles et d'histoire, du président de la République française, le général de Gaulle, chez les « Français du Canada ». Les Québécois, comme nous nous étions rebaptisés désormais, allaient danser la gigue et le rigodon en criant « Dieu est bon ». Pas tous, cependant.

Chapitre 34

Tout au long de ces années, j'avais épisodiquement été sollicitée pour jouer de petits rôles ou faire des publicités à la télévision. Dans ce dernier cas, j'hésitais à accepter, l'impact de ce média étant d'autant plus grand qu'existaient seulement deux chaînes en français, Radio-Canada et Télé-Métropole – qui deviendra plus tard TVA. L'idée d'être associée à une marque de savon à vaisselle ne me plaisait guère même si le cachet proposé pour une journée de tournage me troublait, torturait même. Je n'ai cédé que deux fois, pour des céréales et une poudre à récurer qui me fit éternuer durant tout le tournage.

En revanche en 1966, j'acceptai avec empressement de jouer le rôle de l'amie de Geneviève Bujold – nous l'étions dans la vie – dans un film de Michel Brault intitulé *Entre la mer et l'eau douce.* Geneviève et Claude Gauthier en étaient les vedettes, je personnifiais la blonde de Gérald Godin, qui allait devenir mon patron ! Robert Charlebois était aussi de la distribution, de même que Pauline Julien, la chanteuse pasionaria de l'indépendance bientôt compagne du même Godin jusqu'au décès de celui-ci. J'accepterai, beaucoup plus tard, en 2002, de jouer de nouveau, cette fois une reine un peu fofolle, dans le film de la mythique Denise Filiatrault *L'Odyssée d'Alice Tremblay*, mais avant de faire une apparition (éclair) en 1993 dans un film de Claude Lelouch, *Tout ça… pour ça!* Pour l'anecdote, Claude Lelouch me fera venir à Paris en première classe, sur le vol Boston-Paris, parce que je résidais à la période du tournage – c'était l'été – à Nantucket, l'île fabuleuse de baleiniers décrite dans le roman de Melville, *Moby Dick*. Je passerai quelques jours délicieux dans la Ville lumière, où je tournerai une journée entière. J'y jouerai mon rôle d'intervieweuse télé, improvisant les questions, comme le souhaitait Lelouch. Au final, ce dernier ne gardera qu'une image de ma prestation. On voit ma figure deux secondes au générique d'ouverture. Il m'expliquera que l'entrevue serrée, menée ainsi à sa demande, avec l'acteur avait trop décontenancé celui-ci et que son personnage perdait en crédibilité pour la suite, ce que Lelouch ne souhaitait pas.

Reste que j'avais pris plaisir à tourner avec Michel Brault et à revoir Geneviève, qui menait désormais sa carrière à Hollywood. Et l'été avant la sortie, j'avais pris soin de ne l'encombrer d'aucune activité excitante, hormis mon travail, en vue de bien savourer la sortie du film au début août. Mais qui aurait pu deviner que le président de la France, Charles de Gaulle, jouerait, à Montréal, le premier rôle d'un film d'une incroyable envergure conçu, écrit et réalisé par lui ?

*

Durant cet été 1967, nous avions loué, H. et moi, un chalet à Val-Morin, dans les Laurentides. Une construction en bois rond, un refuge à l'écart de l'agitation de Montréal, que nous rejoignions les fins de semaine et même durant la semaine lorsque la chaleur écrasante de la ville nous empêchait de dormir.

Le lundi 24 juillet, je rentrai seule à Montréal afin de préparer le dossier sur le gaullisme qu'un spécialiste de la France allait commenter le jour même, en direct, dans l'émission.

Avec H. et des amis, nous avions boudé le soleil et déjà passé des heures enfermés, incapables de décrocher de l'écran qui nous permettait de suivre le Général sur le chemin du Roy, longeant la rive nord du Saint-Laurent. Nous étions dans un tel état de fébrilité qu'accentuaient les bouteilles de vin – français il va s'en dire – que l'on vidait de Québec à Trois-Rivières, de Trois-Rivières à Berthier, petite ville de quelques milliers d'habitants, sans prétention ni panache, qui reçut sans pompe mais non sans larmes de joie le grand homme, le premier des Français. Celui-ci leur adressa une superbe déclaration d'amour en lançant, sans une once d'ironie : « Vive Berthier, vive la France ! »

Le Premier ministre du Québec, son « ami Johnson », l'homme au cœur fragile, se tenait au côté du Président et affichait face à ce genre de propos un air estomaqué qu'il tentait de contenir sans vraiment y parvenir. Car il saisissait, comme tous les observateurs depuis l'arrivée du Président à Québec à bord de la frégate *Colbert*, la progression de ton, de vocabulaire et la couleur de l'émotion du premier chef de l'État français de retour en « Nouvelle France ». Avant de débarquer, il avait confié à son gendre Alain de Boissieu qu'il allait chez nous « frapper un grand coup ». N'étions-nous pas la seule branche de Français à avoir pris racine hors de France, en terre d'Amérique, puisque ni les Belges ni les Suisses ne sont de racine française ? Toujours est-il que ce « grand coup », si certains sentaient la passion du grand résistant s'exacerber, personne n'en supputait l'ampleur.

En entendant son « Vive Berthier, vive la France », je pris immédiatement la route vers Montréal. Dans la voiture, j'ouvris la radio, l'oreille aux aguets pour ne rien manquer des imprévus susceptibles de survenir de Berthier à Montréal où le Général était attendu à l'hôtel de ville. J'apercevais Montréal au loin, devant mes yeux, lorsque retentit la voix de De Gaulle déclarant : « Je vais vous confier un secret que vous ne répéterez à personne. » Le cœur battant, d'instinct, je saisis que je vivais un moment historique. Sans en imaginer, cependant, l'apothéose. « Ce soir, ici et tout au long de ma route, je me trouvais dans une atmosphère du même genre que celle de la Libération », ajouta le Général. Je crus défaillir au propos. Par prudence, je manœuvrai pour immobiliser le véhicule sur le bas-côté. Le Général parlait comme un père qui revient dire à ses enfants, abandonnés durant plus de deux cents ans, « si vous saviez quelle affection elle [la France] recommence à ressentir pour les Français du Canada [...]. La France sait, voit, entend ce qui se passe ici et je puis vous dire qu'elle en vaudra mieux. Vive Montréal ! Vive le Québec ! Vive le Québec... libre ! »

À l'écoute des derniers mots, un tournis me gagna. Ces points de suspension s'imprimèrent en moi pour toujours. Éprouvant un mélange de joie brûlante et d'incrédulité, seule dans ma voiture – H. étant demeuré au chalet – je n'arrivais pas à me ressaisir. Or le besoin impérieux de parler à quelqu'un montait en moi. Mes parents habitaient le long de l'autoroute, au bord de la Rivière-des-Prairies, j'étais à cinq minutes de la maison familiale donc je décidai d'y faire un court arrêt. Quand j'entrai en trombe, je tombai sur ma mère. Qui n'eut guère le temps d'avoir l'air surpris. « Tu l'as entendu ? me dit-elle d'emblée en enchaînant sans attendre ma réponse : Ça va être beau, les Anglais vont nous le faire payer. » Comme à son habitude, au lieu de se réjouir elle voyait le côté sombre et voulait éviter la chicane qui nous diviserait. « De Gaulle veut nous aider c'est sûr, ajouta-t-elle toutefois. — J'espère que tu vas le défendre, dis-je. — Disons que je le crierai pas sur les toits. Et je te conseille d'être prudente. N'oublie pas que tu travailles à Radio-Canada, une entreprise fédérale, ajouta-t-elle. Ton père a éclaté de rire quand il a entendu de Gaulle crier "Vive le Québec libre". Il est dans le jardin, tu peux aller le voir. — Je suis en retard. On m'attend à Radio-Canada », répondis-je pour filer.

C'était faux, bien sûr. Mais pourquoi donc mon père avait-il ri ? Je ne le saurai qu'au référendum de 1980 quand ma mère me jurera qu'il avait voté Oui au scrutin sur la souveraineté-association.

Mon travail exigeait un devoir de réserve. Mais comment réussir à retrouver mes esprits, à garder mes distances après cette déclaration incroyable et le feu d'artifice de réactions politiques qu'elle suscitait et dont j'imaginai sur-le-champ les retombées au Québec et au Canada ? Mais, comme toujours au cours de notre histoire, les Canadiens français se divisèrent. L'épisode le prouva une nouvelle fois. Le maire de Montréal, Jean Drapeau, exprima sa désapprobation avec une colère d'autant plus vive que l'Exposition universelle, dont il avait été l'initiateur, venait à ses yeux d'être kidnappée par les quatre mots dont le dernier, gaullien, faisait l'effet d'une bombe qui explosait l'unanimité factice du Canada créée par l'Expo universelle. Que les fédéralistes québécois, qui avaient le vent dans les voiles, se sentent insultés et se déchaînent contre le Général et la France qu'il incarnait n'était guère surprenant. Que le Canada anglais en entier devienne hystérique, cela s'expliquait aussi. Que les Britanniques accablent de Gaulle, l'accusant de radoter, faisait partie d'un règlement de comptes historique. Mais que la gauche française, *Le Nouvel Observateur* en tête, use des mêmes arguments que les Anglo-Saxons, traitant Charles de Gaulle de vieillard en voie de sénilité, fut une blessure pour nous tous, qui considérions encore la France comme la mère patrie et sa gauche comme une forme de soutien.

Alain Peyrefitte, qui deviendra l'un de mes mentors lorsque je débarquerai en France en 1971 pour un doctorat, a mis du baume sur ce que nous avons vécu comme une trahison de nos «amis» de gauche d'ordinaire prêts à défendre tous les colonisés de la Terre. En expliquant que nous avions, nous les Québécois, peu d'attraits à leurs yeux parce que nous étions blancs, riches, nord-américains et nationalistes. La même presse critiquera le nationalisme canadien-français devenu progressiste à partir de 1960, l'associant aux exactions du national-socialisme et à l'extrême droite. De fait, de nos jours encore, le nationalisme n'a pas la même signification au Québec et en Europe.

De Gaulle quitta le Québec sans mettre les pieds à Ottawa. À Paris, les membres de son gouvernement l'attendirent à l'aéroport, au petit matin, en rang serré, sur ordre de l'Élysée. Car une partie de ce gouvernement debout comme un seul homme sur la piste lorsque l'avion se posa désapprouvait les propos du chef. Parce que sa phrase bousculait trop, créait une polémique, réveillait, voire attisait des antagonismes. Parce que, aussi, c'était soi-disant s'immiscer dans la politique intérieure d'un pays ami. Mais nous, nous estimions que le Général avait accompli une mission et atténué la blessure de l'abandon de la France. Hélas, les Québécois ne réaliseront pas le vœu gaullien lors des deux référendums proposés sur ce sujet : ils voteront non à ceux de 1980 et de 1995.

Le Québec et ses artistes eurent la cote d'amour en France dans les années qui suivirent l'«incident». J'en prendrai la mesure lorsque je m'installerai pour trois ans à Paris en 1971.

*

Le cri gaullien résonna longtemps à travers le Canada anglais, à la fois déchaîné, consterné et incapable de contenir son hostilité. Au Québec, les camps pour et contre de Gaulle se formèrent. On assista à l'émergence d'une troisième voie, celle des nationalistes pas encore convertis à l'indépendance comme Jacques Parizeau, futur Premier ministre et alors conseiller économique du gouvernement Johnson, ou René Lévesque, député libéral en instance de changer de camp.

Un seul député libéral démissionna dans la foulée du «Vive le Québec libre» : François Aquin voulut se dissocier, dans un premier temps, du caucus de son parti, lequel blâmait le Premier ministre Daniel Johnson d'avoir laissé le président français tenir de tels propos «séparatistes». Il le fit onze jours après l'incident, le 3 août, précisément. Plus tard, Aquin devint le premier député indépendantiste à siéger à l'Assemblée législative, rebaptisée en 1968 Assemblée nationale, changement d'appellation qui correspondait à une appropriation nouvelle de l'identité québécoise. Personne ne l'ignore : modifier le vocabulaire est récurrent dans la vie politique québécoise depuis la Révolution tranquille.

L'atmosphère à Radio-Canada se transforma après l'épisode du balcon de l'hôtel de ville. Nous n'étions pas dans un climat de censure comme cela se produira en 1970 lorsque la loi sur les mesures de guerre sera appliquée par le gouvernement de Pierre Elliott Trudeau, époque où je serai devenue journaliste d'antenne et sur laquelle je témoignerai plus avant, mais chacun restait sur ses gardes. La crainte que le courroux d'Ottawa s'abatte sur le réseau français de Radio-Canada était palpable. L'équipe de l'émission «Aujourd'hui» avait conscience de travailler dorénavant dans un aquarium sous le regard suspicieux des autorités. Les deux animateurs de l'émission, Michelle Tisseyre – mère du journaliste Charles qui deviendra présentateur de « Découverte », magazine scientifique qui incarne encore la culture du service public – et Wilfrid Lemoine, navigueront en eaux troubles suite à la visite du général de Gaulle. Il faut admettre que la bande de recherchistes de l'émission proposait un peu trop d'invités ne se gênant guère pour attaquer Ottawa à bras raccourcis, sans précaution oratoire.

Comme tous ces gens avaient lutté contre Maurice Duplessis, que plusieurs amis de Pierre Elliott Trudeau, invité chouchou de Radio-Canada avant de faire le saut en politique, avaient trouvé refuge dans le service public, nombre d'entre eux exprimaient plus ou moins discrètement leur sympathie pour les indépendantistes. Le cri du cœur de De Gaulle et les réactions outrancières et inqualifiables du Canada anglais qui suivirent les interpellaient. Mais chacun avait conscience du privilège de travailler à la télévision, lieu prestigieux à la réputation enviée. Pour parler crûment, personne ne souhaitait mettre en péril son emploi, aussi chacun tempérait-il ses ardeurs. À l'exception des anti-de Gaulle. À l'époque, on ne mordait pas la main qui nous nourrissait, à moins d'être inconscient… ou héroïque.

*

À la fin de cet été – où j'avais aussi eu ma minute de gloire, cette fois en tant que comédienne grâce à la sortie du film de Michel Brault, *Entre la mer et l'eau douce*, accueilli avec sympathie mais réserve par la critique –, je fus comblée par l'offre d'un emploi permanent faite par mon patron (et amoureux dans le film), Gérald Godin. Mais, ayant encore une année de scolarité à poursuivre avant d'obtenir le diplôme, à mon corps défendant je dus refuser cette incroyable occasion de faire carrière. C'était sans compter sur la volonté de toute l'équipe, que la direction de l'émission avait consultée à mon insu. Pour m'inciter à rester parmi eux, tous me maternaient, paternaient et m'initiaient à la complexité de la vie et à l'art de tirer son épingle du jeu dans un monde où les ego de quelques vedettes – dont Mme Michelle Tisseyre – frôlaient le plafond. Même cette dernière star adorée du public, que la direction de Radio-Canada avait propulsée à la coanimation de la grande émission d'affaires publiques après qu'elle eut animé «Music Hall», qui comme son titre l'indique n'avait rien de journalistique et d'intellectuel, me prit sous son aile.

Chapitre 35

Il n'y a rien de plus enivrant que d'être désirée. Amoureusement et professionnellement. C'est pourquoi j'ai reconsidéré l'offre de Gérald Godin d'un poste de recherchiste à temps plein après avoir vu l'équipe m'encourager et offrir même de me donner un coup de main lorsque viendraient mes examens trimestriels. Et après avoir eu l'accord de suivre mes cours tous les matins et de n'être présente au bureau que l'après-midi. « Tu es capable de faire les deux, m'assura Gérald. T'es vite sur tes patins et on a besoin de tes suggestions. Tu nous permets de rajeunir notre banque d'invités. Tu vas voir qu'en vieillissant on s'encroûte. »

J'ai adoré Gérald, sa brillance d'esprit, son humour décapant, la séduction dont il jouait avec un mélange d'audace et de timidité. J'ai apprécié aussi le politicien qu'il est devenu, ministre de la Culture qui aimait les artistes au point de se retrouver parfois à la limite du conflit d'intérêts lorsqu'il s'agissait de financement. Ami intime de Gaston Miron, il a soutenu et nourri au propre comme au figuré ce dernier, flamboyant poète ayant toujours tiré le diable par la queue. Il fut aussi ministre de l'Immigration, ce qui en surprit plus d'un, et tissa des liens et édifia des ponts avec les communautés culturelles. En ce sens, il réussit à dédiaboliser l'idée que se faisait la majorité des immigrants sur l'option souverainiste. Une évolution qui n'a toutefois pas convaincu les immigrants d'alors ni ceux d'aujourd'hui de voter pour le Parti québécois, puisqu'ils appuient à 85 % le Parti libéral du Québec.

À compter de septembre 1967, ma vie se partagea donc entre la théorie à l'université et la pratique à la télévision. Entre des discussions philosophico-politiques et des décisions de programmes déterminés au gré de l'actualité quotidienne, souvent anecdotique. J'avais conscience du privilège qui m'était accordé de pouvoir croiser les acteurs politiques véhiculant les idées que m'enseignaient par ailleurs des professeurs, dont quelques-uns me comblaient tandis que d'autres me décourageaient. De l'université je m'étais fait, auparavant, une image idyllique, peu conforme à la réalité. Comment une institution de haut savoir pouvait-elle accueillir des professeurs intellectuellement ternes, empotés ou déconnectés et pédants. Moi, je m'entichais des curieux, des obsédés de leur matière qui nous obligeaient à nous sentir ignorants, seule motivation efficace pour se dépasser. Si bien que je ne voyais pas le temps passer et ne refusais aucune offre de Radio-Canada.

C'est ainsi que, à la mi-octobre, l'émission «Aujourd'hui» m'envoya à Québec assister au congrès du Parti libéral au cours duquel René Lévesque, alors député d'opposition, devait proposer au parti le projet de faire du Québec un État souverain associé au Canada anglais.

*

Les jours précédents, je peinais à contrôler mon excitation : l'idée d'assister à l'événement politique pouvant transformer notre avenir collectif était stimulante. Et puis j'étais fière et impressionnée, je l'avoue, de représenter officiellement l'émission phare d'affaires publiques. Le sentiment d'imposture, tapi au fond de moi depuis l'enfance, surgit toutefois lorsque j'arrivai devant la table des médias pour recevoir mon accréditation. «Je suis Denise Bombardier de Radio-Canada.» En prononçant cette phrase, l'idée m'effleura que la responsable lancerait : «Vous n'êtes pas sur la liste. Désolée», mais elle me transmit une carte identifiée PLQ avec mon nom inscrit en lettres majuscules. J'avais donc franchi l'épreuve. Et j'étais enfin *persona grata* dans le journalisme.

Je me présentai à quelques confrères, des journalistes d'expérience dont j'avais coutume de lire studieusement les écrits. Ils me conduisirent dans la salle surchauffée, enfumée et surpeuplée où se tenaient les débats. La tension était à son comble parmi les centaines de militants comme à la table de presse. Lorsque René Lévesque surgit du fond de l'allée centrale pour se diriger vers le micro, un murmure, difficile à cerner pour moi, s'installa. « Là, ça passe ou ça casse », souffla mon voisin.

Je me souviens de la voix éraillée de René Lévesque, que je voyais physiquement pour la première fois. Il grimaçait, un sourire forcé aux lèvres, mais exposa avec clarté, passion et l'obsession du mot juste qui avait fait de lui la star du journalisme à la télévision, sa thèse de la souveraineté-association. Malgré mon inexpérience, je perçus, à mesure qu'il avançait dans son exposé, une sorte de fatalisme. Car il devait savoir qu'il n'avait pas les appuis nécessaires pour mener son projet à terme dans cette assemblée, aussi bien au sein des militants que des dirigeants. Jean Lesage lui était opposé au premier chef, comme Paul Gérin-Lajoie, l'ex-ministre de l'Éducation, contradicteur qui défendait plutôt un statut particulier pour le Québec. Le congrès adoptera d'ailleurs la thèse de ce dernier, qui obtiendra 1 500 voix contre 700. Le « Ça passe ou ça casse » s'appliquait.

Après son exposé, René Lévesque n'eut même pas le temps de remercier le président de l'assemblée que déjà des huées s'élevaient du fond de la salle. Je vis alors cet homme au destin providentiel se cabrer puis se retourner sur lui-même et avancer d'un pas rapide vers la sortie sous des cris de plus en plus audibles et les rires sarcastiques de nombreux membres. Ce parti qu'il avait servi avec tant de talent et de conviction comme ministre responsable de la nationalisation de l'électricité quelques années plus tôt – en 1963 – le vilipendait. Jean Lesage put déclarer que le départ de René Lévesque permettait aux libéraux d'être « plus forts que jamais ».

La salle de presse se vida en quelques minutes. Alors je suivis, en hâte, mes confrères hors du congrès. La rumeur courait que René Lévesque accorderait une conférence de presse au sous-sol de l'hôtel Clarendon, je crois, tout à côté de l'hôtel Château Frontenac. Chacun s'y précipitait. La bousculade pour entrer dans la salle fut indescriptible. Les journalistes se marchaient les uns sur les autres, les quelques filles présentes étaient épargnées par la galanterie d'apparence qu'il convenait d'afficher. L'on me projeta donc aux premiers rangs et c'est à quelques pieds de René Lévesque que j'assistai aux prémisses du Mouvement souveraineté-association, création officialisée le 19 novembre au bout d'une réunion de deux jours attirant cinq cents personnes au monastère des dominicains d'Outremont. Un lieu adapté puisque le monastère comptait quelques prestigieux théologiens progressistes, dont le père Louis-Marie Régis qui avait présidé le comité d'étude proposant l'abolition de la censure cinématographique en 1962, comité dans lequel siégea également le réalisateur de Radio-Canada, Claude Sylvestre, mon mari et le père de mon fils quelques années plus tard.

J'ai toujours gardé vivace en moi la scène où je vis Lévesque se retirer dans l'hostilité et la hargne de ses frères désormais ennemis. J'ai saisi à ce moment la dureté de la vie politique, quand les héros d'un jour deviennent les traîtres du lendemain. René Lévesque, aussi respecté et porté aux nues qu'il fût, ne réussira pas, plus tard, à convaincre le peuple du bien-fondé de la souveraineté doublée d'une association avec le reste du Canada. L'homme du compromis et de l'ambivalence se verra mis en échec par celui de l'affrontement et de l'arrogance, à savoir Pierre Elliott Trudeau. Quant à moi, je terminai l'année dans les bras de H. et, à minuit, nous décidâmes de réaliser notre rêve commun : découvrir la France ensemble en cette nouvelle année 1968.

*

Je vivais donc une période stimulante entourée d'amis affectueux. Mon travail me permettait de côtoyer les acteurs du Québec turbulent, personnalités en train de bousculer les institutions mettant un frein à nos aspirations personnelles et collectives, l'Église comme la famille. Le Premier ministre Johnson nous offrait l'égalité ou l'indépendance, René Lévesque la souveraineté-association, le RIN l'indépendance et le Parti libéral du Québec un statut particulier pour la province.

Mais, dès février, Pierre Elliott Trudeau devint candidat à la direction du Parti libéral du Canada. Nombreux furent les nationalistes à comprendre que le Québec allait traverser des années de grandes perturbations. Car son arrivée à la tête du Canada comme celle de René Lévesque à la direction du Parti québécois définiraient pour deux décennies la dynamique du déchirement, politique et culturel, des Canadiens français entre eux.

À mon propre étonnement, je parvenais à suivre avec assiduité mes cours. À l'université, je réalisais mes travaux en compagnie de deux camarades, français d'origine, Alain Dudoit – garçon studieux, besogneux et rieur qui deviendra ambassadeur du Canada plus tard – et Jean-Claude Le Floch, surdoué qui, comme tous les surdoués, était un être compliqué : son esprit flottait en permanence dans des sphères qui nous étaient étrangères et il avait une facilité déconcertante à assimiler les matières les plus rébarbatives. Lorsqu'on me confiera une émission politique à la télévision, plusieurs années plus tard, je le recruterai et il deviendra mon collaborateur le plus zélé. Je lui suis notamment redevable d'avoir réussi à passer, à l'université, l'examen de statistiques obligatoire, du chinois à mes yeux mais un exercice enfantin aux siens. Il poursuivra une longue carrière à Radio-Canada, où jamais il ne perdra sa singularité, son originalité et son mystère. Aucun dossier ne pouvait échapper à la curiosité de cet homme qui savait tout sur tout.

À Radio-Canada, personne ne reprochait quoi que ce soit à mon travail ; au contraire, on complimentait mon efficacité. Il faut dire qu'avoir six ou sept recherchistes pour préparer une heure d'antenne quotidienne permettait à certains de ne pas trop s'échiner. Autre temps, autres méthodes : l'époque était faste en personnel comparée aux maigres moyens mis à la disposition des journalistes actuels, pourtant sous pression constante des médias sociaux et de l'information en continu.

*

Nous préparions, H. et moi, notre voyage en France. Où je voulais prendre possession de toutes les régions. En un mois! Je consultais avidement les cartes Michelin, ayant en tête la superficie du Québec cinq fois et demie plus grande que celle de la mère patrie : aussi je pensais qu'un trajet Strasbourg-Dijon, puis Dijon-Marseille et enfin Marseille-Monaco se faisait en trois jours. J'oubliais que les régions françaises ne sont pas des plaines à perte de vue sans habitations ni des forêts québécoises qui se transforment en toundra où l'on croise seulement des orignaux, des ours ou des lynx. Le Québec est un pays dont la plus grande partie se traverse, où visiter signifie s'enfoncer dans la sauvagerie, alors qu'en France, entre Lyon et Aix, on peut prendre dix heures pour s'arrêter devant des églises, admirer des bâtiments, visiter des villages chargés de légendes. Dix heures où l'on change de géographie, d'histoire, d'accent et parfois de langue, d'architecture, de cuisine, de culture, voire de manière de conjuguer cette expression que les Anglais ont été incapables de traduire dans leur langue puisqu'ils la reprennent eux-mêmes en français : «joie de vivre».

J'aimais la France à travers ma propre histoire. Je l'aimais aussi à travers ses écrivains. J'avais dévoré, enfant, la comtesse de Ségur, son *Auberge de l'Ange gardien* et son *Général Dourakine* – j'ai relu il y a quelques années ces deux ouvrages et constaté combien ils traversent l'épreuve du temps ; une découverte qui me donne envie de les lire un jour à ma petite-fille. J'ai aimé la France aussi à travers ma professeure de diction, Mme Audet, qui m'a appris à parler en articulant à la différence des Québécois qui ont tendance à manger leurs mots, ce qui explique en partie la difficulté des francophones à nous comprendre. J'ai aimé la France à travers les autres écrivains qui ont marqué ma jeunesse : Albert Camus, Maupassant, Flaubert en particulier. J'avoue que j'ai aimé la France parce que mon grand-père, Exaré Bombardier, que je n'ai pas connu, parlait à la française, personnage indomptable et fort en gueule comme tous les «maudits Français» selon ma chère tante Edna, expression qui, dans sa bouche, n'avait rien de péjoratif, bien au contraire.

Chapitre 36

La révolution culturelle dont mai 1968, fut, en France, le phare européen, se déroulait déjà depuis quelques années en Amérique du Nord. Sur les campus américains, des jeunes protestaient contre la guerre du Viêtnam entamée avec l'intervention américaine de 1965 ; le mouvement féministe, initié par la papesse de l'époque, Betty Friedan, et son essai *The Feminine Mystique* publié en 1963, prenait de l'ampleur ; et la lutte contre la ségrégation raciale dans les États du Sud se transformait en enjeu national et en cause internationale.

Au Québec, dois-je me répéter, la terre avait tremblé dès juin 1960 avec l'élection du Parti libéral de Jean Lesage. Toutes les institutions, depuis, découvraient les contrecoups de ce choc politique, social et religieux, la déclércalisation et la déchristianisation s'échelonnant sur une décennie, phénomène impensable dans toute autre société démocratique, les bouleversements violents d'une telle profondeur se déroulant en général uniquement dans des pays révolutionnaires et tyranniques.

*

H. incarnait ces changements radicaux. Si son vocabulaire n'était plus émaillé de références religieuses, je n'osais lui soutirer des confidences sur sa vie passée, respectais ses silences et ne le questionnais guère sur l'évolution de sa foi. Nous étions tous deux non-pratiquants mais avions quand même assisté à la messe de minuit du Noël précédent, pour le bonheur d'entendre de nouveau les chants qui avaient marqué notre enfance. Contrairement à plusieurs de mes amis, je ne me vantais pas d'être anticléricale ; quant à H., il s'abstenait de critiquer l'Église. Je crois que l'amour qu'il m'exprimait avec tant d'ardeur, de délicatesse et d'authenticité le blindait contre la hargne, la colère et le ressentiment que d'autres prêtres défroqués exprimaient sans retenue.

H. se consacrait à aider les démunis, et, en ce sens, poursuivait à sa manière son sacerdoce. Mais il se décrivait comme un laïque et son discours devint peu à peu plus idéologique que théologique. Je me rendais bien compte que le regard qu'on posait sur lui était teinté d'une curiosité non pas malsaine mais quelque peu insistante. Heureusement son charme, où la candeur et la fronde coexistaient, désarmait la plupart des intrigués.

Mon emploi du temps chargé me créait du souci. Et l'activité d'animateur social de H. ne s'inscrivait pas dans des horaires cadrés type 9 heures-17 heures. Ainsi, il renouait avec ses habitudes de prêtre toujours disponible tant il n'existe pas d'horaires lorsqu'on veut aider son prochain. Reste que H. ne savait pas dire non et qu'il m'arrivait de souffrir de son absence. Je découvris aussi un jour que, sollicité, il prêtait de l'argent à gauche et à droite. Et en vins à imaginer que certains, certes pauvres mais malins, abusaient de sa générosité comme de ses largesses. Quand je lui fis remarquer que, en tant que couple souhaitant avoir un avenir, il nous fallait commencer à faire des économies, il me répondit que l'argent n'était pas une valeur suprême et que nous avions tous deux les moyens d'en gagner. Me sentant un peu minable d'avoir soulevé une telle question, je perçus alors que l'amour partagé n'était pas imperméable aux divergences de vues sur la question monétaire qui avait empoisonné mon enfance et dont j'espérais me guérir. Le premier doute quant à notre avenir commun venait de germer en moi.

*

Nous étions émus en préparant notre premier voyage en France. Quelques mois avant le départ, nous avions fixé un itinéraire raisonnable grâce aux conseils d'amis. Et les billets étaient réservés pour la mi-mai. Tous les jours je radotais sur ce voyage rêvé au point que mon excitation finit par casser les oreilles de ceux qui m'approchaient. « Tu ne pars pas pour la Lune », me dit ainsi un collègue de Radio-Canada. « Ni pour le ciel », ajouta un autre. Heureusement que H. calmait mes transports, lui, l'homme aux émerveillements plutôt contenus.

Aussi je faillis m'évanouir lorsque j'appris qu'à cause de la plus importante grève sociale survenue dans l'Hexagone, l'avion d'Air France au départ de Montréal atterrirait à... Bruxelles. La Belgique, le plat pays de mon idole Jacques Brel, celui qui m'avait appris dans ses chansons à me méfier des « bourgeois », des Flamands et de la dureté de ses compatriotes, ne m'attirait guère. Et surtout pas pour y séjourner. Le voyage initiatique au pays de mes ancêtres était-il compromis ?

Me faisant une raison, nous avons recomposé l'itinéraire. Il suffisait de traverser la frontière française dès notre arrivée puisque je refusai de demeurer une seule journée à Bruxelles. Nous avons donc pris possession d'une voiture de location dès l'atterrissage et suivi l'autoroute vers Paris.

Après avoir franchi le poste-frontière, je priai H. de s'arrêter au bord de la route. Il obtempéra, surpris. Alors, devant des curieux ahuris, je suis sortie, me suis agenouillée – comme Jean-Paul II le fera plus tard, toutes proportions gardées évidemment – et j'ai baisé le sol. Ce fut mon premier contact physique avec la terre de mes aïeux. J'ignorais à l'époque qu'André Bombardier, dit la Bombarde, était originaire du village de Saint-Sauveur, aujourd'hui arrondissement de Lille. Donc que je me trouvais à quelques kilomètres du berceau de tous les Bombardier du Canada. J'entrais en tout cas avec dévotion dans ma propre histoire, histoire qui avait débuté lorsque ce soldat s'était embarqué avec son régiment pour la Nouvelle-France au début du XVIIIe siècle. Un départ que je n'arrive pas encore à décrire sans ressentir un serrement dans la poitrine, moi qui ai toujours estimé que la culture française et son génie m'appartenaient en propre, moi qui revendique ses écrivains et ses philosophes comme des membres de ma famille. Autrement dit, je suis bel et bien une Québécoise de souche française. Et personne ne me fera renier cette identité, sacrée à mes yeux.

*

H. et moi nous sommes ensuite arrêtés, au hasard, dans un petit village – dont j'ai oublié le nom – où, épuisée de fatigue par trop d'émotions comme par le décalage horaire, j'ai eu peine à manger. Je me souviens des mirabelles qu'on nous a servies et que je ne connaissais pas. C'était la saison et j'en ai mangé moins par goût que parce que je dégustais des fruits français. Je n'eus pas de difficulté à convaincre H., en ce premier soir en France, de me faire l'amour. N'est-ce pas la façon la plus intime de prendre possession d'un pays ?

Le lendemain matin, l'hôtelier nous informa des manifestations violentes qui se déroulaient à Paris, notre destination. Mais rien ne pouvait m'arrêter, alors je convainquis H. de ne pas contourner la ville comme lui-même le suggérait. Comment pouvais-je visiter le pays sans, d'abord, séjourner en son cœur même ?

L'hôtel réservé se situait à un jet de pierre de la place de la Concorde. Ma surprise fut grande de constater que tout y était calme, époustouflant de beauté et électrisant. « Où sont les manifestations ? ai-je demandé au concierge de l'établissement.
— Autour de la Sorbonne ou à la Bastille », a-t-il précisé en me conseillant d'éviter ces lieux. Et c'est ainsi que nous avons foncé rive gauche, où j'ai été stupéfaite de découvrir des groupes enragés face à des CRS casqués qui leur faisaient barrage.

Avant d'avoir peur, car j'eus peur, peu habituée à ces mouvements de foule où des casseurs s'exposaient en lançant tout ce qui leur tombait sous la main, je me suis réjouie d'être parmi les spectateurs de ce début de révolution. J'avais lu avec passion les journaux français accessibles à Montréal et, bien sûr, regardé tous les reportages de Radio-Canada sur le sujet. Mais alors, nous étions au début des affrontements et le ton du mouvement de révolte semblait encore bon enfant. Cette fois, sur place, l'ambiance changeait. Des policiers en faction, découvrant notre accent québécois, nous conseillèrent de quitter la capitale. « N'oubliez pas que vous êtes dans le pays de la Révolution », me dit même un jeune agent sympathique qui nous confia aussi avoir été réjoui du « Vive le Québec libre » du général de Gaulle. Et ajouta : « Ne craignez rien, notre président en a vu d'autres. Il ne laissera pas Paris être envahi par ces jeunes dont plusieurs sont des anarchistes. » Je me gardai bien de lui révéler que j'étais journaliste et que je me sentais en phase avec ceux qui souhaitaient l'évolution de la France dans le sens où la rue l'exprimait. Ce qui ne m'empêchait pas d'admirer le général de Gaulle, l'homme providentiel qui nous avait ouvert les bras l'année précédente.

Le mouvement de grève et les premiers affrontements de rues me passionnaient intellectuellement et professionnellement mais me désappointaient à titre personnel. Je m'étais préparée à découvrir MA France, un pays immuable et mythique, et les bouillonnements de mai, aussi intenses et interpellants fussent-ils, me plongeaient dans des émotions qui oscillaient entre adhésion mitigée et rejet viscéral. Un après-midi, nous fûmes en quelque sorte pris en tenaille par des têtes brûlées qui arrachaient des pavés pour les lancer au travers des vitrines ou sur les CRS. Une seule solution : se réfugier dans le corridor d'un immeuble après nous être engouffrés, avec d'autres passants, dans la porte cochère entrouverte par un quidam charitable. Nous y sommes restés plus d'une heure, entendant les cris et explosions du boulevard Saint-Michel, transformé en champ de bataille. Les Français qui nous entouraient s'engueulant entre eux sur le sujet, je craignais que certains en viennent aux coups. Un vrai nid de guêpes. H. chercha à désamorcer l'agressivité de tous en écoutant chacun avec la bienveillance du confesseur qu'il était encore. Ce qui, dans les circonstances, agaça plutôt le petit groupe de réfugiés parisiens. Lorsque enfin, nous nous sommes risqués à retourner sur le boulevard, nous avons couru vers la Seine en évitant de nous faire frapper par les manifestants et les policiers. L'incident nous ouvrit les yeux : il fallait abandonner Paris aux enragés.

À ce jour, j'éprouve encore le déchirement ressenti en ce mois de mai 1968. Je me définissais à gauche, les changements sociaux me semblaient nécessaires pour parvenir à plus de justice, d'égalité et de liberté, mais que des jeunes, au nom de leur idéal, pour ne pas dire leur idéologie, s'en prennent à Paris en arrachant ses pavés, en brisant son mobilier, en détruisant ces mille pierres polies par le temps qui témoignaient de son élégante beauté, m'insupportait. L'idée que l'on défigure la capitale du pays que j'aimais me scandalisait.

*

Nous étions convenus de nous rendre d'abord en Normandie et en Bretagne. Où nous fûmes accueillis avec chaleur. À Saint-Malo, un restaurateur refusa même que l'on paie notre repas. « Vous êtes nos cousins », assura-t-il. Cette phrase, on nous l'a répétée des dizaines de fois durant ce périple. En Bretagne, on nous accueillait souvent d'un « Vive le Québec libre » bien senti. Ces Bretons n'étaient pas tous gaullistes, loin s'en faut, mais les bretonnants ressentaient une proximité affective avec nous. À leurs yeux on ne pouvait qu'être favorable à l'indépendance. Comme j'aurais été malvenue de les contredire, je m'abstins de préciser que la majorité des Québécois n'adhérait pas aux thèses des indépendantistes. En y croyant pour nous, ces Bretons aimaient l'espérer pour eux.

Ce mois de vacances me donna l'occasion de mieux saisir l'essence de la culture française, à savoir le plaisir – parfois sadique – de se perdre dans des affrontements politiques. Mais aussi de ressentir la dichotomie profonde – et moins évidente à appréhender pour un étranger – existant entre la province et Paris. La capitale est, d'une certaine manière, une classe sociale à elle seule. Au-dessus des autres. Les Parisiens possèdent leur culture propre, leurs codes, leurs règles, leur langue et une façon hautaine de juger leurs compatriotes. Je perçus durant cette première immersion dans l'Hexagone ce que je constaterai en y vivant entre 1971 et 1974. Le complexe de supériorité des Français – fort atténué de nos jours alors que l'autoflagellation semble recouvrir un sentiment de culpabilité post-colonial – tient beaucoup à celui des Parisiens qui se croient, ignorants ou lettrés, intellectuellement supérieurs au reste du troupeau. Le parisianisme triomphant, c'est peu dire qu'il s'imposa à nous, Québécois. Croisant par hasard, dans un restaurant étoilé de Bourgogne, un vieux sénateur de la capitale accompagné de son épouse – silencieuse – celui-ci, ayant entendu notre accent, m'interpella avec un paternalisme de bon aloi amplifié par le port de la rosette à la boutonnière qui attestait bien de sa place dans l'élite. « Mademoiselle, déclara-t-il pour bien indiquer que nous n'étions pas un couple matrimonialement légal je suppose, je vous félicite. C'est la première fois que je rencontre une Canadienne qui n'a pas d'accent. Je suis impressionné. » Je me suis retenue de lui répondre : « Merci, monsieur le sénateur. Mais n'oubliez pas que je fais partie des nègres blancs d'Amérique », référence à l'intellectuel québécois Pierre Vallières, qui avait cautionné la violence du FLQ et venait de publier un essai virulent intitulé « Nègres blancs d'Amérique », bientôt repris aux éditions Maspero à Paris puis traduit en anglais aux États-Unis.

Notre voyage prit peu à peu une tournure imprévisible. Tous les Français qui croisaient notre route souhaitaient connaître notre opinion sur la révolution en train de dépaver la capitale. « Vous êtes nos cousins, votre jugement nous est précieux », affirmaient certains. Ce qui était embarrassant tant notre affection pour de Gaulle et son « Vive le Québec libre » nous renvoyait dans le camp de la droite. Dès lors je passais mes journées à justifier mes réserves sans satisfaire ni les uns ni les autres, pragmatisme qui irritait. « Mais vous êtes une Anglo-Saxonne, c'est dommage », me dit par exemple un enseignant à la terrasse d'un café d'Aigues-Mortes, lieu charmant et séduisant où nous avions choisi d'allonger notre séjour en nichant dans un petit hôtel situé sur le port. Accent pour accent, j'avoue que discuter politique avec les habitants du sud de la Provence me distrayait plus par les sons entendus que le fond, le contenu. Cette langue fleurie, chantante et nasillarde à souhait dédramatisait les tensions de l'actualité. Quant à mon « absence » d'accent, elle en décevait plusieurs mais celui d'H. compensait mon français de chez Mme Audet.

Lorsque nous n'en pouvions plus de discuter de la révolte qui gagnait l'ensemble du pays, nous recherchions les lieux éternels qui témoignaient de la grandeur, de la puissance et de la mémoire françaises. Et l'on passait des heures dans le silence des cathédrales, des petites églises romanes, dans les musées qui révélaient les chefs-d'œuvre de peintres dont nous n'avions qu'une connaissance livresque. Et nous faisions aussi l'amour, par passion à l'évidence mais pour augmenter plus encore l'intensité des émotions que nous éprouvions dans des villes, villages et lieux-dits qu'il nous comblait d'immortaliser au paroxysme.

*

Une fois à Monaco, où le Musée océanographique nous a séduits, nous n'avons pas résisté à la tentation de passer en Italie. Quand on habite au Canada, on connaît juste la frontière américaine au sud et le pôle Nord… au nord. Aussi, à un jet de pierre et de pas de l'Italie, ce grand pays, il aurait été aberrant de ne pas en découvrir les merveilles. Je me souvenais de la phrase de Cocteau : « Les Italiens sont des Français de bonne humeur. » À nous de le vérifier.

Durant trois jours, les pieds dans la Méditerranée, au-dessus de Gênes, nous avons mangé des pâtes en baignant dans un spectacle permanent de *commedia dell'arte*. Quel repos délicieux avant de remonter la France vers Paris, nombril du monde révolutionnaire en ce mois de juin 1968 !

Chapitre 37

De retour au Québec, je me sentais moins enthousiaste que perturbée. Malgré ma passion pour la politique et les changements sociaux, ce premier séjour sur le sol français m'avait procuré des sentiments contradictoires. À vrai dire, alors que j'avais cru entamer un pèlerinage sur les traces de mes propres racines, j'avais découvert que mon espoir portait sur un pays rêvé, imaginaire. Et que l'Hexagone où j'avais atterri était en train de se remettre en question et n'hésitait pas, à travers la révolte de la rue, à dénoncer les mythes et les valeurs qui pourtant faisaient sa grandeur à mes yeux. Confrontée malgré moi à des discussions que je ne souhaitais en rien partager, j'avais été apeurée par les barricades et les casseurs qui, au propre comme au figuré, déboulonnaient, à ma consternation, les trésors, richesses et symboles de la culture que le reste de la planète enviait à la France. La France des outrances, de la tentation anarchique, de la rancœur et de la diabolisation n'était pas celle que j'aimais. Naïve, le cynisme qui s'exprimait à Paris et en province me heurtait. Grâce à Dieu, H. et moi avions croisé des Français qui nous avaient témoigné affection et intérêt. Cependant, jamais ils ne pouvaient feindre leurs inquiétudes profondes quant à l'avenir du pays.

Avant tout, je ne supportais pas que l'on présente le général de Gaulle comme un fasciste et un vieillard en voie de sénilité. Et je sursautais d'entendre une certaine gauche parisienne – dont je prendrai plus tard la mesure des idées et paradoxes durant un long séjour – accabler le Président tout en encensant parallèlement les Castro et autres dictateurs décrétés révolutionnaires.

Quant à l'extrême droite, j'en avais croisé quelques spécimens, lesquels s'appropriaient le nationalisme – dont ils se proclamaient les experts –, le nôtre compris, tout en se comportant à notre égard en purs colonialistes. Je me rappelle ainsi la vivacité d'un dîner organisé par des connaissances françaises – j'en avais peu à l'époque – à l'occasion de notre venue. L'un des invités souhaitait qu'on lui explique la situation du Québec. Un «ami du Canada», comme se définissait un autre, intervint sur-le-champ et, entamant un discours à la logorrhée «précieuse ridicule» devant la compagnie et nous-mêmes bouche bée, exposa ce qu'il pensait être les tenants et aboutissants de notre cause. Et de faire l'éloge de notre taux de natalité le plus élevé «de la race blanche» au début du XXe siècle. Et de vanter l'extraordinaire pouvoir de l'Église qui avait su contrôler, affirmait-il, les ouailles dociles que nous étions. H., qui ne pipait mot durant la diatribe, hocha de la tête. Quand notre «ami du Canada» conclut son exposé crétin en s'adressant à mon «mari» – car nous devions être mariés supposa-t-il –, il prit le mouvement que faisait H. comme un accord plein et entier. «Vous êtes d'accord avec ma vision, cher ami, dit-il. — Au-delà de ce que vous pensez, monsieur», répondit H. en éclatant d'un rire où l'on ne pouvait déceler la moindre ironie.

Revenue à Montréal, d'une certaine manière j'ai dû me refaire une virginité face à la France. Afin de sortir de ma déception, lorsqu'on me questionnait sur mon voyage de «chanceuse» tout au long des semaines qui suivirent, je préférais dissimuler mon trouble en décrivant une France immuable, celle des chefs-d'œuvre architecturaux, de la culture littéraire, de la géographie si variée même dans des périmètres de cinquante kilomètres, en évoquant la cuisine du terroir, toujours authentique – j'exagérais là-dessus – et le théâtre quotidien que sont les échanges verbaux des Français sans cesse en train de s'engueuler, se flatter, s'insulter et se réconcilier à l'intérieur d'une même phrase. Ça, ce n'était pas faux!

*

Le 24 juin, jour de la Saint-Jean-Baptiste, patron des Canadiens français et date décrétée fête nationale du Québec, j'étais devant la télévision. Le traditionnel défilé des chars allégoriques, fanfares des villes et écoles se déroulait en présence des notables, dont le Premier ministre du Québec. Mais ce 24 juin 1968, veille de l'élection fédérale, Pierre Elliott Trudeau, chef du Parti libéral du Canada que les sondages annonçaient gagnant le lendemain, décida d'assister lui aussi à cet événement hautement nationaliste. Or Trudeau était, ne l'oublions pas, le pourfendeur le plus doué et le plus provocateur du mouvement souverainiste en train de gagner des adeptes. Je le vois encore, à l'écran, cheveux au vent, souriant tel un carnassier qui choisit sa proie, saluant la foule d'où l'on entendit rapidement monter des huées. Entouré de la hiérarchie religieuse et des édiles locaux, il défiait ni plus ni moins les groupes d'indépendantistes, lesquels amorcèrent un mouvement vers l'estrade où l'élu échangeait des poignées de main et semblait prendre un plaisir pervers à observer l'agitation.

Mais, en quelques secondes, les huées couvrirent les cris de joie et des objets volants non identifiés atterrirent sur l'estrade. La panique s'empara des invités, qui s'enfuirent, se précipitant dans les gradins vers la sortie. Impassible, Trudeau préféra rester assis, seul, entouré de quelques agents de sécurité qui avaient en vain tenté de l'évacuer tandis que le début d'émeute s'amorçait. Deux cent quatre-vingt-dix personnes seront arrêtées, cette journée de réjouissance nationale sera vite désignée comme le « lundi de la matraque », mais Trudeau, par son attitude et le fait d'être resté, remporta facilement l'élection du lendemain.

Évidemment, une polémique surgit. La télévision de Radio-Canada fut prise à partie car ses caméras censurèrent la diffusion de l'échauffourée. Le réalisateur de cet événement diffusé en direct d'un océan à l'autre du Canada, Henri Parizeau, avait en effet intimé l'ordre à ses caméramen de fixer leurs objectifs sur les chars allégoriques plutôt que sur les heurts, soustrayant ainsi aux regards des téléspectateurs la violence de l'affrontement entre les manifestants et la police devant l'estrade d'honneur. La veille du 24 juin, plusieurs observateurs et journalistes avaient pourtant affirmé que la présence du chef du Parti libéral du Canada à l'événement relevait de la provocation, tant, au cours de ce défilé traditionnel, les membres des partis politiques fédéraux n'étaient d'ordinaire jamais là. C'était mal connaître Pierre Elliott Trudeau, frondeur élu le lendemain Premier ministre du Canada.

Le pays, sous sa gouverne, allait connaître des turbulences majeures. En quelques semaines, la trudeaumanie envahit le Canada et le Québec. Ce politicien hors normes, sophistiqué, intellectuel, hautain et suffisant transforma le Canada anglais, pays paisible, discret, sans sautes d'humeur et conformiste, en scène théâtrale. Les Canadiennes en étaient folles, les Canadiens enviaient son sex-appeal, et tous se réjouissaient de voir une star tenir les rênes du Canada. Seuls des conservateurs résistaient à ses facéties et aux pirouettes qu'il osait dans le dos de la reine d'Angleterre, attitude *shocking* pour ces Canadiens habitués à plus de retenue et de réserve. Pierre Elliott Trudeau et ses flamboyances personnelle et politique détonnaient dans les provinces anglophones, habituées à feindre leurs émotions. Au Québec, il servira de catalyseur et de détonateur dans les événements qui suivirent.

*

Je visitais peu ma mère à cette période, mais chaque matin je lui téléphonais. Et au cours de nos conversations, immanquablement, nous nous disputions. Sur tout, mais d'abord sur des vétilles. Une routine téléphonique qui m'était nécessaire et qui, je crois bien, expliquait aussi l'irritabilité qui s'emparait de moi dans nos échanges, moments où elle tentait constamment de soutirer des confidences sur ma vie avec H., de savoir combien je gagnais tant elle craignait que je dilapide mes revenus. Toute sa vie, elle aura le sentiment que les hommes qui partageaient mon existence me coûtaient de l'argent, m'exploitaient, à vrai dire.

Comme je terminais ma scolarité de maîtrise en sciences politiques tout en poursuivant mon travail à la télévision, je ne rencontrais aucun problème financier. Nous avions un train de vie modeste mais agréable. Bien que certains de mes nombreux amis gagnaient déjà des salaires honorables, ma mère craignait que je dépense trop pour les recevoir. Or je n'arrivais pas à lui résister et lui décrivais les dîners que j'organisais. « Combien ça coûte ? » demandait-elle constamment. Par provocation, je gonflais les prix réels ; alors elle devenait dingue. Un jeu sadique je l'admets, mais je ne sais laquelle de nous deux avait le plus besoin de ces émotions négatives !

*

L'automne 1968 annonçait de nouvelles tensions. Le Premier ministre Daniel Johnson décéda d'une crise cardiaque, le 29 septembre, jour de l'inauguration du grand barrage hydroélectrique de Manic-5, dans le Grand Nord québécois, où la toundra impose sa loi. L'ami du général de Gaulle n'eut pas le temps de choisir entre l'égalité ou l'indépendance, titre de l'ouvrage qu'il avait publié en 1965 où il exposait sa vision politique et constitutionnelle pour le Québec qu'il affectionnait tant, lui, le descendant d'immigrants irlandais. Je me souviens de ma peine vive en apprenant la nouvelle de sa mort, ayant gardé un souvenir ému de mon échange avec cet homme au regard bleu et au sourire amusé, poliment interpellé lors de sa visite aux étudiants à l'Université de Montréal.

Son successeur Jean-Jacques Bertrand ne fit que passer puisqu'il sera défait en mai 1970 au moment où le Parti libéral de Robert Bourassa reprendra le pouvoir. Ce dernier ne se doutait pas qu'il aurait à gérer, l'automne suivant, la crise politique la plus tragique de l'histoire du Québec et du Canada, moment que certains résument en usant de l'euphémisme « "événements" d'octobre 70 » alors que ces actes terroristes, qui virent le ministre libéral Pierre Laporte kidnappé puis assassiné et l'attaché commercial britannique détenu par ses kidnappeurs, traumatisèrent une société québécoise plus foncièrement gueularde et turbulente que violente.

La création officielle du Parti québécois, né d'une fusion entre le Mouvement souveraineté-association et le Rassemblement national, petit parti de droite, eut lieu en octobre. Quinze jours plus tard, le Rassemblement pour l'indépendance nationale (RIN) se fit hara-kiri. J'étais présente au Collège Maisonneuve lorsque se déroula ce dernier congrès. Le parti, alors dirigé par Pierre Bourgault qui usa de son immense talent d'orateur afin de convaincre les plus irréductibles et les plus extrémistes des militants de la nécessité de s'effacer devant la cause, bouillonnait. J'entends encore Bourgault, des sanglots dans la voix, affirmer devant l'assemblée en pleurs : « C'est notre devoir comme indépendantistes de poser ce geste de foi envers notre patrie, le Québec. » Pierre Bourgault se sacrifiait lui-même tant ses relations avec René Lévesque n'étaient guère harmonieuses et conscient que jamais il ne pourrait diriger le Parti québécois. Ses idées radicales, sa vie personnelle sulfureuse, on l'a vu, son incapacité à tempérer ses ardeurs politiques ainsi que l'agressivité de sa dialectique allaient l'écarter à jamais du pouvoir.

*

Pendant ce temps, H. se transformait à vue d'œil. Il devenait plus bavard et surtout plus personnel dans ses échanges avec mes amis. Mais il avait réussi aussi à nouer des liens avec des camarades de travail plus radicaux les uns que les autres. Tout en recevant de plus en plus d'appels d'aide de gens en difficulté. Lui aimait faire don de sa personne, accorder toujours plus de temps, dépanner les uns, nourrir les autres. En se sentant utile il renaissait. Je continuais d'être émue par cette générosité, malgré nos divergences de vues qui s'accentuaient. Je me protégeais du malheur alors que H., non seulement s'en accommodait mais le recherchait pour assister ceux qui en étaient victimes. Ayant très tôt désiré m'extraire de mon enfance dysfonctionnelle, étant infiniment redevable à ma mère d'avoir valorisé l'école et la mobilité sociale qu'elle permettait, la vision de ce que j'aurais pu devenir me troublait. Je fuyais cependant les parvenus dont l'étalement de richesse m'apparaissait indécent. À l'opposé, la complaisance et la glorification de la pauvreté me choquaient. « Quand on est pauvre, on est ignorant », disait ma tante Lucienne. Si bien que je n'avais rêvé que d'apprendre et prenais grand soin à entretenir ma curiosité naturelle, véritable cadeau de la vie.

Je préparais une thèse de maîtrise sur les cent jours de Paul Sauvé, l'homme qui avait succédé au Premier ministre Maurice Duplessis en 1959 et n'avait eu que trois mois pour changer de cap et faire entrer le Québec de plain-pied dans la modernité. Il mourut à la tâche comme Maurice Duplessis et plus tard Daniel Johnson. Durant ces cent jours, il amorça nombre de changements. Me marqua combien, rétrospectivement, son action politique était vouée à l'échec car c'était bel et bien une révolution tranquille que la société en ébullition réclamait. J'avais choisi de consacrer ma recherche à cette figure car déjà j'étais fascinée par les personnalités placées en situation de jouer un rôle de courroie de transmission entre deux systèmes, deux régimes, deux paradigmes, parfois.

À la fin de cette année riche en événements personnels, politiques et professionnels, la direction de « Aujourd'hui » annonça à l'équipe que l'émission s'arrêterait à l'été 1969. Alors que d'autres s'angoissaient de l'avenir, je n'eus guère l'occasion de m'inquiéter puisque Gérald Godin m'informa que l'on souhaitait m'inclure dans une nouvelle équipe. Je réussis à taire cette bonne nouvelle durant quelques semaines, mais comme ma mère me fit vite pitié en m'interrogeant sur la précarité de mon travail – sous-entendu sur l'importance de gagner de l'argent –, je dus lui révéler la vérité. « Je savais que tu me cachais quelque chose », eut-elle comme réaction. Et elle ne put s'empêcher d'enfourcher un de ses chevaux de bataille, à savoir mon incapacité à négocier un contrat. « L'argent ça n'a pas d'importance pour toi ? J'sais pas comment j'ai pu t'élever aussi mal. » La pauvre ignorait que je n'avais de cesse de lutter contre cette obsession familiale. Mais il est vrai que je détestais parler d'argent et que ma difficulté à chiffrer les choses comme ma mère et mon père me rendait parfois honteuse. C'est pourquoi, après quelques efforts, je devins au fil des années une vraie négociatrice. En apprenant à aimer ce rapport de force. « Tu négocies comme un homme, me dira un jour un cadre de la télévision. C'est un compliment. » J'avais hoché la tête. « Es-tu contente que je te le dise ? À notre prochaine négociation, j'espère que cette confidence ne me nuira pas. — Au contraire », avais-je répondu. Il m'avait regardée d'un air dubitatif. Ma vie serait vite émaillée de conversations surréalistes de ce type.

Chapitre 38

H. et moi avions salué l'année en buvant du champagne, luxe qui le dérangeait un peu, dans notre entresol spacieux mais plus ou moins confortable d'une immense maison bourgeoise d'Outremont, tout à côté de l'université. La passion demeurait entre nous mais je n'étais pas dupe de notre avenir de couple, étant plongée depuis un an dans une thérapie analytique avec un jeune résident en psychiatrie, lui-même suivi en psychanalyse de contrôle par un psychiatre freudien. Je n'avais pas le sentiment de servir de cobaye et plongeais trois fois la semaine dans les abysses de mon inconscient en ayant la conviction que je parviendrais un jour à surmonter la peur de basculer dans la folie ambiante qui s'était emparée de mon univers très tôt dans l'enfance. Je serai éternellement reconnaissante à ce psychiatre de ces progrès de compréhension intime, même si pour crâner je lui lançais parfois qu'il avait la chance d'avoir un cas comme le mien, cas qui lui permettait de devenir un bon analyste. « Vous êtes mon patient », disais-je pour le provoquer. En vain, car il appliquait à la lettre la neutralité bienveillante freudienne qu'on lui enseignait et restait impassible – et surtout silencieux – à mes petites provocations. Cette thérapie de trois ans fut en tout cas une expérience inestimable à la fois d'un point de vue personnel et professionnel. Elle me sera d'un grand secours lorsque, plus tard, je réaliserai de longues entrevues télévisées avec des personnalités politiques, intellectuelles et littéraires. Car l'analyse m'avait appris que la vérité se love souvent derrière les mots et que le non-dit se révèle souvent plus essentiel que les déclarations forgées dans la langue de bois. Avec les politiciens, en particulier, j'ai usé et abusé, je l'avoue, de cette expérience psychanalytique.

Je me rappelle, entre autres, d'une entrevue avec Jacques Parizeau, alors ministre des Finances, invité à l'occasion de la présentation du budget du gouvernement. Avec ce grand économiste formé à la Sorbonne à Paris, et à la London School of Economics, tout journaliste devait comprendre que, à moins d'être spécialisé en la matière, il n'était pas de taille à discuter chiffres : lui avait toujours le dernier mot. J'appréhendais donc la rencontre. Comment ne pas tomber dans ce piège ? Il n'y avait qu'une façon d'orienter l'entretien pour que ma faiblesse d'argumentation budgétaire ne me décrédibilise pas. Après plusieurs minutes où le ministre assénait ses chiffres à la manière du professeur devant une gentille élève, je décidai de reprendre pied. « Monsieur le ministre, il est de notoriété publique que vous avez des ambitions politiques fort grandes. » Tout le monde savait que Jacques Parizeau était le candidat le plus vraisemblable pour remplacer René Lévesque comme Premier ministre, dans l'éventualité du départ de ce dernier.

Mon invité, surpris, éclata de son rire légendaire, rire dont on ne pouvait jamais deviner ce qu'il recouvrait réellement. Mais je vis la pomme d'Adam de Monsieur, comme on l'a toujours désigné, monter et redescendre. J'avais gagné, il était à coup sûr déstabilisé, et surtout hautement irrité par une telle question. Avec aisance, il patina le mieux possible, mais les téléspectateurs n'avaient pas été dupes : Jacques Parizeau aspirait à la fonction. Ce fut d'ailleurs la manchette des journaux du lendemain. Je n'étais pas peu fière de mon coup. Au point d'en remercier Freud. J'ai raconté plus tard à Jacques Parizeau cet épisode amusant. « La prochaine fois que vous m'inviterez, je mettrai un col roulé », m'a-t-il répondu.

*

J'adorais mes cours de philosophie politique et ceux de relations internationales. J'aimais en particulier ma professeure Brigitte Schroeder, une Allemande venue de l'Institut universitaire de hautes études internationales de Genève, qui me fascinait par la passion avec laquelle elle transmettait sa matière. Grâce à elle, je m'intéressai en détail aux accords de Munich, cette tache indélébile sur le parcours de Chamberlain, soumission britannique à Hitler qui explique mon admiration pour Winston Churchill, celui qui a résisté, digne et courageux représentant du pays conquérant qu'a toujours été l'Angleterre, comme nous en savons quelque chose. Cela dit, je trouvais son mépris pour le général de Gaulle illogique. Je me souviens aussi avoir choisi comme travail de trimestre les Sudètes, cette minorité allemande de Tchécoslovaquie que les dirigeants du pays expulsèrent après la guerre à cause de leur proximité avec les nazis. Mon intérêt pour les minorités des pays européens était-il en lien avec notre propre situation au Québec ? Sans doute. J'apprenais cependant à ne faire aucun amalgame, aux antipodes de certains Québécois d'alors qui assimilaient notre statut de minoritaires – blancs, riches et nord-américains – avec les mouvements de décolonisation en Afrique. Un tel rapprochement me semblait une insulte aux peuples colonisés et témoignait de l'aveuglement comme de l'ignorance de certains membres des franges nationalistes québécoises qui s'agitaient depuis quelques années au Québec et constituaient une bonne part de l'armée des supporters du FLQ.

De fait, en 1969, de nouvelles explosions survinrent. Le 13 février, une bombe éclata à la Bourse de Montréal et fit plus de vingt blessés. Des attentats de moindre impact se poursuivirent tout au cours de l'année. À la fin mars, plus de quinze mille manifestants se réunirent devant le temple de l'excellence universitaire, l'Université McGill. Aux cris de « McGill français », les protestataires affichaient sur leurs pancartes : « À bas la domination de l'establishment anglophone », « Terminé le mépris », « Le Québec aux Québécois ». À Radio-Canada, nos réunions de production se déroulaient dans un climat parfois tendu, chacun ne pouvant masquer ses propres convictions. Nous entrions dans une période où les facéties, les blagues et la rigolade allaient faire place à des accrochages verbaux, à la suspicion et à un climat malsain. La peur de perdre leur emploi en amena certains à se taire, pour ne pas dire se terrer. Quel apprentissage pour moi, qui prenais conscience des jeux de coulisse, des conversations discrètes lorsque je surgissais pour demander un conseil ou transmettre la confirmation d'un invité. Un malaise prémonitoire de ce qui se passerait en septembre et octobre 1970, lorsque le FLQ transformera le pays en camp retranché. Mais j'anticipe, encore une fois.

*

Je voyais rarement mes tantes, mais gardais contact avec elles par téléphone. Je crois bien que c'est parce que j'évitais de replonger dans un monde auquel je n'appartenais plus. Lorsque Lucienne ou Edna me reprochaient de ne pas les visiter et que je me justifiais en prétendant être débordée de travail, elles répondaient toujours : «Tu travailles pas, tu lis, t'écris pis tu parles.» Et ajoutaient qu'elles me trouvaient bien *smart* et étaient fières de moi.

L'ascension sociale est une arme à double tranchant. Bien qu'au Québec les classes sociales n'aient jamais été aussi verrouillées qu'en Europe à l'époque, s'en extraire par volonté ou y être amenée – comme ce fut mon cas par ma mère – m'a plongée dans un entre-deux. Mes amis d'alors se référaient constamment à des membres de leur famille, là un oncle médecin, ailleurs un cousin professeur d'université, pour certains un grand-père juge ou homme d'affaires en vue. Moi, je n'avais aucune autre référence que ma propre trajectoire sociale et mes activités intellectuelles. Comme beaucoup de Québécois, j'appartenais à la première génération ayant la possibilité d'accéder aux études supérieures. Et j'étais une fille qui ne correspondait en rien à l'image que les garçons de mon âge recherchaient. Affirmée, tonitruante ou crâneuse, je cherchais la polémique et ne croyais pas une seconde qu'il faille tourner sa langue sept fois dans sa bouche avant de parler. Je me faisais donc des ennemis mais aussi, pour les mêmes raisons, des amis inconditionnels. Mon enthousiasme et mon insistance à convaincre les autres d'aimer ce que j'aimais, de s'emballer pour mes emballements comme de douter de mes propres doutes me compliquaient plutôt la vie.

Cette année 1969 marqua un tournant au Canada et au Québec. Le 7 juillet, la loi sur les langues officielles fut adoptée, et le français et l'anglais s'imposèrent, mais dans les organismes fédéraux seulement. Au Nouveau-Brunswick, le bilinguisme se vit aussi officialisé, ce qui réjouit tous les Acadiens, peuple déporté par les Britanniques entre 1755 et la fin de la guerre de Sept Ans en 1763, soit après la conquête de la Nouvelle-France. L'écrivaine Antonine Maillet a raconté ce «grand dérangement», comme l'ont appelé par euphémisme les Acadiens eux-mêmes, dans son roman *Pélagie-la-Charrette*, qui reçut le prix Goncourt en 1979.

Le gouvernement de l'Union nationale dirigé par Jean-Jacques Bertrand tenta alors de calmer les nationalistes québécois qui réclamaient l'unilinguisme français. Mais ce Premier ministre sans grande envergure – si on le compare à son prédécesseur Daniel Johnson – fut incapable de répondre aux attentes de ceux-ci. Il proposera en octobre un compromis, le projet de loi appelé Bill 63, qui, plutôt que d'imposer le français, offrait le choix de la langue d'enseignement. Conséquence, cette fin d'année connut des manifestations houleuses à Montréal et devant le Parlement de Québec le 31 octobre. J'étais présente à Québec et fus choquée par la violence avec laquelle la police intervint. L'on sentait la colère des manifestants et surtout leur détermination, mais de là à les réprimer aussi durement ! Pour sûr, les affrontements dans la rue, phénomène peu fréquent dans l'histoire du Québec, allaient s'installer. Personnellement, cette perspective m'inquiétait. Depuis l'explosion des bombes à Montréal, je n'écartais plus l'éventualité d'une aggravation de la situation. Or plus la rue attirait les insatisfaits, plus mon expérience d'ex-militante du RIN m'éclairait sur les conséquences et suites possibles. J'avais vécu entourée de radicaux à l'université, jeunes dont certains avaient disparu sans laisser d'adresse mais dont j'obtenais des nouvelles en croisant d'anciens camarades qui assuraient qu'Untel vivait à

Paris ou à Bruxelles, tel autre aux États-Unis, mais que pas mal se retrouvaient surtout dans ce Front commun du Québec français. Autant de jeunes inspirés par la revue *Parti pris*, fondée quelques années auparavant et dont le marxisme-léninisme orthodoxe se référait culturellement à l'existentialisme de Jean-Paul Sartre. J'avais moi-même choisi, comme cours de philosophie – optionnel mais obligatoire pour l'obtention de mon baccalauréat ès arts –, de consacrer un trimestre à l'étude de *L'Être et le Néant.* J'avoue que, malgré la passion sartrienne de mon professeur Claude Lagadec, érudit distrait, je ne trouvais guère dans ce travail les jouissances intellectuelles dont ma religieuse préférée, sœur Marie-Madeleine, nous assurait, lorsque j'avais quatorze ans, qu'elles étaient un cadeau de Dieu puisque celui-ci était le créateur du cerveau. Quelques années plus tard, entre Sartre et Camus, je choisirai donc sans hésiter l'humaniste romantique et écorché.

*

À partir de septembre, j'étais devenue journaliste à l'antenne de la nouvelle émission « Format 30, Format 60 ». Finies les études universitaires, il me restait juste à terminer ma thèse sur les « cent jours » de Paul Sauvé. Hélas, je ne pouvais puiser dans la moindre recherche sur cette période transitoire, aussi ce travail harassant m'obligea-t-il à lire de multiples textes sans jamais parvenir à cerner la quintessence de la pensée de mon « sujet ». Ce qui ne m'empêcha pas d'obtenir une note honorable pour ce mémoire littéralement unique.

En ce temps-là, à la télévision de Radio-Canada, les jeunes journalistes étaient souvent expédiés en reportage dans les communautés francophones du Canada anglophone. Certains considéraient ces affectations comme des pensums voire des punitions, préférant les sujets d'actualité plus brûlants, mais, personnellement, je fus enchantée de découvrir ce Canada anglais où la plupart des Québécois ne mettaient jamais les pieds. J'ai donc parcouru le territoire canadien de Terre-Neuve en passant par l'Acadie, Saint-Boniface au Manitoba, la ville de l'écrivaine Gabrielle Roy, prix Femina 1949 pour son roman *Bonheur d'occasion*, ainsi que le pays des métis, dignes fils du Louis Riel pendu par les Anglais. J'ai même débarqué un jour à Albertville en Saskatchewan, bourg de quelques milliers d'habitants à quasi-majorité francophones et au nom de famille identique : Albert. J'ai aussi filmé à Saint-Isidore, Plamondon, Saint-Paul au nord de l'Alberta. Et, bien sûr, en Colombie-Britannique où une petite communauté de langue française survivait alors.

Toutes ces communautés francophones revendiquaient seulement de pouvoir continuer à vivre en français, combat perdu d'avance. Mais j'ai été touchée par ces gens opiniâtres, dont le courage aurait pu servir d'exemple aux Québécois francophones, car des personnes en processus d'assimilation qui se battent pour conserver quelques écoles françaises – qu'on verra disparaître au fil des ans – méritaient des hommages plutôt que du mépris.

Pour autant, leur langue était déjà parsemée d'anglicismes. La première fois qu'une dame Plamondon, du village du même nom, me lança en la quittant «J'ai ben enjoyé vot talk», j'en ai eu les larmes aux yeux. «Enjoyé» pour apprécier et «talk» pour conversation, n'était-ce pas ce qui nous attendait au Québec si nous ne résistions pas à l'anglicisation ambiante ? Tous ces reportages auprès des Français perdus dans l'immense territoire canadien m'ont en fait à jamais rendue sensible à leur cause. Et lorsque, plus tard, le Parti québécois refusera d'être touché par eux et n'offrira à ces communautés comme seule option qu'un déménagement au Québec, c'est-à-dire se déraciner pour assurer leur avenir, je serai aussi choquée que scandalisée.

Hélas, aujourd'hui trop peu de francophones, à part les Métis au Manitoba, les Francos du nord de l'Ontario et les Acadiens du Nouveau-Brunswick, persistent à demeurer eux-mêmes et à vivre en combattant pour que le français ne disparaisse pas. Ma plongée dans la francophonie du Canada anglais, il y a plus de quarante ans, je l'ai ressentie en vérité comme une blessure culturelle. Une blessure qui ne s'est jamais cicatrisée.

Chapitre 39

1970 demeurera, pour ceux qui l'ont vécue, l'année où le Québec a perdu à la fois de son innocence et de sa candeur. Année de déchirements, d'effarements – où les plus lucides comprendront que la démocratie pouvait se fissurer –, elle vit disparaître nos illusions. Et aussi la politique envahir l'espace public et perturber nos vies personnelles. C'est une année où les Québécois ont découvert, pour la première fois, des images que l'on ne voyait qu'en provenance de pays en guerre ou victimes d'insurrections. Comment aurait-on pu auparavant imaginer que nous devrions un jour circuler dans les rues de Montréal encadrés par les chars de l'armée canadienne ?

*

En janvier, un acteur majeur de la vie politique de la décennie, Robert Bourassa, fut élu à la tête du Parti libéral du Québec, alors dans l'opposition. Ce dernier, nationaliste bon ton donc plus que modéré, avait flirté avec l'option de la souveraineté-association de René Lévesque. Les deux hommes s'étaient d'ailleurs rencontrés à cet effet mais Robert Bourassa, que ses adversaires qualifieront de pusillanime et ses partisans de prudent, avait une personnalité complexe et jouait sans effort de l'ambiguïté et de l'ambivalence. De fait, il ressemblait davantage aux Québécois que René Lévesque, homme de compromis.

Pierre Bourgault l'incendiaire annonça, quelques jours après le congrès libéral, qu'il serait l'adversaire de Robert Bourassa dans son propre comté. J'avais donc choisi la bonne année pour entrer de plain-pied dans le métier de journaliste !

J'aurais tant aimé interviewer Pierre Bourgault, invité à l'émission. Mais mon nouveau patron, Claude Sylvestre, avait souhaité m'envoyer d'abord sur le terrain apprendre le métier de reporter ; assurant qu'en septembre suivant on m'affecterait aux entrevues en direct. J'étais donc ravie d'être confirmée dans cette voie.

Je me rendis vite compte que j'adorais rencontrer les « gens ordinaires », comme on les appelait déjà, et que je réussissais d'instinct à leur faire raconter leur histoire devant la caméra. Mon ancienne expérience de comédienne s'avérait un atout précieux que mes confrères du même âge ne possédaient pas, faisant de moi un poisson dans l'eau devant la caméra – bien que parfois mon enthousiasme débordait au point de trop teinter le reportage. Dans la tradition de neutralité anglo-saxonne de Radio-Canada, j'étais dès lors sous observation quasi permanente. Claude Sylvestre, qui avait réalisé une émission culte animée par René Lévesque dans les années cinquante et, par la suite, signé de grands reportages en Algérie et en Afrique en voie de décolonisation, me prit alors sous son aile. Une chance pour moi, car au professionnalisme il ajoutait la courtoisie. De cet homme raffiné, d'une politesse exquise et d'une élégance de dandy, les femmes étaient folles – et l'inverse se vérifiait à l'œil. Il aurait pu être le père dont j'avais rêvé petite fille, au temps où je cherchais des hommes dans la rue pour remplacer mon propre géniteur.

Mes reportages à travers le Québec et le Canada influencèrent rapidement ma perception de la situation. Et m'aidèrent à conserver de la distance, à conserver mon sens critique face aux événements politiques et sociaux de cette période alors que rougissaient les braises de la sédition. H., lui, s'enflammait, mais dans une direction inverse. Il s'opposait à la violence, qui se développait à travers de multiples actes isolés revendiqués par des terroristes du FLQ, mais son travail auprès des déclassés et des démunis l'amenait à expliquer ces écarts et les contestations sociales par les défauts et carences du système capitaliste, «créateur de toutes les inégalités». J'avais toutefois le sentiment qu'il était l'un des seuls à représenter une gauche modérée dans son environnement bien plus radical.

Il m'arrivait évidemment d'être prise de panique en songeant à notre avenir amoureux dans un tel contexte. Trop d'émotions contradictoires s'emparaient de moi. Plongée dans ma nouvelle vie professionnelle passionnante, baignant dans un milieu compétitif, exigeant et peu enclin à faire de cadeaux à une débutante de mon tempérament, j'affichais un sang-froid quasi permanent ne correspondant pas toujours aux doutes qui m'habitaient. Je vivais entre l'exaltation et le doute. Surtout, je constatais, avec douleur, les changements d'humeur de H., qui endurait à l'évidence les contrecoups de sa rupture avec le sacerdoce, lequel, jusqu'à l'âge de trente-trois ans, avait défini son identité sociale, morale et spirituelle. Ainsi manifestait-il le désir de se retrouver seul parfois mais se sentait alors coupable envers moi. Quant à moi, son désir d'aller se ressourcer dans un chalet au fond des bois, en solitaire et durant deux jours, me perturbait. Incapable d'user de raison, si je cernais les motivations de ce besoin de solitude, je le vivais comme un rejet de ma personne. S'ajoutait à ce sentiment d'abandon son engagement social et politique nourri par sa révolte intérieure, celle-là même qui l'avait animé dans sa bataille aux côtés des grévistes du textile : pourquoi avait-il besoin de tellement s'occuper des autres et de me délaisser ? H. se sentait inutile, sans cause, son choix de la prêtrise n'en avait-il pas été la preuve ?

Vers minuit, un soir d'hiver, je rentrai par avion, épuisée d'un tournage à Sept-Îles, ville minière au bord du Saint-Laurent située à quelque 1 000 kilomètres de Montréal. Nous habitions le dernier étage d'un triplex, tout à côté des voies ferrées, dans la partie pauvre d'Outremont la bourgeoise. Je grimpai l'escalier enneigé, puis l'escalier intérieur. J'ouvris la porte et m'avançai dans l'obscurité. Je bondis en heurtant un corps étendu par terre dans la pièce qui servait de salon-salle à manger. Le corps sursauta : il s'agissait d'un garçon qui, mal éveillé, s'excusa. «H. m'a hébergé », murmura-t-il d'une voix à la fois gênée et rieuse. Un second « hébergé » étendu le long du mur s'étira à son tour.

Pourquoi ai-je compris à ce moment précis que notre histoire, unique, qui m'avait transportée, plongée dans des transes semblables à celles décrites par Thérèse d'Avila, l'inspiratrice de mon mysticisme adolescent, ne pouvait survivre ? Enfin, la lumière se fit en moi : parce que altruiste, H. n'abandonnerait jamais les voies tracées par les convictions évangéliques de sa jeunesse, dont le sacrifice pour autrui. Mon amoureux était un pur alors que je m'appliquais à abandonner l'enfance qui avait vieilli mon âme. Contrairement à moi, cet homme, qui avait illuminé mes vingt ans, ne croyait pas au mal. Il était celui qui pardonnait avant même que la faute soit commise, celui qui refusait que la vie soit tragique, un être à la candeur inoxydable. Comment pouvais-je partager l'existence d'un tel homme alors qu'à cinq ans je croyais déjà que la méchanceté était inscrite dans la nature humaine ? Il allait s'écouler des années avant que j'en vienne à admettre que les héros authentiques harnachent leurs propres démons. Parce qu'ils ne croient pas aux anges.

*

Le 29 avril, Robert Bourassa fut élu Premier ministre du Québec. Avait-il appréhendé les événements terroristes de l'automne qui le propulseront au cœur d'un des moments les plus sombres de l'histoire politique québécoise ? Sans doute pas. Comme il n'imaginait pas l'intensité des attaques incessantes et le mépris du Premier ministre du Canada Pierre Elliott Trudeau à son égard, lequel le traitera de « mangeur de hot-dogs » dans un moment de rage contre le nationalisme plus que modéré de Bourassa, ce mal-aimé.

Le soir du même 29 avril, René Lévesque, chef du Parti québécois, ne réussira pas à se faire élire dans sa propre circonscription de Laurier. À cause du système électoral hérité des Britanniques, le PQ, qui obtint pourtant 23 % des suffrages, ne fit élire que sept députés au Parlement de Québec. Cette dysfonction suscita des remous parmi les militants souverainistes comme dans l'opinion publique. Les plus radicaux, ceux qui étaient tapis dans l'ombre et se préparaient à passer à l'action terroriste, profitèrent de ce déséquilibre pour faire mousser davantage leur cause dans les médias. Je me souviens de nombreuses tables rondes organisées dans notre émission durant lesquelles les participants se déchiraient autour de la faiblesse de notre système, système qui n'a jamais été modifié puisque les gouvernements de partis opposés réussirent à accéder au pouvoir grâce à lui.

*

J'acceptais tous les reportages que l'on me proposait parce qu'ils me permettaient de calmer l'angoisse qui surgissait dès que je me retrouvais seule. H. étant très occupé, nous nous retrouvions en fin de soirée trop épuisés pour oser nous confier l'un à l'autre. Je dormais d'un sommeil de plomb et me réveillais la tête lourde, exténuée des rêves dont je n'arrivais pas à me souvenir.

En tournage à l'extérieur de la ville, je m'attardais volontiers avec l'équipe, dans les bars miteux des motels de commis voyageurs. Pour échapper à ma solitude et surtout fuir la chambre déprimante aux murs de carton à travers lesquels il m'arrivait d'entendre les ébats troublants de couples de passage. À l'époque, dans les villages québécois, il n'y avait ni auberges de charme ni hôtels modernisés. Mais je préférais ces habitats douteux loin de Montréal à la promiscuité douloureuse avec H. J'en arrivais à ne jamais refuser les affectations de fins de semaine, ce qui était évidemment fort apprécié de mes patrons. Sérieuse, je travaillais sans relâche et sans jamais me plaindre. La direction de l'émission appréciait mes reportages, dont certains suscitaient des commentaires positifs des téléspectateurs. À l'époque, les téléspectateurs qui prenaient la peine de téléphoner à Radio-Canada ou d'écrire des lettres de satisfaction ou de critiques n'avaient pas à cliquer seulement sur un clavier pour un *like*, ils faisaient une vraie démarche personnelle. Leur affection me faisait du bien.

*

Notre couple battait de l'aile mais ni H. ni moi n'en parlions. Début mai, je relouai un chalet en bois rond dans les Laurentides. H. ne s'y opposa pas. Nous souffrions tous les deux, incapables de mettre en mots l'intolérable réalité : la distance entre nous s'accentuait. Ce fut un été tourmenté où j'acceptais toutes les invitations à dîner, parfois seule car H. prenait peu de vacances. Je me consolais de ces tourments comme de son absence en pensant au retour au travail en septembre et à mes débuts d'intervieweuse à l'antenne.

Je n'avais pas été formée dans une école de journalisme, qui n'existait guère à l'époque. Du reste, je crois peu à ces écoles. Le journalisme est un métier pour les gens curieux qui possèdent des talents d'écriture et s'expriment avec aisance, vivacité, précision, ce qui suppose une culture générale solide et la passion des mots. À vrai dire, je crois que le journalisme ne s'apprend pas. Même si j'aime parler – un euphémisme me concernant –, je pense être à l'écoute de l'interlocuteur. Mon expérience de l'entrevue télévisée – j'en ai fait des milliers au cours de ma carrière – m'amène donc à conclure qu'un bon intervieweur est celui qui pose la bonne question de départ à un invité, laquelle lui accorde de la crédibilité, donnant à l'invité la possibilité de confier ce qu'il tait à tant d'autres. L'entretien télévisé est un art avant d'être un combat ou un affrontement.

À la mi-août, je revins donc au travail préparer la rentrée et cette nouvelle émission quotidienne de trente minutes intitulée «Format 30», suivie d'une autre, hebdomadaire, appelée «Format 60». Il faut croire que l'auteur de ces titres n'avait pas cogité longtemps. Je fus choisie par l'équipe quotidienne, perspective qui me ravit puisque cela allait me permettre d'être fréquemment à l'antenne et d'apprendre ce métier qui m'avait choisie, d'une certaine manière. Un midi, Claude Sylvestre m'invita à déjeuner dans ce qui était sa cantine, un restaurant tenu par un Français qui faisait une cuisine exquise, légère mais à la note un peu salée pour moi, ayant à l'époque une dette d'études que je souhaitais rembourser le plus rapidement possible. L'idée d'avoir des dettes me dérangeait, moi qui rêvais du jour où, enfin libérée, je cesserais de penser à l'argent à gagner ou à dépenser. Lors du tête-à-tête, Claude Sylvestre me suggéra de commander en apéritif un dry martini, ce que je refusai. Mon étonnement le fit sourire. « Vous êtes alcoolique anonyme ? demanda-t-il. — Oh non, répondis-je, mais si j'en buvais un je serais soûle je crois. Et je n'ai jamais été soûle. — Je savais que vous aviez tous les talents », répondit-il. Et nous passâmes tout le repas à parler de l'émission à venir. Il me conseilla de ne pas écouter les bonnes âmes qui feraient des remarques après mes prestations. « Vous savez que les gens renieraient leurs amis pour être à l'antenne. C'est un milieu dur qui suscite beaucoup d'envie. » Il m'informa que je pourrais compter sur lui pour me guider si nécessaire. « La direction croit que vous avez un bel avenir devant vous. » Puis il enchaîna avec les nouvelles, peu nombreuses à cette période de l'année.

*

Je possède une mémoire d'éléphant, or j'ai tout oublié des jours qui ont suivi ce repas. En vérité, je n'ai gardé de cette période qu'une douleur, celle, vive, de ma rupture avec H. Il m'a quittée un soir, à moins que ce soit en début de journée. Toujours est-il que je me revois un matin, au bureau, désemparée, avec des membres de l'équipe qui me regardent, atterrés. Comme je suis trop démolie pour pleurer, une script-assistante, Mariette ou Lise, m'offre de me ramener à la maison. Je refuse. Et vais m'installer à mon bureau afin de lire les journaux. On m'apporte des verres d'eau, une boîte de Kleenex, je me rends compte que je perturbe tout le monde. Mais où aller ? Qui dois-je appeler ? Claude Sylvestre, qu'on a dû prévenir, me fait dire par sa secrétaire qu'il faut que je rentre chez moi.

Durant vingt-quatre heures, enfouie au fond de mon lit, j'ai cru ma vie terminée. Je n'ai répondu à aucun appel et n'ai eu envie de voir personne. Je me suis coupée de ma propre existence.

Je ne me reconnaissais plus, j'aurais été incapable de reproduire les traits du visage d'H. J'ai fini par appeler ma mère. En entendant ma voix, elle a paniqué car il était 1 heure du matin. « Qu'est-ce qui se passe ? a-t-elle hurlé. — J'ai mal, ai-je dit. — Où ? — C'est fini avec H. — C'était pas un homme pour toi. Y était trop doux. » Bizarrement ces paroles m'ont calmée !

Dans les jours qui ont suivi, mes amies m'ont consolée et j'ai communiqué avec Jacques Grandmaison, confrère de H., le seul prêtre que j'aie connu dans son entourage puisqu'ils étaient de la même ville. Sociologue réputé appelé à devenir un ami précieux jusqu'à sa mort en 2016, il m'a fixé un rendez-vous dans un restaurant près de l'université où il enseignait. « Il nous faut un terrain neutre », m'a-t-il dit mi-sérieux, mi-badin. Le propos m'a arraché un demi-sourire.

Jacques m'a écoutée bien que j'aie eu peu à dire, aussi étonnant que cela puisse paraître. Il m'a parlé des prêtres qui quittaient l'Église, de leur immense difficulté à se transformer en laïques de façon brutale. Il m'a expliqué que nombre de ceux qui avaient abandonné le sacerdoce comme H., depuis la Révolution tranquille, souffraient de cette rupture. Et que ceux qui étaient tombés amoureux peinaient à vivre avec une femme. « Nous sommes des hommes castrés, m'a dit Jacques. Les femmes nous sont étrangères. Nous avons besoin d'être apprivoisés. Même lorsque, comme moi, on demeure prêtre et fidèle à sa foi. »

Notre amitié date de cette conversation, qui fut déterminante. J'avais aimé un homme dans lequel j'avais perçu un besoin de liberté que seul le temps lui accorderait. Or j'étais et je suis toujours une femme pressée.

Chapitre 40

Après qu'H. m'eut quittée, une hantise montait en moi : me retrouver seule le soir. Pour autant, je déclinais les invitations de mes amies, dont certaines s'inquiétaient avec sollicitude de mon moral. La solidarité féminine n'est pas un mythe, je l'ai constatée, même si l'on peut regretter qu'elle ait tendance à s'exprimer davantage au début et à la fin des amours que durant celles-ci. J'ai ainsi remarqué à maintes reprises l'empressement des amies à s'agglutiner autour de celle qui tombe amoureuse. À l'évidence pour vivre par procuration ce grand moment que sont les débuts à travers l'amoureuse transie qu'elles conseillent avec une intuition souvent juste et lucide. Et j'ai observé tout aussi souvent que, lors de séparations, elles revivent celles qu'elles-mêmes ont traversées, les poussant à proférer des mises en garde biaisées par leurs propres expériences négatives. De mon côté, avec la douleur à vif, je léchais mes plaies au fond de mon lit en buvant de l'eau chaude et en lisant des albums de *Tintin*. Je me faisais pitié mais ne supportais pas les regards apitoyés et inquiets de mes très chères amies d'alors, très peu d'entre elles ayant traversé ma vie jusqu'à ce jour.

Au bureau, je croyais arriver à jouer la comédie avec talent en participant aux réunions de production, en y proposant des sujets brûlants de controverse, en suggérant comme invités tous les forts en gueule du milieu. Le tout avec un enthousiasme que je savais de façade mais que j'espérais dissimulateur. Je bagarrais pour mes propositions avec l'énergie du désespoir. Reste qu'au restaurant, le midi, avec des camarades, j'avais peine à avaler la moindre nourriture. Et qu'il m'arrivait d'éclater en sanglots. Au fond, personne n'était dupe.

Un après-midi de la fin août, je croisai Claude Sylvestre dans le corridor. « Vous avez une petite mine », dit-il en osant un sourire gentil. Et d'ajouter d'un ton qui se voulait léger : « Vous traversez un mauvais moment ? » avant de conclure : « Croyez-moi, le temps arrange toujours les choses. » Il m'a alors prédit que l'automne serait riche en événements politiques et que j'avais de la chance de débuter à l'antenne dans un tel contexte. « Nous comptons sur vous, ne l'oubliez pas, lança-t-il en jetant un regard à sa montre, avant d'énoncer en souriant : Malheureusement, je vous quitte, j'ai une réunion au sommet. »

J'avoue avoir été étonnée d'entendre mon patron, si réservé, faire référence à ma vie personnelle. Et, nageant dans une période confuse où mon jugement se voyait mis à rude épreuve, j'ai balayé de mon esprit ces propos détonnants de sa part.

*

Au cours du mois de septembre, la direction de l'émission me projeta à l'antenne comme on pousse un bébé dans l'eau pour qu'il nage seul : sans vraiment d'encadrement. Qu'importe : je fonçai avec un mélange d'inconscience et d'absence de complexes. Ce défi me redonnait une énergie décuplée par le désir de m'imposer. Je ne cherchais ni la tape dans le dos ni le clin d'œil paternaliste des confrères, mais le bonheur du travail bien fait ; j'avais le cœur en écharpe mais je débordais de volonté, celle de réussir comme celle de me démarquer. Je lisais les dossiers avec le désir exacerbé d'en savoir toujours plus. Et ce, pour une entrevue d'à peine six minutes. Il est vrai que la désinvolture, pour ne pas dire le côté blasé des vieux routiers de l'antenne me choquait. Certains exigeaient en effet que le dossier préparé par le recherchiste soit résumé en un paragraphe, quelques questions et deux lignes du CV de l'invité. On s'en doute, les trois heures que je consacrais à la préparation me valaient des commentaires divers. Mais je m'en moquais : ma conception de ce nouveau métier s'imposait à moi comme un absolu. Je ne savais faire autrement.

Le premier mois de la nouvelle grande émission d'affaires publiques fut du rodage, avec des ajustements, des évolutions que l'on comptait poursuivre tout l'automne. « À Noël nous serons fixés sur la qualité de ce changement d'équipe », assura la direction. Car l'enjeu était de réussir la succession de Michelle Tisseyre et Wilfrid Lemoine, coanimateurs de l'émission « Aujourd'hui » qui avaient quitté l'équipe. La grande Michelle Tisseyre avait été remerciée, épreuve dont elle se remit difficilement, et Wilfrid Lemoine affecté à d'autres programmes. Comme cet homme d'une grande vivacité d'esprit et d'un humour parfois caustique possédait une vaste culture littéraire, il put mettre celle-ci à contribution dans des émissions qui lui ressemblaient. En revanche, Michelle Tisseyre ne pouvait poursuivre sa carrière selon ses désirs en raison de l'orientation nouvelle du service de l'information où la politique et les problèmes sociaux dominaient alors qu'il ne s'agissait pas de ses thèmes favoris. Si bien que la grande dame des émissions de variétés depuis 1952 connut, après la gloire, la cruauté de l'ombre. J'en fus peinée pour elle, même si j'étais trop jeune pour savoir combien la télévision est une dévoreuse de vedettes. Car chaque génération se croit éternelle, surtout lorsque la notoriété s'abat sur certains de ses membres.

Les responsabilités de Claude Sylvestre à la tête de l'émission en faisaient un personnage lointain, pour nous les jeunes. Or, à deux reprises, je fus invitée à déjeuner par lui. Dans un premier temps, flattée et inquiète, quand j'ai constaté que nos tête-à-tête se déroulaient en tout bien tout honneur, j'ai savouré ces moments. Tous deux, nous discutions uniquement de politique. Claude Sylvestre, ancien proche de Pierre Elliott Trudeau, s'était éloigné de lui lorsqu'il avait rejoint le Parti libéral du Canada : il était en effet inconcevable qu'un patron de l'information de Radio-Canada, une société de la Couronne, entretienne des relations de proximité avec une figure aussi engagée. Les événements qui allaient nous propulser dans une crise aux conséquences ravageuses en furent la parfaite illustration.

Toujours est-il que, peu à peu, je me suis laissé toucher par la délicatesse extrême dont faisait montre mon patron. Et comme je me trouvais dans un état de confusion sentimentale, comme je me réveillais la nuit en songeant à mon couple brisé, comme la conscience du départ de H. m'était toujours un coup au cœur, que l'on fasse attention à moi me faisait du bien. Certes, le jour, je redevenais une battante et mon travail acharné engourdissait la douleur, mais le reste du temps, la peine demeurait. Ces deux tête-à-tête – impossibles à qualifier car Claude (il m'avait demandé de l'appeler ainsi parce que j'étais la seule à m'adresser à lui en disant monsieur Sylvestre) ne trahissait aucun sentiment mais de la curiosité intellectuelle, voire un plaisir à m'écouter m'enflammer sur des faits d'actualité, la langue et les mots – me firent du bien. Sa présence me troublait bien un peu, mais comme toute conversation en tête-à-tête avec quiconque me rendait vulnérable durant ces semaines de deuil amoureux, je n'y prêtais pas plus attention.

*

Un jour, je fis une entrevue, en direct, avec un professeur de l'Université de Montréal qui venait de publier un texte, à mes yeux scandaleux car il faisait l'apologie de l'ignorance. Ce spécialiste de l'éducation prétendait en effet que l'on devait cesser d'enseigner à des élèves peu doués, qui n'utiliseraient jamais un vocabulaire complexe, la grammaire et l'orthographe. La plupart des gens au Québec, affirmait-il, s'expriment avec cinq cents mots, et cela leur suffisait pour gagner leur vie.

Offusquée, l'entrevue vira au jeu de massacre. J'étais déchaînée mais en contrôle, à mon propre étonnement. « Vous êtes une élite », m'a-t-il lancé d'entrée de jeu. Et le reste à l'avenant. J'eus peine à lui serrer la main en sortant du studio, tandis que lui me regardait du haut de ce qu'il croyait être une théorie géniale capable de faire école.

L'entretien suscita des passions. Ma manière de le pousser dans ses retranchements et de contester sa théorie fumeuse se vit critiquée par ses disciples. On me traîna dans la boue – ce ne sera pas la seule fois de ma carrière, on s'en doute. Paul-Émile Tremblay, journaliste d'expérience, me prit à part suite à l'émission pour me donner le conseil le plus avisé que j'aie jamais reçu. « Tu as été courageuse, tu as poussé le bouchon un peu trop mais je mets cela sur ton manque de métier. Je crois que tu vas faire une grande carrière. Mais sache que la première victoire à remporter n'est pas journalistique mais psychologique. Si tu ne surmontes pas les réactions que tu provoques, si tu les crains, jamais tu ne seras la journaliste que tu souhaites devenir. Tu n'écoutes que des personnes qui n'ont pas d'arrière-pensée à ton égard. Les autres, tu t'en fiches. » À ce jour, je n'ai jamais oublié la leçon.

*

Pour marquer à leur manière la fête nationale du 24 juin, à Ottawa des membres du FLQ avaient fait exploser une bombe devant le quartier général du ministère de la Défense. Une fonctionnaire, Jeanne d'Arc Saint-Germain, avait été tuée, et deux militaires avaient subi des blessures légères. Quelques jours plus tard, le Front de libération du Québec revendiquait l'attentat ainsi qu'un second contre un immeuble de Postes Canada à Montréal.

Il y avait donc de l'électricité dans l'air en cette rentrée de 1970. Que Pierre Elliott Trudeau, l'ennemi juré des nationalistes, soit à la tête du Canada annonçait d'inévitables affrontements avec Robert Bourassa, le nationaliste mou. Trudeau s'était entouré de ses amis, des intellectuels très en vue au Québec, comme Fernand Cadieux ou Roger Rolland, ex-responsable du réseau français de Radio-Canada. Quant au FLQ, il considérait comme cibles tous les « traîtres à la patrie », allant jusqu'à tuer des Canadiens français n'appartenant pas aux élites lors de ses attentats, faisant de ces victimes des « dommages collatéraux » au nom de la libération nationale. Chacun son inhumanité.

Lors de l'explosion des premières bombes, au début des années soixante, l'opinion publique québécoise avait réagi modérément. Et si de jeunes endoctrinés rêvaient d'Algérie et de Cuba, modèles à instaurer dans le Québec des bancs de neige, selon eux, l'appui aux actes violents était le fait d'une infime minorité. Globalement, les actions violentes ne suscitaient ni accord unanime ni désapprobation massive. La radicalisation de certains allait changer la donne. Et le basculement eut lieu le 5 octobre 1970, lorsque les médias annoncèrent l'enlèvement du diplomate britannique James Richard Cross par la cellule Libération à sa résidence de Westmount, refuge des Anglos conquérants. Les Québécois eurent alors l'impression de tomber dans une autre dimension, de devenir les spectateurs d'un scénario violent se déroulant sur une autre planète.

Cet jour là à Radio-Canada, je fus témoin de changements étonnants chez des personnes que je croyais raisonnables et modérées. La peur en paralysa certains. Les patrons, Paul-Marie Lapointe, célèbre poète qui chapeautait le service des affaires publiques, et Claude Sylvestre, se retranchèrent dans le bureau de celui qu'on désignait comme « Dieu le Père », le directeur général de l'information Marc Thibault. Il fallait mettre à l'antenne une émission. Mais comment la traiter ?

Après avoir reçu les directives, notre équipe fut réunie. Paul-Marie Lapointe et Claude Sylvestre empêchèrent, par leur ton grave et retenu, les plus excités de dérailler et d'échafauder trop de théories ou explications farfelues. Impossible de mettre de l'huile sur le feu. Nous allions préparer un contenu sobre, étayé, équilibré et porté par des universitaires reconnus pour leur modération. Personne ne devait se livrer, à l'antenne, aux moindres hypothèses fantaisistes. Personne ne devait succomber à ses émotions. Nous avions mandat d'éclairer les téléspectateurs, de les rassurer, de leur permettre de garder la tête froide, pas de souffler sur les braises. Pas question donc de transformer les terroristes, dont on ne connaissait ni le nombre ni le profil, en héros. Notre émission fut ainsi austère, raisonnable et professionnellement neutre. Nous ignorions que la suite de la semaine serait un cataclysme pour une société comme le Québec à l'abri des tragédies mondiales.

*

Ce même lundi soir, vers 11 heures, alors que je reprenais mes esprits en tentant de lire un magazine, le téléphone sonna. «Je crois être à côté de chez vous. Puis-je passer ?» demanda Claude Sylvestre. Je bafouillai un «oui». Après avoir raccroché, je m'habillai à la vitesse de l'éclair. Le cœur en chamade, je mis soudain un nom sur mon trouble.

Il arriva dix minutes après. Je n'avais rien d'autre à lui offrir que du thé. Il sembla comblé par l'idée. «Dure journée», soupira-t-il en s'installant à l'extrémité du seul canapé de la pièce, H. étant parti avec le fauteuil, héritage familial. Je m'assis à l'autre extrémité. «Je crois, dit-il d'un ton léger qui masquait son émotion, que je suis ému par vous. Dans ma condition, ça pose problème. On peut même penser qu'il s'agit d'une faute professionnelle.» Personne ne sera surpris, mais il n'a jamais été dans ma nature de me taire. Sauf dans l'intimité. Et là, j'étais terriblement intimidée. Déstabilisée même au point de n'oser lui avouer la réciprocité de mon émotion. Le fait de travailler ensemble compliquait en effet la situation. Il se leva, vint vers moi et me tendit les mains. Toujours sans voix, je me laissai faire. Il m'attira vers lui et effleura ma joue. Sa barbe piquait. Je n'avais jamais apprécié les hommes barbus, mais il y a toujours une première fois. «Allons, la journée a été rude, votre entrevue s'est bien déroulée. Et la semaine s'annonce passionnante pour nous mais inquiétante pour le Québec, dit-il avant de me serrer doucement dans ses bras et d'ajouter : Faites de beaux rêves.»

Je l'entendis dévaler l'escalier puis ouvrir la seconde porte, celle menant à l'extérieur. Je songeais à H. dont je n'avais plus de nouvelles depuis quelques semaines. J'imaginais Claude Sylvestre au volant de sa voiture et retournant dans sa vie – dont je connaissais peu de chose, sauf qu'il avait quatre fils et habitait à quelques rues de chez mes parents.

1. Enfant, avec des camarades irlandais.

2. Mes premiers amoureux, dont un jeune Jimmy Jackson, au premier plan, portant le même nom que celui qui deviendra mon mari.

3. Ma première photo « officielle » par un photographe professionnel. J'ai un an et demi.

4. Avec ma mère ; j'ai sept mois.

UNE FAMILLE DÉTONANTE

1. Mon père, officier dans la marine marchande britannique, en 1926.

2. Ma marraine, tante Edna, avec mon parrain, Émile Bombardier.

3. Entre tante Lucienne, à gauche, et tante Irma.

4. Avec ma mère.

Ci-dessus : en classe de 4e lettres-sciences. Je suis avant-dernière à la deuxième ligne.

Ci-dessous : ma photo officielle de graduation.

UNE ADOLESCENTE QUI SE CHERCHE

Ci-dessus : dans un « party » des années soixante.

Ci-contre : comédienne dans « Jeune visage », feuilleton de Radio-Canada où je joue Titine Beauchamp.

Ci-dessous : étudiante, juste après mon premier mariage.

QUELQUES ÉMISSIONS...

En haut : dans mon émission politique « Noir sur blanc ».

Ci-dessus : j'anime le plateau d'une soirée électorale à la télévision, dans les années soixante-dix.

Ci-contre : avec le chanoine Jacques Grandmaison.

Avec Jean Ducharme, un de mes confrères de la télévision de Radio-Canada. © Jean-Pierre Karsenty

Fin des années quatre-vingt-dix, l'équipe du journal télévisé de TVA, avec notamment la présentatrice Sophie Thibault.

Avec le Premier ministre du Canada, Brian Mulroney.

Avec Jacques Parizeau, ancien Premier ministre du Québec.

Remise du prix de la francophonie par le ministre des Affaires internationales d'alors, Pierre Arcand. © Clément Allard / Gouvernement du Québec

Je reçois l'Ordre national du Québec des mains du Premier ministre d'alors, Lucien Bouchard.

En compagnie de Jim, mon mari, de l'ancien Premier ministre du Québec Jean Charest et de son épouse Michèle Dionne. © Roch Théroux

À gauche : avec Michel Rocard, Premier ministre français, de passage à Québec.
À droite : François Mitterrand me remet la Légion d'honneur à l'Élysée, en présence de Gina Lollobrigida.

Mon mariage avec Claude Sylvestre s'est déroulé à la mairie du 16e arrondissement de Paris. J'ai à ma gauche Julie Le Beuf, ma mère et ma sœur Danièle. À la droite de mon époux, ma belle-mère Ninette Sylvestre.

Avec André Joli-Cœur.
Ci-dessus : en Irlande. Derrière nous apparaît la maison de Benoîte Groult et Paul Guimard.
Ci-dessous : le jour de la réception de l'Ordre national du Québec.

Ci-contre : mon mariage avec Jim Jackson au château de Villeray, en France.

Ci-dessous : la photo du bonheur avec l'homme miracle.

LE BONHEUR DE L'AVENIR

Mon fils, Guillaume Sylvestre.

Et ma petite-fille, Rose, qui suit déjà mes traces en ayant la passion de la presse.

TANT D'AMITIÉ...

Avec Céline Dion.

François Nourissier, son épouse et Paul Guimard lors de mon mariage.

Une partie de la Compagnie du Bas-Canada. Avec, entre autres, Louise Beaudoin, Lise Aubut, la juge Élaine Demers, Francine Joli-Cœur, Louisiane Gauthier, Francine Chaloult, Édith Butler, la directrice du journal *Le Devoir* d'alors, Lise Bissonnette.

Mon époux, mon fils, Édith Butler, Luc Plamondon et Louise Latraverse.

Luc Plamondon, Michel Drucker (qui recevait l'Ordre national du Québec à la Délégation nationale du Québec à Paris) et François Nourissier. © François Nadeau / Le Protocole

Mon fils Guillaume, Benoîte Groult et Paul Guimard à l'Élysée lors de la remise de ma Légion d'honneur.

Un portrait que j'aime beaucoup.

*

Le lendemain matin, ce fut le coup de théâtre : les membres de la cellule Libération exigeaient que soit lu à l'antenne de Radio-Canada le manifeste du FLQ. Pour calmer les esprits et faciliter la libération de l'otage, le gouvernement consentit à cette demande. Mais c'était sans connaître le contenu du texte, à la fois explosif dans le propos mais aussi dans la forme. Pour beaucoup, le découvrir fut un choc en ce 8 octobre 1970, car n'oublions pas que James Richard Cross était l'attaché commercial de la Grande-Bretagne avec laquelle le Canada avait des liens particuliers, que la reine Elizabeth était – et est encore en 2018 – le chef de l'État et que, à l'époque, tous les Canadiens, le passeport faisant foi, étaient citoyens britanniques.

Le présentateur du journal télévisé, Gaétan Montreuil, eut la tâche éprouvante de lire le texte en question. Il le fit sur un ton monocorde, neutre et dégagé de toute émotion, mais on le devinait accablé d'avoir à prononcer des mots volontairement écrits pour choquer. « Le Front de libération du Québec veut l'indépendance des Québécois, réunis dans une société libre et purgée à jamais de sa clique de requins voraces, les “big boss” patronneux et leurs valets [...]. Nous vivons dans une société d'esclaves terrorisés par les grands patrons [...]. À côté de ça, Rémi Popol [Rémi Paul ministre responsable de la police], Drapeau le dog [Jean Drapeau maire de Montréal], Bourassa le serin des Simard [Robert Bourassa, Premier ministre du Québec et apparenté à la famille d'armateurs les Simard], Trudeau la tapette [Pierre Elliott Trudeau], c'est des *peanuts*. »

L'utilisation du mot *peanuts* dans le contexte signifiait des moins que rien. Il fallait aussi, selon les auteurs de ce manifeste, « chasser par tous les moyens, y compris la dynamite et les armes, ces “big boss” de l'économie et de la politique, prêts à toutes les bassesses pour mieux nous fourrer. » Le reste du long réquisitoire était à l'avenant.

La réaction populaire fut stupéfiante : nombre de gens réagirent en effet positivement à ce brûlot contre les puissants.

Sa diffusion, lue par un présentateur crédible, mit K-O le gouvernement qui l'avait autorisée, croyant sans doute que tant d'outrance, de haine, d'appels à la violence par les armes agiraient comme un repoussoir auprès des Québécois, peuple complexé certes mais paisible, bon enfant, qui n'aimait pas la chicane et avait historiquement accepté la soumission aux conquérants anglais.

La cellule Libération, composée de Jacques Lanctôt, de sa sœur Louise et de son compagnon d'alors, Jacques Cossette-Trudel, venait de réussir le coup de communication politique le plus spectaculaire et efficace de l'histoire du Québec !

Tous, nous étions traumatisés. Et pendant que le Premier ministre Bourassa en devenait physiquement malade, Pierre Elliott Trudeau attendait son heure, la tête froide de sa passion contenue.

Chapitre 41

Deux jours après la lecture du manifeste, émergea donc dans la population une vague de sympathie envers le texte des felquistes. Parce que celui-ci dénonçait le système capitaliste, le colonialisme anglo-saxon, la trahison des élites et l'exploitation des petits travailleurs canadiens-français. De son côté, à Ottawa, le gouvernement Trudeau prit le pouls du Canada anglais et sentit sa colère ; des voix s'élevaient pour dénoncer notamment la décision de diffuser ce texte si politiquement explosif. C'est à ce moment que passa à l'action une seconde cellule felquiste, la cellule Chénier, en référence à l'un des chefs de la rébellion des Patriotes de 1837, abattu durant la bataille de Saint-Eustache contre les troupes britanniques, qui tuèrent soixante-dix patriotes retranchés à l'intérieur de l'église du même nom. Une action tout aussi violente : l'enlèvement du ministre Pierre Laporte devant sa résidence de Saint-Lambert au bord du Saint-Laurent, en face de Montréal.

Le rapt provoqua évidemment la stupéfaction. Je me souviens des témoignages recueillis pour la télévision le lendemain de celui-ci dans les rues de Montréal. Nombre de Québécois, sidérés, affirmaient qu'il était impossible que Pierre Laporte, ministre du gouvernement de Robert Bourassa, nationaliste avoué, ait été kidnappé par des Canadiens français.

Dans la panique, le gouvernement Bourassa établit ses quartiers à l'hôtel Reine-Elizabeth, tout à côté de la basilique – cathédrale Marie-Reine-du-Monde sur le boulevard Dorchester.

Ce 13 octobre, le Premier ministre annonça qu'il était prêt à engager des négociations avec le FLQ. Or, à ce moment, personne au sein des autorités politiques et policières ne semblait en mesure d'en connaître les effectifs précis.

Les citoyens, à la recherche d'informations, sont alors branchés en permanence sur la radio et la télévision. Je me souviens que, à « Format 30 », les réunions de production relevaient autant de la thérapie de groupe que d'une démarche professionnelle. Nous inventions un mode de fonctionnement en temps réel, n'ayant jamais été confrontés à une crise de cette nature. Nos critères journalistiques habituels ne suffisaient pas à déterminer le choix des sujets et l'angle d'approche, conscients que nous étions de la responsabilité qui reposait sur Radio-Canada, le service public. Dans l'équipe, plusieurs, même parmi les plus expérimentés, peinaient à garder leur sang-froid.

*

Est-ce grâce aux leçons de mon enfance que je parvins à me mettre à distance de ces perturbations alors que des confrères beaucoup plus âgés semblaient au bord de la panique ? Peut-être. À moins que ma vie privée plus apaisée y ait contribué.

Car durant cette crise, débutait mon histoire d'amour avec Claude, une relation qui me rassurait et atténuait en moi les effets des turbulences politiques dont les plus lucides prévoyaient qu'elles s'amplifieraient.

L'après-midi même du kidnapping du ministre Laporte mais avant qu'on l'apprenne, Claude me demanda s'il pouvait venir chez moi en fin de soirée. J'acquiesçai. Toute l'équipe appréciait son calme dans les circonstances. Sa fermeté également, car il ne laissait personne s'enflammer et émettre des propos échevelés ou des prédictions apocalyptiques.

Il arriva très tard à cause d'une réunion à la cellule de guerre que la direction de l'information avait mise sur pied. N'ayant jamais été confrontés à pareille situation, il y avait forcément une part d'improvisation dans les décisions. Au niveau des corps policiers, nous pouvions d'ailleurs le constater. Et quand une rumeur circula dans les médias selon laquelle le Premier ministre Bourassa, traumatisé, n'était pas en condition physique ni psychologique de contrôler la situation, bientôt les journalistes comprirent que l'amateurisme régnait.

En apercevant Claude, je le sus bouleversé. Par quoi ? La situation ? Non, par sa proximité familiale avec Pierre Laporte. Celui-ci étant son cousin germain par alliance, la belle-mère de ce dernier était la sœur de la mère de Claude. Aussi, diriger l'émission phare de l'information dans un contexte si personnel relevait de l'exploit. Claude me demanda d'être discrète, car il préférait taire ce lien familial, dont il m'assura qu'il n'interviendrait en aucune manière dans son travail. Je le crus et la suite des événements le prouva. Mon admiration pour lui n'en fut que plus vive.

Consciente de vivre des moments clés de notre histoire et de mon histoire, mes émotions s'entrechoquaient. La crise d'Octobre demeure vivace à la mémoire de ceux qui l'ont vécue. Et personne n'est est sorti indemne. Les circonstances m'ont fait traverser cette page sombre au moment même où je tombais amoureuse d'un homme qui croyait en moi, m'aimait, avec lequel je partageais les mêmes intérêts, un homme à l'extrême opposé de mon père, doux, tendre, de quinze ans mon aîné et qui, lui, savait me rassurer.

*

Le 14 octobre 1970, une quinzaine de personnalités québécoises en vue – dont René Lévesque, Claude Ryan, le directeur du journal *Le Devoir*, les dirigeants syndicaux Marcel Pepin, Louis Laberge et Yvon Charbonneau, de même qu'Alfred Rouleau alors président du Mouvement Desjardins – publièrent un manifeste dans lequel ils demandaient que le gouvernement entreprenne des négociations sérieuses avec le FLQ, dont on ignorait toujours l'identité des membres. Pendant ce temps, à Ottawa et à Québec, des politiciens et des membres du monde des affaires se laissaient convaincre que ces élites, issues de la société civile, s'apprêtaient à fomenter carrément un coup d'État visant à renverser le gouvernement Bourassa. À preuve que l'hystérie s'était emparée des responsables politiques comme des corps de police. Ce 14 octobre, James Richard Cross et Pierre Laporte étaient toujours entre les mains de leurs ravisseurs et les recherches pour les retrouver, vaines.

Il devint quasi impossible, pour nous journalistes, d'aborder à l'antenne d'autres sujets d'actualité. Pourtant, une grève générale des médecins avait été déclenchée. L'importance de l'enlèvement de James Richard Cross n'avait pas suffi à convaincre les praticiens de reporter leur mouvement. Le 15 octobre, l'Assemblée nationale adopta une loi spéciale exigeant le retour au travail des spécialistes. Ces événements illustrent l'état de quasi-insurrection du pays, climat que réussissaient à créer les courants aux visées felquistes d'une part et un appel à la loi et l'ordre de l'autre. Interrogé la veille sur les marches du Parlement d'Ottawa, le Premier ministre Trudeau, feignant mal sa colère, avait lancé sur un ton plus qu'arrogant aux journalistes anglophones qui cherchaient à savoir ses intentions : «*Just watch me.*» La menace fut exécutée dans la nuit du 16 octobre. Le gouvernement de Pierre Elliott Trudeau, défenseur des droits de la personne, déterra de la poussière une vieille loi sur les mesures de guerre qui, en clair, abolissait les libertés civiles au Canada pour une durée indéterminée. Un professeur de droit, invité le soir même à l'émission pour expliquer les conséquences de ce texte, souligna que, durant les grandes émeutes raciales aux États-Unis, jamais Washington n'avait osé abolir les libertés civiles. Nous, nous y étions.

Ce coup d'éclat fit l'effet d'un tremblement de terre de puissance 9 sur l'échelle de Richter. Il provoqua des secousses à travers le Canada entier, mais l'armée n'occupa que le territoire du Québec. Le lendemain matin, les Montréalais découvrirent en effet des chars d'assaut dans les rues de Montréal. Par réaction, les Québécois de la ville de Québec défilèrent devant les militaires installés sur la colline parlementaire. En me rendant à Radio-Canada, ce matin funeste, j'ai à la fois eu peur et été accablée, voire désemparée. Ces soldats en armes, ces chars d'assaut déployés en centre-ville, je ne les avais vus qu'au cinéma ou à la télévision, et s'agissant de pays en état d'insurrection. En étions-nous vraiment là ? Une majorité des Québécois avaient le sentiment d'être devenus les figurants d'un très mauvais film.

Au petit matin, près de cinq cents arrestations eurent lieu. À Montréal, mais aussi à Québec et même au fond de villages où l'on croyait que se cachait quelque felquiste. Mon cher Gérald Godin, qui avait quitté Radio-Canada pour la presse écrite, fut interpellé avec sa compagne, la chanteuse Pauline Julien. Notre poète national Gaston Miron, le chef syndical Michel Chartrand et nombre d'intellectuels se virent jetés en prison. Les policiers, inexpérimentés dans ce type d'arrestation, cherchaient des preuves incriminantes et saisirent dans les bibliothèques des personnes arrêtées des ouvrages ciblés. C'est ainsi que des livres sur le cubisme furent emportés au quartier général de la police : zélés et ignorants, les policiers avaient confondu Cuba et le cubisme ! Nous vivions une tragi-comédie pitoyable et effrayante où «*Just watch me*» devint un slogan.

Le cinéaste Michel Brault réalisera, quelques années plus tard, un film permettant d'exorciser la crise d'Octobre. *Les Ordres* fut présenté à Cannes en 1975, où il obtint le prix de la mise en scène.

*

Lors de la réunion de production ce matin-là, un avocat fut invité à se joindre à l'équipe pour expliquer les conséquences de la loi sur notre façon de travailler. Un certain nombre de mots, comme «terroriste», «FLQ», considérés séditieux, devenaient interdits d'antenne. Claude Sylvestre accepta la suggestion de filmer la ville sous occupation militaire. On m'affecta à ce petit reportage.

L'atmosphère dans l'équipe était tendue, contrairement à l'ordinaire. Une fois rue Saint-Jacques, dans le vieux Montréal, le réalisateur suggéra au cameraman de filmer les chars, ce qui ne constituait pas une violation de la loi. Mais ce dernier lui opposa un refus. «Si je comprends bien, vous êtes pour le FLQ vous autres ?» lança-t-il avec une agressivité qu'on ne lui connaissait pas. Il se ravisa lorsque le réalisateur et moi-même avons haussé la voix. Mon confrère menaça même de porter plainte contre lui auprès de son syndicat et de la direction. Alors, en bougonnant, il se ravisa mais continua de manifester sa mauvaise humeur et évita d'approcher trop près des chars. Une fois au montage, le réalisateur s'aperçut que les images étaient floues. Il dut en couper la moitié.

Cet incident annonçait les problèmes que nous allions rencontrer au cours des semaines qui suivirent : nous, journalistes sur le terrain, avions un devoir de réserve dans un contexte où chacun avait choisi son camp. Les réactions des téléspectateurs nous donnèrent d'ailleurs la mesure de l'atterrement qui flottait au-dessus du Québec et de la paranoïa d'un Canada anglais où nombre de personnes associaient Québécois à terroristes.

*

Le lendemain de la proclamation de la « loi sur les mesures de guerre », le corps de Pierre Laporte est retrouvé. Dans le coffre de la voiture avec laquelle on l'avait enlevé. Comble de stupeur, le véhicule se trouvait tout près de la base militaire de Saint-Hubert, petite ville pas très éloignée de sa résidence familiale.

La crise nous éloignait, Claude et moi ; malgré le fait de nous croiser tous les jours, le climat politique laissait peu de place aux épanchements. Nous étions tous en état de choc. Certains s'installaient dans le déni, minimisant l'ampleur des dégâts dont la détérioration des liens sociaux du pays. D'autres imaginaient le FLQ comme une armée de centaines, voire milliers de combattants. Les réalistes du camp nationaliste, René Lévesque en tête, comprenaient de leur côté que le meurtre de Pierre Laporte pouvait entraîner la mort politique du Parti québécois naissant. Quelques commentateurs prétendaient quant à eux que, grand admirateur de Machiavel, le Premier ministre Trudeau utilisait le terrorisme du FLQ pour détruire le nationalisme incarné par René Lévesque. Lequel Trudeau sortira gagnant, l'histoire le démontrera, de son affrontement avec cet adversaire.

Le 25, alors que les forces policières étaient toujours à la poursuite des membres des deux cellules felquistes et que l'on était sans nouvelles de James Richard Cross, le maire de Montréal, Jean Drapeau, fut reporté au pouvoir par une majorité de 92 % des voix, du jamais-vu dans l'histoire. Jean Drapeau, celui-là même qui avait reçu le général de Gaulle durant l'Exposition universelle de 1967 et s'était permis de critiquer son « Vive le Québec libre », en redoutable politicien, avait su utiliser la crise pour déployer ses talents de démagogue, associant au FLQ le FRAP, un parti de gauche qui lui faisait opposition et qui disparut par la suite du paysage politique municipal.

*

Un premier felquiste, Bernard Lortie, fut arrêté le 6 novembre, à Montréal, soupçonné d'être rattaché à la cellule Chénier à l'origine du meurtre de Pierre Laporte. Depuis la fin octobre, nous avions repris le cours quasi normal des émissions, mais le cœur n'y était guère. Et pour cause : nous vivions une situation post-traumatique. Huit mille soldats étaient toujours déployés sur le territoire québécois et les forces policières, grâce à la loi sur les mesures de guerre, multipliaient les descentes chez de simples citoyens à partir de dénonciations de leurs voisins.

Rétrospectivement, je me demande comment nous avons pu sortir de cette folie collective, sinon grâce à la tendance des Québécois à scotomiser, comme disent les psychiatres, c'est-à-dire à enfouir dans leur inconscient la quasi-guerre civile dans laquelle nous avions failli basculer. La devise du Québec n'est-elle pas « Je me souviens » ?

Lorsque fut découvert – en décembre – que les cellules du FLQ étaient composées de Canadiens français de souche, et que nous pouvions « revendiquer » le premier enlèvement politique en Amérique du Nord, beaucoup penseront que ce n'était guère la façon la plus attirante de faire parler de nous à l'étranger, et notamment aux États-Unis, notre encombrant voisin.

*

Le 3 décembre, les ravisseurs de James Richard Cross furent cernés par les forces de l'ordre dans le quartier populaire de Montréal-Nord. James Richard Cross fut libéré en échange d'un sauf-conduit vers Cuba, qui accepta d'accueillir les kidnappeurs.

En apprenant les noms de ces derniers, j'eus un choc. Je découvris, avec stupéfaction, que je les connaissais. Louise Lanctôt avait été une compagne de classe de ma jeune sœur, toutes deux s'étaient liées d'amitié et la felquiste active avait même été accueillie par toute la famille.

J'ai cru que ma mère, lorsqu'elle apprit la nouvelle, allait s'effondrer. Depuis le début de la crise, je lui téléphonais régulièrement car je savais dans quels tourments elle vivait ce drame collectif. Mon père, selon elle, refusait de commenter les événements, préférant passer ses journées dans sa chambre de radios, des écouteurs sur les oreilles, entouré des amplificateurs qu'il construisait lui-même sans s'intéresser à l'actualité, façon de se couper du monde comme de notre monde. Ce jour-là, elle me supplia de ne rien dévoiler des relations passées de ma jeune sœur avec la famille Lanctôt, dont elle appréciait Louise, qu'elle trouvait intelligente mais déjà excessive. « Personne ne va venir t'arrêter, maman, pour avoir reçu Louise à la maison quand elle avait quinze ans », lui dis-je. Mais la panique la gagnait. Comme tout le monde, elle avait suivi le cortège qui transportait les felquistes-kidnappeurs de James Richard Cross vers l'aéroport de Dorval (aujourd'hui aéroport international Pierre-Elliott-Trudeau), où un avion les attendait vers leur paradis, celui de Fidel Castro.

Le 28 décembre, Paul et Jacques Rose, Francis Simard, membres de la cellule Chénier ayant assassiné le ministre Pierre Laporte, furent débusqués dans un chalet en banlieue de Montréal. Étions-nous conscients que le Québec avait perdu, en trois mois, les illusions qui lui avaient permis jusqu'ici de se croire à l'abri des malheurs de la planète ?

CHAPITRE 42

Le 4 janvier 1971, l'armée canadienne se retira du Québec. Nombre des complotistes et des politiciens fédéraux qui avaient alimenté la panique en lançant des rumeurs selon lesquelles les membres du FLQ passés à l'action se chiffraient par centaines firent profil bas. Car l'on n'avait, au final, décompté qu'une douzaine de terroristes répartis dans les deux cellules, celle qui avait enlevé Richard Cross, celle qui avait assassiné le ministre Pierre Laporte. Reste que les Québécois allaient difficilement reprendre leur souffle après des événements aussi dramatiques.

À Radio-Canada, au cœur de la crise, journalistes aguerris ou débutants comme moi avions tous subi un véritable baptême du feu. Durant ces trois mois, nous avions connu l'équivalent du journalisme de guerre. Ainsi j'avais été obligée de travailler, comme tous mes camarades, sous la houlette de conseillers légaux qui, en régie, surveillaient qu'aucun mot séditieux, en vertu de la loi sur les mesures de guerre, ne soit prononcé par nous ou nos invités. D'ailleurs, nous n'avions pas travaillé en direct mais dans un temps légèrement décalé, exercice de haute voltige qui ajoutait à la pression. Je me consolais en regardant mes confrères expérimentés aussi stressés que moi par de telles contraintes.

Claude Sylvestre prenait des nouvelles de sa cousine Françoise Laporte par l'intermédiaire de sa propre mère, déjà âgée et dévastée par l'assassinat de son neveu, mais s'interdisait d'entrer en contact avec Françoise, conscient que sa fonction de responsable du magazine d'affaires publiques parasitait leurs relations. Mais comment accepter la neutralité obligatoire exigée par l'éthique professionnelle lorsque l'on vit pareille tragédie personnelle ? Françoise Laporte, que j'ai connue quelques années plus tard, de même que ses enfants, est une femme remarquable, une femme qui a perdu une partie d'elle-même avec l'enlèvement puis la mort de son époux. Chaque mois d'octobre, durant des années, elle quittera le Québec, incapable de supporter les commémorations qui lui faisaient revivre ces semaines d'horreur.

La cellule composée de Jacques Lanctôt, sa sœur Louise et du mari de celle-ci, Jacques Cossette-Trudel, était donc installée à Cuba. Rapidement, ces felquistes déchantèrent en découvrant les contraintes de la vie sous la gouverne de leur héros Fidel Castro. Ces terroristes forts en gueule, articulés et intransigeants, prirent d'un coup la mesure du fossé que représentait la culture révolutionnaire à Cuba, île pauvre des Caraïbes, et l'existence quotidienne dans le douillet Québec, riche de ses libertés de parole, de sa tolérance, de son folklore nationaliste bon enfant, choses dont ils avaient profité et dont il leur fallait faire le deuil. Car, là-bas, ils étaient encadrés, surveillés, considérés comme des bourgeois venus d'un pays froid plutôt que comme des révolutionnaires à honorer. Louise Lanctôt et son mari quitteront d'ailleurs Cuba quelques années plus tard et débarqueront à Paris un jour d'automne glacial, simplement vêtus de tee-shirts et de jeans. Louise Lanctôt y accouchera quelques semaines plus tard. Cette famille, éprouvant vite le mal du pays, ne songera bientôt qu'à rentrer au Québec. Mais il faudra régler leur situation légale. Installée alors à Paris, je serai un instrument de leur retour au Canada, où ils seront arrêtés dès leur arrivée puis condamnés à la prison.

Fin janvier, le procès de Paul Rose débuta à Montréal. Le 14 mars, il sera reconnu coupable du meurtre de Pierre Laporte. En mai vint le tour de Francis Simard d'être condamné pour le même assassinat. Quant à Bernard Lortie, troisième membre de la cellule Chénier, la justice le condamna pour l'enlèvement du ministre quelques mois plus tard. Reste qu'un mystère demeure quant aux circonstances de la mort de Pierre Laporte. Et qu'une aura – à mon sens incompréhensible – entoura longtemps les frères Rose une fois leur peine accomplie, notamment auprès des compagnons de route du FLQ. Au moment où j'écris ces lignes, on apprend par exemple qu'un film de fiction serait en préparation sur ces quasi-icônes révolutionnaires en âge d'être grands-pères. Pourquoi une frange d'indépendantistes fascinée par la lutte armée, de nostalgiques de Castro, Guevara, Mao et les Khmers rouges, entretient-elle toujours la flamme, pourtant vacillante, du Grand Soir et des lendemains qui chantent ? Je l'ignore mais le constate.

*

En février 1971, les dernières personnalités les plus connues emprisonnées durant la crise retrouvèrent la liberté. L'heure d'un premier bilan pouvait sonner. Les mois de violence brisèrent un mythe récurrent, celui des Québécois pacifistes, paisibles, bon enfant, à l'abri des horreurs du monde. N'est-ce pas un Canadien français, Pierre Elliott Trudeau, qui déterra avec ses conseillers – dont plusieurs francophones – la loi poussiéreuse sur les mesures de guerre ? Pourquoi des policiers québécois malmenèrent-ils et emprisonnèrent-ils des citoyens calmes, souvent intellectuels et artistes, avant de les libérer deux mois plus tard sans aucune accusation ? Comment vivre en harmonie en songeant que d'autres Québécois s'empressèrent, durant la crise, de dénoncer comme felquistes des voisins qu'ils exécraient pour des histoires de clôtures ou à cause des bruits qu'ils causaient ?

Dans mon entourage, j'ai vu des lâches se révéler, des paranoïaques « décompenser », comme disent les psychiatres, des confrères devenir soupçonneux, se terrer dans le déni ou transformer la réalité. Heureusement, j'ai découvert également le profond engagement de certains à défendre la liberté de la presse et les acquis de notre démocratie. Ces personnes furent les véritables héros des événements d'octobre 1970. Et je crois que j'ai aimé Claude Sylvestre précisément aussi parce qu'il s'est battu au quotidien, avec quelques autres, pour empêcher que notre travail soit muselé plus que la loi ne l'exigeait. Cette loi nous a fait perdre bien des illusions, nous a aussi confrontés à nous-mêmes, confirmant ou infirmant les valeurs auxquelles nous nous référions et qui nous animaient.

La crise d'Octobre fut, pour moi, une école de journalisme exceptionnelle. Notamment parce que j'ai vécu ces moments dramatiques entourée des meilleurs professionnels de l'information, dont le directeur du service, Marc Thibault, un homme dont l'autorité, le sens aigu de la déontologie et la définition quasi sacrée du service public de télévision en imposaient à tous, même aux vedettes comme Pierre Nadeau, l'animateur chouchou, lui-même prince du journalisme.

Je me rappelle une convocation de Marc Thibault, transmise par sa secrétaire une fin d'après-midi du début février. Le cœur battant, je me rendis à son bureau en espérant des félicitations pour les entrevues que je menais rondement, selon mon entourage. Marc Thibault, les cheveux touffus et blancs comme lait, les lèvres charnues et rouges, le teint si pâle qu'on le croyait malade, m'indiqua la chaise où je devais m'asseoir. J'avais la gorge nouée mais je tentai de dire un mot quand il m'interrompit froidement. «J'ai regardé votre entretien d'hier avec le député [dont j'ai oublié le nom]. Écoutez-moi bien jeune fille. À l'avenir, je vous conseille d'éviter les adverbes et les épithètes dans vos questions. Vous devriez savoir que cela teinte le contenu car vous introduisez alors votre point de vue personnel. C'est une faute à l'objectivité qu'exige de vous Radio-Canada.» Je n'eus guère le temps de me ressaisir qu'il me signifiait déjà mon congé. Sonnée, ma belle assurance en fut écorchée car je m'attendais à des louanges, mais j'en tirai une leçon qui me servit tout au long de ma carrière. Cet homme exigeant, austère, rigoureux, voire rigide, fut un maître. Je l'ai admiré et craint à la fois. Bien après qu'il fut retraité, je l'ai revu de façon épisodique et suis allée le visiter à l'hôpital quelque temps avant sa mort. Il était affaibli mais gardait intact son jugement incisif sur l'évolution de Radio-Canada. En le quittant, sans savoir que c'était la dernière fois, je l'ai embrassé. Il a souri et a retenu ma main dans la sienne : « Vous avez été une des joies professionnelles de ma carrière », a-t-il murmuré. Je n'ai su que bafouiller en retenant mes larmes.

*

J'ai aimé que notre amour, à Claude et moi, se développe dans la quasi-clandestinité. Élevée dans l'eau bénite, avec ce secret intime je retrouvais le plaisir excitant de l'interdit. De plus, aucune culpabilité ne m'habitait puisque je savais ne pas être en train de briser un couple.

Le 4 mars, la tempête du siècle s'abattit sur le Québec. La veille, Claude avait choisi de passer la nuit chez moi. Le lendemain matin, en ouvrant les tentures, nous découvrions que Montréal avait disparu sous plus de quarante centimètres de neige. C'était féerique et dramatique à la fois. Car la radio annonçait qu'aucune route, aucune rue n'étaient praticables. Quelques journalistes furent conduits en motoneige à Radio-Canada afin d'assurer la diffusion des journaux télévisés, auxquels s'accrochèrent durant quarante-huit heures les Québécois. Des femmes enceintes furent transportées dans les hôpitaux grâce à l'invention de Joseph-Armand Bombardier, la motoneige.

Durant deux jours, prisonniers consentants de cet hiver déchaîné, Claude et moi avons vécu une lune de miel. Immobilisés par la furie de la nature, cocon de ouate tombant du ciel en rafales devant lequel on ne peut que céder, Claude m'a confié le secret qui l'habitait depuis quelques semaines : il avait accepté le poste de directeur de l'information au bureau de Radio-Canada à Paris. Il allait partir pour trois ans mais n'envisageait pas de le faire sans moi. « Je comprendrais que tu refuses de tout quitter pour me suivre, précisa-t-il. Ton avenir à la télévision est désormais assuré. De plus, tu es jeune et il te faudrait vivre avec mes fils qui m'accompagneront. Car c'est aussi pour eux que j'accepte de partir. Cette expérience européenne ne leur sera que bénéfique. »

Depuis ma plus tendre enfance, rien ne m'a été servi sur un plateau d'argent. J'ai toujours eu le sentiment d'avoir à me battre. La différence d'âge entre Claude et moi me calmait. Avec lui, je n'avais pas à m'excuser de qui j'étais ni de ce que j'étais. Grâce à ce patron, ce doux patron, je n'avais pas à lutter contre quoi que ce soit. Non seulement il ne se sentait aucunement en compétition avec moi, mais il appréciait des qualités que tant d'hommes considéraient, eux, comme des défauts. Mon enthousiasme, ma combativité, mon goût pour l'affrontement le charmaient. Il m'aimait, je l'amusais et mon énergie l'excitait. En fait, il appréciait tout ce qui faisait fuir les hommes, dont ceux qui, par la suite, rêveront de me mater sans jamais y parvenir.

Face à une telle osmose, comment résister ? C'est donc durant cette tempête du siècle que j'ai décidé de suivre l'homme qui deviendra plus tard le père de mon fils. J'avais rêvassé plus ou moins jusqu'alors le projet d'aller vivre en France, à Paris. Dans ce pays que j'ai sublimé à travers mes lectures d'enfance. Dans ce pays de ma langue, de mes ancêtres, de mes admirations intellectuelles, ce pays de ma propre histoire, d'hommes plus grands que nature – Charles de Gaulle, Diderot, Flaubert, Hugo, Maupassant, Stendhal, Camus –, ce pays au vocabulaire illimité, au quotidien se conjuguant avec la liberté, le raffinement, la grâce et l'intelligence, ce pays qui m'accueillera au-delà de mes attentes. J'allais pouvoir concrétiser ces rêves.

*

Une semaine plus tard, je téléphonai à Paris afin de m'inscrire en doctorat à l'Institut d'études politiques (Sciences Po). L'on me promit une réponse rapide. J'attendis deux mois dans une impatience qui vira vite à l'obsession. Un jour, je reçus la lettre espérée. Qui fut dévastatrice : j'étais refusée. Sans explication. Je ne saurai que quelques années plus tard, de la bouche même d'Alfred Grosser, l'éminent professeur, les raisons du rejet de ma candidature : après 1968, quelques étudiants québécois avaient été accueillis rue Saint-Guillaume, adresse de cette prestigieuse institution. Or non seulement ils contestaient à gauche et à droite mais ils s'amusaient à parler joual, truffant leur vocabulaire de blasphèmes avec force « crisse », « câlisse », « ciboire » et « tabernacle », interpellaient des profs, usant de la grossièreté comme mode de communication. Sciences Po avait donc décrété les étudiants québécois *personæ non gratæ*. Et cela durera quelques années. J'en avais été victime.

Lorsque *La Voix de la France*, mon essai publié chez Robert Laffont en 1975, recevra un accueil chaleureux quasi général dans la presse française, je recevrai un petit mot d'Alfred Grosser, que j'avais eu l'occasion d'interviewer à plusieurs reprises pour la télévision canadienne durant mon séjour. Se souvenant de ma déception du refus de Sciences Po, il me félicitait pour mon livre, étude de la France vue à travers sa télévision, et regrettait que « Sciences Po n'ait pas eu l'honneur de [me] compter parmi ses prestigieux diplômés ». Je bus sa courte missive comme du petit-lait.

Le refus m'avait donc mise K-O. Un choc qui dura quarante-huit heures. Car, rapidement, je retrouvai mes esprits. Deux jours plus tard, après avoir joint par téléphone l'éminent sociologue Jean Cazeneuve, de la Sorbonne, j'appris qu'il acceptait d'être mon directeur de thèse de doctorat. « Vous êtes si convaincante, mademoiselle, que je serai plus que ravi que vous deveniez mon étudiante. Et vous avez aussi une grande qualité à mes yeux : vous êtes québécoise ! » C'est ainsi que je recueillis, à mon avantage, l'une des retombées de la visite du général de Gaulle à Montréal en 1967. Une fois à Paris, nombre de portes s'ouvriront d'ailleurs grâce à ma « qualité » de Québécoise, comme le préciseront diverses personnalités politiques et journalistiques. Encore fallait-il que je sois à la hauteur de cette « qualité » – mais la pression décuplait mon énergie naturelle.

Claude annonça à l'équipe son départ pour Paris en mars, mais attendit mai pour lancer la nouvelle de notre couple, qui se répandit comme une traînée de poudre. Le duo que nous formions désormais suscita des commentaires enflammés. Nombre de femmes m'envièrent, Claude les attirant toutes, quel que soit leur âge ou leur statut. En le constatant, évidemment, je roucoulais d'aise. Même ma mère y trouva son compte puisque, grâce à mon père, employé d'Air Canada, elle allait bénéficier de billets gratuits et pourrait venir en France. « Tu vas me voir souvent », me dit-elle un jour. J'avoue que si je l'évitais à Montréal, par la suite je fus heureuse de lui faire connaître Paris et la France qu'elle aimait tant. Sa verve, sa manière inimitable de décrire la réalité ajoutée à son accent en feront même la star de mes dîners en ville !

Je quittais néanmoins le Québec avec un pincement au cœur, car mes tantes adorées, elles, n'envisageaient aucunement de venir dans « le vieux pays ». Lorsque je m'installai dans l'avion d'Air France – compagnie que j'avais choisie de préférence à Air Canada pour d'emblée me mettre plus rapidement dans l'ambiance –, j'ignorais que la personne que j'étais alors ne serait pas celle qui reviendrait, trois ans et demi plus tard, à Montréal.

CHAPITRE 43

J'atterris à Paris à la fin juin 1971. Claude, qui avait effectué la traversée par bateau en compagnie de deux de ses quatre fils quelques semaines auparavant, avait choisi un grand appartement bourgeois du 16e arrondissement. Lorsque j'y mis les pieds, je me crus propulsée dans un film du cinéma muet. Des fauteuils Louis-Philippe, des lits Napoléon III, des tapis orientaux, des armoires de style Empire ou normand du XVIIIe siècle, tel était le décor dans lequel j'allais devoir vivre durant trois ans. Le mélange de styles et d'époques donnait au lieu l'allure d'une boutique de brocante chic. En fait, les meubles sortaient des greniers de la famille Marnier, qui habitait l'étage noble – c'est-à-dire le deuxième – dont j'ai appris l'existence à cette occasion. Les Marnier étaient propriétaires de l'immeuble en pierre de taille de six étages. Mme Marnier ressemblait physiquement à ma grand-mère mais en plus austère. En plus snob et hautaine aussi, à l'image de sa classe sociale ; elle pouvait évoquer certaines mégères des romans de la comtesse de Ségur. Lorsque Claude, qu'elle regardait avec des yeux mouillés à cause de son grand âge sans doute, mais surtout énamourés, m'avait présentée à elle comme sa fiancée, le qualificatif qu'elle utilisa pour me décrire me resta en travers de la gorge : j'étais « amusante ». Une condescendance quelque peu paternaliste dont j'appris à me satisfaire. D'autant qu'elle s'accompagnait de manières « vieille France » parfois délicates. Ainsi, chaque veille de nouvel an, son maître d'hôtel, en gants blancs, pantalon noir et avec un sourire quelque peu moqueur aux lèvres, nous apportera sur un plateau d'argent massif une bouteille exceptionnelle de la célèbre liqueur Grand-Marnier.

Dès mon arrivée, je plongeai donc dans ce monde de vieille bourgeoisie qui savait créer une frontière infranchissable entre elle et les autres. À leurs yeux, les Canadiens si « nature » que nous étions appartenaient à une classe, disons exotique. De fait, au début seul Claude trouvait grâce auprès de Mme Marnier, attirée par son élégance et son statut de directeur de Radio-Canada. Personnellement, je ne parviendrai à changer son regard sur moi que lorsque la télévision m'invitera à participer à des débats en tant que « cousine québécoise qui n'a pas froid aux yeux », comme certains me présentaient parfois, débats où je tirais volontiers à boulets rouges sur les contradicteurs qui m'avaient sous-estimée. « Votre épouse possède un vrai tempérament », confia ainsi Mme Marnier à Claude, après m'avoir vue à l'écran. D'« amusante », j'étais passée à femme de caractère. Il y avait, dans son échelle de valeurs figées, un progrès !

*

J'ai vite compris, malgré ma naïveté d'autant plus grande que je ne croyais pas être naïve, que le débat, en France, était avant tout une théâtralisation des propos et enjeux marquée par le cynisme et l'idéologie. Dès lors, je me suis mise à adorer ces joutes qui révélaient la culture, le raffinement ou la fourberie des intellectuels qui me séduisaient par la richesse de leur vocabulaire, leur humour caustique, leur cruauté parfois. Et ce, même s'ils me décevaient par leur obséquiosité face à plus fort et plus puissant qu'eux.

Le féminisme néomoderne en étant alors à ses balbutiements dans l'Hexagone, j'admets que le machisme des coqs français me donnait des crampes. J'en eus un avant-goût dès mes premiers mois sur place. J'avais conclu avec Radio-Canada un accord de collaboration à l'ensemble des émissions d'information de la radio comme de la télévision. Avec une participation épisodique, puisque j'entendais avoir terminé ma thèse de doctorat avant de revenir à Montréal, fin 1974. Ma priorité était donc mes études.

Et puis je reçus une première demande de la télé canadienne : faire une entrevue avec l'ex-Premier ministre du général de Gaulle, Maurice Couve de Murville. Je me présentai, un peu fébrile, à ses bureaux situés derrière les Champs-Élysées. Arrivée avant l'équipe technique afin d'informer l'homme d'État de la marche à suivre durant l'entretien, celui-ci me reçut froidement. Avant même de m'offrir un siège, il demanda à quel moment « mon journaliste » allait arriver. « Je suis la journaliste, répondis-je d'un ton amusé. — Ah ! Bien mademoiselle », maugréa-t-il. Le cameraman français, tout impressionné, apparut sur ces entrefaites. Je dus me mordre les lèvres pour ne pas rire en voyant les courbettes et entendant les formules de politesse du technicien devant l'ancien « haut » personnage. À mon habitude, je décidai de poser des questions directes en feignant de ne pas remarquer l'agacement du grand protestant austère face à moi, homme que j'imaginais héritier du jansénisme de Port-Royal. Interrogé sans ménagement obséquieux, qui plus est par une femme, il n'en revenait pas. Et moi, je me suis amusée.

*

On l'a vu, j'avais découvert la France avec ses écrivains durant mon enfance et à travers ses intellectuels à l'adolescence. Désireuse de me fondre dans sa culture, j'eus rapidement conscience que je folklorisais ma pensée en jouant à la cousine du Québec. Ce piège, il ne fallait pas tomber dedans. Pas question de subir la condescendance avec laquelle nombre de journalistes et de politiques m'interpellaient. « Dommage, vous n'avez pas beaucoup d'accent », disaient-ils. « J'en aurai si vous êtes gentils avec moi », répondais-je. J'avais décidé que je me battrais sur le même terrain qu'eux en usant des mots, comme eux. Je savais ce que la culture française pouvait m'offrir. J'avais le privilège de vivre sur le continent européen, au cœur de cette civilisation, là où les philosophes, les écrivains, les musiciens, les peintres que j'admirais et dont je voulais approfondir les œuvres avaient vécu. Tous les acquis du siècle des Lumières se trouvaient à ma portée. Je déambulais dans Paris en connaissant l'histoire inscrite dans les vieilles pierres. Je n'étais pas d'abord à l'affût de la modernité mais de ces lieux, ces œuvres, ces musiques et ces esthétiques qui l'avaient nourrie.

*

Paris était encore, à l'époque, la ville où l'on rêve d'être amoureux. Enfin, Claude et moi pouvions afficher notre amour après la clandestinité obligée qui avait fini par me peser, étant, par tempérament, portée à l'extraversion. Mais je me retrouvais aussi avec deux beaux-fils dont la différence d'âge avec moi était moindre que celle que j'avais avec leur père. Vrais Québécois, revendicateurs à souhait, ils nageaient alors dans les eaux tourmentées de l'adolescence. Intelligents, drôles, peu attirés par les études, voire nonchalants à ce sujet, leur présence dans notre couple et ma présence dans la vie de leur père nous obligeaient à des compromis auxquels ni eux ni moi n'avions été préparés.

Eux-mêmes hésitaient à se laisser «franciser». Lorsque nous allions faire les courses dans la rue de Passy, leur allure dégingandée détonnait. Je me souviens encore de notre première visite chez un marchand de fruits et légumes. Alors qu'il tendait spontanément la main pour choisir des fruits, mon beau-fils Daniel fut interpellé par le vendeur : «Holà! jeune homme. On ne touche pas.» Daniel, saisi, me jeta un regard troublé. C'est alors qu'un second vendeur lança à haute voix à son collègue : «Ces étrangers habitent les beaux quartiers et se donnent des allures de Front populaire.» J'appréciais, je l'avoue, la remarque caustique non pour le mépris qu'elle contenait mais parce que, n'étant pas habituée à l'expression quotidienne de la lutte des classes dans les rapports en Amérique du Nord, elle me permit de donner une leçon d'histoire sur l'été 36 à mes petits chéris après que ce cher Daniel eut à son tour traité le vendeur, à voix basse, «d'ostie de Français», remarque bien sentie.

*

Je ne m'ennuyais jamais entre mes beaux-fils et mes rencontres professionnelles avec des personnalités en vue ravies que, grâce à la télévision canadienne, leur notoriété gagne un autre pays. Plusieurs exprimaient de l'affection pour le Québec. Seuls les anti-gaullistes déchaînés, associant à leur ennemi politique les Québécois depuis que Charles de Gaulle avait pris fait et cause pour eux – enfin nous –, faisaient la moue en découvrant ma « québécitude ».

Si en France le bureau d'un directeur de thèse est peu accessible aux étudiants, ce n'était pas le cas de celui de Jean Cazeneuve, qui me reçut à plusieurs reprises durant cette première année de séjour. Il m'invita même, en compagnie de Claude, à un dîner chic dans sa grande villa du Vésinet. Dès mon arrivée à Paris, Jean Cazeneuve m'avait mise en contact avec ses deux assistants. Le premier, Hervé Fischer, était un normalien excentrique, sociologue et artiste qui deviendra mon ami. J'ai dû donner à ce jeune gaulliste une image positive de la femme québécoise puisqu'il tombera amoureux fou d'une compatriote, Ginette Major, pour qui il immigrera chez nous. Quant au sociologue Francis Balle qui, entre autres, deviendra vice-recteur de l'Académie de Paris et membre du CSA, nos liens amicaux et familiaux ne se sont jamais distendus à ce jour.

C'est à travers les personnes que l'on s'attache à un pays. Or la France est entrée dans ma vie grâce à de tels amis français. Ma connaissance de l'Hexagone repose aussi sur mon travail de thèse, qui fut une analyse de la société française à travers sa télévision. Le sujet était facile à circonscrire puisqu'il n'existait alors qu'une chaîne de service public, à l'impact maximisé faute de concurrence.

Les portes de l'ORTF ne m'ont pas été ouvertes grâce à mes beaux yeux. Si j'ai bénéficié de la recommandation de Jean Cazeneuve, dont la chaire de sociologie à la Sorbonne ouvrait des portes, je profitais aussi du capital d'affection qui entourait le Québec. Début 1972, je fus même reçue à l'hôtel Matignon par Martial de La Fournière, conseiller spécial au cabinet du Premier ministre Jacques Chaban-Delmas, grâce à cet atout. Il m'accueillit en effet, moi la jeune étudiante, en tant que « représentante de votre peuple si admirable et si attaché à notre langue commune ». Et de m'assurer que l'ORTF serait heureuse de collaborer avec moi. Sans son appui, ma thèse n'aurait pas été possible.

Au Canada, il aurait été impensable que le bureau du Premier ministre intervienne auprès de la télévision. Mais nous étions à Paris et le président Georges Pompidou avait qualifié l'ORTF de « Voix de la France », ce qui en disait long sur l'absence d'indépendance des rédactions par rapport au pouvoir politique. Cette qualification que j'utiliserai comme titre d'un essai publié chez Robert Laffont en 1975 ne sera évidemment en rien anodine.

Mais n'anticipons pas. Pour cette thèse, il était impératif que je rencontre les patrons de l'ORTF. À la fois afin de décrire leurs profils et aussi pour qu'ils acceptent de me faire entrer au service de politique étrangère de la chaîne. « L'observation participante », comme le jargon de la sociologie qualifie la méthode, était essentielle : je souhaitais cerner l'approche qu'utilisaient les journalistes de la télévision dans le traitement des sujets internationaux. La France avait-elle tendance à présenter ses anciennes colonies africaines avec moins de distance et davantage de préoccupations d'intérêt national que lorsqu'il s'agissait des pays sans lien avec sa propre histoire ? Autrement dit, les ex-colonies, selon mon hypothèse de travail, faisaient-elles partie de la politique intérieure ? Et, à ce titre, les nouvelles dont elles faisaient l'objet, risquaient-elles d'être indissociables de l'orientation politique officielle du pays ?

Le directeur de l'information, Jacques Alexandre, me reçut avec une curiosité amusée. Après une heure de conversation à bâtons rompus sur lui-même, sa vision et sa fonction, je sus que je l'avais séduit et que j'allais obtenir son feu vert. Cet entretien – Jean Cazeneuve m'avait prévenue – déterminerait l'ampleur et la réussite de mon travail. Pour obtenir des informations, à mes yeux légitimes comme la formation, l'expérience et le salaire, il me fallait absolument poser des questions précises. Or « En France, vous ne devez pas poser de questions sur l'argent, comme en Amérique du Nord. Je vous conseille fortement d'éviter cela », avait averti mon directeur de thèse. « Mais comment vais-je obtenir ces renseignements ? » Il avait souri de ma candeur et de mon entêtement. « Par des voies détournées. Vous demandez leur lieu d'habitation et, par exemple, s'ils possèdent une résidence secondaire. » Cela m'apparaissait si inutilement tordu que je décidai, avec Jacques Alexandre, de passer outre ses conseils. « Combien gagnez-vous par mois ? » lançai-je innocemment à ce dernier lors de cette rencontre. Il accusa le coup, éclata de rire et ouvrit un tiroir de son bureau d'où il extirpa une feuille de paye.

Dans la France d'alors, parler d'argent à la manière des Américains faisait mauvais genre, voire vulgaire, en tout cas déplacé. Mais j'étais Nord-Américaine et, devant moi, les Français n'avaient pas besoin de jouer aux offensés. Ils retrouvaient leur naturel. Lorsque, le lendemain du rendez-vous, j'informai par téléphone Jean Cazeneuve de la réussite de l'examen de passage en lui annonçant, en prime, les émoluments du dirigeant, il en resta bouche bée. Puis déclara : « À l'évidence, le fait d'être québécoise a joué en votre faveur. J'avoue que j'en demeure fort étonné », phrase prononcée en émettant des gloussements.

Par la suite, je revivrai le même genre de situation. De grands esprits – des journalistes, des intellectuels, des écrivains – s'informeront du cachet possible avant de m'accorder une entrevue, demande qu'ils n'auraient jamais formulée s'il s'était agi d'un média français où, règle générale, on ne paie jamais les invités. Or, je trouve normal que ceux-ci soient rémunérés quand il ne s'agit pas de faire mousser leurs livres ou leurs disques. En vérité, observer l'hypocrisie française face à l'argent et les privilèges alors que le discours officiel ne porte que sur l'égalité et le mépris des billets verts m'amusait. Il faudra attendre l'arrivée de Nicolas Sarkozy à l'Élysée pour assister à une désacralisation de l'argent. Ce qui choquera plusieurs Français, dont grand nombre des bénéficiaires de privilèges, cadeaux, voyages gratuits et abattements fiscaux… comme les journalistes ! Pendant la campagne présidentielle de François Hollande, ce dernier renouera avec la vieille tradition hexagonale de l'argent qui fait honte en déclarant qu'il le détestait. Comme quoi les traditions – ou préjugés – ont encore, à Paris et en province, de beaux jours devant eux. Il est à noter que nombre de Québécois ont conservé, sans doute grâce à leur héritage français, cette forme de mépris, entretenu aujourd'hui encore dans beaucoup de milieux.

*

Parallèlement à ma thèse, à Sciences Po, je suivis un séminaire qui me permit de prendre le pouls des futures élites hexagonales. Et que vis-je ? Des bourgeois de gauche ou de droite, sûrs d'eux, machos il va sans dire, se croyant déjà « en haut de l'affiche », comme le chante Charles Aznavour. Si les jeunes bourgeois québécois côtoyés à Montréal n'étaient, à une génération près, que des parvenus ou des filles et fils de cultivateurs ou d'ouvriers, si nous étions – à l'exception des rejetons de quelques grandes familles canadiennes-françaises comme les de Gaspé Beaubien, les Dessaulles de Saint-Hyatinthe, les Duchastel de Montrouge, les Panet-Raymond – en mobilité sociale ascendante grâce et par l'éducation, en France les enfants de la bourgeoisie accédaient à cette école comme si leur présence dans les murs était offerte avec leur cadeau de naissance. Je les croisais donc mais ils n'étaient pas mon monde et n'avaient aucune de mes références. Je parlais leur langue, mais mes mots n'avaient pas été déposés par milliers dans mon berceau, comme eux. Moi je les avais appris avec effort, par volonté et amour de leur musique. J'étais cependant convaincue de bénéficier d'une chance qu'eux ne connaîtraient jamais : ne pas avoir, à leur différence, à me battre contre les démons de ma propre histoire. La mienne était courte, ma géographie intérieure calquée sur celle du Québec, un espace qui accorde une liberté d'action et permet d'échapper au conformisme et au déterminisme. Eux, cette opportunité-là, peu sauraient la saisir.

C'est en France que j'ai, en fait, pris la mesure de ma propre identité. En France où j'ai compris, par contraste, que l'avenir était à portée de mes désirs. J'étais fière d'être québécoise au pays de mes ancêtres !

Chapitre 44

Rien de la France ne m'était indifférent. J'étais même avide de tout ce qu'elle m'offrait. Ainsi, c'est durant ces années dans le pays que j'ai appris à skier, suivant assidûment les cours de l'école française de ski. Les moniteurs, à l'époque, n'hésitaient pas à nous lancer sur les pistes sans tenir compte ni de nos aptitudes ni de nos peurs. « Allez hop ! » criait l'un d'eux à la classe de débutants où je me trouvais, et ce, au départ d'une piste bleue qui nous semblait impossible à descendre. Trois jours plus tard, on attaquait une piste rouge. « Allez hop ! On se surpasse », hurlait de nouveau l'instructeur au groupe, quelque peu clairsemé, certains ayant préféré les bars de montagne d'où ils redescendaient en chasse-neige les couloirs blancs et pentus où l'on suivait parfois, les larmes aux yeux et le cœur dans la gorge, ce fou des sommets qui nous traitait comme de futurs champions alors que nous cherchions juste à nous amuser à notre rythme. Car lui, comme nombre de Français, aimait à jouer au pro, à se transformer en casse-cou. J'ai donc appris vite et bien. Parce que je me faisais violence et parce que, par tempérament, je ne cherchais pas à être maternée et ne jouais aucunement à la séductrice sportivement handicapée susceptible d'attendrir le moniteur, je me perfectionnais vite. J'observais d'ailleurs en souriant toutes les Françaises qui, elles, minaudaient. Mais, moi, je désirais dévaler les pistes et non me retrouver dans le lit d'un pisteur. J'ai rapidement obtenu ma carte de l'école de ski, lauriers assurant que j'en étais à la hauteur – c'est le cas de le dire. De cette expérience, j'ai hérité d'un style plus impressionnant que mes véritables capacités, d'une technique qui m'a permis de skier, par la suite, de longues années en savourant un plaisir permanent.

*

Les moniteurs, à leur niveau, se comportaient comme les intellectuels qui sévissaient dans les médias français, formés aux joutes verbales, usant d'une pédagogie adaptée à leur idéologie, leur partisannerie politique ou leur ambition digne d'un Julien Sorel. Les intellectuels que je rencontrai à l'époque ne reculaient devant aucun obstacle et se surpassaient en pratiquant une dialectique élaborée agrémentée de pyrotechnies verbales. Bien que se réclamant de la devise française « Liberté, égalité, fraternité », ils revendiquaient souvent pour eux – je l'ai constaté – une liberté qu'ils n'accordaient pas à tous, l'autorisant uniquement à ceux qu'ils choisissaient. Quant à l'égalité, ils n'y croyaient nullement, broyés qu'ils étaient par le rouleau compresseur social alors que leur fraternité m'apparaissait, elle, réservée d'abord – voire uniquement – à leurs proches et à leur famille politique.

En cela, ils me servaient de miroir, moi qui, non seulement n'étais pas française, mais venais du continent nord-américain. La mobilité sociale dont j'étais le produit commandait mon jugement sur les autres. En d'autres termes, les noms à particule et les liens familiaux ne déterminaient pas l'attirance que pouvaient exercer sur moi mes interlocuteurs. Je ne cherchais pas à être amie avec la fille du président Untel ou le fils du propriétaire des Galeries bidule, comme tant de gens en France attirés d'abord par la notoriété ou le statut social, mais je rêvais de rencontrer le plus d'intellectuels, d'écrivains et de personnalités politiques contribuant à maintenir haut le flambeau de la France éternelle, celle que j'aimais et aime toujours. J'étais naïve mais lucide.

J'avais accès à eux grâce à l'occasion que j'offrais d'apparaître à l'antenne de Radio-Canada, mais je compris également que les Français adoraient les dîners. Aussi Claude et moi avons décidé d'en organiser dès le début du séjour. Les Français dînent comme ils fréquentent les théâtres. Ils sont bon public, bien que leur regard critique s'exerce sans cesse, se laissent flatter par des attentions particulières, et la qualité des mets et des vins les dispose à abandonner quelques-unes de leurs barrières sociales.

J'avoue que j'ai largement profité de ma québécitude dans mes relations professionnelles et sociales à Paris. Avec les personnalités politiques, je n'irai pas jusqu'à affirmer que grâce à elle celles-ci baissaient la garde, mais je bénéficiais, dans les entretiens, d'une prime à la différence. J'ai souvent remarqué que des hommes politiques ou des personnalités des médias, de la littérature, du monde des affaires se confiaient à mon micro plus ouvertement parce qu'elles savaient (c'était avant les réseaux sociaux) ne pas s'adresser à leurs compatriotes. Ainsi de François Mitterrand, que j'ai interviewé la première fois alors qu'il était seulement premier secrétaire du Parti socialiste. C'était à Vancouver, dans le cadre des rencontres de l'Internationale socialiste, en novembre 1978.

J'avais mené l'entretien comme à mon habitude et trouvé au leader du PS des allures d'évêque de l'époque. Une fois les caméras éteintes, François Mitterrand me lança avec son air de carnassier séducteur : « Mais pourquoi vos confrères français ne m'interrogent-ils pas de cette façon directe, tonique et intellectuellement stimulante ? — Parce que vous ne l'accepteriez pas, monsieur Mitterrand », rétorqué-je, un sourire en coin. La réponse lui plut car il éclata d'un rire contagieux qui entraîna toute l'équipe. « T'es pas barrée », souffla à mon oreille le réalisateur pendant que le preneur de son s'occupait d'enlever le micro du premier secrétaire du PS.

En retournant à mon hôtel, un message du consul de France à Vancouver me faisait part d'une invitation à dîner le soir même à sa résidence. Où je me retrouvai à la droite du même François Mitterrand, autour d'une vaste table rectangulaire. À l'extrémité de celle-ci était assis Michel Rocard, que je reverrai bien plus tard lorsqu'il deviendra Premier ministre. Je me souviens aussi de la présence de Lionel Jospin. Durant ce repas, je fus renversée de voir la condescendance appuyée avec laquelle Mitterrand, mon «héros du jour», répondait aux propos de Michel Rocard, que j'admirerai par la suite pour son intelligence, l'homme m'apparaissant vite comme une exception dans le paysage français tant sa probité, son sens de l'État et sa volonté de dépoussiérer le système politique n'y seront pas courants.

François Mitterrand, je le retrouverai à l'Élysée, après 1981, une fois devenu chef de l'État. Grâce à mes chers Paul Guimard et Benoîte Groult ainsi qu'à Paulette Decraene, la fidèle assistante du président de la République. Paulette était l'incarnation d'une France digne, courageuse, ouverte d'esprit, elle dont le père avait été résistant et compagnon de Mitterrand, durant leurs captivités. Grande amie du Québec, elle ne réussira pas à convaincre «son président» de se commettre pour la cause québécoise ainsi que l'avait fait Charles de Gaulle, l'ennemi juré. Peut-être était-ce d'ailleurs la raison. Cela n'empêcha pas Mitterrand, comme nombre de présidents de la République française, de finir par retrouver des accents gaulliens lorsqu'il s'agira de décrire la France, dont lui-même fut l'un des brillants dépositaires de la culture.

*

Durant mes trois années à Paris, Claude et moi avons parcouru toutes les régions, avides de nous perdre dans leurs beautés secrètes, de découvrir les sites classés où chaque pierre raconte une histoire, où chaque lopin a été foulé par l'homme. Au Québec comme dans le reste du Canada, nombre de territoires sont vierges et uniquement déchiffrables par les géographes et les archéologues, habitués à faire parler les pierres, les montagnes et les millions de lacs (non recensés), mais en France tout reste à dimension humaine. Traverser ce pays de mon cœur est rassurant car on a l'impression de mettre ses pas dans ceux des habitants des siècles, voire des millénaires précédents. La nature ne semble jamais sauvage. Lorsque je me promène dans des forêts françaises, j'ai toujours le sentiment qu'elles ont été balayées et aménagées par la main de l'homme. Dans le nord du Québec et du Canada, sur des territoires peuplés d'à peine quelques centaines de milliers d'autochtones très isolés les uns des autres, on se sent disparaître. La puissance de la vastitude écrase. En ce sens la France, pays de ma langue maternelle, sera toujours un refuge sentimental différent, et précieux.

*

J'ai par ailleurs toujours aimé la pression intellectuelle à laquelle Paris soumet le visiteur comme les Français. Mon choix de thèse, à cet égard, m'a plongée dans les milieux politique, diplomatique et médiatique. Ainsi, je fus rapidement intégrée dans le service de politique étrangère de l'ORTF que Maurice Werther, vieux routier du journalisme, dirigeait en bougonnant et pratiquant l'art de gueuler contre tout avec un humour aussi noir que féroce. Fascinée, je passai plusieurs journées auprès de lui. Après quelque temps, il me soumit – à mon insu, croyait-il – à une évaluation personnelle, cherchant à deviner de quel bois je me chauffais et si j'étais fiable. Convaincu, il m'ouvrit alors toutes les portes. En conférence de rédaction, il m'asseyait à ses côtés, ce qui ne semblait pas plaire à l'équipe. Le premier jour, il m'avait présentée comme « la cousine du Québec qui porte bien son nom » et avait prévenu ses troupes – composées d'hommes, à l'exception des assistantes, forcément femmes dans ces années soixante-dix machistes – qu'il fallait me traiter avec respect. Dans ce monde de coquelets, il précisa aussi que je n'étais pas une stagiaire venue les concurrencer. « Denise Bombardier prépare une thèse de doctorat sous la direction de Jean Cazeneuve. Et la direction l'autorise à assister à tous nos échanges. » Il ne précisa pas laquelle – peut-être l'ignorait-il – ni n'indiqua que Martial de La Fournière avait été l'initiateur de ce sésame. J'étais en quelque sorte parachutée mais protégée. La publication de mon essai prouvera que, déjà, je n'avais aucun goût pour la censure et encore moins l'autocensure.

Je vis rapidement la réalité des liens étroits existant entre l'Élysée et le service étranger. Maurice Werther ayant accepté que je sois présente à ses côtés tout le temps, j'assistai vite au moment où, à 16 heures, chaque jour, il informait, par téléphone, un membre de l'Élysée du fil conducteur du journal du soir. À de nombreuses reprises, il accepta d'intervertir l'ordre des nouvelles à la demande de son interlocuteur. « Ce qu'il est chiant », disait-il du conseiller en raccrochant le combiné. La télévision et la radio étaient indubitablement la voix de la France. J'en ai conclu que la télévision française, à cette période, était bel et bien l'instrument du gouvernement, découverte et surprise de taille pour une journaliste élevée dans la tradition anglo-saxonne, dont la BBC demeure le modèle le plus accompli, qui érige l'indépendance totale en éthique intangible. Quel contraste de constater cette ingérence du pouvoir alors que, dans le modèle canadien, les pressions gouvernementales sont inacceptables. Le président du service public, Laurent Picard en ce temps, assurait son autonomie. La crise d'Octobre l'avait démontré, d'ailleurs, puisque Pierre Elliott Trudeau avait tenté de mettre au pas le service public soumis à la loi sur les mesures de guerre, mais nous étions parvenus à assurer un traitement de l'information relativement neutre.

*

Ma mère débarqua pour la première fois quelques mois après mon arrivée. En m'apportant des saucisses hot-dog, de la relish sucrée et de la moutarde jaune, introuvables à Paris. Elle reviendra à plusieurs reprises, le Québec toujours dans ses valises. Elle cuisinera des tartes aux pommes, aux bleuets et des gâteaux aux cerises ou au coconut, que je mangerai avec un plaisir nostalgique, tant ces mets me rappelaient ma terre natale alors que mon palais s'était habitué aux multiples raffinements culinaires français, du foie gras au gratin dauphinois, des poulets fermiers jaunes, inconnus chez nous, aux filets de bœuf au poivre. En agissant ainsi, elle essayait de maintenir entre le Québec et moi un lien de bouche, elle qui craignait de me « perdre », comme elle le répétait. D'ailleurs, chaque fois qu'elle atterrira, elle me trouvera « changée ».

Pour autant, elle-même se transformera au contact de la France ! Elle se mettra à porter des foulards comme les Parisiennes du 16e arrondissement qu'elle jugeait toutefois trop snobs. Au moins, à distance de mon père, s'affirmait-elle. Grâce à son accent irrésistible à l'oreille des Français, son franc-parler et son attachement à la France, exprimé parfois avec des larmes, elle se fera chouchouter par mes nouveaux amis, qui la qualifieront « d'épatante ». Au cours des dîners, elle ne pouvait s'empêcher de vanter les mérites du général de Gaulle. « Votre président Pompidou est bien mais on ne peut le comparer au Général », affirmait-elle sans se préoccuper que les invités soient des admirateurs ou des adversaires du grand Charles. Durant ces années à Paris, je redécouvrirai donc ma mère ; elle qui me semblait toujours prête, dans le passé, à considérer un verre à moitié vide, retrouvait en arrivant à Orly une énergie irrésistible. Et réalisait un rêve en étant à Paris. Je lui présentais volontiers des journalistes, des écrivains et des politiciens, puisqu'elle m'accompagnait lorsque je tournais des entretiens. Les rôles me semblaient alors étrangement inversés : j'étais sa mère en lui permettant de découvrir une vie trépidante et glamourisée. Ces années parisiennes furent, sans doute, les plus harmonieuses entre nous.

Il est vrai que Claude la traitait aux petits soins, se mettait en quatre pour elle, attention qui atténuait un vieux fond de jalousie qu'elle ressentait à son endroit comme envers tous les hommes de ma vie ! Nous l'avons baladée à travers la France mais aussi en Belgique, en Italie, en Suisse, en Allemagne, dont elle n'a pas aimé les habitants. Durant un week-end à Stuttgart, je me souviens que, devant la cathédrale, elle ne cessait de regarder la foule en demandant : « Qu'est-ce qui faisait celui-là pendant la guerre ? »

*

Tous les jours je lisais les journaux québécois et canadiens que Claude recevait aux bureaux de Radio-Canada situés alors avenue Matignon, à l'angle de la rue Rabelais, tout à côté de l'ambassade d'Israël. Car il m'était impératif de rester en contact avec le Canada et le Québec, que j'allais retrouver en 1974 afin de poursuivre ma carrière. Parfois, en effet, l'avenir m'angoissait. J'éprouvais même un étrange sentiment en constatant les changements qui s'opéraient en moi. Lorsque des Québécois de passage me faisaient – gentiment – le reproche d'avoir changé d'accent, je m'insurgeais. *A contrario*, dans les milieux où je circulais, j'avais pris conscience que cet accent, aussi sympathique fût-il pour les Français, nous déconsidérait parmi l'intelligentsia parisienne. Alors je m'adaptais. Si Robert Charlebois, Diane Dufresne et avant eux Félix Leclerc et Gilles Vigneault seront ou auront tous été des stars en France et dans les pays francophones, force est de reconnaître que l'accent des uns comme des autres se verra toujours évoqué, considéré comme indissociable de leur identité de chanteurs et des poésies qu'ils interpréteront avec leur remarquable talent.

Lorsqu'il s'agissait de ferrailler avec les intellectuels parisiens vite tentés par le mépris, notre accent se transformait en handicap. Mon grand ami Georges Mamy, du *Nouvel Observateur*, que j'inviterai plus tard à Montréal pour participer à l'émission « Noir sur Blanc », se retrouva un jour sur le même plateau qu'André Brassard, génial homme de théâtre. Avant l'émission, j'expliquai à Georges qui était Brassard. Son œuvre, son talent, etc. Eh bien cela ne l'empêcha pas de me déclarer, après l'avoir entendu s'exprimer dans un joual pur cru, lors du dîner qui suivit l'entretien, propos tenus avec douceur afin de ne pas me choquer : « Puisque c'est toi qui me dis que cet homme est cultivé, je le crois. Autrement, après l'avoir écouté, je conclurais qu'il est un paysan ignare comme l'étaient mes pauvres parents que j'ai tant aimés par ailleurs au fond de leur province. »

*

J'ai donc vite fait un choix : face à des préjugés de ce type, mieux valait affronter les Français dans des débats verbaux avec leurs propres mots plutôt qu'avec les miens, qui risquaient de les distraire. Depuis toujours, j'utilise différents niveaux de langue, et à Rome, je fais comme les Romains : je ne parle pas à la française ! Quand j'ai animé, près de vingt ans plus tard, à Paris, une émission intitulée « À boulets rouges », après la première diffusion une journaliste de *Télérama* écrivit : « Elle a la pêche et elle bombarde avec l'accent des personnages d'Antonine Maillet. » Je ris encore de cette remarque en sachant que *primo* c'était faux – l'auteure est acadienne –, *secundo*, j'avais présenté le programme avec mon accent habituel. Mais la réaction montrait que jamais les Français n'évolueraient sur ce sujet. Car Pélagie, héroïne d'Antonine Maillet, elle-même fort cultivée, n'avait pas la même langue que son auteure, folklorisée à Paris. Heureusement, son talent d'écrivaine s'imposa et lui permit de décrocher – on l'a dit – le prix Goncourt pour son roman si grouillant de vérité *Pélagie-la-Charette*.

CHAPITRE 45

Tout en accompagnant Claude dans ses déplacements professionnels à travers l'Europe, je travaillais sur ma thèse avec assiduité et Radio-Canada me commandait de plus en plus d'entrevues. Avec des personnalités aussi diverses que l'abbé Pierre, Charles Aznavour, Pierre Cardin, Maurice Schumann – alors ministre des Affaires étrangères – et Madame Claude – reine des call-girls chic qui avait dirigé, jusque dans les années soixante-dix, un réseau de prostitution dont la clientèle était composée de dignitaires du gouvernement, de diplomates et de hauts fonctionnaires. J'étais toujours étonnée de voir les personnalités de haut niveau accepter spontanément, et avec un plaisir quasi enfantin, d'accorder des entrevues à Radio-Canada. « Ah les Québécois, nous vous aimons », disaient-elles. Je me souviens, entre autres, d'un long entretien avec le P-DG du Groupe Renault d'alors, lequel précisa à l'antenne qu'il faisait une exception à sa règle de silence pour les Canadiens en reconnaissance du courage de nos valeureux soldats morts pour la France sur les plages de Normandie, d'où était originaire sa propre famille. À l'époque, la Régie automobile nationale était secouée d'affrontements syndicaux violents. Une chaîne française rediffusa notre entrevue sur son antenne, faute d'avoir elle-même réussi à convaincre le P-DG de s'adresser directement à ses compatriotes. Le lendemain, la presse parisienne nota « la différence de ton de cette jeune journaliste si directe, sans agressivité mais sans complaisance». Encore une fois, je bénéficiais du capital d'affection envers le Québec, ce qui transforma mon long séjour en une suite ininterrompue d'expériences professionnelles aussi stimulantes qu'amicales.

*

J'ai tout aimé de la France. D'abord les Français eux-mêmes, et ce, malgré leur arrogance, leur prétention, leur obséquiosité et leur complexe d'infériorité face aux États-Unis sous des dehors pourtant anti-Américains. Cela paraîtra simpliste mais, en ce temps-là, précisons-le, les Français avaient les défauts de leurs qualités, grandes à mes yeux.

Avec le recul, je crois que j'ai vécu les dernières années d'un pays plutôt heureux et optimiste, lequel n'existe plus. À travers les décennies, en effet, la France est devenue peu à peu haïe par une partie de ceux qui y ont pris racine. Car elle s'est transformée en pays sur la défensive, vivant des retombées d'une gloire perdue et qui a la nostalgie de sa grandeur passée.

La France où j'ai eu la chance de poursuivre mes études m'a donné le meilleur d'elle-même. Après moi, les étudiants québécois au doctorat prendront plutôt la direction des États-Unis, allant dans ces centres d'excellence que furent et sont encore, avec certaines réserves cependant, Stanford en Californie et Princeton, Harvard, Yale ou Columbia sur la côte est. Rétrospectivement, je mesure l'influence intellectuelle déterminante que la France a joué dans ma formation. Et je suppose que tous les étudiants qui vont parfaire leur doctorat à l'étranger sont marqués mêmement.

*

Après deux années de séjour, notre vie sociale était riche et animée. Nous recevions beaucoup mais étions aussi reçus régulièrement, ce qui est un gage d'amitié chez les Français : ils nous ouvraient les portes de leur résidence. Contrairement au Québec, en France on ne franchit pas le seuil d'une demeure aisément. Cela se mérite, pourrait-on dire.

Pour s'intégrer à la société française, il faut connaître les codes, comprendre les raccourcis verbaux et, bien sûr, les repères historiques. De plus, un Québécois doit impérativement saisir les différents niveaux de langage, sport pratiqué à haute échelle dans le milieu médiatico-politique. Sans ces prérequis, les Français vous laissent à l'écart, se rient de vous ou deviennent indifférents à votre présence, ce qui est la pire des choses pour quelqu'un qui souhaite participer à la vie locale tant les provinciaux sont à la fois moins fendants, comme on dit au Québec, plus aimables, moins guindés, moins distants et plus spontanés.

Lorsque Jacques Lamontagne et moi nous étions séparés, le divorce n'existait pas au Québec et ne pouvait être obtenu que par une loi privée du gouvernement canadien. Ce n'est qu'en 1968 que le code civil fut amendé. Ainsi quand, en 1973, Claude et moi avons souhaité nous unir à Paris, nous avons eu la chance de pouvoir obtenir tous les deux le divorce sans problème. Je dois rendre hommage, ici, à l'ex-épouse de Claude, l'écrivaine Andrée Thibault, car cette féministe convaincue ne souhaitait pas témoigner contre moi par solidarité féminine, la procédure légale obligeant qu'il y ait un coupable dans le couple. Ça n'est qu'après avoir longuement expliqué à Andrée qu'il serait impossible à son conjoint d'obtenir le divorce si elle persistait à défendre son principe – en tout point admirable – qu'elle céda. Je salue son geste généreux.

J'ai conservé le carnet de famille français offert par la mairie, reçu avec une émotion particulière le jour de notre mariage. Ne s'agissait-il pas d'un passeport de l'amour qui valait bien celui qui fait franchir sans obstacle les frontières géographiques ? J'ai connu une autre dimension de la bureaucratie française à cette occasion. Mais, encore une fois parce que québécois, on nous l'a permis, sans qu'on demande – il va de soi – de bénéficier d'un privilège. Le processus fut accéléré afin de garder la date du mariage que nous avions choisie.

Devant une vingtaine d'amis, à la mairie du 16e arrondissement, au nom de la République, le maire nous a unis. Dès notre arrivée à Paris en 1971, nous nous étions liés d'amitié avec Diane et Jacques Le Beuf, compatriotes psychanalystes venus s'installer en France pour « quelques années » qui ne rentreront jamais au Québec. Le matin de la cérémonie, Martin, alors âgé de six ans, s'est perdu durant une demi-heure entre la rue de la Pompe et l'avenue Paul-Doumer, ce qui m'ajouta une tension de plus, moi qui étais aussi excitée qu'énervée. Quand le beau petit rouquin est réapparu sourire aux lèvres, soulagés nous avons pu prononcer le oui. C'est alors que sa sœur Julie, trois ans, qui me servait de bouquetière et se trouvait assise à mes côtés, a tiré la manche de ma veste rose et m'a lancé, l'air radieux : « Alors, on est mariées toutes les deux maintenant ? » Ce fut le cadeau inattendu de ces noces. Les enfants et leur père seront à mes côtés lorsque je prononcerai l'oraison funèbre de ma si tendre, si douce et si fidèle amie Diane, dans la chapelle du cimetière de Montparnasse en 2015. Je me devais d'être là : les Le Beuf n'avaient-ils pas été associés à tous mes bonheurs en France depuis les années soixante-dix ?

*

J'ai rencontré Jean-François Revel après avoir suggéré son nom à un réalisateur de la radio à Montréal. J'avais admiré son brillant essai *Pourquoi les philosophes*. Comme, après, sa rupture avec le Parti socialiste, en 1970, j'avais dévoré son ouvrage percutant et limpide *Ni Marx, ni Jésus*.

Le personnage étant impressionnant, bien que je ne sois pas timide, j'étais un peu traquée à l'idée de le rencontrer. Il s'est présenté à nos bureaux de Radio-Canada et m'a accordé une entrevue d'autant plus passionnante qu'il était l'un des rares intellectuels français à tenir compte du public auquel il s'adressait, en l'occurrence les Québécois nord-américains. Je fus véritablement éblouie par les propos de cet esprit souple s'adaptant à ses interlocuteurs, dont l'humour ne masquait jamais la tristesse qu'il noyait dans de grands crus – qu'il me fera découvrir lorsque j'aurai le privilège de me compter parmi ses amis.

Après l'entretien, il affirma avoir grandement apprécié ma façon de l'interroger. J'en fus si flattée que je bafouillai de banals remerciements. Comme je lui confiai être en train de rédiger une thèse de doctorat sur l'ORTF, il m'invita sur-le-champ à prendre un verre au Berkeley, un bar-resto situé tout à côté des studios, avenue Matignon. Là, je lui exposai mes hypothèses de travail et, après une demi-heure, il décréta qu'il voulait un livre de moi. Et pour cause, il était directeur de collection chez Robert Laffont, ce que j'ignorais. Quelques jours plus tard, je signai un contrat en bonne et due forme. J'étais sidérée. Une banale conversation avait suffi pour qu'un intellectuel respecté, un honnête homme éminemment cultivé, me prenne sous son aile. J'avoue que, dans mon bonheur fougueux, je n'ai pas pensé que je pourrais le décevoir. J'avais uniquement signé des brûlots dans le *Quartier latin* du temps de mes études et voilà que, à trente ans, les portes de l'édition française s'ouvraient devant moi.

Je n'arrive pas à comprendre pourquoi la proposition du journaliste, si admiré au sein du monde fermé des arts et lettres, ne m'a pas plongée dans l'angoisse. Avais-je tant de candeur, de naïveté ? À moins que la conviction de voir Jean-François Revel me reconnaître des qualités intellectuelles m'ait donné une assurance à déplacer les montagnes. Si cet homme se commettait de la sorte, il percevait mes capacités, c'était sûr. Et cela me suffisait. D'une timidité qui intimidait les autres, sensible comme un baromètre, il se comporta toujours en parfait gentleman et me révélera intellectuellement. Je bénéficierai même, par la suite, de quelques citations dans deux de ses essais. Toute ma vie, je m'inspirerai de ce mentor exceptionnel.

*

Dès ma thèse de doctorat achevée, j'entamai la rédaction de l'essai en y incluant les données accumulées durant mon séjour à l'ORTF, à l'occasion d'un séminaire avec Jean Cazeneuve et des entretiens avec un spécialiste des médias de l'Université de Stuttgart, qui me reçut deux jours durant. Je ferai même un séjour d'une semaine en Côte d'Ivoire afin d'observer le travail du correspondant de l'ORTF qui, surpris autant par moi que par mes recherches, accepta cette intrusion. J'étais jeune, j'avais l'air plus jeune encore mais mon assurance servait de bouclier contre les machos de toutes catégories. En cas d'assaut, je leur indiquais de la manière la plus directe – donc la moins féminine selon les critères de l'époque – que je n'étais pas là pour la bagatelle. En Côte d'Ivoire, au restaurant de l'hôtel, un jour j'eus à appliquer ma méthode.

Je me souviens du soir où je me fis en effet draguer par un gentil Ivoirien aux pensées peu catholiques qui s'informa de mon statut civil et familial. «Je suis mariée mais je ne veux pas d'enfant», dis-je en riant. Il fut estomaqué. «Tu ne veux pas d'enfant, mais comment la Terre va se peupler alors ? — Grâce à toi», répondis-je en prenant congé.

*

Jean-François Revel exprima beaucoup d'enthousiasme lorsqu'il découvrit le manuscrit de *La Voix de la France*. Il partageait mon analyse, démontrait que la télévision française n'assurait pas une information libre – donc distanciée du pouvoir en place – et était, à cet égard, bien éloignée des grandes télévisions comme la BBC, les réseaux américains ou Radio-Canada. Lors du lancement, ce fut l'unanimité dans la presse. De l'extrême droite à l'extrême gauche, mon livre fut encensé. *Le Monde*, *L'Express*, *Le Figaro*, *L'Humanité* le saluèrent. J'obtins même un beau succès avec des ventes de 45 000 exemplaires. Dans les années soixante-dix, les ouvrages polémiques atteignaient souvent de tels chiffres. Ces critiques unanimes s'expliquent par le fait que tous les journalistes avaient des reproches à faire à l'ORTF, organisme qui éclatera peu de temps après, emporté par une restructuration plus conforme aux exigences des démocraties libérales.

Lors d'un dîner chez Robert Laffont destiné à marquer la sortie du livre, je fis la rencontre de Bernard Pivot, qui m'invita dans une émission de télévision placée sous sa houlette, programme ayant précédé son mythique « Apostrophes ». Par la suite, j'ai eu le plaisir de participer neuf fois aux débats vifs et riches de ce magazine culturel consacré à la littérature qui dura quinze ans (1975-1990). La première aura lieu en 1985, lors de la sortie d'*Une Enfance à l'eau bénite*, qui marquera un moment fort et douloureux de ma vie d'écrivain et dont je parlerai plus loin.

*

J'ai soutenu ma thèse le 18 juin 1974 à Paris I, place du Panthéon. Le jury était composé de Jean Cazeneuve, du sociologue Francis Balle et de Pierre Viansson-Ponté, cofondateur de *L'Express* puis éditorialiste au journal *Le Monde*, qui fut aussi l'un de mes mentors. Il m'avait invitée au restaurant après que Jean Cazeneuve m'eut recommandée à lui. En le voyant, j'avais eu un choc que je ne pus masquer. « Ça va ? » s'était-il enquis en souriant. — Excusez-moi, monsieur Viansson-Ponté, mais vous ressemblez à mon père. Physiquement, me suis-je empressée de préciser. — Je suis flatté », avait-il répondu. Je me suis gardée de le démentir et même de poursuivre sur ce sujet. D'ailleurs, jusqu'à sa mort, en 1979, je n'ai jamais évoqué avec lui mes relations avec mon père, dont il était l'extrême opposé : sa bienveillance, son raffinement, sa délicatesse et son regard sur la vie n'avaient vraiment rien de commun. Grand résistant, Viansson-Ponté avait accepté d'être membre du jury parce que lui-même détenait un doctorat en droit. J'ai appris beaucoup de la France à travers l'analyse qu'il en faisait. Le 15 mars 1968, n'avait-il pas signé un article dans *Le Monde* intitulé : « Quand la France s'ennuie », texte prémonitoire reconnu comme le déclencheur des événements du mois de mai suivant ?

Mes beaux-parents et ma mère avaient traversé l'Atlantique pour assister à la soutenance. En ce 18 juin, anniversaire de l'appel du général de Gaulle à résister à l'occupation allemande, tous les monuments français étaient pavoisés. Aussi, en arrivant place du Panthéon, pour faire une blague, j'ai lancé à ma belle-mère : «Regardez, belle-maman, ils ont mis tous les drapeaux pour moi.» Ce à quoi spontanément elle répondit : «Vous le méritez bien.» La candeur québécoise, l'ignorance historique mais aussi une gentillesse profonde ont accentué mon bonheur en cette journée mémorable.

Je défendis mon sujet avec force, détermination et assurance. Deux heures et demie plus tard, le jury se retira et ne mit qu'une demi-heure à délibérer. «Mention très bien et félicitations du jury», décréta un président Jean Cazeneuve tout souriant, comme ses collègues. Apparemment, je ne pouvais rêver meilleure notation.

*

J'ai quitté la France quelques semaines plus tard. Sans trop d'émotions tant je savais qu'elle m'accueillerait aussi bien tout le reste de ma vie. J'y avais tissé des liens d'amitié, le pays m'avait livré le meilleur de ce que j'y recherchais et j'avais appris à me soustraire aux tics locaux qui m'agaçaient – en particulier, la manie de prendre de haut quiconque n'est pas conforme aux codes et aux tendances du jour.

*

De retour au Québec, personne ne déroula le tapis rouge devant moi. À Radio-Canada, on m'offrit de travailler à la radio en tant que pigiste payée à la pièce. La télé n'avait rien à me proposer. J'envisageais de donner un cours en sciences politiques à l'Université de Montréal, mais le département affichait «complet», me fit-on savoir. Par chance, l'Université McGill m'offrit un poste de professeure avec possibilité immédiate de permanence. Je revenais donc dans un Québec où les anglophones m'ouvraient les bras tandis que les francophones me faisaient payer le prix d'avoir vécu à Paris. Je ne fus guère dépaysée : j'étais bel et bien de retour dans le pays qui m'avait donné le jour !

Chapitre 46

Je ne fus donc pas accueillie comme l'enfant prodigue. Ce dont je n'avais pas la prétention. Alors, l'hiver fut long. Il se prolongea même jusqu'à l'automne suivant. Heureusement que j'étais amoureuse, car sinon je serais retournée illico sur le Vieux Continent. Mon confrère Pierre Maisonneuve était devenu mon patron. J'imagine que cette proposition professionnelle n'était pas à son initiative, mais je n'ai pas cherché à savoir à quel niveau supérieur de la hiérarchie elle avait été prise. Cette tradition de Radio-Canada – traiter ainsi les journalistes ayant séjourné à l'étranger –, d'autres en firent les frais : la grande dame du journalisme des années cinquante et soixante que fut Judith Jasmin se vit ainsi envoyée dans la salle des nouvelles à son retour de Washington. Avec un chef de pupitre qui lui demandait de couvrir des faits divers et la mode. Nombre de correspondants de Radio-Canada ont subi pareil sort. Débarquant de Moscou, on les affectait à la politique municipale.

Ce phénomène s'étend au monde du spectacle. Gilles Vigneault, Robert Charlebois et tant d'autres, parce qu'ils se sont imposés à un moment en France, ont souvent été perçus comme des traîtres à la patrie. Sans doute les Québécois ont-ils eu longtemps peur de perdre leurs icônes. De façon plus générale, tous les artistes et créateurs aimés qui s'expatrient doivent rendre des comptes, rassurer le public, faire acte de québécitude et clamer leur amour du Québec. Céline Dion, la plus célèbre d'entre tous, a compris très tôt ce travers culturel. Habitant aux États-Unis depuis des décennies, elle revient « chez elle » régulièrement et le fait savoir. Elle y conserve aussi des propriétés, dont un chalet au bord d'un lac dans les Laurentides où elle assure que ses fils se comportent en « vrais Québécois ». Personne ne s'interroge sur l'expression puisque tout un chacun semble en saisir le sens.

*

Durant mes années à Paris, j'avais suivi la politique canadienne. Quoi de mieux que d'être à distance pour prendre du recul sur la période dramatique que fut la crise d'Octobre, dont les retombées s'estompaient à peine. Je retrouvai donc une société toujours traumatisée, gouvernée qui plus est par les mêmes acteurs politiques. Jean Drapeau était toujours maire de Montréal, Robert Bourassa Premier ministre du Québec, et Pierre Elliott Trudeau dirigeait le Canada. Par la force des choses, je posais un regard plus distancié que jamais sur les événements et me gardais bien, même avec des amis, de faire la moindre référence à la situation française. Car toute espèce de comparaison eût été déplacée, et avant tout mal perçue. Ce fut ma période du « faire semblant ». D'autant que, au plan professionnel, je repartais à zéro.

Claude m'encourageait, même si son statut professionnel posait problème puisque lui était redevenu réalisateur dans le service de l'information où j'aurais souhaité moi-même me trouver. Mon carnet de contacts parisiens me servit donc de tremplin. Je proposais des entretiens avec le Paris littéraire, politique, intellectuel et artistique, et les réalisateurs des magazines radiophoniques de tous genres s'enthousiasmèrent les uns après les autres à l'idée, certains croyant même que je bluffais lorsque j'affirmais connaître personnellement Jean-François Revel, Alain Peyrefitte, Raymond Aron, le philosophe René Girard, la chanteuse Dalida. Un jour, à force d'obtenir des entretiens avec tant de personnalités passionnantes, la direction du service estima que je coûtais trop cher. Si, initialement, les patrons avaient pensé me commander un entretien par semaine, payé des misères, en constatant que je réussissais à «vendre» aux réalisateurs jusqu'à six ou sept sujets et invités hebdomadaires, en découvrant que les auditeurs en redemandaient, ils durent changer leur fusil d'épaule. Et m'offrirent un contrat forfaitaire jusqu'à la fin de la saison, en juin. Ce qui me permit de remettre les pieds à Radio-Canada.

Pigiste, je le fus jusqu'en 2004, jusqu'à ce qu'un patron venu de l'extérieur, Mario Clément, me signifie mon congé *via* un courriel… non signé – je reviendrai sur cet *exit* étonnant. N'ayant pas le tempérament courtisan, étant par nature peu portée au profil bas, je peux donc écrire et affirmer, sans fausse modestie, que c'est en m'imposant par mon ardeur au travail et certaines qualités propres que je suis parvenue à exister et à imposer ma marque dans ce métier, le seul au monde qui m'ait permis de vivre emportée par une liberté grisante. Jamais je n'ai souhaité obtenir de permanence d'emploi, et même si cela paraîtra prétentieux à certains, j'ai retiré des plaisirs intenses à cette situation : savoir que l'on renouvelait mes contrats signifiait que l'on me reconnaissait des dons singuliers et que le public me respectait.

*

En novembre, lors de son cinquième congrès, le Parti québécois inscrivit dans son programme la tenue d'un référendum qui devrait avoir lieu avant la proclamation de la souveraineté du Québec, idée proposée par celui qu'on baptisera le «père de l'étapisme», Claude Morin. Cette volonté annonçait le débat futur, théorique puisque peu de gens pouvaient anticiper les résultats politiquement foudroyants de l'élection du 15 novembre 1976. Le 26 octobre 1975, la terre canadienne se mit à trembler lorsque la maison de sondage CROP annonça qu'en cas d'élections le Parti québécois renverserait le Parti libéral du Québec de Robert Bourassa. À compter de cette date, le climat politique s'électrisa.

Une distraction de taille détourna un temps l'opinion : Montréal se préparait à recevoir, l'année suivante, les jeux Olympiques. Ce chantier vit les syndicats se comporter en irresponsables, débrayant à plusieurs reprises afin d'ajouter des tensions supplémentaires à celles nées des délais à tenir pour la construction des infrastructures. En conséquence, les coûts prévus augmentèrent considérablement. Et Pierre Elliott Trudeau avertit Robert Bourassa que le gouvernement canadien n'épongerait pas le déficit, annoncé par certains comme colossal.

Je me souviens des polémiques sans fin déclenchées à cause de ce rêve du maire de Montréal, initiateur du projet qui s'ajoutait à l'Exposition universelle de 1967 dont lui-même avait été le parrain. La suite démontra que si la folie des grandeurs de Jean Drapeau avait assuré la renommée internationale de Montréal et du Québec, les Québécois n'avaient pas les moyens financiers des visées de leur extravagant, entêté mais tout de même admirable maire. Quant aux syndicats, si la décennie soixante-dix leur fut faste, la majorité des travailleurs non syndiqués en paieront par la suite un prix élevé, faisant d'eux les plus taxés des contribuables du Canada.

*

À l'automne 1975, je repris du service à la radio en animant un magazine de politique étrangère : «Présent international». Ma recherchiste de l'époque, Lucie L'Heureux, possédait un talent rare : celui de convaincre des invités issus de tous les coins de la planète de se réveiller la nuit, décalage horaire oblige, pour accorder un entretien de dix minutes. Nous avions, elle et moi, tous les culots. C'est grâce à elle que, des chefs d'État africains aux rebelles des guerres claniques du Moyen-Orient en passant par des dissidents qui prenaient le risque de se faire emprisonner, tous nous accordaient des entretiens. Nous avons réussi – exclusivement en l'obtenant par téléphone – à diffuser une information de grande qualité, offrant aux auditeurs un accès unique et différent au vaste monde. Cette expérience m'obligea à me pencher sur des événements qu'ignorait notre public, pourtant très curieux. J'ai adoré ces deux années studieuses et parfois émouvantes. Dont quelques invités furent, par la suite, assassinés après avoir été emprisonnés et torturés.

Cette émission m'a aussi permis d'observer la politique québécoise avec plus de recul encore. Cela ne signifie pas que la victoire du Parti québécois, le 15 novembre 1976, ne m'a point bouleversée. Je me souviens en effet avoir regardé les résultats de l'élection avec mon mari chez mon amie Louise Marleau, qui venait d'accoucher de sa fille Sarah, laquelle pleurait sans arrêt tandis que j'assurais à Louise et à son compagnon Jean Salvy que le petit bébé pleurait de joie. Ce soir-là, je laissai libre cours à mon émotion car nous étions entre amis. Mais dès le lendemain, avec effort je l'avoue, j'entrai à Radio-Canada la tête froide. Et je ne vivrai pas ces années de retenue professionnelle comme une contrainte insurmontable. Car j'ai toujours apprécié l'éthique anglo-saxonne exigeant des journalistes de l'objectivité, relative, certes, n'exagérons pas, mais au moins patente. Mon expérience du journalisme à la française m'avait convaincue des avantages de l'approche anglo-saxonne, qui était la nôtre. Je me sentais plus à l'aise avec les garde-fous où le journaliste n'usait pas du « je » mais de formules du genre « l'opinion publique croit que ».

Le journalisme militant est devenu la règle, de nos jours, chez nombre de confrères qui ont choisi leur camp et n'ont aucune gêne pour l'afficher ; personnellement, je ne suis pas d'accord avec cette évolution. Je parle bien sûr des journalistes pour lesquels l'actualité est une matière brute dont ils sont les courroies de transmission, et non des chroniqueurs – ce que je suis devenue –, eux, par définition, prenant position.

En 1976 après l'élection du Parti québécois, j'étais très heureuse d'animer une émission exclusivement consacrée à la politique étrangère : au moins cela me mettait à l'écart des batailles aussi intenses que clivantes dans lesquelles le pays baignait. Car cette victoire, nous étions nombreux à la vivre comme un rêve. Et je crois que le Premier ministre René Lévesque la vivait, lui, avec une ambivalence à laquelle une partie des Québécois s'identifiait. Ce fut, en ce sens, une victoire remplie de doutes, d'inquiétude et de fol espoir. Car l'élection du PQ n'entraînait pas l'indépendance mais annonçait un référendum que les plus lucides, René Lévesque d'abord, appréhendaient. Il est évident que, sans cette promesse d'un référendum, le Parti québécois n'aurait pas été élu le 15 novembre. Bernard Landry – que j'avais croisé durant mes études à l'Université de Montréal, qui fut élu et devint immédiatement ministre – m'a raconté plus tard, lorsque notre relation devint amicale avec son épouse Chantal Renaud, que les jours suivant son assermentation, quand il entendait un animateur à la radio parler du « ministre Bernard Landry », il ne parvenait pas à croire qu'il s'agissait de lui. L'anecdote illustre la stupeur dans laquelle se trouvaient nombre de souverainistes. Le poids de l'enjeu, une espèce de sentiment d'imposture ancré dans l'âme québécoise et le vieux complexe minoritaire des Canadiens français relativisaient ce moment historique. Je me rappelle René Lévesque, sourire quasi douloureux sur les lèvres, en train de prononcer sa terrible phrase, le 15 novembre, une heure après les résultats du vote, disant : « On n'est pas un petit peuple, on est peut-être quelque chose comme un grand peuple. » Les épithètes et les adverbes, dont le Premier ministre élu avait choisi d'émailler son discours, illustraient et illustreront encore la dimension tragique de notre histoire. Une histoire de perdants.

*

Toutes ces années, je les vivais aimée d'un mari que j'aimais. Je n'avais jamais rêvé d'être mère, car je doutais de pouvoir concilier le travail et la maternité. Claude avait quatre fils. Et comme les hommes de sa génération, à cause de la nature de son travail qui l'avait conduit au bout du monde, il avait été un père absent. Le resterait-il, si ? J'éprouvais aussi des appréhensions à l'idée de devenir enceinte, puisque j'avais failli mourir à la naissance et n'avais cessé d'entendre ma mère décrire son accouchement avec des termes apeurants. « Le docteur est allé te chercher en plongeant son bras dans mon ventre. Il m'a toute déchirée », m'avait-elle rebattu les oreilles.

Grâce à l'amour rassurant que me portait Claude, je me laissai pourtant peu à peu apprivoiser par l'idée d'avoir un bébé. J'en parlais parfois à mon mari, chez qui le désir d'enfant n'existait plus. Mais cette envie devenait de plus en plus présente en moi. Un soir, dans un moment de grâce commune, j'ai demandé à Claude de me faire un enfant. «Je t'aime trop pour te refuser cela, m'a-t-il dit, même si je ne l'envisageais plus pour moi.» Quelques mois plus tard, j'étais enceinte. Durant la grossesse, mon énergie décupla. Je travaillais avec une ardeur qui impressionnait mon entourage, n'éprouvais aucun malaise, ne ressentais aucune nausée, gagnée par le sentiment aigu de l'invincibilité. Invitée par l'Unesco à participer à un colloque à Athènes, je me retrouvai, avec un gros ventre, parmi d'éminents intellectuels européens dont Philippe Sollers et mon ami Anthony Smith d'Oxford. Et j'y débattis, avec une pugnacité joyeuse, de la liberté des médias. Durant ces réunions je constatais l'impression que je faisais, avec mon ventre énorme, à tous ces machos, les Grecs en particulier, qui me traitaient avec un sentiment teinté d'admiration, de respect et d'étonnement. Car je me bagarrais sans y mettre de gants, ce qui n'est pas de mise dans ces rencontres internationales protocolaires. J'eus un tel succès que, lors de la réception au palais présidentiel d'Irrodou Attikou, la femme du Premier ministre Konstantinos Karamanlis m'invita à prendre place à ses côtés sur le seul canapé de la salle des fêtes, le reste des invités étant debout. J'eus aussi droit au chauffeur officiel lors de mon départ le lendemain, jour où le Premier ministre et son épouse m'invitèrent à prendre le thé et m'offrirent une cuillère en argent destinée à mon futur bébé. M. Karamanlis m'interrogea évidemment sur l'élection du Parti québécois. Je m'efforçai de lui donner un point de vue plus complet que celui des électeurs québécois grecs. Il se montra fort intéressé mais ne put masquer une certaine inquiétude pour «ce grand et paisible pays, le Canada».

Mon fils Guillaume arriva sans s'annoncer, donc plus tôt que prévu, le 20 décembre 1977. C'était l'époque où l'on parlait d'un accouchement sans douleur. Pourtant, j'ai vécu vingt-sept heures de contractions provoquées, subi une péridurale, puis une césarienne – je refusai l'anesthésie générale – pendant laquelle j'ai cru sentir la main de l'obstétricien sur mon péritoine. Ce fut donc un accouchement difficile, à tel point que j'en voulus aux formatrices des cours prénataux, zélotes du prétendu accouchement sans douleur, de nous avoir bourré le cerveau alors que les contractions insupportables endurées chaque minute durant des heures n'avaient rien eu de paisibles. Mon gynécologue, le beau Bernard Lambert, déclara que j'avais l'utérus «paresseux» mais qu'il était convaincu que c'était le seul organe paresseux de ma personne. Le papa, qui souhaitait une fille après quatre garçons, devint fou dès qu'il découvrit son dernier fils tout rose et tout long. Je passai Noël à l'hôpital, mon bébé dans les bras, lui chantant tout le répertoire des fêtes, d'«Adeste Fideles» en passant par «Les Anges dans nos campagnes» et «Le Petit nez rouge». Ma mère ne vint nous visiter que six jours plus tard (elle fut absente le jour de Noël, donc). Je pense qu'elle s'imaginait avoir accouché. Très enceinte, j'avais voulu qu'elle palpe mon ventre énorme mais elle s'y était refusée. J'aurai dû me douter que la situation lui rappelait trop de choses.

Mère euphorique, je me pâmais devant mon Enfant-Jésus et son papa. À la mi-janvier, je repris l'antenne. Comme j'avais l'avantage de préparer mes émissions à la maison, je donnai congé à une nounou qui se croyait dans une famille d'aristocrates anglais et qui s'était emparée de mon garçon pour le former comme à l'armée. Dehors, les tempêtes de neige se succédaient et dans la cheminée le feu crépitait jour et nuit. Je me regardais dans le miroir et me souriais. Ma vie prenait tout son sens.

Chapitre 47

Cette période de ma vie de mère, d'épouse comblée entourée d'amis stimulants, drôles et chaleureux, n'arrivait pas à apaiser ma rage de vivre, ce rappel constant chez moi que la tragédie peut surgir à tout moment. Depuis l'enfance, et peut-être à cause de celle-ci, mes bonheurs – à vif – ont été indissociables de la peur de mourir. L'histoire de ma naissance, que ma mère s'est appliquée à me raconter puis à rabâcher dès mes dix ans, demeurait dans mon esprit comme une épée de Damoclès. Un jour, alors que je lui faisais une scène terrible remplie de cris et de larmes afin qu'elle mette un terme à mon angoisse de disparaître, elle se complut à dévoiler le récit de ma quasi-mort, certitude ancrée en elle dès ma venue au monde qui n'avait jamais pu être effacée de son cerveau malgré l'injonction de la religieuse de l'hôpital de la Miséricorde, où je suis née, lui assénant : « Votre petite fille ne va pas mourir. » Forcément, lorsqu'on est élevée dans cette angoisse-là, on la voit grandir en soi et on peine à s'en défaire, même arrivée à l'âge adulte.

Aussi, moi-même j'avais craint de mourir durant l'accouchement de mon fils, raison pour laquelle j'avais refusé l'anesthésie générale. Mais dès que Guillaume fut dans mes bras, je compris combien je lui serais désormais indispensable et que je ne mourrais pas avant qu'il soit autonome. Les décennies ont passé, notre lien est devenu incassable. Même à quarante ans, ce fils que j'aime ne se détache pas de moi. Il tente de s'éloigner, de me mettre en distance, se révèle être mon critique le plus lucide et le plus féroce, mais, malgré tout, il demeure le garçon affectueux dont je sais qu'il s'inquiétera et sera à mon chevet le jour où je serai malade. Pour le moment il me voit éternelle. Tant mieux. Cela écrit, j'en viens à penser que les fils qui disent détester leur mère sont en fait des hommes blessés, meurtris et malheureux d'une relation mère-fils complexe parsemée de non-dits. Ce rapport est terriblement passionnel, personne ne l'ignore.

*

L'année 1978 me ramena à la télévision. Pour l'émission « Hebdo-Dimanche », où je m'entretenais avec des personnalités de tous les horizons, y compris la politique. À cette époque faste, les entrevues duraient une demi-heure ou une heure au gré des impératifs de l'actualité, et le temps consacré à l'information ne se voyait pas découpé en clips de quelques minutes, voire hachuré en séquences de trente secondes. C'était l'ère de la télé pédagogique où l'on s'accordait le bonheur de réfléchir à l'antenne.

Un jour, après avoir quitté la politique, Pierre Elliott Trudeau m'invita à déjeuner après que je l'eus croisé au centre-ville de Montréal. Moi qui ne l'avais jamais côtoyé en dehors des entretiens télévisés, je découvris un homme qui avait perdu, non de sa faconde mais de son arrogance. « Vous savez, me confia-t-il, j'ai apprécié nos affrontements à la télévision. Avec vous, c'était possible d'aborder mon action politique sous un angle plus philosophique. » Je le vois encore hochant la tête en souriant. Le vieux monsieur demeurait le séducteur qui avait fait le plein de voix auprès des Canadiennes et de multiples Québécoises pourtant nationalistes. « Je vous parle sincèrement, ajouta-t-il. — Je vous en remercie », ai-je fini par répondre. Se souvenait-il que, lors d'une interview, dans le cadre de « Noir sur blanc », après sa réélection à la tête du Canada en mars 1980, trente secondes avant de prendre l'antenne en direct, assis à moins de deux mètres de moi autour d'une table triangulaire, il avait osé me souffler : « Hum ! Je pourrais vous faire du genou. » Ce à quoi je lui avais murmuré entre les dents : «Essayez toujours, monsieur le Premier ministre.» Et d'enchaîner tout sourires par un : «Mesdames, messieurs. Bonsoir. Mon invité aujourd'hui est le Premier ministre du Canada.» Ce qui lui indiquait que la partie serait rude et que sa tentative déstabilisatrice était passée dans le beurre. De fait, le combat intellectuel, pour reprendre son expression, avait débuté sous le signe d'une agressivité enrobée de séduction réciproque.

De nos jours, j'imagine qu'un politicien qui oserait – c'est quasi impensable – pareille remarque serait immédiatement dénoncé par la journaliste et, devant le tollé, se verrait vite contraint de démissionner. Mais son propos, je ne l'ai pas vécu de la sorte. J'ai compris que le Premier ministre cherchait à me désarçonner. En vérité, sa provocation, facétieuse à mes yeux, m'a fouettée, et je l'écris bien modestement, permis de faire l'une de mes meilleures prestations télévisées. Il avait stimulé mon envie de lui faire perdre sa maîtrise et de lui montrer qu'on ne jouait pas à ce jeu-là avec moi. Conséquence, j'ai souffert lorsqu'il démolira à l'antenne une consœur, quelques années plus tard, et j'en fus même scandalisée. Sans doute avait-elle la couenne moins dure que la mienne et, devant Pierre Elliott Trudeau, son trac était-il palpable. Pour autant l'arrogance et le dédain qu'il manifesta à cette occasion ne le grandissaient pas. Quant à son dilettantisme de grand bourgeois millionnaire de gauche, qui osait traiter le Premier ministre du Québec Robert Bourassa de «mangeur de hot-dogs» parce qu'il avait l'outrecuidance – à ses yeux – de l'affronter au nom du nationalisme québécois, il me choquait profondément et me donnait envie de le pousser dans les cordes. D'autres confrères et consœurs n'osaient pas. Cela dit, j'ai toujours pris soin de ne jamais sous-estimer les capacités intellectuelles de ce roi du sophisme, trait de sa personnalité qui se révélait être un piège dans lequel nombre de journalistes tombaient.

*

Au cours de cette année 1978, je reçus un appel de Louise Lanctôt, membre du FLQ toujours réfugiée à Paris. L'activiste de la crise d'Octobre souhaitait briser le silence et me proposait une entrevue exclusive pour la télévision de Radio-Canada. De fait, elle et son mari, Jacques Cossette-Trudel, désiraient rentrer au pays avec leurs deux enfants, ne supportant plus l'exil. L'entretien les incriminerait mais, malgré la prison qui les attendait, ils désiraient revenir au Québec et se disaient prêts à se raconter.

À Radio-Canada, certains confrères journalistes piaffèrent, s'estimant plus aptes à mener l'interview. Et le firent savoir. En vain. Louise Lanctôt n'accorderait ce scoop qu'à moi, assurée que si je posais les questions elle ne serait ni piégée ni instrumentalisée. Elle jouait sa vie, consentait à être condamnée et emprisonnée – comme son conjoint – dans l'espoir de retrouver sa liberté, mais désirait le faire à sa manière.

Mon amie réalisatrice Micheline Di Marco et moi nous sommes rendues à Paris pour trente-six heures. Une amie française nous avait prêté son appartement. Une obligation pour assurer plus de discrétion à l'entretien et éviter l'intervention du correspondant de Radio-Canada en France, Lucien Millet, lequel tenta quand même de faire échouer la rencontre en informant l'ambassadeur du Canada, Gérard Pelletier, ex-journaliste proche de Pierre Elliott Trudeau.

Pour la première et seule fois de ma carrière je devins paranoïaque. Je surveillais tout, m'inquiétais de tout. Comme Micheline Di Marco était logée dans un hôtel inconnu du bureau de Paris – afin d'éviter les fuites –, une fois l'interview enregistrée, elle conserva la cassette dans son sac à main jusqu'à son départ le lendemain matin. J'avais prévu de rester quelques jours supplémentaires à Paris. Lorsque je rentrai à Montréal, l'entretien avait été diffusé. Le douanier m'accueillit en riant : « Vous avez frappé fort. » C'était vrai.

Louise Lanctôt et Jacques Cossette-Trudel revinrent au Canada en décembre. À leur descente d'avion, les policiers les mirent en état d'arrestation. Après huit mois de prison, Louise Lanctôt fut libérée tandis que son mari fut détenu plus d'un an. J'ai croisé Louise Lanctôt à une ou deux reprises par la suite. Le couple se sépara, et l'un comme l'autre prirent leur distance avec les felquistes sans vraiment désavouer leur acte.

*

Au début de 1979, j'entrepris des pourparlers avec la direction de l'information, laquelle appréciait mon travail au sein de l'équipe d'« Hebdo-Dimanche », dont je n'étais qu'un des interviewers. Mon approche, mes performances à l'antenne et les nombreux commentaires des téléspectateurs convainquirent mes patrons de me confier une émission. À cette époque d'avant la personnalisation à outrance, peu de journalistes de Radio-Canada avaient le privilège d'animer « leur » émission. Pourtant, j'eus la chance et l'honneur de concevoir « Noir sur blanc », dont je choisis moi-même le titre. Une heure hebdomadaire dont je souhaitais qu'elle reflète mes intérêts éclectiques, ma vision généraliste et mon esprit de synthèse. Quant à mes fantaisie personnelle et mon sens de l'humour – ils surprennent toujours –, il faudra attendre l'éclatement des genres où la politique et le show-biz se confondent pour que je me permette de les mettre en pratique et de briser mon image de femme sérieuse et agressive.

Je devins donc la première femme à animer une émission d'affaires publiques durant laquelle les hommes politiques se prêtaient, avec plus ou moins de bonne grâce et d'habileté, au jeu des questions-réponses. La première eut lieu en septembre 1979. Et « Noir sur blanc », titre qui m'allait comme un gant mais dont j'usai avec précaution tant mon image de femme n'ayant pas froid aux yeux braquait des téléspectateurs et énormément de téléspectatrices – le féminisme, à l'époque, n'avait pas encore trouvé sa vitesse de croisière militante –, fut un succès.

« Noir sur blanc » m'a procuré des joies intenses. L'émission a permis d'orienter ma carrière vers les entretiens politiques. Les politiciens, dans nos démocraties, ne sont pas toujours à la hauteur des attentes des citoyens, ni tous charismatiques, d'ailleurs, mais ma longue expérience me porte à croire qu'à part les cyniques et les crapules, tous sont habités par le désir de servir réellement la population. Même si ce métier leur apprend rapidement à flatter les gens, sans toujours échapper à la flatterie eux-mêmes, ils possèdent pour bon nombre le sens de l'État. Les hommes politiques luttent rarement contre la vanité alors que les femmes ont plutôt tendance à materner, certaines avec le fouet, ou à séduire – ce qui est plus pervers. Normal puisque la séduction reste, encore, l'arme féminine la plus efficace pour convaincre. J'avoue que cette séduction m'a permis d'obtenir de mes invités mâles des réponses à des questions parfois trop directes, voire brutales. Je laissais en effet aux confrères les combats de coqs, sachant combien les téléspectateurs jugeaient très négativement les femmes de mon genre. Mieux valait donc que j'agisse autrement. Ce qui fait qu'à travers des études commandées par Radio-Canada auprès des téléspectateurs, j'appris être la seule femme à attirer davantage d'hommes. Comme me l'a un jour déclaré une dame m'ayant abordée dans la rue : «Je tiens à vous dire que mon mari vous apprécie énormément. — Et vous ? avais-je répliqué d'un ton léger. — Oh moi la politique, ça ne m'intéresse pas tellement.» Les temps ont changé mais le jugement sur les femmes trop sûres d'elles reste le même et on les classe encore selon des critères qu'on pourrait, à tort, croire révolus. Je pense donc qu'il faut enseigner aux filles d'aujourd'hui la façon de remballer vertement ceux qui les traitent avec hauteur ou condescendance, plutôt que de les inciter à se réfugier dans les bras de ceux qui les accueillent comme des victimes.

*

J'étais une mère inquiète et exubérante à la fois. Avant tout, une mère présente qui prenait soin de limiter ses activités à Radio-Canada à deux ou trois réunions par semaine auxquelles s'ajoutait l'émission en direct du samedi en fin d'après-midi. Après avoir été un père absent pour ses quatre fils, Claude s'était métamorphosé en papa-poule. Il m'a enseigné à donner le bain à Guillaume, moi qui craignais de le voir glisser dans la baignoire miniature. J'appris vite et bien. Quand je ne conversais pas avec mon fils (c'était bien avant qu'il puisse me répondre), j'étais au téléphone. Sans doute est-ce la raison pour laquelle, aujourd'hui encore, il ne me rend guère mes appels sans me faire auparavant languir. Son sens de l'humour envers moi est parfois fantaisiste. À moins qu'il s'agisse d'un moyen d'exprimer son indépendance.

Ma mère, elle, préférait m'avoir au téléphone que me visiter. Pourtant, je l'invitais régulièrement dans la ferme que nous avions achetée au retour d'Europe. Mais elle n'aimait pas la campagne, répétait-elle. Moi j'avais surtout le sentiment qu'elle ne voulait pas quitter mon père, le couple sado-maso qu'ils formaient m'atterrant toujours. Me trompais-je ? Au début des années deux mille, après la mort de maman, j'ai découvert des photos d'elle prises par mon père – qui était décédé, lui, à quatre-vingt-neuf ans en 1990. Sur ces images, où elle avait une soixantaine d'années, je la voyais souriante, minaudant, même, face à l'objectif. J'en fus ébranlée. J'avoue que, depuis toujours, j'avais refusé d'imaginer que cette femme, qui avait été humiliée, offensée et malmenée durant les années où j'avais vécu avec mes parents dans ce que je me refusais à appeler une maison familiale – «Je vais chez ma mère», disais-je lorsque j'allais lui rendre visite après avoir quitté définitivement ce lieu douloureux et toxique –, ait pu être heureuse et même épanouie avec un homme de ce genre.

Claude et moi avons déménagé dans une immense maison bourgeoise d'Outremont à la fin 1977. Lorsque ma mère découvrit la résidence, elle se tut. «Qu'est-ce que t'en penses ?» demandé-je. Elle hocha la tête négativement. «C'est trop grand ici, trop...» Je compris. «Trop riche, veux-tu dire ?» Elle balaya des yeux la pièce lambrissée, aux plafonds hauts de quatre mètres, décorée d'une magnifique cheminée et ajouta : «C'est pas not' monde, c'est pas nous autres.»

Je venais de dépasser son rêve. Elle craignait de m'avoir définitivement perdue.

CHAPITRE 48

La notoriété est de même nature que de décrocher le gros lot : elle transforme les relations aux autres. Et peut aussi faire perdre la tête. Ayant été entourée, dans mon métier, par nombre de personnes qui se prenaient pour le nombril du monde, j'ai vite vu que la célébrité médiatique n'est un gage ni de compétence, ni de qualité de cœur, ni de vertu. Être reconnu en public n'est pas la preuve d'une quelconque supériorité, encore moins morale. Aussi, avec « Noir sur blanc » et l'exposition que l'émission m'offrait, si ma vie changea, personnellement je me suis efforcée de ne pas changer.

*

Curieusement, la notoriété fascine. Elle attire les courtisans en tous genres, provoque l'envie de beaucoup et le ressentiment de ceux auxquels on déplaît, en raison, suis-je portée à croire, de la « chimie » que l'on dégage. Elle est à la fois un avantage et un obstacle, qui exigent de savoir prendre ses distances. J'ai ainsi vite été perçue et décrite comme « intelligente », adjectif accablant alors pour une femme car synonyme aussi de « mal baisée » acariâtre. Un ministre, à côté duquel je m'étais retrouvée dans le train entre Montréal et Québec, me le dit un jour tout de go après avoir ingurgité scotch sur scotch au long du trajet – dans les années quatre-vingt, les politiciens ignoraient le Perrier.

En arrivant à la gare du Palais dans le Vieux-Québec, son surmoi, dirait Freud, flottait dans l'alcool et lui fit dire : «Je vais vous parler directement, chère Denise. Vous êtes beaucoup trop intelligente pour être séduisante.» J'accusai le coup mais me retins de lui rétorquer que, lui, ne l'était pas assez pour l'être.

J'ai vu nombre de femmes très intelligentes camoufler volontairement ce trait de personnalité. Histoire de mieux désarmer les machos, peu intelligents mais trop agressifs dans les rapports de pouvoir. Un jour, mon fils de huit ans, au retour de l'école me dit :

«Maman, les enfants disent que t'es baveuse à la télé avec les ministres.

— Ce sont leurs parents qui parlent ainsi. Ça veut dire que maman fait bien son travail, qu'elle ne laisse pas raconter des mensonges.

— Ils sont cons alors leurs parents», répliqua-t-il.

J'ai haussé les épaules, fière de lui.

*

Toute ma vie je me suis entourée d'amies intelligentes, folles, ambitieuses, victimes parfois dans leur vie amoureuse, mais jamais complaisantes. J'ai pu choisir quelques-uns de mes collaborateurs alors qu'à Radio-Canada les cadres se voyaient en général travailler avec le personnel qui leur était affecté. Pour «Noir sur blanc», je rapatriai par exemple du pays de Maria Chapdelaine Micheline Fortin, ma Micheline qui fait encore carrière à Radio-Canada. Une fille fonceuse, la terreur des petits «boss», une vraie Québécoise capable d'appeler le Premier ministre en pleine nuit si nécessaire. Mais aussi Marie-Diane Faucher, douce, rieuse, d'elle comme des autres, appliquée, imaginative. J'ai débauché d'un collège mon camarade de sciences politiques Jean-Claude Le Floch, inclassable personnage surdoué, attiré uniquement par des maîtresses femmes, travailleur acharné perfectionniste, qualité essentielle dans un monde des médias où l'improvisation règne. Ces trois complices furent le socle inébranlable de l'émission qui deviendra la référence journalistique de l'époque, et qui scellera ma carrière.

*

À Noël 1978, en famille à la Guadeloupe, je fis la connaissance de Louise Beaudoin, pasionaria indépendantiste du Québec avec laquelle je nouai une relation d'amitié. Une relation qui deviendra difficile lorsqu'elle sera nommée ministre du PQ puis déléguée générale du Québec à Paris. Son ardeur militante s'accommodait en effet mal avec ma rigueur professionnelle, celle-ci supposant une distance critique avec tous les acteurs politiques. Notre amitié a survécu mais a connu des périodes turbulentes qui m'ont été douloureuses, je l'avoue. Pour elle aussi, je suppose.

Claude Sylvestre incarnait la télévision des pionniers de Radio-Canada. Avec quelques autres réalisateurs, il croyait à la valeur pédagogique de cette technologie récente. Lui, comme certains de ses confrères, estimait que le service public avait un rôle spécifique et s'en voulait le serviteur. Pour autant, à la fin des années soixante-dix, malgré la ferveur populaire et l'espoir d'émancipation du peuple québécois, le statut de Radio-Canada, institution fédérale, plaçait le réseau français dans une situation délicate. Véhicule de la culture canadienne, voilà qu'une partie non négligeable des Québécois francophones remettait en cause cette culture dite canadienne. Le Parti québécois était au pouvoir pour réaliser l'indépendance du Québec. Les déchirements des Québécois s'exprimaient par l'affrontement entre fédéralistes et souverainistes, ce différend se retrouvait au sein du service de l'information, fer de lance du contenu politique.

Les patrons de l'information couraient donc le risque de devenir les cerbères de l'orthodoxie fédéraliste. Plusieurs membres de cette rédaction furent ainsi choqués lorsqu'on annonça la nomination de Pierre O'Neil, ex-journaliste devenu l'attaché de presse du Premier ministre Pierre Elliott Trudeau. Cette désignation, marquée, rompait avec la tradition de relative neutralité de notre institution.

Pierre O'Neil était un personnage moins autoritaire que cassant, plus angoissé qu'assuré, en somme un Canadien français complexé. En particulier face aux Français. À la fin des années quatre-vingt, je lui proposerai une entrevue avec le Premier ministre français Michel Rocard, que je connaissais personnellement. « Tu ne vas pas interroger tous tes amis », me lança-t-il. Je le regardai avec stupéfaction. «Je t'offre un entretien exclusif avec le chef du gouvernement français qui, par hasard, est un ami. Permets-moi de te faire remarquer que tu réagis comme un vrai colonisé canadien-français. Tu crois que les grands de ce monde ne nous trouvent pas assez importants et cultivés pour nous fréquenter en amis ? » Il devint blanc comme un drap tandis que je quittai son bureau avant qu'il ne se soit ressaisi. Disons, pour la petite histoire, que notre relation se déclina vite sur le mode de l'amour-haine. J'aurai l'occasion d'y revenir.

*

Claude Sylvestre avait été un proche collaborateur de René Lévesque. Mais aussi un ami de Pierre Elliott Trudeau. Si, par tempérament, il réussissait à concilier les uns et les autres, comme beaucoup d'hommes il avait tendance à vouloir se montrer capable d'affronter les symboles d'autorité. Ainsi, il quitta Radio-Canada à la fin des années soixante-dix pour rejoindre un concurrent officiel, la télévision de Télé-Québec au mandat alors essentiellement pédagogique. Bientôt directeur des programmes puis vice-président, il s'efforça de rendre la chaîne plus populaire.

Son départ, après plus de vingt ans de carrière à Radio-Canada, vit la direction le considérer comme un traître. Aucune fête ne fut organisée en son honneur. Seuls de proches collaborateurs osèrent lui offrir un pot, tenu dans son bureau. Comme quoi, les Canadiens français ont tendance à se vivre en frères ennemis. Cette attitude à son égard me peina, on s'en doute.

*

Le gouvernement de René Lévesque montra que nationalisme et progressisme n'étaient pas contradictoires. Le gouvernement péquiste décréta, entre autres mesures, le français comme seule langue officielle au Québec, créa la Société de l'assurance-automobile du Québec, vota la loi sur le financement des partis politiques, une des plus audacieuses en Occident.

Durant ces années d'avant le premier référendum sur la souveraineté – qui se déroulera le 20 mai 1980 –, les Québécois devinrent de plus en plus fébriles. Les uns craignaient l'Apocalypse et les autres rêvaient de l'entrée dans le ciel bleu de la libération collective. Chaque semaine, l'un des invités non politiques de «Noir sur blanc» faisait référence, parfois de façon indirecte, à ce rendez-vous historique improbable. Or la direction de Radio-Canada, pour se protéger, avait mis en place une comptabilité (plus ou moins efficace) des invités en faveur ou contre le Oui au référendum. Cela plaçait la rédaction de l'émission sur le qui-vive. À cause de son contenu politique, j'étais directement sous la loupe du directeur Pierre O'Neil. Lequel constatait – non sans satisfaction – la popularité grandissante de «Noir sur blanc». Et ne nous harcelait pas trop sur ce sujet. De mon côté, prudente, je m'efforçai de peu fréquenter mes amis trop militants, considérant que le recul professionnel que j'appliquais face à ce moment historique me permettait d'éviter les écueils.

Pierre Elliott Trudeau, alors Premier ministre, avait déclaré, en juin 1977, à Washington que la sécession du Québec serait un crime contre l'histoire du genre humain. La reine Elizabeth II, chef de l'État canadien en visite au Canada – où elle avait aussi rencontré René Lévesque le 16 octobre 1977 –, lança de son côté un appel à l'unité canadienne. Les injonctions de toutes parts pour apeurer la population et l'incapacité des souverainistes à rassurer firent que les journalistes, appelons-les neutres, devaient naviguer à vue. Pour ma part – rendons à César ce qui appartient à César – Pierre O'Neil, à cause de sa méfiance naturelle, notamment à l'égard de son ancien patron Pierre Elliott Trudeau, parvint à me soustraire aux pressions. «Tu fais la job», était sa phrase clé. Et je la faisais.

En vérité j'adorais l'atmosphère électrisante qu'est la préparation d'une émission dans un contexte aussi sensible. J'étais au-dessus de la tempête – du moins le croyais-je ? –, Claude m'enveloppait de sa présence amoureuse et mon petit Guillaume émerveillait ma vie.

*

Mais c'était me surestimer que de me croire au-dessus des tensions qui s'accentuaient semaine après semaine. Plus approchait l'échéance référendaire de mai 1980, plus la crispation montait.

Début janvier, Maurice Werther – qui m'avait si amicalement guidée lors de mon passage dans le service étranger de l'ORTF – débarqua à Montréal pour un reportage consacré au référendum. Toutes les portes s'ouvrirent devant lui, dans le camp du Oui comme dans celui du Non. Maurice, vieux routier, ausculta rapidement les uns et les autres. Et le cœur de ce bougonneux trop sensible vibrait en faveur du Oui. Pour autant, le lycéen juif qui avait dû porter l'étoile jaune à Paris pendant l'occupation allemande et qui avait, ensuite, fait la Résistance n'arrivait pas à croire qu'une victoire du Oui serait suffisante pour que le Canada accepte d'être démantelé. Dans un dîner organisé à la maison, il soutint ce point de vue, ce qui fit pleurer une amie péquiste, à son grand désarroi. Reste que le reportage qu'il présenta à l'antenne prenait fait et cause pour le Oui. Lorsque je lui en fis la remarque, il eut un sourire coupable : « Je n'aime pas faire pleurer les jolies femmes. »

Je crois surtout que le capital d'affection que les Français accordaient au Québec joua un grand rôle dans les reportages et les articles favorables au Oui de la presse française. Comme me le dira plus tard Alain Peyrefitte, qui débarqua à Montréal après la défaite du 20 mai : « La France ne peut pas s'opposer à la naissance d'un nouveau pays français. » C'est ce qu'a confirmé dans une formule lapidaire le président Valéry Giscard d'Estaing en clamant : « Ni ingérence ni indifférence. » Mon ami Werther avait compris le général de Gaulle mais, admirateur de Machiavel, il assumait son cynisme si cher aux Français.

*

En février, j'interviewai Pierre Elliott Trudeau. Juste une semaine avant l'élection qui le reporta au pouvoir. Je me souviens d'avoir noté dans mon agenda : «Encore cette impression de force. Fascinant!»

Ce fut une entrevue casse-cou au moment où la campagne référendaire battait son plein. À vrai dire, Pierre Elliott Trudeau représentait le véritable opposant de René Lévesque, même si Claude Ryan, devenu chef du PLQ, était son adversaire officiel. L'ex-directeur du journal *Le Devoir* fut le dirigeant politique le plus improbable et décalé de l'histoire politique de la fin du siècle dernier. Comme quoi les intellectuels austères et sérieux ne sont pas tous préparés à devenir des stars d'un soir. Pour l'anecdote, Claude Ryan avait comme attachée de presse ma très jolie, séduisante et surtout compétente amie Michèle Bazin. Lequel refusait qu'elle monte en voiture en sa compagnie durant la campagne du référendum en disant : «Il faut éviter que les gens soient tentés de lancer des rumeurs.» Michèle fut d'autant plus déconcertée par la remarque que Claude Ryan parlait sérieusement, inquiet de s'afficher avec sa collaboratrice. «Vive Freud», ai-je lancé à mon amie lorsqu'elle me raconta l'incident.

*

Quatre jours après l'entrevue avec Pierre Elliott Trudeau, je me rendis à Toronto pour m'entretenir avec le Premier ministre conservateur Joe Clark. Que je vis d'emblée comme un perdant. Ma mère, qui m'accompagnait, sans gêne aucune le lui dit à la fin de l'entrevue, après les présentations d'usage, avant d'ajouter : «Peu importent les résultats, monsieur le Premier ministre, sachez que vous êtes très sympathique et surtout pas arrogant.» «Qu'est-ce qui t'a pris ? lui demandai-je une fois que le Premier ministre eut quitté les lieux. — Il fait vraiment pitié. Je trouve même que t'as été dure avec lui. »

Le lundi suivant, Pierre Elliott Trudeau fut réélu pour une seconde fois Premier ministre du Canada à la tête d'un gouvernement majoritaire. Avec un tel homme, le référendum du 20 mai serait forcément dans la poche du camp du Non.

Chapitre 49

En dehors du travail, j'éprouvais le besoin de m'éloigner du débat qui déchirait le Québec. Cette campagne référendaire portait en elle des irrationalités incontrôlables. Durant cette période, je déclinais la plupart des invitations à dîner et me repliais, avec un immense bonheur, sur mon rôle de maman. Je catinais à longueur de journée loin des cris, des engueulades, des angoisses et des haines grandissantes que chacun sentait monter à l'approche du 20 mai.

Un après-midi d'avril, mes tantes Irma, Edna et Lucienne se réunirent chez ma mère autour d'un gallon de Bright Canadian rouge, ce vin sucré qu'elles ingurgitaient à un rythme trop rapide, à l'exception de Lucienne. Edna, Irma et ma mère aimaient beaucoup René Lévesque, que tante Lucienne, en revanche, ne se privait pas de critiquer, l'appelant « le p'tit à la couette dans l'œil qui veut nous appauvrir encore plus ». Le trio de sœurs nationalistes estimait, pour sa part, que la chance historique de retrouver la fierté collective en se vengeant de la conquête anglaise ne devait pas être manquée. « On est vieilles, commenta Edna. Si ça vote non, nous autres on va mourir enragées et humiliées. » Lucienne, elle, idolâtrait Pierre Elliott Trudeau : « C'est un prince, répétait-elle. Vous connaissez pas ça des gens qui ont de la classe vous autres. L'indépendance, l'indépendance, c'est un maudit mot hypocrite. C'est des "séparatistes" que vous êtes et trop ignorantes pour comprendre que le Canada c'est à nous autres. On va pas laisser ça aux Anglais. » J'avais déjà assisté à plusieurs échanges au vitriol sur ce sujet au sein du clan maternel, mais je n'étais pas là ce jour précis. La scène me fut rapportée par ma mère. Qui me révéla qu'en ce soir d'avril, une fois le gallon de vin à moitié vide, Edna et Irma, furieuses de ses positions, mirent leur sœur aînée à la porte. Elles étaient même prêtes à sortir tous les squelettes du placard de la vie de ma tante chérie. Or, c'est bien connu, les secrets doivent rester dans la noirceur où ils sont enfouis, même – et surtout – si certains envisagent de les révéler pour des raisons extérieures au cercle familial.

En tout cas, durant ces semaines de surchauffe, les fratries divisées évitèrent les réunions de famille. La dichotomie Anglais-Français était devenue secondaire, mise en veilleuse par la déchirante guerre souverainistes-fédéralistes. Pierre Elliott Trudeau exultait alors que René Lévesque, dans sa lucidité triste, portait déjà sur les épaules le poids de la peur d'une fracture que les sondages annonçaient.

*

Fin février, Jean-Émile Jeannesson, célèbre réalisateur de la télévision française spécialiste des portraits de personnalités et avec lequel je m'étais liée d'amitié lors de mon séjour en France, débarqua à son tour. Pour faire un film sur le Québec, dont je serais la guide, reportage destiné au public français.

Si j'avais été éblouie par son documentaire sur Gabriel García Márquez, l'auteur colombien de *Cent ans de solitude*, j'hésitai. Pouvais-je être authentique, enthousiaste mais garder ma réserve lorsque serait évoquée la cause de la souveraineté-association, concept appelé aussi étapisme tant il s'agissait d'une manière de dire oui à la souveraineté à condition de renégocier une association avec le Canada anglais ? Comment pourrais-je, dans le film de Jean-Émile, exprimer à la fois l'émotion québécoise mais éviter de flancher, gagnée par ma propre émotion ? Était-il possible de me comporter en fildeferiste sur la crête politique alors que j'avais un devoir de neutralité ?

Jean-Émile me convainquit. «Nous serons constamment en déséquilibre sans jamais que tu chutes. Ce sera sublime, je t'assure.» Il sut me flatter, personne n'en étant à l'abri. Mais je vis aussi dans sa proposition une expérience à la fois intellectuelle et affective que je ne pouvais décliner. J'ai fini par accepter.

Nous avons donc tourné à Montréal, Québec, dans Charlevoix, le long du Saint-Laurent et en Abitibi, pays de pionniers. Un travail épuisant et grisant. Quel défi que celui d'expliquer le Québec aux Français et à la francophonie tout entière. Quelle responsabilité aussi. Et quel risque professionnel.

Le film fut accueilli avec enthousiasme en France, diffusé à quelques jours du référendum. Et je n'y fus l'objet d'aucune critique négative.

Toute ma vie, je m'efforcerai d'expliquer à ma manière ce Québec plus complexe qu'il n'y paraît, plus angoissé que sa tonitruante affirmation identitaire ne l'annonce et moins rieur que son engouement pour l'humour le laisse croire.

*

J'animais, durant ces semaines fatidiques, plusieurs débats télévisés autour des conséquences d'un Oui ou d'un Non au référendum. Plusieurs personnalités déclinèrent nos invitations. Par peur du jugement des autres, par refus de s'exposer et parce que, à l'image des sondages, elles n'étaient pas assurées elles-mêmes du camp vers lequel irait leur vote. Leurs refus donnent une idée de l'atmosphère d'alors.

Mon confrère Bernard Derome avait reçu le mandat exclusif d'interviewer les figures politiques marquantes de cette campagne référendaire. En avril, il reçut le chef du camp du Non, Claude Ryan. Bernard, c'est mon sentiment, tenta de masquer son propre choix personnel. Pour éviter je le suppose d'être classé comme un tenant du Non, son entrevue fut un coup de poing. Et l'agressivité qu'il manifesta dépassa les limites de la déontologie journalistique. La réaction du public fut immédiate. Un tollé de commentaires négatifs s'abattit sur Radio-Canada et le journaliste ; la direction mit rapidement un terme aux entretiens.

Le matin du 15 avril, le directeur Pierre O'Neil nous convoqua tôt à son bureau, le réalisateur Michel Beaulieu et moi-même. Il nous proposa de transformer « Noir sur blanc » en six émissions spéciales qui se termineraient par une entrevue avec Claude Ryan le samedi 17 mai, suivie d'une autre avec le Premier ministre René Lévesque le lendemain. Normal d'accorder le dernier mot à l'initiateur du référendum. Je manifestai mon intérêt face au défi avec retenue mais, intérieurement, j'explosais de joie. « On va négocier un contrat spécial, dis-je à O'Neil, qui sembla stupéfait d'une telle réaction. — C'est tout ce que cela te fait ? » dit-il. Je l'avais déstabilisé. Il attendait sans doute que je dise « Merci patron » alors qu'il aurait dû, dès le départ, me confier de telles émissions prestigieuses. N'avais-je pas prouvé mon talent dans ce genre d'entretiens ? Mais j'étais une femme et c'est à son corps défendant qu'il m'avait confié « Noir sur blanc ». Si j'étais meilleure que mes confrères, je n'étais pas mieux payée qu'eux. Or, on m'avait appris à ne pas mener tous les combats en même temps au risque de les perdre tous. Les femmes devraient tenir compte de cette réalité, mais, dans ces circonstances, j'avais le gros bout du bâton et j'en profitais sans hésiter. « J'allonge ton cachet à cause des circonstances », annonça-t-il. Je me retins de triompher.

Désireuse de me mettre en forme comme une athlète de compétition, je m'envolai une semaine en Guadeloupe avec mon mari et notre petit enfant chéri. Claude m'était d'une aide inestimable. Il y a des avantages à être en couple tout en partageant des préoccupations professionnelles semblables. Et comme je me suis toujours méfiée de ceux qui se vantent d'être des workaholics, qui campent au bureau et ne parlent que de travail, ces quelques jours me firent du bien. Je rentrai au Québec bronzée, reposée, impatiente, avec la conscience aiguë de vivre un bonheur professionnel dont la fulgurance ajoutait à l'intensité. « Tu pètes le feu, me dit ma chère Micheline Fortin qui, elle, carburait au travail sans jamais oublier de s'amuser. — Je bombarderai», lui ai-je répliqué en éclatant de rire.

J'ai noté, dans mon agenda du 26 avril, «Acheter un aquarium à Guillaume». Voilà le secret de l'équilibre dans une période aussi rude : penser travail mais aussi vie de famille. Sans ce pan serein d'existence, jamais je n'aurais pu me protéger de l'atmosphère oppressante dans laquelle baignait le pays. Dans les camps du Oui ou du Non, on retrouvait des intolérants et des haineux. Les tenants de la souveraineté avaient tendance à traiter leurs adversaires de «vendus», de «colonisés», de «pleutres» alors que les fédéralistes s'affichaient tout aussi colonisés, souvent nationalistes mais surtout arrogants – à l'instar d'un Pierre Elliott Trudeau – voire donneurs de leçons comme Claude Ryan, le moralisateur rationnel. Ce dernier rongeait d'ailleurs son frein, éclipsé qu'il était, pourtant chef du camp du Non, par le flamboyant Premier ministre du Canada. L'ancien directeur du *Devoir*, homme rigide, sans fantaisie, père de famille respectable d'une austérité glaçante, n'avait jamais apprécié l'intellectuel, indépendant de fortune à l'allure de play-boy qui entretenait ses goûts cosmopolites, s'affichait en catholique insolent et réussissait à s'imposer avec le cœur à gauche alors qu'il incarnait le grand libéralisme canadien.

*

Les Français, journalistes et observateurs politiques, débarquaient au Québec en troupes d'élites. J'en rencontrai plusieurs qui souhaitaient être éclairés sur le psychodrame en train de se jouer chez nous. Et je compris que ces «cousins» cherchaient avant tout à conforter leurs propres opinions à travers un prisme droite-gauche. Certains n'étaient pas avares de conseils pour les «drôles et sympathiques» Québécois. J'ai souvenance d'un gaulliste sans complexe, antipathique – personne n'est parfait – reçu un jour à la maison. Il nous infligea un cours magistral pendant un repas qui visait à nous exposer la réalité québécoise ! Mes amis et moi étions sidérés d'une telle outrecuidance. Même les souverainistes fervents furent tentés de l'apostropher. « On n'a pas besoin de Français pour nous expliquer qui on est, mon cher Philippe », lui fis-je remarquer en contenant autant que possible ma colère alors que, par politesse, mes invités bouillonnaient et s'étaient retenus de lui sauter à la figure. Ce fut le seul dîner à saveur politique que j'organisai à la maison durant ces mois épuisants.

*

Le 9 mai, à moins de deux semaines du référendum, un sondage vint briser les espoirs des irréductibles. Les tenants du Non allaient l'emporter à cause de la division des francophones ; les anglophones, eux, s'apprêtant à voter, à hauteur de 85 %, contre la souveraineté-association. Comme ce score obligerait plus de 60 % de francophones à voter Oui et qu'on savait qu'il n'en serait rien, les jeux étaient faits.

L'après-midi, j'enregistrerai un autre débat où des personnalités s'affrontèrent. J'ai retrouvé cette note dans mon journal : « Je suis toujours frappée par la faiblesse d'argumentation de gens que je croyais intellectuellement armés. Ces politiciens manifestent de l'habileté. À ne pas confondre avec la capacité intellectuelle d'inscrire la pensée dans une dimension historique. » Et j'ajoutais : « Sans doute serai-je tentée par la politique un jour. Saurai-je y résister ? » Par la suite, lorsque des occasions se présenteront, je déclinerai fermement les offres de m'engager ou de rejoindre certaines formations. Cette vie-là n'était pas et ne sera pas la mienne.

À la fin de cette journée, je m'envolai vers Moncton, au Nouveau-Brunswick, où l'on m'avait invitée à prononcer le discours de la collation des grades à l'université. J'étais émue de me retrouver devant les Acadiens, peuple au passé tragique qui continue de se battre pour conserver son identité, sa culture.

Lors du bal des finissants, j'eus l'occasion de discuter plusieurs heures avec certains Acadiens, lesquels, dans un même souffle, me livraient toutes les raisons de voter Oui à la souveraineté du Québec à laquelle eux-mêmes s'opposaient avec une émotion douloureuse. Ces universitaires se désolaient, par exemple, du fait que leurs enfants ne communiquaient entre eux qu'en anglais. « On comprend les Québécois mais s'ils se séparent, nous on disparaît. L'autre choix radical serait de se déporter volontairement au Québec. » J'ai été secouée, durant cette journée au pays d'Évangéline, partagée entre les aspirations souverainistes de mes compatriotes et l'affirmation identitaire des Acadiens enracinés en terre canadienne.

*

Le 14 mai au soir eut lieu, au Centre Paul-Sauvé de Montréal, une assemblée des opposants au référendum. Le clou de la soirée – au propre comme au figuré – fut l'intervention du Premier ministre Pierre Elliott Trudeau. Sachant la victoire des fédéralistes dans la poche, il masqua son triomphe par un discours à l'emporte-pièce. Sans avoir prévenu aucun de ses ministres ni même ses députés du Québec, il mit sa tête – et les leurs – sur le billot en promettant de renouveler la Constitution du Canada. «Je déclare solennellement, à l'adresse des Canadiens des autres provinces, que nous, députés du Québec, mettrons nos sièges en jeu. Nous exhortons les Québécois à voter Non… Citoyens des autres provinces, nous n'admettrons pas que vous interprétiez une victoire du Non comme un signe que tout va bien de nouveau et que nous pouvons revenir au statu quo. »

J'étais présente à cette réunion. Et éberluée, comme mes confrères, par une telle annonce. L'un des ministres les plus en vue et remarquables du cabinet Trudeau, sur place lui aussi, me confirmera, lors d'un dîner amical survenu en mai 2018, que lui-même avait été estomaqué par les propos du Premier ministre qui engageait son propre avenir politique.

Pour l'Histoire, Pierre Elliott Trudeau, deux ans plus tard, rapatriera de Londres la Constitution du Canada. Et ce sans l'accord du gouvernement québécois dirigé par René Lévesque, lequel considérait que cette Constitution, parce qu'elle ne tenait pas compte du caractère distinct du Québec, allait à l'encontre des intérêts de la nation québécoise qu'elle ne reconnaissait pas. Est-ce exagéré d'affirmer que Pierre Elliott Trudeau fut l'héritier – le plus flamboyant et diabolique – de Machiavel, dont il avait lu *Le Prince* avec fascination et délectation ?

Je quittai le Centre Paul-Sauvé en évitant les questions des militants fédéralistes, intéressés à connaître mes réactions. Cette nuit-là, je dormis peu. Trois jours plus tard, le samedi, à Québec, j'interviewai en direct Claude Ryan – qui, déjà, se réjouissait de la victoire. Et le lendemain je conclus ces émissions spéciales en compagnie du Premier ministre René Lévesque, lequel masquait son accablement sous un sourire à déchirer le cœur de ses partisans. Notre échange fut musclé, comme toujours.

Peu après, Louise Beaudoin me rejoignit près de l'hôtel Château Frontenac. Devant le fleuve, je me souviens de sa remarque. «Je ne sais pas si tu votes Oui ou Non, mais si tu votes Non, je ne te parlerai plus jamais.» Je détiens encore les rapports compilant les commentaires de l'auditoire de Radio-Canada, remis quelques jours après les débats. Un tiers des téléspectateurs affirmait que j'étais en faveur du Oui, un tiers en faveur du Non, et le dernier estimait que j'avais été objective. La remarque de mon amie Louise et les avis des téléspectateurs représentent, à mes yeux, les récompenses les plus estimables de toute ma carrière.

Le soir du référendum, je me trouvais devant la télévision dans les bras de mon mari tandis que notre fils dormait comme un ange à l'étage. Lorsque René Lévesque concéda la victoire, épuisé, bouleversé et – j'hésite à l'écrire – quasi soulagé, alors que ses ministres et son épouse pleuraient à l'arrière, il lança : «À une prochaine fois.» Je ne réussis pas à verser de larmes. Le résultat – 60 % de Non – annonçait une longue glaciation nationale.

Chapitre 50

Après la défaite du 20 mai, les Québécois se sont tus si soudainement que, durant les semaines et les mois qui suivirent, la distraction et la feinte imposèrent leurs règles. On parlait de tout, sauf de « ça ». Ce « ça » freudien signifie qu'il y eut refoulement, dans l'inconscient collectif, de cette blessure qui ne cicatrisera jamais.

En vérité, la défaite des souverainistes (40,4 % des votes) comme la victoire des fédéralistes (59,6 %) ne réconfortait personne. Résultat, tout le peuple était perdant et perturbé. Si les premiers avaient perdu, les seconds comprenaient bien que les voix recueillies par des militants de la souveraineté-association devenaient une réalité jamais révélée jusqu'alors. Quant au Premier ministre Pierre Elliott Trudeau, qui s'était engagé à transformer la Constitution canadienne en mettant en jeu la tête de tous ses députés du Québec, y compris la sienne, il annonça en juillet le fameux rapatriement de la Constitution canadienne de Londres à Ottawa, et ce, précisa-t-il, sans l'accord des provinces si celles-ci ne parvenaient pas à une entente. Le Premier ministre du Canada déclarait, en fait, la guerre au Québec. Et assénait d'avance un camouflet à son adversaire historique, René Lévesque. Celui-ci avait annoncé dès le 23 mai qu'il mettait en veilleuse son option souverainiste et qu'il consentait à négocier de bonne foi le renouvellement du fédéralisme canadien tel que promis la veille du référendum par Pierre Elliott Trudeau.

Les jeux étaient faits. Je me souviens de l'accablement qui régnait partout, cette défaite représentant une humiliation de plus dans la longue liste des échecs des Canadiens français depuis la Conquête. Cette fois-ci, les frères ennemis s'entre-déchiraient. Pendant ce temps, le peuple allait s'installer dans le confort et l'indifférence, titre du film que Denys Arcand présentera l'année suivante et qui provoquera des réactions d'une grande violence. Le cinéaste au regard caustique utilisera le personnage de Machiavel pour commenter les déclarations des principaux acteurs du psychodrame collectif, Trudeau l'arrogant et Lévesque le naïf. Ce regard provoquera une « insoutenable » douleur chez les édiles nationalistes, et sa description du petit peuple soumis dévastera nombre de Québécois. Denys Arcand s'offrait à tous comme un père Fouettard motivé par son propre pessimisme, désespérant de vivre dans une société hantée par la peur, le complexe d'infériorité et s'accommodant d'être composée de gens qui acceptent leur sort de victimes. Lui, l'écorché vif, a toujours, à travers ses films dont *Le Déclin de l'Empire américain* (1986), *Les Invasions barbares* (2003) – pour lequel il reçut l'oscar du meilleur film étranger – et *La Chute de l'empire américain* (2018), été le miroir cru et impitoyable du Québec moderne. Lui et moi nous sommes rencontrés à l'université. À travers nos parcours parallèles, nous nous sommes reconnus, je crois, une sensibilité commune, faite de distance et d'un attachement douloureux au Québec. J'ai de l'affection pour cet intellectuel sportif incapable de résister au cynisme, doté d'un humour décapant et d'un sens de la séduction irrésistible. Dans le Québec de la société distincte, Denys Arcand est le cinéaste le plus distinct et le plus ancré dans l'imaginaire collectif.

*

Durant cet été 1980, nous voyagerons en famille vers les plages du Maine, comme tous les Québécois. Nous irons également en Californie, avec ma mère qui adorait bouger et se transformait hors de la présence de mon père. Elle retrouvait son tonus, interpellait les gens qu'elle distrayait en leur racontant ses séjours à Chicago, à New York, à Boston, adressait des déclarations d'amour aux Américains et, à plusieurs reprises, autorisa des inconnus à nous offrir à boire. «Je vous fais économiser», disait-elle à Claude. En notre compagnie, elle s'habitua aux hôtels chic et aux restaurants haut de gamme. Après quelques jours hors de sa routine montréalaise, sa vie sédentaire rétrécie s'évanouissait. Elle-même rajeunissait et, du coup, nos relations se détendaient. Mais il n'était pas question que Claude et moi puissions nous retrouver en tête à tête et qu'elle demeure seule avec Guillaume, son petit-fils. L'idée même la plongeait dans l'anxiété. Car soudain elle avait peur. Peur qu'il tombe malade, peur qu'il se blesse, peur qu'il pleure. En fait, elle se croyait dépourvue devant lui. Qu'elle vienne le visiter à l'hôpital seulement six jours après sa naissance m'avait meurtrie. Mais là je crus comprendre pourquoi : la crainte de ne pas savoir comment faire la tétanisait. Au cours de ce voyage entre San Francisco et San Diego, je réalisais dans quels tourments et anxiétés l'avait plongée la maternité. Comme si un enfant était à la fois, pour elle, une joie intense et une menace mortelle. Ces comportements – à mes yeux étranges – m'éclairèrent sur les angoisses de ma propre enfance. Une prise de conscience qui m'aidera à ne pas projeter ces émotions négatives sur mon fils.

*

Depuis mon séjour à Paris, j'étais retournée à plusieurs reprises en France, trop heureuse de me replonger dans l'énergie intellectuelle qui y régnait. Grâce à mon métier, j'y retrouvais les amis avec lesquels j'avais tissé des liens, tous m'accueillant avec un plaisir qui n'était pas feint. Dès que je débarquais, je contactais d'abord Jean-François Revel. Il demandait systématiquement : «Avec qui souhaiterais-tu déjeuner ?» Ce à quoi je répondais : «Mais avec toi, Jean-François», avant de lui laisser toute liberté puisqu'il prenait plaisir à inviter des personnalités que je ne connaissais pas et qui «m'amuseraient».

En 1980, il dirigeait l'hebdomadaire *L'Express*, dont il m'ouvrit parfois les pages pour commenter la politique française et les événements du Québec. C'est grâce à lui que j'ai rencontré Raymond Aron, un monument d'intelligence et un puits de culture. Malgré la justesse de son analyse – une critique du totalitarisme de gauche –, je fus étonnée que ce grand penseur éprouve une telle forme d'admiration pour Jean-Paul Sartre, celui qui défendait l'URSS, le stalinisme et le maoïsme. Aron modérait les jugements sur son célèbre contradicteur. L'histoire a prouvé cependant que, des deux, Aron eut raison tandis que Sartre pratiquait l'aveuglement idéologique, se rendant même complice moral des crimes du stalinisme et du maoïsme qu'il cautionnait par sa réputation.

À la fin du déjeuner nous réunissant tous les trois, bien arrosé grâce à Jean-François, Raymond Aron, homme intimidant et à l'évidence peu épicurien, accepta une entrevue pour la télévision de Radio-Canada. Je n'étais pas peu fière de cette marque de confiance et heureuse à l'idée de donner la parole à une telle figure sur le service public. Il est vrai que c'était une époque où l'on pouvait – encore – accueillir longuement des intellectuels et des artistes de haut niveau, auxquels on accordait une importance définie par le temps d'antenne. Avec Raymond Aron, comme avec Jean-François Revel, le Premier ministre Michel Rocard, ou les écrivains Marguerite Yourcenar, Marguerite Duras, Georges Simenon, Albert Cohen, Anne Hébert et tant d'autres, les entretiens duraient au minimum une demi-heure, voire une heure avec une courte pause. En ces temps lointains, nous avions de la télévision une conception pédagogique à destination d'un large public, vision impensable et impossible aujourd'hui, à l'époque de l'instantanéité et du divertissement à tout prix. «Autres temps, autres mœurs.» Et la nostalgie n'est d'aucun secours.

*

Désireuse de confronter à la réalité les théories apprises au cours de mes études, à l'époque je me sentais différente des

Européens, selon moi trop emprisonnés dans leurs certitudes idéologiques. Jean-François Revel échappait à ces pièges et faisait bande à part, bien que son prestige personnel et celui de sa fonction de directeur de *L'Express*, magazine au prestige considérable alors, en fassent un homme très courtisé. Mais son intelligence et sa sensibilité le mettaient à l'abri de la vanité, contrairement à nombre d'intellectuels en vue que j'estimais jusqu'au moment où je les rencontrais personnellement.

Malgré mes succès – mesurables à la cote d'écoute de « Noir sur blanc », qui oscillait autour d'un demi-million de téléspectateurs à 18 heures le samedi avec des pointes à 700 000, comme aux nombreux commentaires des téléspectateurs – je demeurais secrètement inquiète de l'avenir. La télévision était un monde créateur de notoriété donc d'envie, d'admiration comme de rejet. J'apprenais à vivre avec mon image, qu'on qualifierait aujourd'hui de clivante. Je divisais les gens, à l'enseigne du titre de l'émission. Les critiques ne manquaient pas. J'encaissais vaille que vaille, comprenais qu'on ne supportait pas que je sois une femme et que j'aie le pouvoir de tenir tête aux figures d'autorité qu'étaient les politiciens, mais parfois les assauts me touchaient. Certains, féroces, critiquaient ma manière d'interroger avec « dureté » et concluaient en disant : « On voit que vous n'avez pas d'enfant. » Des remarques qui, là, m'affectaient.

Quand j'étais blessée au cœur, il m'arrivait de m'apitoyer sur moi-même. Des moments de faiblesse qui ne duraient guère car, vite, je rebondissais. On ne peut pas déranger, bousculer et affronter le public tout en étant admirée et respectée. On ne peut pas titiller les politiques et ensuite se considérer comme une victime. Ce serait perdre le sens de la mesure. Ayant l'immense avantage d'être aimée de quelques personnes, étant une mère imparfaite mais drôle et cajolante, lorsque je découvrais le regard de mon fils sur moi, aucune insulte ne parvenait plus à m'atteindre.

J'avais aussi quelques vraies amies, beaucoup de connaissances, et je faisais l'objet d'envie. Comme, depuis le début, j'avais appris que ni les enfants ni les adultes ne sont des héros, je me considérais armée pour me protéger des malveillants. L'avenir, à court terme, allait me donner tort.

*

Le 13 avril 1981, les Québécois, voulant sans doute se faire pardonner leur Non à la souveraineté, réélirent le Parti québécois dirigé par René Lévesque. Pour attendre les résultats, j'avais réuni à la maison des amis et collègues, dont Louise Marleau, Louise Beaudoin, Paule Beaugrand-Champagne, Lysiane Gagnon, Jean-Pierre Fournier, responsable alors de « Noir sur blanc », ainsi que le président de Télé-Québec, Gérard Barbin. Ces observateurs et acteurs de la politique ne partageaient pas tous la même orientation. Or, je me souviens que ceux qui avaient voté Oui exprimèrent de la colère envers les électeurs du Non qui appuyaient, cette fois, le Parti québécois, lequel obtint quatre-vingts sièges à l'Assemblée nationale contre quarante au Parti libéral de Claude Ryan.

On ne tardera pas à découvrir que cette victoire électorale ressemblait à un baiser de la mort pour René Lévesque lorsqu'il se retrouva, au début novembre, à Ottawa à une conférence fédérale réunissant toutes les provinces devant Pierre Elliott Trudeau. La réunion, qui se déroula sur trois jours, ressembla à un chemin de croix pour Lévesque. Rappelons le contexte : il s'agissait de créer un consensus entre les provinces et le gouvernement fédéral autour du rapatriement de la Constitution canadienne assortie d'une Charte des droits et d'une formule d'amendement. Lorsque Trudeau consentit à céder certains droits de veto aux provinces anglaises de l'Atlantique tout en refusant des accommodements au Québec, le Premier ministre Lévesque fut totalement isolé. Un psychodrame à la canadienne vite qualifié de « nuit des Longs Couteaux » tant la division éclatait au grand jour. Le fait que la délégation québécoise ait pris ses quartiers en sol québécois tandis que celles des neuf autres provinces aient été logées à l'hôtel Château Laurier, à l'ombre du Parlement du Canada, indiquait déjà l'isolement annoncé.

René Lévesque, avec amertume, dénonça la « trahison honteuse » et la « tromperie » de cette conférence où la délégation québécoise, repliée sur elle-même, exténuée, ignorante du coup de Jarnac de Trudeau et des chefs de gouvernement du Canada anglais, fut mise de côté. La rumeur prétend que les Québécois avaient passé leur temps à boire et à jouer aux cartes pendant que Pierre Elliott Trudeau et les Premiers ministres provinciaux complotaient ; je ne sais si c'est exact mais cette conférence fut le début de la fin pour Lévesque.

Pierre Elliott Trudeau, triomphant, se présenta, le lendemain, devant les médias avec une offre de collaboration au Québec en lambeaux. Le second baiser de la mort. Une semaine plus tard, René Lévesque fut mon invité à « Noir sur blanc ». Un défi de taille pour moi car l'homme était abattu, humilié, contrôlait à peine son agressivité et sa rage fielleuse. Je me suis trouvée dans l'obligation d'exiger des explications sur l'échec de la réunion qui mettait en lumière la faiblesse et l'impuissance de celui qui avait porté le rêve de tant de Québécois, désormais désemparés. Ce fut l'une des entrevues politiques les plus éprouvantes de ma carrière. Déjà l'homme me rebutait par sa brusquerie, son allure débraillée et son impatience maladive. Je crois qu'il se rendait aussi compte que, contrairement à tant de femmes, je ne lui reconnaissais aucun charme. Mais je ne voulais pas que ces réticences prennent le pas sur mon professionnalisme. Et si moi-même j'étais triste de ce qui arrivait, il ne me fallait surtout pas le laisser transparaître. Je fis donc comme d'habitude : de mon mieux.

Au fond, j'ai surmonté, tout au long des années où l'histoire du Québec a failli basculer, mon propre déchirement. Car si j'étais étonnée de la défaite du Non, j'étais aussi atteinte par le refus d'une majorité de Québécois de voir accorder un mandat permettant de négocier une souveraineté-association. Le référendum de 1980 ne consistait pas à déclarer la souveraineté du Québec, il s'agissait d'un compromis politique. Répondre Non à la question référendaire révélait donc clairement l'ambivalence et la profonde insécurité des Québécois nord-américains, vivant dans un pays de paix et de liberté. On peut penser que la peur des risques encourus par une séparation d'avec le Canada apparut à beaucoup comme insurmontable. Sans doute avions-nous trop à perdre, sans doute la crainte de voir s'évanouir notre confort collectif retint-elle maints électeurs. La tentation devint grande de préférer vivre dans l'indifférence face à nos échecs et nos humiliations historiques. La devise du Québec n'est-elle pas «Je me souviens», ce qui en dit long sur la fragilité de notre mémoire et l'oubli de notre passé de «porteurs d'eau nés pour un petit pain».

Chapitre 51

La renommée de l'émission «Noir sur blanc», en 1982, me rendait apparemment attirante aux yeux des partis politiques. Ma façon de pratiquer le métier et la reconnaissance de ma capacité à m'élever au-dessus de la mêlée ne semblaient pas un obstacle pour leurs recruteurs. D'où les yeux doux et les appels du pied que certains mouvements me firent.

Il n'était pas encore question de parité hommes-femmes en ces années-là, mais plutôt de garnir les rangs de l'Assemblée nationale du Québec ou de la Chambre des communes d'Ottawa par quelques femmes articulées. Une manière, pour les partis, de se donner bonne conscience. J'avais déjà constaté ce phénomène en France. Il y avait quelques femmes actives en politique dans l'Hexagone, mais systématiquement des commentaires déplaisants les accompagnaient, attribuant leurs nominations non à un talent quelconque mais à de pseudo-activités extra-parlementaires auprès des élus et édiles qui leur servaient de mentors, voire de protecteurs, dans tous les sens du terme. Cette vision et ces ragots m'ont toujours choquée, montrant combien le machisme gangrenait Paris. Au moins, de l'autre côté de l'Atlantique, une certaine hypocrisie anglo-saxonne au Canada anglais et un reste de soumission au matriarcat québécois retenaient les hommes d'oser colporter ce type de rumeurs. Reste que les propositions d'adhérer à un parti ou de me présenter sous ses couleurs, je les ai toujours refusées. Mon indépendance d'esprit était à ce prix.

*

Dès que j'en avais l'occasion, je me rendais à Paris. C'est ainsi que je pus offrir aux téléspectateurs canadiens des entretiens avec nombre d'acteurs et d'intellectuels français mais aussi étrangers. Les citer serait trop long, mais de Pierre Mendès France à Raymond Barre, de Boutros Boutros-Ghali l'Égyptien à l'abbé Pierre, de Georges Marchais, secrétaire du Parti communiste, à Yves Montand et Simone Signoret, en passant par Michèle Morgan et François Truffaut, force est de constater que j'ai eu la chance de croiser et discuter avec des personnalités fortes.

Il a fallu toutefois les années quatre-vingt pour que je me rende compte que la relation affective existant entre les Québécois et la France perdait de son intensité dans la nouvelle génération. Un rapport amour-haine a même grandi à l'égard de la culture québécoise, voire de sa langue, lié autant à l'histoire, à l'abandon par la mère patrie durant deux cents ans, qu'à l'évolution même du Québec. Ici, la québécitude s'est exacerbée. On a même vu des intellectuels souverainistes, pourtant nourris aux mamelles de la littérature et de la culture française, revendiquer une langue, le joual, souhaitée en rupture avec le français parlé en France. Le joual, mélange de franglais montréalais, de néologismes, de québécismes, langage qui fait éclater la syntaxe, est quasi incompréhensible au reste de la francophonie, mais à leurs yeux porte une identité spécifique. Sorte de créolisation volontaire, ce joual – déformation du mot cheval – a inspiré nombre d'écrivains, dont Michel Tremblay est le plus célèbre. Des chanteurs comme Robert Charlebois et Diane Dufresne ont connu des succès à travers toute la francophonie avec des textes forts, puissants et vivants où le joual était magnifié.

De fait, le joual fut ma première langue affective, celle que parlait ma famille maternelle, à l'exception de ma mère qui vénérait ce que l'on appelait dans mon enfance le «bon parler français». Je n'ai rien contre lui mais m'a longtemps heurtée son apologie faite par des universitaires, des artistes et des intellectuels qui s'appliquaient à «joualiser» non par adhésion mais afin de s'afficher «peuple». Or la mauvaise conscience des bourgeois, qui perdure dans les élites médiatiques et le show-biz en particulier, me rebute et m'exaspère. C'est la récupération de ce langage d'antan qui m'irrite et non le joual lui-même, véhicule préféré des sacreurs qui usent de ses jurons riches d'une inventivité prodigieuse. Les «crisse», «calisse», «tabernacle» émaillent le vocabulaire courant désormais, preuve que les langues s'interpénètrent et «s'enrichissent». Même les politiciens recourent aujourd'hui à cette langue affective et clanique pour espérer atteindre l'électorat populaire. Le tout dans une sorte de mouvement général de «trivialisation langagière» que l'on retrouve partout, jusqu'aux sommets des États, Emmanuel Macron en France étant l'exception qui confirme la règle avec ses expressions désuètes. Cette tendance donne des lettres de noblesse à une joualisation québécoise que déplorent les personnes de mon genre. En un sens, la langue parlée au Québec vaut bien le franglais farci de mots d'oiseaux comme «putain», «bordel», «je t'encule», utilisés par certains animateurs d'émissions se croyant détenteurs d'un mandat de grossièreté – la télévision française, privée comme publique, n'en manque pas. Mais est-elle pour autant toujours adaptée ? D'une certaine manière, l'Académie française est le dernier rempart de la France avant le nivellement culturel de ses institutions.

Grâce à ma mère, tout au long de ma vie je me suis efforcée de défendre la langue française, dont j'ai toujours fait l'éloge et que j'ai respectée comme une personne aimée. Le français m'habite, me nourrit, m'éblouit et me procure des joies depuis le jour où je me suis retrouvée, à trois ans et demi, dans les cours de diction de Mme Audet. J'ai appris les mots, j'ai saisi leur musicalité et j'ai découvert au gré du temps leurs nuances. Tous les auteurs francophones appartiennent à ma famille élargie. Je partage, par le livre et les phrases, une intimité avec eux.

À six ans, j'ai reçu un prix d'excellence chez Mme Audet pour avoir récité un poème qu'à ses yeux je déclamais avec plus de passion que ses élèves plus âgées. Cette poésie, intitulée «Mozart», la voici :

Devant le firmament qui luit
Mozart saisi par l'insomnie
Avait écrit dans une nuit
Une adorable symphonie.
Le sommeil avait dû surseoir
Jusqu'à la nouvelle aurore
Si bien que vers quatre heures du soir
Le maître dormait encore
Il dormait du sommeil pesant
Qu'une longue fatigue apporte
Quand deux amis, tout en causant
Vinrent frapper à sa porte.
Mozart ne les entendit pas.
Le front courbé, la mine triste
Ils retournèrent sur leurs pas
Sans avoir réveillé l'artiste.
Et l'un d'eux dit à mi-voix
Qui croirait chose pareille
C'est vraiment la première fois
Que Mozart manque d'oreille.

Dois-je me répéter, ce texte a façonné mon envie d'apprendre, alimenté ma soif de comprendre. En famille, je n'avais jamais entendu le nom de Mozart. Mme Audet m'apprit qu'il était «autrichien». J'ignorais alors l'existence de l'Autriche, ce pays où l'on parlait l'allemand comme en Allemagne. Le mot «surseoir» qu'il contient me transportait tout autant. Je tentais de l'utiliser dans la conversation mais sans grand succès car aucun adulte autour de moi, même les religieuses, n'en connaissait le sens. Ce poème, j'étais toujours prête à le réciter, même à de parfaits inconnus, dans le tramway ou l'autobus. Grâce à lui, j'avais le sentiment d'appartenir à une confrérie secrète et mystérieuse qui me plaçait, non au-dessus des autres mais dans un monde qui menait au bonheur, nourrissait ma curiosité et traçait ma voie vers le pays des gens instruits. Lorsque mes tantes affirmaient qu'elles étaient de «pôvres ignorantes», je devenais triste. Car je voulais être près d'elles tandis qu'elles souhaitaient plutôt me voir m'éloigner de leur monde, où elles enrageaient.

*

Début 1983, je reçus un coup de téléphone d'un responsable de PBS, chaîne de télévision publique américaine financée par des mécènes et des donateurs modestes. De passage à Montréal, ce dirigeant avait regardé «Noir sur blanc». S'exprimant dans un français soutenu, il m'expliqua avoir «apprécié grandement ma performance». Je l'en remerciai chaleureusement. Il souhaitait me rencontrer, dit-il, avant de poursuivre la conversation en anglais pour s'assurer – je le compris – de la qualité de mon propre anglais. Il repartait le lendemain à New York et souhaitait discuter avec moi. Je le rejoignis, le dimanche après-midi, au bar du Ritz où il logeait.

Il s'appelait Simon Scaggs, si ma mémoire est bonne, et avait appris le français à Genève où il avait étudié les sciences politiques. Tout de go, il me demanda si j'envisagerais de travailler à PBS New York. Assurant avoir apprécié mon énergie, mon esprit frondeur – «enveloppé de séduction», précisa-t-il –, se disant ravi d'avoir découvert mon cursus académique, il m'avertit que, si j'acceptais sa proposition, je devrais, à l'aide d'un coach, parfaire mon anglais trop marqué d'accent canadien. Tout en conservant ce fond d'accent français «*so exotic*». Avais-je jamais envisagé de vivre aux États-Unis, demanda-t-il ? Je ne sus quoi répondre, car ma surprise était totale. En nous quittant comme des amis, il me confirma que j'aurais de ses nouvelles dans les quinze jours.

J'étais flattée, certes, mais avant tout sceptique. Avec Claude vice-président de Télé-Québec et Guillaume allant en classe, impossible pour moi d'oser un tel grand saut. En outre, «Noir sur blanc» était une émission phare du service de l'information. Je n'imaginais donc m'exiler ni en France ni aux États-Unis. Et comme j'estime qu'un journaliste s'inscrit profondément dans la culture de son pays, que ma force tenait aussi au fait de bien connaître ma société, qu'aucun de ses replis, nuances et codes ne m'échappait, difficile de m'exporter. Les correspondants à l'étranger ne sont-ils pas d'autant plus efficaces qu'en poste ils posent le regard de leur propre pays sur les événements de celui où ils officient ? Si j'ai toujours aimé les États-Unis – où j'habite, l'hiver, en Floride depuis une décennie – en ces années quatre-vingt durant lesquelles je communiais intensément avec la vie politique et les bouleversements sociaux du Québec comme du Canada anglais, émigrer là-bas ne s'envisageait pas. Me retrouver à PBS aurait exigé un déracinement que je ne souhaitais en rien.

Lorsque M. Scaggs me contacta, huit jours plus tard, je le remerciai chaleureusement pour la proposition qu'il s'apprêtait à formuler, mais la repoussai. Et lui de répondre, à ma grande surprise, avec un soupir sincère : «Je m'y attendais. New York est une jungle.» Je n'ai pas osé lui réclamer plus d'explications. Toujours est-il que me voir suggérer d'être à l'antenne d'une chaîne aussi prestigieuse et remarquable avait de quoi flatter mon ego. Mais, lucide, je savais mon avenir chez moi et en France. De fait, je m'apprêtais à publier aux éditions du Seuil un roman autobiographique intitulé *Une enfance à l'eau bénite*, livre qui me permettrait d'entrer de plain-pied dans le milieu littéraire hexagonal. Lâcher la proie pour l'ombre était donc inenvisageable. Et lorsque je vis ce premier roman figurer plus tard sur la courte liste du prix Femina, je sus que j'avais bien fait de dire non à l'appel des États-Unis.

*

Même si notre émission touchait un large public, même si son contenu était éclectique, le chanteur Serge Lama côtoyant un ministre et un philosophe, nous étions aussi conscients de la nécessité de varier davantage les sujets et les invités. Or, au Québec, le bassin d'invités est forcément réduit. Et sans le renouvellement des têtes d'affiche, vite le sentiment de tourner en rond nous gagne. Notre équipe, composée de trois recherchistes, du réalisateur, de son assistante a suggéré à la direction un changement de cap. Une internationalisation, même. Une fois par mois, nous irions dans une ville étrangère tourner une émission composée d'invités de marque. Après avoir contourné un obstacle majeur : trouver des personnes capables de s'exprimer avec aisance en français. Car, au Québec, les téléspectateurs rechignaient à suivre les entretiens doublés ou sous-titrés. D'ailleurs, à l'exception de pays comme la Suède, la Norvège ou l'Islande – dont aucune personne étrangère ne connaît la langue –, le doublage est généralement banni sous peine de voir le public zapper allègrement.

J'étais sur le point de présenter ce projet audacieux en termes de budget à Pierre O'Neil lorsque éclata une crise liée à un entretien – en direct, je le précise – avec un psychologue qui avait eu l'ignominie de faire, sur le plateau, une sorte d'éloge de la pédophilie. Qu'on me permette de préciser un point essentiel : durant ma carrière, j'ai mené deux combats majeurs. D'abord la défense de la langue française. Ensuite, la lutte contre la pédophilie.

Résumons l'histoire.

J'avais sciemment invité à l'émission ce psychologue dont la spécialité, selon l'annuaire de la Corporation des psychologues du Québec, était les « adolescents ». Et ce après la parution d'un texte signé de sa main dans *La Presse* (« le plus grand journal français d'Amérique ») publié à la droite de l'éditorial. En fait, voir reproduit ce texte sans avertissement de la direction m'avait scandalisée. Pourquoi ? Parce que le psychologue faisait référence dans sa contribution à des recherches tendant à prouver que l'adulte peut être un initiateur privilégié de l'enfant à la sexualité. Parce qu'il se référait à la Grèce antique et parce que, en conclusion, il laissait entendre qu'un enfant initié par un adulte a plus de chances d'être équilibré au terme de l'adolescence.

Le 9 avril 1983, le psychologue – qui avait accepté sans réticence, avec empressement même, l'invitation transmise par le recherchiste – avait débarqué en studio. Préférant éviter de le rencontrer avant que débute l'émission dans laquelle j'avais trois invités, j'avais placé son segment en deuxième partie de programme.

Ce petit homme, moins nerveux que fébrile et sûr de son bon droit scientifique, je le découvris après la pause publicitaire qui suivit le premier entretien. Une fois sur le plateau, je n'eus pas de difficulté à lui faire expliquer son argumentation. À l'en croire, ce n'était pas l'adulte mais l'enfant qui «initiait» les relations. Et de prétendre que tous les enfants sont sexués, subissent les interdits d'un monde contraint, à la morale bornée, etc. Bien sûr, je bouillais intérieurement, consciente que l'entretien allait déraper si je n'intervenais pas. «À partir de quel âge, demandai-je, un enfant peut-il connaître une telle relation ? — À partir de trois ans», répondit l'invité sans hésiter une seconde. Tout en ajoutant : «Évidemment, à condition qu'il n'y ait pas pénétration.» Je me rappelle avoir alors littéralement sauté sur ma chaise. «Vous avez un fils, je pense ?» ajouta-t-il. Estomaquée, je ne lui laissai pas le temps d'enchaîner. Heureusement que j'étais maquillée car je devins blanche de dégoût. Sur-le-champ, je mis fin à la conversation. «On a compris votre propos, dis-je. Mesdames, messieurs, nous allons maintenant aller à la pause.» J'arrachai mon micro et quittai les lieux pour me diriger vers les coulisses. Un membre du studio accompagna le psychologue vers la sortie, où l'attendaient déjà deux techniciens horrifiés voulant en découdre avec lui. Des personnes du plateau les retinrent.

Quand je revins à l'antenne deux minutes plus tard, je ne regrettai rien de cette rencontre. Quelqu'un devait démasquer ce membre de la Corporation des psychologues du Québec qui véhiculait, mot pour mot, les arguments du lobby pédophile américain North American Man/Boy Love Association – parmi lesquels se trouvait alors un professeur de psychiatrie du Harvard Medical School qui prétendait fonder ses dires sur des études scientifiques. Le lundi suivant, un déchaînement de protestations survint. Moi, j'estimais avoir fait mon devoir. Mais lorsque je rentrai à la maison, je trouvai la nounou de mon fils en pleurs. Un homme avait téléphoné pour menacer : «On va trouver l'école de son fils et on va l'enculer.»

C'est peu dire que je ne m'étonnai guère lorsque, quelques semaines plus tard, un citoyen déposa une plainte officielle contre moi au Conseil de presse du Québec. Quelques mois plus tard, je reçus le jugement rendu par les membres du Conseil dont des journalistes et des représentants des journaux. On me blâmait d'avoir empêché l'invité d'exprimer son opinion. Le blâme moral, sans conséquence, je le pris comme une Légion d'honneur. Car j'ai alors découvert le cloaque sur lequel reposait, pour certains, la défense de la liberté d'expression. J'ignorais, alors, que je n'en avais pas encore terminé avec mon combat contre la promotion de la pédophilie.

Chapitre 52

Après deux réunions avec le directeur de l'information, celui-ci opposa une fin de non-recevoir à mon projet d'émission à saveur internationale, la qualifiant même de mégalo. En revanche, une autre idée lui tenait à cœur. La chaîne mettrait à l'antenne, en septembre suivant, une émission quotidienne d'information à laquelle il consacrerait la part la plus importante de son budget et il souhaitait que je coanime ce nouveau programme. « Qui sera l'autre élu ? » demandais-je, connaissant suffisamment Pierre O'Neil pour deviner en lui d'inavouables arrière-pensées. « J'y réfléchis », répondit-il seulement, ajoutant qu'il n'était pas question que j'anime seule ce projet phare.

Je compris d'emblée que l'offre en apparence généreuse cachait surtout la menace de mettre un terme à « Noir sur blanc » au succès pourtant indéniable. Et ce, parce que, en télévision – comme ailleurs –, les nouveaux venus, pour imprimer leur marque chamboulent souvent ce que leurs prédécesseurs ont accompli. Prudente, je sollicitai quelques jours de réflexion quand, en me quittant, il lança : « Tu peux garder ton émission, mais j'ai décidé de transférer tous les moyens de la boîte à la réussite de ma nouvelle grille. » Et il ajouta, sachant pertinemment qu'il me plantait un clou dans le cœur : « Les invités politiques seront exclusivement à l'antenne de l'émission de fin de soirée. Tu continueras de recevoir des écrivains, des intellectuels, mais tu n'auras aucune priorité sur tes choix si l'autre équipe en décide différemment car je trancherai toujours en sa faveur. »

Plus les gens sont complexés, plus ils sont tranchants et brutaux au travail. C'était le cas de Pierre O'Neil, homme par ailleurs intelligent. Fédéraliste intransigeant mais toujours sur ses gardes, même devant d'autres fédéralistes, il naviguait dans un couloir politique étroit car il se méfiait de chacun. Ce personnage mal dans sa peau, qui baissait parfois la garde pour discuter de philosophie thomiste en ma compagnie au prétexte, prétendait-il, que j'étais la seule à comprendre ce dont il parlait, s'entourait de cadres intermédiaires aussi tordus que rigides mais moins vifs que lui. J'en ferai un jour les frais.

*

Ce printemps-là, pour m'aérer l'esprit, je me rendis à Paris. J'avais besoin de renouer avec le plaisir des dîners en ville, ce spectacle où les invités, tous acteurs spontanés, théâtralisaient la vie politique et littéraire. De Jean-François Revel à Jean Lacouture, incarnation de la gauche morale parisienne, d'Alfred Grosser l'humaniste à Jean-Noël Jeanneney mon ami, de la ministre colorée Yvette Roudy à la généreuse poétesse Vénus Khoury-Ghata, j'eus le plaisir de vivre des moments rares. Grâce à eux, je voyageais dans des mondes étrangers au mien. En fait, j'étais aux premières loges de leurs mises en scène, spectatrice d'une France qui avait tendance à se croire encore le centre du monde. Une attitude qui, je l'avoue, ne me déplaisait pas vraiment en ces années d'après le référendum où nombre de Québécois étaient eux si peu fiers d'eux-mêmes.

Claude, par téléphone, tentait de me remonter le moral et se méfiait du « guet-apens » dans lequel, selon lui, Pierre O'Neil m'entraînait. Mais il connaissait trop Radio-Canada pour savoir que le choix qu'on m'offrait n'en était assurément pas un.

*

En revenant de Paris, j'appris le nom du coanimateur pressenti. Il s'agissait de Simon Durivage que j'avais connu durant mes études de sciences politiques, cours qu'il avait abandonnés avant d'obtenir son diplôme, garçon alors plus féru de voitures de sport et de filles que de la démocratie athénienne. Même si Pierre O'Neil, devant ma réticence affichée face à un tel duo, assura que je prendrais le contrôle de l'émission en à peine quelques semaines et que Simon – auquel il accordait peu d'intelligence mais dont il appréciait la faconde populiste tout en méprisant ce trait de caractère – s'«écraserait devant moi», j'étais atterrée. À la fois par l'idée d'un tel assemblage et par la manière dont il osait juger un collaborateur auquel il envisageait d'accorder une telle tribune. Et puis, s'il disait cela de mon partenaire, avec quels commentaires désagréables brossait-il mon portrait ?

Il me fallut donc une énergie surhumaine pour supporter un an durant l'émission «Le Point». J'ai retrouvé, dans mon agenda 1983, à la date du 11 mai, alors que j'accompagnais mon mari à Cannes pour son travail, la note suivante que je retranscris en entier : «Je dis Oui pour "Le Point". À mon corps défendant et par solidarité envers Michel, le réalisateur de "Noir sur blanc" pour qui cette émission était une promotion sur le plan de la réalisation et pour mes recherchistes qui souhaitaient travailler dans un programme quotidien. Cette négociation aura été l'une des étapes les plus difficiles et décevantes de ma carrière. Le plaisir, le défi et l'enthousiasme de cette aventure ont été oblitérés par l'insensibilité, la brutalité, le comportement et l'absence de manières des "cadres de l'information". Sans protocole, sans formalisme, donc sans politesse et connivence, telles sont les règles. Heureusement, Michel m'envoie des roses et une petite note : "Je suis content." Toute la discrétion et la subtilité de sa personne sont contenues dans ces trois mots.»

Ce fut une année d'enfer. D'autres mots, écrits à la hâte le 5 octobre, le traduisent bien : «Les pages blanches, depuis un mois, témoignent de l'indicible et de l'inimaginable. Où chercher la force ?»

Les «sacres» et les jurons de mon père avaient mitraillé et meurtri mon enfance. Et je me retrouvais dans une équipe composée de sacreurs, de colériques, de tonitruants et de machos grossiers qui regardaient les filles de l'équipe comme les amateurs de Formule 1 les hôtesses des Grands Prix. Du genre *«À soutient bien ce qu'elle avance»*, phrase éructée pour décrire une téléphoniste à la poitrine abondante. Rétrospectivement, je dirais que j'ai eu le malheur d'être entourée de précurseurs des Trump et consorts fiers de poser leurs mains sur le «*pussy*» des femmes, individus salaces et peu ragoûtants qui classaient les filles en «baisables ou pas».

Juste avant le début de la première émission, Pierre O'Neil me fit un autre coup pendable. Il eut l'outrecuidance de m'annoncer que mon partenaire, dans le couple improbable que nous formions, avait exigé un salaire égal au mien, plus une prime. À sa virilité, je suppose. Or le directeur de l'information m'avait juré que j'étais l'animatrice en titre, avec salaire en conséquence, et que Simon était juste coanimateur. Avait-on menti aux deux ?

Très vite, une guerre larvée a commencé. Simon Durivage s'étant vite fait copain avec le metteur en ondes, il bagarrait d'emblée pour être celui qui lancerait le «Bonsoir» d'ouverture de l'émission. Je le vis dépenser une énergie considérable à fomenter ce genre de niaiserie au lieu de lire les dossiers que lui préparaient ses recherchistes ultra-compétents.

Autoritaire, il traitait les filles, réalisatrices incluses, comme des personnes corvéables à merci. Et, dès que la notoriété grandit, il se mit à avoir la grosse tête. L'emballage de l'émission – montages, etc. – se faisait en fin d'après-midi et nous avions peine à nous regarder hors du champ de la caméra. Lors de la réunion du matin, réunissant une dizaine de membres de l'équipe, il posait souvent la même question : «Qu'est-ce que le club des varices de la rue Panet veut voir à soir.» Ce «club des varices» désignait ce qu'en France on appelle plus élégamment mais néanmoins avec machisme «la ménagère de plus de cinquante ans». À savoir la téléspectatrice. Et la rue Panet, perpendiculaire à l'édifice de Radio-Canada, artère située dans un quartier pauvre transformé depuis en clinquant quartier gay – qui doit bien contenir quelques hommes à varices également –, traduisait son mépris du public populaire.

Face à de tels propos, toutes les femmes de l'équipe se taisaient. Comme partout ailleurs. Et pour cause, Durivage était une star, elles avaient un emploi stable pour la plupart et les attitudes harcelantes, en ce temps-là, n'étaient pas considérées comme un problème. À la fin octobre, je sus que je périrais en continuant à frayer dans pareil milieu. J'entendais d'ailleurs, à travers les cloisons minces, les noms d'oiseaux dont on affublait certaines femmes. « La tabernacle, on va la faire chier » ou « l'ostie de mal baisée » étaient des expressions courantes. Le vocabulaire de Simon Durivage, qui savait courtiser les patrons, assurer son vedettariat, n'avait rien de châtié et frôlait la vulgarité en permanence.

Pourquoi la production l'avait-elle choisi ? Vraisemblablement parce qu'il était un homme sûr pour l'institution, capable d'avaler toutes les couleuvres. De fait il a gagné le match puisqu'il s'est maintenu à l'antenne plus de trente ans, jusqu'à ce que sa figure se froisse et que sa voix tremblote et vacille, exploit à la portée d'aucune femme même parmi les plus compétentes.

L'atmosphère était bel et bien irrespirable. Chaque fin de journée, avant de retourner au studio pour enregistrer l'ouverture de l'émission, Michel et moi allions nous enfermer dans un bar miteux proche de Radio-Canada pour boire quelques verres de vin. Un seul me suffisait, n'ayant jamais été une « buveuse », comme on dit. À Michel, il en fallait un ou deux de plus. L'alcool me détendait légèrement et me permettait d'affronter Simon et ses alliés. Le 30 octobre, je notais dans mon journal : « C'est la désolation professionnelle. Cette émission n'est pas récupérable. Je sais désormais ce que je ne veux pas dans ma vie. Mon travail est devenu une corvée. Si je pouvais, je quitterais tout de suite. Je tiendrai jusqu'au 27 juin (fin de mon contrat annuel) par devoir, essentiellement. Je participe à une opération de déculturation qui me scandalise et me plonge dans une colère sourde. »

J'avais informé Pierre O'Neil du climat étouffant, psychologiquement violent de l'émission, où la matière journalistique était traitée en fonction de son effet «punché» à l'antenne. Aussi, le lundi 31 octobre 1983, le directeur de l'information débarqua de façon inopinée à la réunion du matin. D'un coup, le responsable de l'émission et son animateur se transformèrent en mielleux et acquiescèrent à toutes les remarques cinglantes qu'O'Neil portait sur le contenu et les sujets traités à l'antenne. Prudente, je me tenais coite, profondément convaincue que les gens qui m'entouraient ne changeraient pas leurs manières grossières d'être et de penser une fois le patron parti.

À vrai dire, cette triste expérience me permit de prendre conscience qu'animer une émission quotidienne d'actualité m'empêchait d'approfondir les dossiers que je traitais. Et de constater que je n'avais pas le tempérament qui convenait pour travailler dans un environnement fébrile où la dernière nouvelle chasse la précédente, frénésie qui a pour effet, à long terme, de niveler les contenus et d'exclure les sujets complexes dont la compréhension exige de la mise en perspective et des rappels historiques conséquents. En ce sens, je n'étais pas à l'aise ni à ma place dans ce monde où la quête du scoop prime et où l'on aborde l'information de la façon la plus terre à terre et même triviale possible.

*

J'ai traversé cette année-là sans trop de dégâts au moral parce que l'amour que me portait mon mari et l'affection joyeuse et chaleureuse de mes amies me régénéraient. Avec ces dernières, j'évitais de raconter le climat lamentable dans lequel j'arrivais à maintenir vaille que vaille ma tête hors de l'eau. Et puis, il y avait Guillaume, mon ravissement, mon attendrissement, ma joie pure... et mon inquiétude permanente. Je limitais mon temps de présence au bureau pour me retrouver avec lui ; le tenir dans mes bras m'aidait à me soustraire à l'agressivité, aux rires gras et aux emportements des «virils» qui m'entouraient. Les recherchistes de «Noir sur blanc» qui avaient fait le saut avec moi vers «Le Point» éprouvèrent eux aussi, au fil des mois, le malaise que je ressentais. Ils m'isolaient dans le travail. Pire, j'étais devenue toxique pour eux, puisqu'ils allaient demeurer dans cette émission qui garantissait leur gagne-pain – tous étaient pigistes – alors que moi, un jour ou l'autre, forcément je m'en irais. Je ne cache pas que j'étais peinée de les voir prendre leurs distances mais je les comprenais – et n'ai jamais cessé d'éprouver de l'amitié pour eux.

Cela écrit, professionnelle tous les soirs j'étais à mon poste. Et peu de téléspectateurs devinaient les émotions qui m'habitaient. Quant à mon coanimateur, qui eût pu deviner derrière son image de garçon jovial, obséquieux avec les personnes en autorité, prétendant aborder « les vraies questions » – en vérité réduire au plus petit dénominateur commun toute problématique –, qu'il était grossier et n'impressionnait en vérité personne intellectuellement ? Au moins avait-il une qualité : celle de jouer agréablement du piano !

Je persiste à croire que mon enfance difficile, parce qu'elle m'a blindée, m'a permis d'endurer cette année éprouvante quand bien d'autres auraient craqué. Mais ma vision du journalisme et de ses exigences, l'importance de la dimension intellectuelle du métier, le respect dû aux téléspectateurs que j'estimais indispensable furent mis à rude épreuve. J'ai assisté, sans mot dire je l'avoue, à nombre de comportements inqualifiables, en particulier à l'égard des femmes de l'équipe, goujateries osées par les personnages vulgaires qui s'étaient rapprochés de Durivage dès qu'ils crurent que celui-ci avait gagné sa guerre contre moi.

On n'insistera jamais assez sur l'ambiance délétère que des individus vulgaires créent dans un milieu professionnel aussi stressant. Et qui provoque, sur des gens sensibles, compétents et habités par une éthique, des réactions inattendues. Le milieu médiatique, par la notoriété qu'il apporte, fait perdre la tête et produit chez certains un sentiment d'omnipotence totalement illusoire. Or, dans un monde où l'image impose sa tyrannie, on ne doit jamais se laisser déposséder de son âme. Ceux qui deviennent l'image qu'ils renvoient à l'écran risquent de s'effondrer lorsque les caméras s'éteignent et les micros se ferment. Cet univers est donc rempli de futurs éclopés. Seuls n'y laissent pas leur peau les personnes qui comprennent que la notoriété est une dimension superficielle de l'être. Et que le pouvoir de l'image ressemble à un miroir aux alouettes.

*

Le 8 mai 1984, le caporal Denis Lortie entra à l'Assemblée nationale du Québec. Lourdement armé, il voulait assassiner le Premier ministre René Lévesque et les députés du Parti québécois. Trois fonctionnaires furent tués, treize autres blessés. Le carnage total fut évité grâce à la présence d'esprit du sergent d'armes René Jalbert, qui réussit à distraire Denis Lortie en lui expliquant que lui aussi était militaire.

Évidemment, une réunion d'urgence de l'émission fut organisée. Tandis que nous étions sous le choc, Simon Durivage, surexcité, proposa que l'équipe se procure l'arme du crime. Et déclara : «Je vais ouvrir l'émission avec la mitraillette dans ses mains en disant "Voici l'arme qu'a tenue dans sa main le caporal Lortie".» J'intervins immédiatement : « Si l'on commence "Le Point" ainsi, ne comptez pas sur moi ce soir à l'antenne. » Je vis surgir la haine dans les yeux de mon coanimateur. Et quelques membres de l'équipe de hocher la tête, l'air découragé. Ce fut ma dernière contribution éthique à l'émission « Le Point ».

Chapitre 53

Je quittai « Le Point » le 29 mai 1984 en sachant que, jamais plus dans ma vie, je ne commettrais l'erreur de succomber aux sirènes d'une direction si peu fiable. Pourquoi avais-je dit oui à l'offre de Pierre O'Neil, homme à la brutalité enveloppée de mystère ? Je l'ignore encore. Sans doute présomptueuse, croyais-je être capable d'arriver à travailler avec des gens choisis par lui en partie et malgré leur hostilité à mon endroit. Sans doute pensé-je possible de faire une bonne émission dès lors que chacun dans l'équipe se montrait professionnel. Mais c'était oublier que tous n'avaient pas la même définition du terme que moi.

Pour me remplacer, la chaîne déroula le tapis rouge à un prince de l'antenne : Pierre Nadeau. La haute direction de Radio-Canada intervint afin de le convaincre d'accepter. J'appris qu'on avait répondu à toutes ses exigences. Même Pierre O'Neil abandonna le poste de rédacteur en chef qu'il s'était attribué au début de l'émission – en plus de la direction de l'information – afin de le convaincre. Quant à Simon Durivage, conscient qu'il ne faisait pas le poids face à Pierre, il n'osa pas l'affronter. Le moindre juron lui aurait valu un coup de poing sur la gueule. Donc il courba l'échine, fit profil bas et bientôt apparut aux côtés de mon successeur en élève facétieux. Et, cette fois, il s'écrasa.

*

Professionnellement, je me retrouvais devant l'inconnu. Et consciente que les offres d'émission apportées sur un plateau d'argent n'allaient pas se multiplier. Je ne m'en plains pas. Sans doute ai-je besoin de cette adrénaline, du mouvement perpétuel qui augmente le plaisir de vivre.

Dès février, une vague proposition de Télé-Québec m'était arrivée. En pleine crise au « Point », je l'avais reçue avec soulagement et excitation : au moins, quelque part, on serait heureux de m'accueillir. En cette période de rejet, prendre conscience que j'étais désirée, malgré ma combativité naturelle, me réconfortait. Mais j'étais attachée à Radio-Canada. Bien que, selon les normes de l'entreprise, je n'avais droit ni à un bureau avec cloison, ni à un stationnement, ni aux avantages attachés à la permanence d'un emploi – car cette permanence, je la refusais – au sein de cette institution. À la vérité, l'idée même d'envisager une vie immuable, immobile jusqu'à mes soixante-cinq ans me déplaisait. « Tu as trop confiance en toi, me lança un jour un confrère, par ailleurs bienveillant. — Heureusement, car sinon je serais en position fœtale au fond de mon lit », ai-je répondu.

Et lui de rétorquer : « Toujours le mot pour rire. » Moi de murmurer : « Tu crois ? » Il haussa les épaules et secoua la tête, l'air de dire : « Mais qui donc es-tu ? »

Avec le recul, j'estime que, malgré mon erreur initiale de jugement, le passage au « Point » m'apprit beaucoup sur moi-même. Je compris que c'était parce que je n'étais pas une victime que je ruais dans les brancards et me refusais à jouer de la séduction comme tant d'autres. Que j'étais une bagarreuse dont personne n'aurait la peau. Que jamais les malotrus n'auraient prise sur moi car ils ne m'impressionnaient pas. Avoir eu affaire au club des testostéronés, espèce en voie de disparition, renforçait ma détermination, mieux, mes convictions. Et montrait, en fin de compte, les faiblesses intrinsèques de nombreux mâles dominateurs. Pierre O'Neil, l'ambivalent, avait, au final, de l'estime pour moi, voire m'admirait secrètement. Me craignant, il avait cru que, grâce à sa fonction, il saurait me mater. Lors d'une de nos dernières conversations, je lui avais lancé : « Tu peux décider de ma présence à l'antenne mais tu ne contrôleras jamais mon âme», expression quelque peu grandiloquente volontairement utilisée pour me mettre en phase avec ses références culturelles baignées d'eau bénite. Le sang s'était retiré de son visage. «Tu n'as pas le droit de me parler ainsi», avait-il répondu, se dressant derrière son bureau pour venir vers moi. J'avais quitté la pièce avant qu'il puisse m'attendrir ou s'excuser. Par la suite, je l'ai peu croisé et n'ai jamais cherché à comprendre pourquoi il avait souhaité me mettre dans un tel guet-apens, femme seule entourée d'hommes aussi primaires et mal embouchés.

*

Je restai donc à Radio-Canada et j'acceptai d'animer, l'année suivante, une émission culturelle, «En-Tête». En notant qu'on me renvoyait aux affaires «féminines». Les hommes reprenaient le contrôle des créneaux sérieux, ceux consacrés à la politique. J'étais révoltée, humiliée même, mais pour rien au monde je n'aurais exposé mes états d'âme publiquement comme on le fait de nos jours. Payant le prix d'être une femme libre et directe, j'assumais.

Et réservais ma séduction aux hommes que j'admirais, respectais et qui m'émouvaient. En amour comme en amitié.

Reste que j'étais touchée, voire troublée, lorsque des gens m'arrêtaient dans la rue pour me souhaiter bon courage tout en se désolant pour moi. Je ne pouvais décemment pas leur confier que ce qu'ils qualifiaient de «courage» relevait de mon tempérament et que j'éprouvais surtout de la désolation pour les autres. N'ayant jamais eu le goût de m'apitoyer sur mon propre sort, consciente que la vie me projette plutôt vers l'avant et que je trouve mon énergie à travers mon prochain, je savais que d'autres aventures viendraient parsemer mon chemin.

*

Claude m'obligea à partir pour l'Europe, conscient qu'un voyage me ferait du bien. Mais l'idée d'abandonner mon petit

Guillaume me faisait hésiter. Je finis par me laisser convaincre et quittai Montréal quelque temps. D'abord pour atterrir à Genève, où le professeur M., rencontré quinze ans plus tôt lors de son séjour à l'Université de Montréal où il nous avait enseigné tout un trimestre, m'avait invitée à donner une conférence au sein de l'Institut de hautes études internationales. Il m'accueillit à l'aéroport avec une fébrilité chaleureuse qui me surprit, et me conduisit directement à l'Institut où je me retrouvai devant une cinquantaine d'étudiants avides d'entendre un exposé sur le Québec.

Bien qu'épuisée par le long vol et le décalage horaire – qui m'est une torture –, parler du Québec devant un auditoire informé et curieux suffit à me faire retrouver la chère adrénaline à laquelle je carbure. Cet après-midi-là, devant un public intelligent, poli et visiblement ravi de m'entendre, je me surpassai. Quatre ou cinq jeunes exprimèrent, lors de la période de questions, le désir de venir faire un stage au Québec. Je savais être prosélyte à ma façon, prenant la relève des missionnaires d'antan qui, eux, prêchaient la Bonne Nouvelle en Afrique et en Chine.

Le professeur M. – exagérément emballé par ma prestation (je mis cette excitation sur le compte de ses origines hongroises) – me ramena à l'Hôtel de la Paix, établissement situé sur le quai, devant le lac Léman où j'avais déjà séjourné avec Claude. Je luttais contre la fatigue qui m'était brusquement tombée dessus, mais j'acceptai néanmoins de boire un verre en sa compagnie dans le bar cossu et feutré. Nous étions seuls. Brusquement, mon vieil ami – près de trente ans nous séparaient – devint tendu et, sans préavis, s'agenouilla devant moi. «Je pense à vous, je rêve de vous depuis le jour où je vous ai rencontrée à Montréal, me déclara-t-il fébrile. Je ne dors plus depuis quelques jours dans l'espoir de cette rencontre.» Voir ce vieux monsieur assailli de tics nerveux, les mains tremblantes, dans cette position me fit un choc. «M. je vous en supplie, relevez-vous», dis-je. J'étais humiliée pour lui, lui en voulais de me faire éprouver un tel sentiment, et craignais que quelqu'un entre et le découvre ainsi. La fatigue aidant, j'éclatai en sanglots. La suite fut pire encore. Il essaya de se précipiter vers moi et voulut m'enlacer. Il ne manquait que les violons et les poèmes de son compatriote Attila József, qu'il m'avait fait découvrir un jour. Car cette scène fatale, lui, la sommité en histoire du communisme, la préparait depuis des années dans sa tête de Magyar romantique.

Après l'année que je venais de traverser, je vécus cet épisode comme une sorte de choc anthropologique à mille lieues des sacreurs québécois. Le soir même, je dînai en sa compagnie et celle de sa femme intelligente, cultivée, un peu austère et dévouée à son époux. J'orientai la conversation sur les événements de Budapest en 1956, drame que tous deux avaient vécu et qui avait précipité leur exil vers l'Europe de l'Ouest. Personne n'aurait pu deviner les débordements du cœur de mon vieil ami survenus quelques heures auparavant.

Le lendemain matin, j'avais rendez-vous avec Claire Sterling, une Américaine professeure à Colombia spécialiste du terrorisme international qui avait publié des essais dérangeants sur le rôle de l'URSS dans les attentats perpétrés en Occident. Cette femme, bien que discrète et réservée, possédait une volonté de fer. Je me sentais privilégiée de la rencontrer, à ma demande, et j'eus droit à un exposé très éclairant sur le rôle de l'Union soviétique et de ses services secrets, le KGB en tête, dans la déstabilisation des démocraties. Genève, à l'époque, foisonnait de gens comme elle et mon ami M. Je n'étais pas dupe d'une possibilité de désinformation de sa part, mais j'appréciais la profondeur de sa pensée. N'étant pas paranoïaque, je n'avais pas l'impression qu'elle était un personnage cherchant à m'instrumentaliser, comme on en voit dans les romans de John le Carré.

*

L'après-midi même, je quittais la Suisse pour Rome. Arrivée à l'Hôtel d'Angleterre – avec Claude, j'avais pris goût aux établissements luxueux mais discrets –, je trouvai le personnel de la réception en larmes. Enrico Berlinguer, le secrétaire du Parti communiste italien, venait de mourir, ce 11 juin 1984, après trois jours de coma suite à un malaise durant un discours. L'apprenant, je me précipitai dans ma chambre et tentai de joindre mon amie Marcelle Padovani, correspondante du *Nouvel Observateur*, mariée à Bruno Trentin, un grand syndicaliste communiste italien, ancien résistant. Comme je venais en Italie pour retrouver cette femme de caractère avec laquelle j'avais passé déjà des heures passionnantes à Paris, Rome ou Montréal, il fallait que j'en sache plus. Cette Corse, capable de naviguer dans le parisianisme pur comme avec des Québécois de tous genres, possède un charme à la fois personnel doublé d'un courage légendaire. Sa passion amoureuse pour Bruno Trentin ne s'est jamais démentie, passion qu'elle a déployée aussi dans le journalisme où elle a risqué sa vie en s'intéressant de près à la Mafia. De trop près à mon goût tant j'ai maintes fois craint pour sa sécurité. Auteure, avec le juge Giovanni Falcone, d'un livre choc paru en 1991 à Milan : *Cose di Cosa Nostra* – le magistrat fut assassiné par la Mafia en 1992 –, à Radio-Canada, nous faisions souvent appel à elle. Elle m'avait d'ailleurs déjà ouvert toutes les portes de Rome, me permettant d'y tourner des entretiens avec des hommes politiques de premier plan, des actrices comme Sophia Loren, des écrivains comme Alberto Moravia, des créateurs comme les Fendi et même des monsignores influents du Vatican.

Deux jours plus tard, j'assistais aux funérailles populaires du leader italien. En quittant l'hôtel, je fus d'emblée happée par la foule qui envahissait les rues. Grâce à Marcelle, je vécus une expérience inimaginable. Armée des laissez-passer qu'elle m'avait procurés, en sa compagnie j'ai franchi des barrages de police et pu accéder au quartier général du Parti communiste, où l'on me salua d'un « camarade » bien ému. Un million d'Italiens défilèrent dans les rues ce jour-là. En transportant des drapeaux rouges, chantant l'Internationale et même, pour plusieurs à mon grand étonnement, faisant le signe de croix. Aux premières loges d'un événement culturel et politique inouï, je l'avoue, mon cœur battait au rythme de cette foule enflammée et communiste. J'éprouvais toutefois, en même temps, une sorte de gêne tant cette cérémonie funèbre n'en était pas une à mes yeux. Il s'agissait plus selon moi d'une manifestation politique puissante et forte, avec l'homme Berlinguer placé à l'arrière-plan tandis que le secrétaire général du Parti Berlinguer seul se voyait pleuré et encensé. Ce leader avait transformé le PCI en prenant ses distances avec l'URSS, en dénonçant – en 1968 – l'invasion de la Tchécoslovaquie par les troupes soviétiques, aussi un morceau d'histoire venait-il de mourir. Après le décès de ce chef, le plus charismatique et populaire qu'il ait eu, le PCI se désagrégera au point de s'autodissoudre en 1991.

J'ai eu, un soir, chez Marcelle, une preuve de la solidarité existant entre communistes. À l'époque, les pickpockets et les voleurs de voitures sévissaient à Rome au point de provoquer une baisse importante du nombre de touristes. Et Bruno Trentin reçut un coup de téléphone durant le dîner. Lorsqu'il revint à table, il souriait. Son interlocuteur, un « camarade », s'excusait d'avoir volé son véhicule. « Camarade, je suis honteux, je viens de découvrir tes papiers. Je te la rapporte immédiatement. » L'entraide communiste s'inspirant de la Mafia protégeant la *famiglia* prolétarienne, quelle scène surréaliste !

*

Chaque jour, je parlais à mon fils de sept ans au téléphone, et chaque jour, lorsque je m'informais de lui, Guillaume s'inventait une maladie ou un malaise. Une fois, il avait le doigt cassé, le lendemain, il n'entendait plus de l'oreille gauche, à un autre moment il était atteint d'une « quasi »-pneumonie. Je hurlais dans le combiné et lui riait à gorge déployée.

C'était bien mon fils ! Ma folie l'habitait et le protégeait en même temps. Je sus, dès son plus jeune âge, qu'il ne serait ni comptable, ni avocat, ni ingénieur. Je fus aussi convaincue qu'il choisirait sa voie, sa liberté, ses bonheurs et ses excès sans jamais se mettre en péril. Car je reconnaissais en lui ma propre rage de vivre.

Chapitre 54

Je débarquai à Paris où j'allais retrouver nombre d'amis. Qui auraient moins besoin de me consoler de mes petits malheurs télévisuels puisque Genève et Rome m'avaient permis de retrouver de l'enthousiasme. J'étais presque heureuse de nouveau. Certes, je m'ennuyais de mes deux hommes demeurés à Montréal, mais l'excitation d'un autre projet me portait. Avant mon départ, nous avions visité, à Outremont, une très grande maison aux pièces de réception lambrissées, aux chambres à coucher vastes et nombreuses disposées sur trois paliers. M'étant découvert depuis quelque temps une véritable passion pour l'immobilier, l'idée d'investir dans les vieilles pierres ne me quittait plus. Suite à l'élection du Parti québécois, nous avions ainsi acheté une grande maison familiale à Westmount, payée la moitié de sa valeur parce que le propriétaire faisait partie des cent mille anglophones qui ont alors quitté le Québec par crainte pour leur avenir. Durant mon séjour parisien, je négociai donc par téléphone l'achat d'une autre demeure située au cœur du quartier bourgeois francophone de Montréal, Outremont.

*

À Paris, mon amie Louise Beaudoin régnait comme déléguée générale du Québec. Si la défaite de 1980 l'avait affectée – plus qu'elle ne l'admettait –, dans la Ville lumière, où elle était aussi adorée que crainte, elle continuait de se battre sur le terrain diplomatique. Une tâche d'autant plus aisée que son carnet d'adresses contenait tous les numéros de téléphone personnels des ministres, députés, dirigeants de l'opposition et de l'élite journalistique. En d'autres termes, elle en menait large. Et nos discussions vives provoquaient parfois des flammèches entre nous.

Pendant une semaine, je circulai à gauche et à droite, consciente que ma qualité de Québécoise me donnait accès à des gens qui ne se fréquentaient pas entre eux. Durant des décennies d'allers-retours entre Montréal et Paris, je me suis bien gardée de choisir le moindre camp. À l'instar des délégués du Québec – auxquels le général de Gaulle avait reconnu le statut d'ambassadeur – qui s'abstenaient de mettre un pied dans l'arène politique française. Durant ces quelques jours, j'ai rencontré Jean-Marie Domenach, de la revue *Esprit*, Paul Guimard et Benoîte Groult, ces chers amis qui m'adopteront quasiment comme leur fille québécoise, le journaliste Olivier Todd, toujours princier, dans l'expression de ses idées ou de ses émotions, Jean-Noël Jeanneney, cet ami historien attentif et sensible au Québec dont le père fut ministre du général de Gaulle, qui lui-même sera par deux fois secrétaire d'État, puis président de la Bibliothèque nationale de France, Jacques Julliard du *Nouvel Observateur*, tous fidèles à leurs convictions.

J'ai croisé un matin, à Saint-Germain-des-Prés, Gaston Miron qui me retint plus de deux heures en m'éblouissant de ses envolées poétiques et politiques sur notre peuple. Gaston, au Québec, revendiquait le titre de poète national que personne ne lui contestait. Dans le café Danton, où il tenait salon, il interpellait les clients qui, une fois revenus de leur surprise, tombaient sous son charme. Certains quittaient même les lieux, parfois, en lançant un « Vive le Québec libre » bien senti, permettant à Gaston, en transe, de me dire : « Je viens de convertir un autre Français à notre cause. » Si Miron à Montréal était sublime ; à Paris, il devenait littéralement sublissime. Et sur les berges de la Seine comme celles du Saint-Laurent, il épuisait ses admirateurs, dont j'étais.

Je dînai aussi chez les Peyrefitte, rue du Ranelagh, en compagnie de leurs enfants. Durant le repas, Alain discuta avec moi seule et la tablée se tut. Mal à l'aise, je tentais bien d'inclure les jeunes gens à la conversation, en vain. Jusqu'au moment où Alain fit référence au PQ. Les frères et sœurs se regardèrent alors ; je sentais bien qu'ils se mordaient l'intérieur des joues pour ne pas rire, mais leur père poursuivait la conversation, les yeux mi-clos, feignant de ne pas se rendre compte du quiproquo. « Excusez-moi Alain, mais vous devriez expliquer à vos enfants que le PQ au Québec est le sigle du Parti québécois. Ce n'est pas le papier Q comme ici. Vous pouvez rire maintenant », lançai-je aux jeunes, qui s'esclaffèrent. « Cette chère Denise, je savais que vous l'apprécieriez », dit-il à sa progéniture. On ne riait pas avec l'autorité paternelle en France et plus encore dans le 16e arrondissement, mais, en ma présence comme devant d'autres Québécois, Alain Peyrefitte appréciait l'humour et se montrait volontiers enjoué. C'est avec leur verve, leur franc-parler et leur bagout que nombre de Québécois et Québécoises séduisirent les Français. La discrétion me retient de les citer. De fait, ils seraient trop nombreux et la lecture en deviendrait fastidieuse.

À Paris, les portes se sont toujours ouvertes. Sans doute parce que, en France, pays de la parole, on apprécie les Québécois qui manient la langue avec vigueur, audace, couleur et auxquels la polémique ne fait pas peur car elle est une façon de vivre. Contrairement au Québec, je n'y ai quasiment jamais été sur la défensive, n'ayant pas besoin de m'excuser d'être ce que je suis. C'est ce que me fit remarquer un jour ma très chère Micheline Fortin, la patronne « officieuse » du service de l'information où elle impose son caractère et sa loi, que j'avais entraînée à Paris en déclarant : « T'es plus légère et plus drôle ici qu'à Montréal. » Les Français aiment aussi qu'on les secoue ; qu'on parle d'eux en bien ou en mal peu importe, la discussion leur plaît. Ma *Lettre ouverte aux Français qui se croient le nombril du monde*, publiée en 2000, chez Albin Michel, a connu un grand succès. Alors que le Français qui publierait une « Lettre ouverte aux Québécois complexés » pourrait atterrir à Montréal mais le soir-même devrait reprendre l'avion !

*

Depuis quelques mois, je consacrais des heures et des heures à la rédaction de mon premier roman, autobiographique, il va sans dire. Son titre s'est imposé d'emblée : «Une enfance à l'eau bénite». Comme la première phrase : «J'ai fait ma première communion en état de péché mortel.» Ayant toujours voulu écrire, je savais qu'il fallait, après l'essai, livrer ce témoignage sur ma jeunesse et le Québec borné dans lequel elle s'est déroulée, pour, un jour, passer à du romanesque. Mais la décence m'interdisait – moralement – de le publier tant que mon père était vivant. Or j'approchais de la quarantaine et mon père, né en 1900, résistait (heureusement pour lui) à toutes les maladies. L'écriture avait beau m'être une nécessité, je devais patienter. Et puis, ce travail sur l'intime, le personnel, exigeait du temps. Contrairement à mon emploi à la télévision, écrire me renvoyait à moi-même et me dépouillait des apparences. Cette mise à nu, j'y consentais et, grâce à elle, je ne fuyais ni ne feignais. Avec le temps, mes certitudes vacillaient. Et ma résolution de sortir le livre seulement après le décès de mon père était chambranlante. Aussi, un jour, puisque mon père ne mourait pas – je ne le souhaitais évidemment pas –, j'en vins à décider de publier malgré tout ce premier roman, qui me délivrerait du reste des tyrannies de mon enfance et qui montrerait que j'avais conquis ma liberté.

Le 19 juin, j'ai déjeuné avec le P-DG des éditions du Seuil, Michel Chodkiewicz. D'origine polonaise, converti à l'islam à dix-sept ans, grand connaisseur du soufisme, je lui remis, lors de ce repas, une centaine de pages manuscrites de l'ouvrage. Nos échanges, sérieux mais cordiaux, portèrent sur la spiritualité en général et la vacuité de la culture médiatique. Et ce, alors que nous étions pourtant à l'époque où la télévision française proposait des émissions culturelles et politiques de très haut niveau. En me quittant, il assura qu'il donnerait une réponse avant mon départ, une semaine plus tard, à mon souhait de voir Le Seuil éditer l'ouvrage. Le lundi 25 juin 1984 fut un grand jour dans ma vie. Michel Chodkiewicz m'annonça que Le Seuil me publirait et m'assura, dans son bureau, avoir été «bouleversé» par sa lecture. Et aussi, ajouta-t-il, «par cette écriture si vivante, si fébrile, si incarnée».

Je me retrouvai seule dans Paris, à la fois heureuse dans ces rues si belles de Saint-Germain-des-Prés et frustrée de ne pouvoir partager mon bonheur avec Claude, le seul à savoir vraiment ce que ce «oui» signifiait pour moi. La même année, j'avais traversé la période la plus éprouvante de ma carrière et là je réalisais un rêve fabuleux. Grâce à l'écriture, j'allais devenir éternelle.

*

Claude étant hors du pays, c'est mon frère qui m'attendait en compagnie de mon Guillaume à l'aéroport de Montréal lorsque j'atterris. Comme à l'habitude chaque fois que je le quittais, mon fils demeurait reservé durant plusieurs minutes. Je ne le brusquais pas, attendant qu'il fasse de lui-même les premiers pas. Or, cette fois, je le sentais en plus mal à l'aise.

«Maman, me dit-il, Michel Beaulieu a eu un gros accident. Il est dans le coma. Qu'est-ce que c'est, le coma ?»

En entendant la nouvelle, j'ai failli m'effondrer. Vite, je me suis recomposée et l'ai serré dans mes bras. Mon compagnon d'infortune au «Point», celui qui avait été si affecté par le climat dans lequel l'émission se déroulait, celui qui m'avait épaulée malgré tout, malgré le fait d'avoir vu ses attentes professionnelles bafouées par Pierre O'Neil qui lui avait aussi promis la lune sans la lui donner, se retrouvait entre la vie et la mort. Michel Beaulieu et moi avions partagé tant de joies. Je lui devais une partie du succès de «Noir sur blanc». Notre petite équipe était notre seconde famille.

Michel survécut à cette terrible tragédie, mais je ne le reverrai jamais. Homme fier, plein de panache, il refusa de nous revoir. L'idée qu'on le découvre différent lui était, je suppose, intolérable.

L'épisode de l'émission «Le Point» et ses retombées furent donc plus dramatiques encore que je l'avais imaginé.

*

Je repris l'antenne en 1985. Avec une émission culturelle qui fut un véritable baume : «En-Tête». J'y fis entre autres une entrevue avec un auteur inconnu qui venait de publier un roman jouissif au titre osé : *Comment faire l'amour avec un nègre sans se fatiguer.* Ce Dany Laferrière était un garçon drôle, déjanté, qui tenait des propos jubilatoires. Charmée par ce grand escogriffe, tous deux avons réussi un entretien si drôle et inattendu que, du jour au lendemain, mon invité se transforma en coqueluche des Québécois. Celui qui est devenu par la suite un académicien français aussi brillant m'a exprimé sa reconnaissance publiquement à plusieurs reprises pour avoir «lancé sa carrière». Son parcours fulgurant ne m'a jamais surprise, bien que je regrette un peu le Dany turbulent du début, le farfelu qui avait posé nu – en s'assurant de cacher l'essentiel de son attrait quand même – dans un magazine très populaire du Québec. Ce Dany-là ne portait pas la même épée que celle qui orne son habit d'académicien.

Grâce aux créateurs, cinéastes, écrivains, tous des invités d'«En-Tête», cette période me semble, rétrospectivement, agréable, apaisante, intéressante tant elle m'ouvrait des horizons, surprenants parfois. Hélas, rapidement je sentis que la politique me manquait et que le sentiment d'être hors champ me gagnait. Un jour où je roulais en voiture avec mon fils, nous conversions tous les deux lorsque, à brûle-pourpoint, il me dit :

«Tu sais, maman, y a plein de gens à qui tu fais peur. Même les ministres. Mais moi, j'ai juste à faire "ça" – et il claqua son majeur et son pouce dans un bruit sec – et tu te mets à pleurer.»

J'éclatai en sanglots, de lourdes larmes coulèrent sur mes joues. Guillaume cria, estomaqué par une telle réaction :

«Non non, maman, c'est pas vrai, je disais ça pour faire une blague.»

J'avais accordé à une étudiante en communication de l'Université du Québec à Montréal (UQUAM), alors que j'animais le «Point», une entrevue sur ma conception du journalisme. Un entretien destiné au journal étudiant, considérant normal d'aider les futurs journalistes. Au cours de nos échanges sur la liberté d'expression, elle me dit à brûle-pourpoint : « Mais vous pratiquez la censure. Lorsque vous avez interviewé un psychologue dans votre émission, vous lui avez coupé la parole et le Conseil de presse vous a blâmée. » Surprise d'abord, même estomaquée, je lui ai répondu que ma tolérance avait des limites. Et que face aux racistes qui affirmeraient devant moi que les Noirs étaient moins intelligents que les Blancs, face aux antisémites qui nieraient les camps de concentration, face aux pédophiles qui feraient l'apologie de cette déviance, jamais je ne me tairais. Qu'il ne s'agissait pas de censure en l'occurrence mais d'éviter la propagation d'inepties.

Quelques mois après la parution de l'article, je reçus une poursuite en diffamation du psychologue. Radio-Canada, avec une élégance que chacun appréciera, refusa de me fournir un avocat, au prétexte que, légalement, je n'étais pas son employée et que je n'avais pas demandé la permission d'accorder cet entretien. Choquée et surtout triste, je choisis Me François Aquin, un avocat prestigieux, cultivé et raffiné, qui m'assura que je n'avais aucune inquiétude à avoir. À l'en croire, cette plainte n'irait pas loin. Néanmoins, une colère sourde montait en moi.

Chapitre 55

Le procès se déroula un an plus tard. Ce fut une expérience extrêmement éprouvante. Je n'entrerai pas ici dans les détails, mais si j'étais prémunie contre les poursuites judiciaires, si je savais que les vérités historique et judiciaire peuvent s'opposer, au fond de moi, la certitude de gagner la partie me portait. N'avais-je pas à mes côtés, par ailleurs, un grand plaideur qui ne m'avait pas une seconde préparée à un verdict de culpabilité ? Aussi, lorsque tomba la condamnation par la Cour supérieure, je fus renversée. Après quelques jours de réflexion, je décidai, en accord avec mon avocat, de faire appel du jugement. Partagée entre incrédulité, colère et vague dégoût, il allait falloir que je ronge mon frein en attendant la sentence définitive.

D'ici là, la vie reprit son cours. Et j'eus le bonheur de voir émerger une réaction populaire inattendue : une levée de fonds fut organisée pour me permettre d'assumer les frais supplémentaires – élevés – de la démarche auprès de la Cour d'appel du Québec. Je reçus des chèques de gens que je ne connaissais pas, d'amis dont je ne fus pas surprise qu'ils posent ce geste, de quelques confrères – très peu à vrai dire – dont Jean Paré, alors directeur du magazine *L'Actualité*. Les gens se révèlent, en pareilles occasions. Tandis que l'on s'attriste de voir des amis ou des proches s'abstenir du moindre geste susceptible de concrétiser leurs belles déclarations d'appui et d'amitié, on s'étonne de découvrir la sollicitude d'inconnus.

C'est seulement quelques années plus tard – les tribunaux, chez nous comme ailleurs, étant toujours lents – que tomba le verdict de la Cour d'appel. Composée de trois juges, dont le président était une connaissance croisée parfois dans des dîners chez des amis communs, elle confirma la première instance. Je me vis donc condamnée pour diffamation à payer plus de soixante mille dollars. Somme très élevée alors comme aujourd'hui. Et comme le président du banc n'avait pas signé le jugement, cela signifiait une unanimité des trois magistrats.

Lorsque je reçus, quelques semaines plus tard, les factures du procès qui comprenaient les honoraires de mon avocat, les frais de cour ainsi que les montants dus à la partie adverse, je demandai à mon fils, alors âgé de onze ans, de venir dans mon bureau. Je remplis le libellé du chèque, le signai et le lui tendis. « Mon chéri, voici ce qu'il en coûte, parfois, pour défendre ses idées. » Guillaume, au courant de la cause, s'approcha de moi et me serra dans ses bras. Nous sommes restés quelques instants enlacés et émus. Puis il est reparti jouer avec son chat.

Au début des années quatre-vingt-dix, Antonio Lamer devint juge en chef de la Cour suprême du Canada. Personnage flamboyant, l'homme était un bon vivant habité par sa fonction. Un soir, nous nous sommes retrouvés dans une fête en l'honneur d'une amie commune, elle-même magistrate à la cour du Québec. Avant que la soirée ne devienne trop joyeuse, il me prit à part. « Pourquoi donc n'êtes-vous pas venue en Cour suprême avec votre dossier ? » dit-il. Je crois lui avoir répondu que c'était en dehors de mes moyens financiers et que je ne voulais plus faire les manchettes avec cette triste histoire. « C'est dommage, la Cour suprême aurait pu réparer cette injustice. »

Après ces épisodes de triste mémoire, je croyais en avoir terminé avec mon combat contre les individus qui banalisent une vision quasi pédophile des relations humaines. Je me trompais. Mais, cette fois, ce serait en France que rebondirait cet engagement. Quelques années plus tard.

*

En 1985, la sortie d'*Une enfance à l'eau bénite*, où je racontais le Québec d'après-guerre et décrivais au quotidien l'éducation catholique bornée dans laquelle nous avions baigné, provoqua de vives réactions au pays. Les critiques furent dévastatrices. «Que l'auteur aille au diable», titra le chroniqueur littéraire de *La Presse*, Réginald Martel ; «Le Seuil s'emputasse à publier Bombardier», écrivit un certain Boivin dans un magazine branché ; et le reste à l'avenant. Ce qui n'empêcha pas l'ouvrage de faire un tabac en librairie, au Québec comme à Paris.

En France régnait sur les lettres une émission phare : «Apostrophes» de Bernard Pivot, où les écrivains auraient tué père et mère pour être invités. Allais-je être heureuse de me voir conviée sur le mythique plateau ? Je l'aurais été si la date annoncée n'avait été la veille d'un gala diffusé sur Radio-Canada que je devais animer en compagnie de mon ami, le joyeux luron Gaston L'Heureux, émission spéciale de deux heures marquant l'anniversaire de l'année de la Femme. Je devais donc rester à Montréal. À Paris mon éditeur décréta que je ne pouvais refuser d'aller chez Bernard Pivot. «Le passage à "Apostrophes", c'est la possibilité de vendre cent mille exemplaires plutôt que dix mille», me dit Le Seuil, tandis que Radio-Canada opposa une fin de non-recevoir à toute éventualité d'un remplacement : «Tu gagnes ta vie ici. Penses-y bien», asséna un responsable. Tiraillée, j'étais dévastée.

Alors, mon éditeur eut une idée géniale mais coûteuse pour lui. Il décida que je rejoindrais la France en allant d'abord à New York puis en y prenant le *Concorde*, supersonique hyper-rapide, ce qui me permettait d'assurer les deux engagements. Et au retour, par le même appareil, avec trois heures quinze minutes de trajet New York-Paris et le décalage horaire, je pouvais être au studio à 13 heures, le samedi. Un des dirigeants de Radio-Canada, amoureux de la littérature et admirateur de Bernard Pivot, convainquit la direction de l'émission d'accepter l'arrangement. Ce dont je lui saurai toujours gré. C'est ainsi que j'atterris dans le studio à l'heure dite, alors que Gaston L'Heureux, venant de la banlieue, fut, lui, en retard à cause des embouteillages. Tout le plateau l'applaudit lorsque enfin il se pointa, tout essoufflé.

L'expérience en *Concorde* m'avait excitée au plus haut point. À part les militaires, peu de civils ont eu la chance de voler au-delà de la vitesse du son, aussi ai-je grandement apprécié l'expérience, sans pour autant rêver à l'étape suivante, devenir astronaute, flotter en apesanteur durant des semaines ne m'enchantant guère.

À Paris, le vendredi soir, en entrant dans le studio de Bernard Pivot, je fus accueillie par ses collaborateurs avec un empressement et un enthousiasme si spontanés que mon éditrice du Seuil, Françoise Blaise, me dit qu'elle percevait des ondes positives. Je n'ai jamais partagé ce genre de lubies cosmiques mais j'appréciais grandement son talent, sa sensibilité et le respect des auteurs – dont j'ai eu le bonheur de faire partie – qu'elle manifestait. De fait, à l'antenne, Bernard Pivot m'accueillit avec force propos élogieux. Il avait beaucoup aimé mon roman mais s'étonnait de mes descriptions du Québec catholique des années cinquante. « Vous êtes jeune. Or votre récit de la catholicité étouffante, on le croirait écrit par une Bretonne de la fin du XIXe siècle », dit-il avant de citer de nombreux passages sur l'éducation sexuelle. Le plateau s'esclaffait. J'avais gagné la partie. Dans les jours qui suivirent la diffusion, les ventes de mon roman explosèrent. Il y eut jusqu'à cinq mille livres achetés au quotidien. Et la critique, du *Monde* en passant par le *Figaro*, le *Point* (où François Nourrissier de l'Académie Goncourt encensa l'ouvrage) et le *Nouvel Observateur* (où Jérôme Garcin fut plus qu'élogieux) se montra quasi unanime. Je me pinçais pour y croire. En France on m'encensait alors qu'au Québec je serai lapidée et vouée aux gémonies. Grâce à la chance inouïe d'avoir été publiée directement à Paris, j'ai pu survivre comme écrivaine à l'entreprise de démolition endurée chez nous. Je savais jusqu'alors que « nul n'est prophète en son pays », mais cette fois j'en vivais la réalité. Félix Leclerc exprimera lui aussi, durant une de nos rencontres à la télévision, la peine qu'il avait ressentie à avoir été compris et aimé d'abord par la France.

*

Au milieu des années quatre-vingt, l'impression de tourner en rond me gagnait. Comme le Québec d'ailleurs. René Lévesque avait quitté la politique, épuisé à force de porter sur ses épaules l'échec du référendum de 1980. Cet abattement rendait mal à l'aise son entourage, qui tentait, avec plus ou moins de tristesse, de protéger son image. Sans toujours y réussir puisque, on l'a vu, dans quelques apparitions publiques, en état d'ébriété, habillé de façon relâchée et ne se comportant guère comme l'exigeait sa fonction d'ancien Premier ministre. Il faisait peine à voir mais personne, même parmi ses adversaires, n'aurait osé commenter de telles errances. Chacun comprenait sa détresse. L'homme, fatigué, amer, isolé, provoquera un sentiment d'affection dans la population lorsque, en juin 1984, il se retirera de la politique. Quand il mourut, le 1er novembre 1987, d'une crise cardiaque, le peuple éprouva une douleur immense. Des centaines de milliers de citoyens défilèrent devant son cercueil à Montréal et assistèrent à ses funérailles. Ce démocrate convaincu qui avait incarné l'espoir de la libération du Québec s'était tué à la tâche et n'avait pas réussi sa mission. L'usage immodéré de la cigarette, l'abus de l'alcool eurent, aussi, raison de lui prématurément alors que cet homme de petite taille possédait une force physique digne de celle des défricheurs du pays.

Pierre Elliott Trudeau, qui avait quitté son poste de Premier ministre du Canada en 1984, lui survécut. Il mourra treize ans plus tard, en 2000. Avec la disparition de ces deux figures majeures de notre histoire, incarnations des deux facettes du Québec déchiré entre frères ennemis, se tournait une page aussi passionnante que traumatisante.

*

J'ai vécu ces bouleversements politiques de l'extérieur puisque j'étais confinée, si je puis écrire, aux émissions culturelles. Un domaine que j'aimais même si je ne digérais toujours pas d'avoir été mise à l'écart du journalisme politique. Heureusement, dans mes nouvelles activités, j'eus l'occasion de vivre des moments exceptionnels. Notamment avec la grande Marguerite Yourcenar, qui avait accepté d'accorder des entretiens aussi longs qu'exclusifs à la télévision de Radio-Canada. Le directeur des programmes de l'époque, Jean-Claude Rinfret, me confia cette série de deux heures avec l'auteure des *Mémoires d'Hadrien*.

Avant d'entamer les émissions, Marguerite Yourcenar avait souhaité que l'on déjeune en tête à tête à l'hôtel Ritz de Montréal où Radio-Canada l'avait installée (à sa demande, car dans le service public, on ne dilapidait pas les impôts des contribuables dans des réservations de palaces). L'exclusivité de cette rencontre, nous l'avions obtenue grâce à son ami et confident Yvon Bernier, professeur de littérature au Collège Mérici de Québec, lequel se trouvera à son chevet à Bar Harbor, lorsqu'elle s'éteindra le 17 décembre 1987, et deviendra son exécuteur testamentaire.

Durant ce long déjeuner, Mme Yourcenar exigea que je partage avec elle une bouteille de vin, un sancerre, si ma mémoire est bonne. Or je buvais très peu alors, et surtout pas avant de m'attaquer à un monstre de la littérature mondiale. Sans doute Yvon Bernier lui avait-il parlé de moi, car elle posa d'abord des questions sur ma vie et mes goûts littéraires. La description de mon enfance sembla la surprendre et l'intéressa vivement. Il est certain qu'entre mes chères tantes et elle, à part une force de caractère commune, aucun atome n'aurait été crochu. Mais je crois qu'elle aurait eu un faible pour ma tante Edna et sa vive intelligence, avec laquelle elle aurait volontiers bu une seconde bouteille. Et peut-être même parlé en yiddish.

L'entretien se déroula en quatre parties d'une demi-heure chacune. J'avais évidemment lu nombre des livres de notre prestigieuse invitée, je les avais annotés, même, mais Marguerite Yourcenar prit plaisir à l'évidence au ton de notre rencontre, celui de la conversation, et détailla avec une foudroyante intelligence sa vision de la littérature. Je fus étonnée lorsqu'elle avoua ne pas fréquenter les artistes et les intellectuels, préférant, dit-elle, les gens simples et authentiques. Elle raconta aussi que, pendant la rédaction des *Mémoires d'Hadrien*, des ouvriers travaillaient dans sa maison de Mount Desert Island, dans le Maine. Tandis qu'elle décrivait les réflexions de l'empereur romain quant à son suicide, un ouvrier l'interrompait parfois afin d'obtenir une indication nécessaire aux travaux en cours. Elle m'assura qu'elle quittait alors Hadrien et ses états d'âme pour livrer ses instructions au menuisier, puis revenait vers le souverain, s'adressant à Marc Aurèle sans souci, faisant un saut de mille huit cents ans en à peine quelques secondes. La magie et le génie de l'écriture !

Cet après-midi en compagnie de la première femme académicienne me combla. Mais je ne pus m'empêcher de ressentir une pointe de déception : car si l'interview était riche, sincère, foisonnante, je savais que ses propos mémorables s'adresseraient à une partie seulement de notre auditoire, les lettrés curieux et sensibles. Je suis convaincue que la télévision actuelle, même dans le service public, n'accorderait plus des heures d'antenne à un écrivain de cette stature. D'ailleurs, de telles personnalités, aucun système d'éducation moderne ne peut les former. Nous sommes à l'ère du formatage. Imagine-t-on Marguerite Yourcenar en train de tweeter ou à la recherche de *like* ?

Chapitre 56

À l'occasion d'un tournage à Paris, à la fin 1985, j'ai rencontré à son bureau de l'ambassade du Canada, avenue Montaigne, Lucien Bouchard. Sa faconde, son côté ténébreux, son nationalisme non pas canadien mais québécois et son inexpérience de la diplomatie faisaient déjà couler beaucoup d'encre. Surtout au Canada anglais.

Pour autant, cet homme de caractère possédait d'énormes atouts aux yeux des Français. Grand lecteur, admirateur inconditionnel de Marcel Proust et de Napoléon, une de ses idoles, il adorait la littérature et plus encore l'histoire militaire, au point d'en être incollable. De plus, grâce à son amitié intime avec Brian Mulroney, le Premier ministre qui l'avait nommé à cette fonction prestigieuse, le Quai d'Orsay et l'Élysée pouvaient compter sur un accès direct au Premier ministre canadien, ce qui simplifiait la relation entre Paris et Ottawa.

À son arrivée, Lucien Bouchard eut comme interlocutrice, durant quelques mois, Louise Beaudoin, alors déléguée générale du Québec. Et dut composer avec cette pasionaria de l'indépendance à qui le Tout-Paris politique et médiatique ouvrait ses bras. Aucune porte ne restait fermée devant cette ambassadrice du Québec qui connaissait personnellement le président Mitterrand, la plupart de ses ministres et une grande partie de l'opposition.

Ma première conversation avec notre nouvel ambassadeur fut à la hauteur de mes attentes. L'homme séduisait par son intelligence, fascinait par son exubérance et surprenait par son mélange de naïveté et de rouerie qui transformait cet adulte viril en gamin content de ses trouvailles. Sa langue coulait de source jusqu'à en devenir déclamatoire. J'avais affaire à un orateur de haut niveau, vibrant, intense et charismatique. Immédiatement je fus impressionnée. Pour ne pas être en reste, il me félicita de l'accueil « extraordinaire » que Paris avait réservé à mon roman *Une enfance à l'eau bénite*, qu'il n'avait pas lu encore, ajouta-t-il en jouant à vouloir se faire pardonner.

*

Je revins à Montréal, je repris ma vie d'épouse, de mère, et retrouvai mon émission « En-tête » ainsi que ses invités parfois fascinants, quelquefois décevants. Je gagnais ma vie, j'étais entourée d'amis, j'organisais des dîners où j'aimais réunir des gens qui guerroyaient joyeusement, parfois avec agressivité – mais j'aimais la polémique, l'humour et la douce folie. Je mettais en scène ces soirées comme un dramaturge choisit ses acteurs. Reste que, au fond de moi, j'attendais que la vie me surprenne, que quelque chose d'inattendu survienne. L'ennui s'était de nouveau infiltré dans mon cœur. À mon grand désarroi.

Cela explique peut-être que j'aie basculé dans une passion amoureuse comme on n'en souhaite pas à ses adversaires. Car un tel choc agit sournoisement, à la manière d'une effraction. Il s'impose avant qu'on ait le temps de l'éviter. Il vous dépossède de la raison, de la décence, de la réalité, du passé comme de la fidélité à soi, aux siens, aux autres. Il nous rend étranger à nous-mêmes et, en ce sens, nous dénature.

Au printemps 1986, j'ai quitté mon mari et l'ai séparé de son fils ; j'ai abandonné mon travail et le Québec pour m'installer à Paris. Avec Lucien Bouchard. Cette fois, la ville m'importait peu. Seule ma géographie amoureuse comptait. Mes amies avaient organisé une fête avant ce départ mais quelques-unes y manifestèrent d'étranges émotions. Les pleurs n'étaient pas de joie et les rires manquaient de conviction. Elles me communiquaient leur inquiétude et leur peur en m'observant régulièrement à la dérobée pour deviner si je comprenais que je commettais vraisemblablement une bêtise. Elles jouaient toutes à faire semblant. Je le sentais, en mon for intérieur, mais j'avais déjà glissé de l'autre côté du miroir. Rien ne pouvait m'arrêter.

Ma mère avait refusé de participer à la cérémonie des adieux. Je vivais entourée mais j'étais donc seule pour entamer ce qui serait la période la plus tumultueuse de ma vie. J'expliquai à mon fils, avec des mots que j'ai volontairement oubliés, que je quittais son papa et que tous deux nous allions nous installer à Paris, dans une immense demeure avec un grand jardin. «Je m'en fiche», cria-t-il en courant pour aller se réfugier dans sa chambre avec son chat. Mais qu'importe, il me fallait partir, la passion me poussait, me propulsait. En juin, à la fin des classes, nous avons quitté Montréal. Je n'ai plus souvenance de la personne qui nous a accompagnés à l'aéroport. J'ai passé la nuit dans un déchirement et une exaltation qui se télescopaient. Même la vue de mon fils endormi, étendu à mes côtés dans l'avion, ne parvenait pas à me calmer. Devinais-je déjà que j'allais vivre mon 11 Septembre à moi ?

*

Le chauffeur de l'ambassadeur nous attendait à l'atterrissage. En ce petit matin, nous avons roulé sur l'autoroute. Si, à chacune de mes arrivées en France, j'éprouvais un plaisir renouvelé, cette fois la gravité m'habitait.

Lucien nous accueillit en souriant, mais à l'évidence stressé. Il nous confia à un membre du personnel et partit sur-le-champ vers l'ambassade. Le soir même un dîner officiel était prévu à la résidence.

Notre passion commune, instinctive, irrationnelle, impulsive, ne pourra s'accommoder du réel. Je m'étais arrachée à la vie que j'avais choisie pour plonger dans celle d'un homme auquel s'offrait le plus grand défi de sa carrière. Un homme habité par des ambitions aux contours encore flous qui avait sans doute sous-estimé l'adaptation à Paris, à son travail et à une femme autonome connue aussi en France.

Nous n'étions ni semblables ni complémentaires. Lucien devait déployer une énergie considérable pour s'adapter aux règles du monde diplomatique, encore strictes à l'époque. Avec chaque personne qu'il rencontrait, il devait s'imposer, s'ajuster et séduire – ce qu'il savait faire avec un naturel étudié et une intelligence vibrante. L'homme qui m'envoûtait était, aussi, habité par un grand orgueil et tourmenté par une colère sourde qui, parfois, le submergeait. Ces traits de caractère impressionnaient les Français. De plus, son amitié de jeunesse avec Brian Mulroney en faisait un ambassadeur précieux, le président Mitterrand ayant un faible pour le leader canadien.

Nous étions officiellement en couple et non mariés. Lucien Bouchard avait informé le Premier ministre canadien de ce statut particulier qu'il avait accepté sans réticence aucune. Dans les années quatre-vingt, au sein des milieux journalistiques et politiques, en France cela ne passait pas vraiment inaperçu ni comme une lettre à la poste. Mais à l'image d'un Canada bénéficiant d'une réputation de pays progressiste, notre particularité apparaissait comme normale. En revanche, Lucien, plutôt prude et conservateur, ce qui ajoutait au paradoxe de sa personnalité, était gêné par la situation. Personnellement, mon statut ambigu à l'ambassade prenait le pas sur ma carrière de journaliste. Une situation professionnelle précaire qui accentuait mon malaise, je l'avoue. Vite, je pris conscience que mon métier était mis entre parenthèses. Et, sincèrement, je ne crois pas que Lucien en ait été désolé. Au contraire, me voir exercer mes activités courantes – édito, interviews – lui aurait créé des problèmes, que ni lui ni moi n'avions envisagés, aveuglés par notre passion fusionnelle.

J'organisais parfois, avec son autorisation, des dîners à la résidence lui permettant de faire connaissance, dans un contexte moins protocolaire, d'illustres figures du Tout-Paris avec lesquelles j'étais liée d'amitié depuis des années et que je tutoyais, parfois, à sa propre surprise. Ces Parisiens tombaient tout de suite sous le charme du p'tit gars originaire de Saint-Cœur-de-Marie, au pays de Maria Chapdelaine, Lucien Bouchard sachant comme personne raconter le parcours qui l'avait conduit jusqu'à Paris. Mes amis le trouvaient « authentique » et appréciaient ce franc-parler qui le distinguait de toutes ces Excellences aimant se gargariser de leurs titres. Lucien avait un succès d'autant plus considérable qu'il savait exposer avec brio ses deux passions françaises, Proust et Napoléon. La séduction, dont il a toujours usé – et même abusé –, est indissociable de son charisme. Et masque, pour qui le connaît, la dimension plus sombre de sa personnalité.

*

Après quelques semaines, je me sentis en effet dépossédée de moi-même. Sauf lorsque je retrouvais mes amis, étais seule ou en compagnie de Guillaume. Aux côtés de Lucien, je devenais discrète, parlais peu, me pâmais devant l'effet qu'il provoquait chez les autres. Il m'avait, avec gentillesse, demandé d'être réservée en sa compagnie, j'obéissais. Il lui arrivait même de me remercier de ce genre de comportement après certaines soirées où j'avais été quasi muette mais souriante. La passion m'aveuglait, me transformait et prenait le pas sur mon habituelle assurance. Je me soumettais et en retirais une satisfaction inconnue jusqu'alors dans ma vie. J'admirais tant sa beauté virile que j'en perdais mes repères et mon identité. Je souffrais, certes, mais me disais que cet amour-là en valait le prix. Il m'arrivait même de penser vivre l'équivalent des extases mystiques de ma jeunesse.

Progressivement, je m'étiolais. J'avais peu d'appétit, j'étais amaigrie. Quelques amis de passage, en me voyant, s'alarmèrent. Ma mère, qui vint nous visiter, s'inquiéta aussi. Lucien était cordial, voire enjoué avec elle, mais elle le trouvait impatient et tendu avec le personnel. Et avec moi.

En septembre, Guillaume entra en classe – avec la belle et future éditrice Sophie de Closets – à l'école des Belles Feuilles, en plein 16e arrondissement. Guillaume et elle s'adoraient. Sa compagnie égayait mon fils.

J'étais consciente du traumatisme qu'il avait vécu, la séparation subite avec son père n'étant pas, pour un fils, facile à absorber. Mais Lucien s'intéressait à ce petit garçon qui s'exprimait bien et que fascinaient les conversations entre adultes. Durant ses rares moments libres, Lucien l'accompagnait dans les parcs voisins de la résidence, située rue du Faubourg-Saint-Honoré. Lorsque je me retrouvais seule dans l'immense hôtel particulier au décor théâtral, je n'osais croiser mon regard dans les miroirs omniprésents de peur d'y lire la douleur insoutenable de mon cœur en charpie. Cette passion était en train de me consumer.

*

Je vivais une partie du temps dans le monde des apparences. Je pouvais discuter, mais sans l'énergie qui me caractérise, sans l'intensité qui me permet de palper l'âme de mon interlocuteur, de le faire vibrer et être à mon tour illuminée par lui. Je subissais la vie, je ne la vivais plus. Lorsque je conversais, entourée d'étrangers et même d'amis n'appartenant pas à mon cercle intime, le son de ma voix m'était étranger.

Avec Lucien, je discutais politique. J'étais ainsi préoccupée de l'entendre répéter qu'il défendait le Québec à Paris, alors que le Québec avait un ambassadeur, en la personne de Jean-Louis Roy qui avait remplacé Louise Beaudoin après la défaite du Parti québécois dirigé par Pierre Marc Johnson. Mais Lucien, parce qu'il représentait le Canada, s'estimait, en même temps, le seul représentant légitime du Québec. De par sa fonction et sa personnalité, il n'allait pas céder un pouce d'avantages politiques à son vis-à-vis Jean-Louis Roy, délégué général et serviteur discret à la diplomatie feutrée. Durant cette période, il n'y en eut que pour le Canada. D'autant que le président Mitterrand, rappelons-le, exprimait publiquement son amitié envers Brian Mulroney et son épouse, la «magnifique» Mila. Un jeu que je regardais en observatrice, attentive à l'efficacité, dans les relations officielles, des affinités personnelles. Si les chefs d'État défendent les intérêts de leur pays, leur perception politique peut aussi être influencée par les sympathies qu'ils éprouvent à l'égard de certains collègues étrangers.

*

Dès l'automne, Lucien prit ses distances avec moi. Accaparé par de multiples tâches, dont celle de sherpa du Canada dans l'organisation du futur Sommet de la francophonie, il quittait tôt la résidence le matin. D'abord pour retrouver son professeur d'anglais et parfaire cette langue qu'il lisait mais parlait alors avec difficulté. Ensuite pour enchaîner réunions et rendez-vous. Le soir, les réceptions et dîners se succédaient à un rythme effréné. Lucien ayant le vent dans les voiles, le Canada en bénéficiait largement. L'ambassadeur se faisait un devoir de recevoir toutes les personnalités canadiennes de passage dans la capitale. Des P-DG d'entreprises de l'ouest du pays aux banquiers de Toronto en passant par Réjean Tremblay et Fabienne Larouche, alors en couple, tous nous rendaient visite.

Un jour, je reçus un coup de fil d'Alice Parizeau, qui m'annonçait sa présence à Paris en compagnie de son mari, Jacques. J'avais de l'amitié pour Alice, femme courageuse, digne et talentueuse. Enchantée de la voir, j'en informai Lucien le soir même. À ma stupéfaction, il se mit en colère et déclara que, jamais, Jacques Parizeau ne mettrait les pieds à la résidence. Je n'ai compris que plus tard cette réaction aussi surprenante qu'épidermique. Lorsque Lucien Bouchard avait obtenu, en tant qu'avocat, le mandat de négocier, au nom du gouvernement québécois, avec les syndicats de la fonction publique, il avait, une nuit, alors que les négociations étaient fiévreuses, accepté des demandes syndicales que Jacques Parizeau, ministre des Finances, avait ensuite écartées du revers de la main. Avant d'imposer par décret des réductions de salaire temporaires aux fonctionnaires. Dès lors, certains attribuèrent la défaite du Parti québécois de 1985 à cette politique ferme, pour ne pas dire autoritaire. Si bien que Lucien n'avait jamais pardonné à Jacques Parizeau de lui avoir fait perdre la face devant les instances syndicales.

Je raconte cette anecdote afin d'éclairer d'un jour nouveau le geste de Jacques Parizeau en 1995. Lorsqu'il deviendra Premier ministre, il cédera sa place à Lucien Bouchard pour la campagne référendaire, acceptant de marcher sur son orgueil pour la cause qui lui tenait tant à cœur et de laisser Lucien Bouchard mener le combat, conscient qu'avec son charisme, son lyrisme d'orateur, son charme de ténébreux et sa popularité il était le seul à pouvoir contrer la peur des électeurs. De fait, à trente mille voix près, le Oui a failli l'emporter lors de ce second référendum.

*

Dans ce contexte de plus en plus tendu, alors que Lucien s'éloignait de moi et que je me morfondais, les notes de Guillaume, très bonnes durant quelques mois, fléchirent brusquement. Mon fils de neuf ans n'allait pas bien, ses résultats s'en ressentaient. Un après-midi, alors que j'étais venue le chercher à l'école pour l'amener au spectacle de marionnettes du jardin du Ranelagh, nous marchions côte à côte rue de la Pompe quand j'entendis mon petit garçon me dire à brûle-pourpoint : « Tu sais, maman, Lucien il est beaucoup plus gentil avec moi qu'avec toi. Il faut qu'on parte. »

Comment cet enfant, peu loquace à l'époque, avait-il pu saisir la mesure de ma dévastation ? Comment n'avais-je pas capté sa propre angoisse ? Quel choc que d'entendre cette voix enfantine, la plus chère à mon cœur, m'obliger, à la manière d'une injonction, à admettre les ténèbres dans lesquelles nous tâtonnions, mais aussi à apercevoir un peu de lumière au fond de mon impasse, qui était aussi la sienne !

J'ai oublié la façon brutale dont notre départ se concrétisa, il n'y eut jamais d'échanges intimes entre l'ambassadeur et moi. Ni de pourquoi ni de comment. À vrai dire, en apprenant que je partais il était libéré, débarrassé. Tout juste m'annonça-t-il que, devant se rendre à l'étranger pour quelques jours, il voulait qu'à son retour j'aie quitté la résidence.

Luc Plamondon fut mon sauveur. Parce qu'il me loua (à perte) son appartement situé sur le Champ-de-Mars, face à la tour Eiffel.

Guillaume retrouva son excitation d'enfant, heureux de vivre avec la tour Eiffel, visible du salon. Réapparut aussi son rire, bien que triste parce que lui était séparé de son papa. Ses notes s'améliorèrent. J'entrepris, pour ma part, une très lente remontée vers la femme libre, vive, audacieuse, indépendante, que j'avais abandonnée un après-midi, vers 16 heures, dans le bureau de l'ambassadeur du Canada à Paris, six mois plus tôt.

Chapitre 57

En lisant mes carnets de rendez-vous de la fin des années quatre-vingt, période de mon retour à Montréal, je découvre avec étonnement combien j'ai régulièrement été sollicitée pour donner des conférences au Québec, parfois au Canada, à différentes reprises aux États-Unis, voire en Europe et d'abord en France. Colloques, tables rondes, émissions, j'acceptais ces invitations qui élargissaient mes horizons et m'aidaient à confronter ma vision de la politique avec celle de personnes issues de cultures diverses et aux convictions parfois opposées. Je pouvais alors constater à quel point la liberté d'expression, la vraie, était plus rare que je ne l'imaginais et la langue de bois commune à tous ceux qui choisissaient de ne pas sortir des sentiers battus et rebattus des discours idéologiques de droite comme de gauche. Les libres-penseurs, au sens le plus noble du terme, c'est-à-dire ceux qui se refusent à laisser leurs intérêts personnels prendre le pas sur leurs croyances et leur conscience, constituent des exceptions.

*

J'eus une période Unesco, qui m'invita à Paris, Rome, Cracovie, Athènes, San Francisco, Vienne. Je fus à même de constater combien nombre d'intellectuels s'accommodaient de la bien-pensance. Combien ils s'ajustaient d'avance à la rectitude politique, ce que la France ne nommait pas encore le politiquement correct. Ainsi, lors d'un colloque au siège de l'Unesco, à Paris, je fis un jour une sortie remarquée sur la violation permanente de la liberté de la presse dans nombre de pays de cette instance – prudente, je m'étais tout de même gardée de les nommer, par une réserve quasi diplomatique et afin d'éviter de me faire traiter de colonialiste nord-américaine. Je perçus immédiatement un vrai malaise dans l'assemblée. Bien que des participants issus en particulier des pays de l'Est vinrent me remercier de cette intervention, le fait qu'ils le firent avec discrétion m'intrigua. Qu'avais-je osé dire ? Que se passait-il ? Je découvrirai, plus tard, qu'un sociologue américain devenu invité quasi permanent des colloques de l'Unesco (ce qui signifiait des voyages gratuits à travers la planète) avait mené une fronde contre moi. De tels propos – francs – dans ce cénacle feutré passaient mal. Exit la Canadienne.

L'expérience me fut bénéfique car elle m'incita à ne pas trop attendre de ces « machins » – comme aurait dit le général de Gaulle – technocratiques internationaux, servant trop souvent ceux qui en font partie plutôt que ceux qui devraient en bénéficier. Les pique-assiette habitués à ce type de séminaires réservés aux penseurs officiels sont très au fait des frontières politiques et culturelles à ne jamais franchir, donc des sujets à ne jamais aborder dans ce genre d'instance. Cette expérience – et d'autres – dans la jet-set intellectuelle mondiale a contribué à me faire perdre les rares illusions qui m'habitaient encore.

*

Je revins à l'antenne en septembre 1989. Avec la coanimation d'un magazine d'actualité d'une heure intitulé « Aujourd'hui dimanche ». Mon camarade Robert Desbiens, un garçon au tempérament nerveux mais à la repartie joyeuse, acceptait l'éventualité que je puisse lui faire de l'ombre à l'écran, lors des entretiens politiques qui m'étaient réservés. Je salue cette courtoisie-là. En fait, il était macho, mais drôle, ironique, dilettante, et adorait la présence des femmes autour de lui.

Je me rendis vite compte qu'il aimait davantage la notoriété que lui procurait la télévision que le journalisme exigeant des heures de préparation. Il se montrait agréable en toutes circonstances, même lorsqu'il se mettait en colère parfois. Mais son sens de la dérision l'empêchant de se prendre au sérieux, ses colères se transformaient la plupart du temps en éclats de rire. Notre émission, qui dura quelques années, me replongea dans la vie québécoise et me permit de me consacrer à mes amies et à l'écriture, puisque je publiai alors plusieurs romans et essais qui me procurèrent de grandes joies et nombre de bonnes critiques. Par ailleurs, je faisais des allers-retours en Europe et, durant deux étés, je voyageais à travers le monde avec mon fils et son papa – nous étions revenus ensemble.

Cette même année, Lucien Bouchard fit le saut en politique et rejoignit le Parti progressiste conservateur de son ami le Premier ministre Mulroney, qui le nomma secrétaire d'État et ministre de l'Environnement (c'était en janvier 1989). Celui qui m'avait assuré qu'il écartait la politique de son plan de carrière avait enfin réalisé son plus vieux rêve.

Reste que tout n'était pas rose pour autant. Bientôt j'appris, par une consœur, que le cadre responsable du magazine, Jean-Paul Dubreuil, alors que la direction réclamait des économies, avait proposé comme coupure budgétaire de son service la suppression pure et simple de cette émission que Pierre O'Neil, qui carburait à la culpabilité, m'avait offerte. Ce dernier, à en croire ladite consœur, avait fait une crise au rédacteur en chef et maintenu le projet. Au moins, je savais qu'à l'intérieur de Radio-Canada beaucoup m'attendaient au tournant. Et que mon dossier de pigiste vulnérable s'épaississait de jour en jour.

« La télévision, écrivis-je alors dans mon agenda, est une machine qui tourne à la façon d'un rouleau compresseur. Ne pas être écrasé est la seule chose qui compte. » Le même Jean-Paul Dubreuil, année après année, opiniâtre, s'efforça de m'exclure de la télévision de Radio-Canada. Sous prétexte « qu'on m'avait assez vue ». N'eût été le remplaçant de Pierre O'Neil, Claude Saint-Laurent, qui s'y opposa fermement, j'aurais été expulsée bien plus rapidement, poussée dehors par ces cadres intermédiaires qui me percevaient comme une menace. En relisant des notes écrites voici trente ans, je me rends compte d'une de mes qualités : la lucidité ; laquelle m'a toujours permis de ne pas me leurrer. De comprendre que, non seulement je n'étais pas irremplaçable mais que je devais bien naviguer dans les eaux troubles et sournoises du monde de la télévision sous peine de m'y noyer ou d'en être éjectée. Je ne cessais de me répéter à moi-même que, étant parvenue à m'extraire d'une des tyrannies de mon enfance – la plus profonde, la plus douloureuse, celle de croire qu'un jour mon père me demanderait pardon et me prénommerait Denise avant de rendre son dernier souffle –, je pouvais frayer avec succès dans ces eaux médiatiques bien tumultueuses. Ayant toujours compris que l'amour pourrait m'être soutiré et que je serais seule à me battre afin de concrétiser mes désirs, au moins j'avais des armes pour réussir.

*

Lorsque j'ai publié en février 1990 aux éditions du Seuil le roman *Tremblement de cœur*, histoire d'une relation amoureuse dévastatrice, j'ignorais que la sortie du livre s'accompagnerait de secousses sismiques médiatiques d'une puissance rare.

Le 2 mars 1990, je fus de nouveau conviée sur le plateau d'« Apostrophes », l'émission de Bernard Pivot. Parmi les invités se trouvaient, ce soir-là, Catherine Hermary-Vieille, Alexandre Jardin, Gabriel Matzneff ainsi qu'un couple de catholiques, Denise et Pierre Stagnara. Tandis que ce duo présentait un ouvrage où il était question de morale et de fidélité, Gabriel Matzneff, lui, défendait son journal intitulé *Mes amours décomposés*. Quel ne fut pas mon atterrement à la lecture de cet ouvrage où l'écrivain faisait, page après page, le récit de ses amours avec des jeunes de quatorze, quinze et seize ans. Il racontait comment il sodomisait des adolescentes « folles de lui », écrivant notamment : « Son petit cul imberbe m'attire. Je la sodomise promptement. » Cet éloge des relations pédophiles, dans un livre qui n'était pas un roman mais bien la description détaillée des «prouesses sexuelles surmultipliées au fil des semaines» de l'auteur, finissait par nous plonger dans un ennui mortel, mais surtout ressemblait à un prosélytisme des relations avec mineurs qui me révulsait.

Au terme de ma lecture, à tous égards insoutenable, je compris que ma venue sur le plateau perturberait forcément l'émission. Car je me savais incapable de me taire face à pareil étalage pornographique à caractère pédophile. Je connaissais Gabriel Matzneff de réputation. Ce bellâtre au crâne rasé, la peau lisse comme celle d'un bébé, qui transpirait la suffisance, la pédanterie et la fatuité, consacrait son talent – il n'en manquait pas, en plus – d'écrivain à mettre en mots sa sexualité débridée réservée, il l'affirma à l'antenne, aux jeunes de si possible moins de dix-sept ans. Les vieilles hystériques au-dessus de vingt ans le dégoûtaient, lui, l'amateur de chair fraîche, vierge souvent.

Le président du Seuil, Claude Cherki – qui deviendra un ami fidèle et cher comme sa femme Marie-France, d'ailleurs –, avant l'émission, alors que je lui faisais part de mes réserves – euphémisme – et d'une éventuelle réaction virulente de ma part, me mit en garde. «Si tu t'attaques à Gabriel Matzneff, tu risques d'être démolie par une partie des critiques et cela peut mettre en péril les ventes du livre.» Je me souviens parfaitement de ma réplique : «J'aurai honte de moi si je me tais.» Les éditeurs souhaitent vendre les livres qu'ils publient (l'édition est un commerce tout de même), mais je suis reconnaissante à Claude d'avoir respecté ma décision et de m'avoir même accompagnée sur le plateau par solidarité. Lui-même avait peine à cacher sa nervosité.

Pour une fois, moi aussi j'avais le trac. Car ma chère Diane Le Beuf, psychanalyste réputée à laquelle j'avais fait lire l'ouvrage de Matzneff, m'avait conseillé la prudence. À l'en croire, mon adversaire pourrait prendre plaisir à mes attaques donc en tirer parti à son profit. «Ne t'adresse jamais à lui et ne le regarde pas quand tu parleras.» Je lui obéis lorsque Bernard Pivot, sur un ton enjoué où pointait un léger malaise, s'adressa à Matzneff. Ce dernier fut à la hauteur de sa réputation, absolument ravi de faire l'éloge de ses exploits sexuels en prénommant l'une après l'autre ses multiples conquêtes qui constituaient une « collection de minettes », comme le lui fit remarquer l'animateur. Les autres invités écoutaient et souriaient niaiseusement. Lorsque j'entendis Catherine Hermary-Vieille lancer « vous êtes en bonne santé », au moment où l'écrivain germanopratin sulfureux comptabilisait ses prises, je la devinai troublée au-delà des mots. Personne, jusque-là, ne protestait. Bernard Pivot devait bien se douter, en me voyant tendue et fermée, que j'allais réagir à ma manière, m'ayant reçue à la sortie de mes deux livres précédents. Il se tourna alors vers moi.

Pour écrire ces pages j'ai revisionné l'émission. Et j'ai observé que ma voix était enrouée par l'énervement et la tension, mais aussi que j'avais un ton posé, empreint de gravité. J'ai exprimé, ce soir-là sur le plateau, le fond de ma pensée. Cet homme usait de la littérature comme d'un alibi pour attirer, grâce à sa réputation, des adolescentes qu'il flétrissait. À mes yeux, il y avait là abus de pouvoir. « Dans mon pays, monsieur Matzneff aurait des comptes à rendre devant la justice », ai-je même ajouté. Le sieur prétendait – et a continué de prétendre – que ces jeunes l'aimaient et que lui les aimait et les comprenait. Gabriel Matzneff rejoignait les écrivains comme Montherlant, Tournier et tant d'autres, qui avaient sévi avec la bénédiction du milieu littéraire parisien où la déviance faisait chic à l'époque, c'est-à-dire il y a moins de trente ans.

Après mon intervention, un silence de plomb s'abattit sur le plateau. J'étais celle par laquelle le scandale arrivait. J'avais rompu les règles. Je n'avais pas joué mon rôle d'écrivaine respectueuse du grand littérateur Gabriel Matzneff. Mais moi, j'avais simplement parlé avec les mots de mon indignation. Et j'étais à la fois exténuée et libérée. Puis-je avouer que cette intervention fut l'une des rares où, dans ma vie, j'ai fait œuvre utile ? Comme sur le plateau de « Noir sur blanc » avec le psychologue qui utilisait sa science pour justifier des relations avec les enfants.

Après cette intervention, je dus retrouver mon souffle et parler de mon roman, de son histoire où se mêlent fiction et éléments biographiques très transposés. Or, je n'avais plus le cœur à décrire la passion fougueuse entre deux êtres emportés par des bouleversements charnels et sensuels à la limite du tolérable. Défendre mon livre me paraissait d'un coup déplacé, dérisoire, même. À la fin de l'émission, à près de minuit, je me suis éclipsée avec Claude Cherki et mon éditrice Françoise Blaise. Comment avais-je trouvé l'énergie pour oser une telle sortie devant la France entière ? Je me fichais bien des retombées négatives sur les ventes du roman, ce qui est advenu en France mais non au Québec.

L'outrage subi à douze ans de la part du réalisateur de Radio-Canada avait déposé en moi un dégoût et une rage contre tous les abuseurs d'enfants. Je ne souhaitais pas expliquer cela. Pas encore. En rentrant à l'hôtel, je trouvai plusieurs messages d'amis qui avaient regardé l'émission : ma sortie – inattendue et rare sur les plateaux – allait forcément avoir de l'écho.

Dès 7 heures du matin, je reçus un appel de France Inter. La polémique enflait. Naïve, je pensais qu'on saluerait mon courage et m'accorderait le bénéfice d'avoir voulu protéger la jeunesse et dénoncer ceux qui la dépravaient, mais je découvris vite qu'une campagne hostile s'élevait, qu'une vraie haine contre moi montait, parfois portée par des gens dont je n'aurais jamais imaginé qu'ils soutiennent et défendent des individus comme Gabriel Matzneff. Une partie de l'intelligentsia se déchaîna. Si, des années plus tard, le célèbre philosophe Michel Onfray prendra ma défense dans l'un de ses ouvrages, sur le coup mes soutiens se comptaient sur les doigts d'une main. Le soir même, je dînais avec des amis au Balzar, une brasserie de la rue des Écoles dans le 5e arrondissement. Dès que nous fûmes assis, le maître d'hôtel nous apporta une bouteille de champagne en disant : « Ces clients vous remercient. » Visiblement, il ignorait pourquoi. Tandis que je me dirigeais vers eux afin de les saluer, je fus arrêtée en chemin par d'autres clients. Qui me soutenaient. Le calme avant la tempête ? Prudente, je n'oubliais pas les avertissements de mon cher Claude Cherki. Sans encore en saisir vraiment la pertinence et la menace visionnaire. Je passai le dimanche à me promener dans Paris, fis un saut au musée Marmottan pour revoir les œuvres de Monet et en particulier ses

Nymphéas, cherchant inconsciemment à m'apaiser : quelques coups de fil d'amis proches m'avaient alertée. Ça allait tanguer, les jours à venir seraient agités. Mon attachée de presse, elle, attendait de pied ferme la parution des journaux et des grands magazines, *Le Point*, *L'Express* et *Le Nouvel Observateur*.

Il n'était pas question, dans mon esprit, de me défendre. L'expérience de «Noir sur blanc» m'avait déjà montré que, contrairement à ce que l'on imagine, des personnes se drapant volontiers dans le drapeau de la liberté de parole peuvent en venir à interdire celle-ci et à justifier l'injustifiable. Mais, en me portant au secours des enfants, j'estimais avoir fait ce que je devais faire. Et j'étais convaincue que les valeurs dont je m'étais fait la porte-parole – à mon corps défendant – étaient inaliénables et forcément partagées par tous.

J'eus un premier indice que non lorsque, en fin de journée, ce dimanche, dans un café, je vis un client me dévisager puis me mitrailler du regard pendant de longues secondes. Assez longtemps pour qu'un malaise s'installe en moi. L'hostilité voyage à la vitesse de l'éclair quand la sympathie se diffuse lentement.

Chapitre 58

La semaine qui suivit fut celle des chocs successifs. « Apostrophes » ne serait diffusée quasiment qu'un mois plus tard sur TV5 Québec Canada, mais – bien avant la rapidité d'Internet et des réseaux sociaux – les informations nous parvenaient quand même très vite grâce aux correspondants des journaux canadiens installés à Paris. C'est ainsi que, dès le lendemain de l'émission, soit le samedi 3 mars, Paul Bury, de la *Presse canadienne*, publia un long article repris dans le journal *La Presse*, titré : « Nouvel esclandre de Denise Bombardier à "Apostrophes" ». Bury affirmait que j'avais insulté l'écrivain alors qu'il reprenait les mots même de ce dernier, lequel m'avait interpellée en affirmant : « Il n'est pas très honorable de profiter d'une émission en direct pour venir insulter un écrivain. » Le papier prétendait que Matzneff n'avait pas été désarçonné par ma « diatribe », estimant « être attaqué d'une façon injuste par quelqu'un qui, de toute évidence, n'avait pas lu son livre », et le journaliste évitait d'utiliser le mot pédophilie, préférant une périphrase sur le « déviationnisme personnel de l'auteur ». Même en citant quelques-uns de mes propos, le portrait général tracé de moi était celui d'une hystérique, spécialiste des esclandres sur les plateaux hexagonaux.

En France, ce ne fut pas mieux. Dans le magazine à grand tirage *VSD*, Jacques Lanzmann me décrivit telle « une mégère comme on n'en fait plus », ajoutant ne pas s'expliquer pourquoi son ami Gabriel Matzneff n'avait pas « aligné la Bombardier d'une grande baffe en pleine figure». Taper une femme, belle idée n'est-ce pas ? Quelle notion du débat ? Pour lui j'étais une intrépide et froide Québécoise. Et de s'interroger : «De quel droit se prévaut-elle pour défendre toutes les petites minettes qui se bousculent dans le lit du maître au crâne rasé ?» On notera, avec le recul, le raffinement du propos. Lanzmann m'incitait ensuite à retourner sur mes banquises au volant de ma grosse motoneige, façon de me dire d'aller me «geler le c…». Un article «édifiant», digne de l'humour de ce coq gaulois qui avait la réputation de conquérir les femmes comme les fermiers lèvent les œufs sous le troufignon des poules.

Gabriel Matzneff, à ma différence, avait un réseau en France. Son amie la journaliste Josyane Savigneau, qui fut longtemps responsable des pages littéraires du quotidien *Le Monde*, fit paraître dans son journal un long article dithyrambique sur lui. Au titre annonçant la couleur : «L'homme qui aime l'amour». Elle y vantait ce séducteur aux facettes multiples, maître dans l'art d'aimer. Telle fut sa réponse à ma dénonciation sacrilège. À mon roman *Tremblement de cœur*, elle réserva un encadré assassin, démolissant mon livre à la manière d'un artificier qui se réjouit de faire imploser les gratte-ciel vétustes. Je fais grâce au lecteur des autres articles, unanimement critiques contre mon attitude et mon livre «indigent». Philippe Sollers, le pape de la littérature, théologien de l'infidélité et des amours illicites, déclara même au cours de cette faste semaine, dans un débat télévisé haut de gamme il va sans dire, que j'étais une «mal baisée». Élégance encore. Ce pape de Saint-Germain-des-Prés choqua vivement un très cher ami français qui, décalage horaire aidant, me joignit à Montréal vers 18 heures et, outré, s'excusa au nom de la France encore digne et amie des Québécois. Personne, des médias, au cours de cette descente en flammes, ne se posa une question essentielle : avais-je tort ou pas de dénoncer les écrits disons spécieux sinon tendancieux, à tout le moins amoraux et cloaquiens, de mon adversaire d'un jour ? Leur réaction quasi corporatiste les empêchait-elle de voir le côté vicié de ses écrits et attitudes ? Au nom du «on peut tout écrire» et du besoin d'être tendance, oubliaient-ils les dégâts que ce type de comportement produit chez certains adolescents ? Que l'on n'aime pas mon roman, soit, chacun son droit, mais l'assassiner d'abord parce que j'avais osé exprimer mes convictions profondes m'écœura. Il y avait quelque chose de gangrené, pourri, dans la République des lettres.

J'eus ma revanche, si je puis dire, sur Philippe Sollers quelques années plus tard. En janvier 1995, à l'occasion de la visite officielle à Paris du Premier ministre Jacques Parizeau, je fus invitée par ce dernier et son épouse Lisette Lapointe à dîner avec eux, la veille de leur départ. Souhaitant qu'on se retrouve au cœur du Tout-Paris médiatique et littéraire, je leur suggérai la brasserie Chez Lipp, boulevard Saint-Germain, face au mythique Café de Flore. On nous avait réservé une bonne table, autrement dit sur la banquette le long du mur devant laquelle tous les clients défilent, à l'entrée comme à la sortie. Yves Michaud, alors délégué du Québec, nous accompagnait. Je pris place sur la banquette, M. Parizeau face à moi. À ma droite, je reconnus Dominique Rollin, vénérable écrivaine qui attendait une personne. Quelques minutes plus tard arriva – j'aurais dû le deviner car Mme Rolin et Philippe Sollers ont vécu une longue passion malgré leur différence d'âge – Philippe Sollers, tel qu'en lui-même. Je détournai la tête car évidemment il m'avait reconnue. Voyant Philippe Sollers m'épier du regard, je me penchai vers Jacques Parizeau et lui murmurai à l'oreille, de façon suffisamment audible pour que l'auteur entende : « Monsieur le Premier ministre, à votre gauche se trouve l'écrivain Philippe Sollers, qui m'a traitée un jour de mal baisée, insultant ainsi tous les Québécois. » Jacques Parizeau éclata de son rire légendaire et Philippe Sollers, qui avait tout entendu, s'agita sur sa chaise. Je l'ignorai jusqu'à la fin du dîner, consciente que ma remarque ne lui avait pas échappé. Cette figure des lettres, dont on vante à juste titre la grande culture et le vaste raffinement littéraire, ne dédaignait pas la vulgarité et ne s'offusquait pas des discours et actes pédolâtres de certains de ses amis. Tant pis pour lui. En tout cas, ainsi vivait-on, à l'époque, dans une certaine élite intellectuelle parisienne. Après le phénomène MeToo et les scandales d'agressions contre des enfants dénoncés à travers le monde, tous ces gens se tiennent plus ou moins cois aujourd'hui.

*

Je reçus *via* les éditions du Seuil, trois jours après l'émission de Bernard Pivot, un message. Je devais rappeler l'Élysée. Je le fis sur-le-champ. Le président Mitterrand, m'indiqua son assistante Paulette Decraene, souhaitait me recevoir le vendredi suivant à 10 h 45. Malgré la discrétion dont la secrétaire particulière devait faire preuve, elle me laissa entendre que cette invitation officielle était en lien avec « Apostrophes ». Que me voulait le chef de l'État ? Gabriel Matzneff, dans *Mes amours décomposés*, avait décrit un déjeuner littéraire à l'Élysée durant lequel le président Mitterrand s'était arrêté à sa table pour échanger avec les différents invités et lui aurait dit : « Cher Matzneff, continuez votre bon travail. » Ma dénonciation avait-elle ouvert les yeux du Sphinx du palais présidentiel ?

Pour cette rencontre, je pris soin de m'acheter un nouveau tailleur, un tête-à-tête avec le président de la République relevant du moment solennel. Je me ruinai en choisissant un ensemble aux couleurs printanières chez Ted Lapidus. Autour de moi, tout le monde s'excitait, s'offrait à me conseiller comme un coach avant un match de boxe. Si j'étais impressionnée à l'idée de mettre les pieds à l'Élysée où j'avais déjà été invitée pour des réceptions mais jamais dans le bureau présidentiel, je n'allais pas pour autant me dénaturer. Ma franchise demeurerait ce qu'elle avait toujours été. François Mitterrand et moi nous connaissions depuis notre entretien à Vancouver, j'avais même déjeuné avec lui et mon cher Paul Guimard, alors chargé de mission auprès du président de la République, au restaurant le Pharamond, rue de la Grande-Truanderie, aux Halles. Repas durant lequel le leader socialiste avait insisté pour que je choisisse la spécialité maison, les tripes, qui m'ont toujours dégoûtée. Paul et lui s'étaient amusés lorsque, en argument de refus final, je déclarai que je ne mangerais jamais ce qui sentait l'urine.

Le 19 mars 1990, je me présentai donc à l'Élysée. « Le Président vous attend », déclara un officier après avoir jeté un coup d'œil à mon passeport. Accompagnée jusqu'à l'antichambre du bureau présidentiel, j'attendis quelques minutes. Je cogitais. Forcément, François Mitterrand ne me demanderait pas de garder secret notre échange. Si j'étais convoquée pour ébruiter la conversation, j'accepterais d'être instrumentalisée.

Lorsque je pénètre dans son bureau, le chef de l'État se lève et vient vers moi. Il me tend la main, m'invite à m'asseoir sur le fauteuil devant son bureau et reprend sa place. « On ne parle que de vous, chère amie, à Paris ces jours-ci, lance-t-il avec un sourire en s'asseyant. — On parle aussi de vous quelque peu », dis-je en lui retournant son sourire. Puis il prend l'initiative de la conversation en me demandant comment vont mes amis de droite. Je sais que, sans les nommer, il fait référence à Jean-François Revel et à Alain Peyrefitte, ce dernier ayant toujours refusé de mettre les pieds à l'Élysée depuis son arrivée au pouvoir, en 1981. Quant à Jean-François Revel, dont il admire la vaste culture, il lui garde rancœur de sa rupture politique avec lui bien avant qu'il ne devienne président. Comme j'ai vu l'un et l'autre, je lui résume nos échanges sur la politique française. Alors il s'enquiert de son « cher ami Brian Mulroney » dont il prononce le prénom à la française ce qui s'entend « brillant ». Je me mets à rire. Il s'étonne : « Je vous amuse ? » J'explique ma surprise, il reprend : « Il faudra, alors, que vous m'enseigniez l'anglais. — Je ne défends que la langue française, dont je souhaite le rayonnement, monsieur le Président. » Le ton est donné et nous échangeons de longues minutes sur l'avenir de la langue française au Québec. Quand il me demande de lui décrire la situation politique au Canada tout en mettant l'accent sur les qualités de « chef d'État » de Brian Mulroney, je me garde de rectifier son erreur et de préciser que le chef de l'État du Canada est la reine d'Angleterre. La conversation se poursuit. Ne semblant pas pressé par le temps, il sollicite mes impressions sur la France « que vous connaissez si bien ».

Je m'exécute surprise que «l'affaire Matzneff» n'ait pas encore été abordée. Soudain un long soupir sort de sa bouche. Et lui de lancer : «Ah ce Matzneff ! — Vous avez vu "Apostrophes", évidemment puisque je suis ici. Monsieur le Président», demandé-je. Il opine. Et se met non à se défendre mais à m'expliquer ce que je sais, c'est-à-dire qu'il a invité l'écrivain à l'Élysée pour le déjeuner tel que ce dernier l'a évoqué dans son journal. «Il est vrai que, dans le passé, j'ai reconnu quelques talents à cet homme qui n'a de cesse de citer Sénèque et qui a écrit quelques jolis textes, commente-t-il. Malheureusement, il a sombré dans la pédophilie… et la religion orthodoxe !» L'écrivain se réclame de cette Église à l'époque. Je réplique expliquant être sidérée par la violence des réactions contre moi qui n'ai fait que dénoncer l'intolérable. «Mais, chère amie, vous qui êtes une observatrice affectueuse et sévère de notre pays, vous connaissez le milieu parisien obsédé par la peur de n'être jamais assez libéré et tolérant vis-à-vis des écarts de conduite douteux et choquants. […] La France n'est pas Matzneff, chère Denise Bombardier», conclut-il en se levant, pour mettre fin à notre rencontre qui avait duré près d'une demi-heure. «Faites-moi signe lorsque vous revenez à Paris», dit-il en me serrant la main.

Le lendemain, *Le Monde* fit paraître un court article intitulé : «Denise Bombardier reçue à l'Élysée». Qui indiquait d'une certaine manière que le président de la République, dont le nom était cité dans le journal matzneffien, avait choisi son camp. Ce fut la seule fois où, après une de mes quelques visites à François Mitterrand, l'Élysée expédia un communiqué à l'agence France-Presse.

*

Le clash d'«Apostrophes» parasita toute la campagne de presse autour de mon roman en France. Le livre fut relégué au second plan, les journalistes ne me parlant que de cette affaire déplorable. Si le milieu littéraire s'agita plutôt contre moi, je reçus heureusement quelques appuis de taille. Je fus ainsi invitée à dîner par Simone Gallimard, membre de la célèbre famille des éditions du même nom qui avaient publié l'ouvrage de Gabriel Matzneff. Celle-ci se dit « honteuse » d'entendre son nom associé à ce Journal. De Jeanne Bourin, célèbre auteure de romans historiques, je reçus un énorme bouquet de fleurs pour avoir, « par [ma] présence sur ce plateau, sauvé l'honneur de la France ». Parut aussi dans *Le Nouvel Observateur* un article signé du journaliste Guy Sitbon titré « L'amour en décomposition », qui détruisit à l'arme nucléaire l'ouvrage de Matzneff. « Les enfants de onze ans ne peupleront plus ses songes de préretraité : il les défoncera... Cette âme de stoïcien habite hélas une carcasse incapable de garder son pantalon au Louvre devant une statue d'angelot. » Et de conclure ainsi : « Gab [riel] n'a eu affaire jusqu'à présent qu'à la nomenklatura, aux enfants et à des mères effarouchées... Que Gab ne tombe pas un jour sur un père. Qu'il ne tombe pas sur un homme. »

Dans les semaines qui suivirent, des centaines et centaines de courriers inondèrent ma boîte aux lettres, messages de gens outrés qui me remerciaient, en tant que Québécoise, de m'être insurgée contre l'écrivain. François Mitterrand avait raison : Gabriel Matzneff n'était pas la France. Et la littérature pas un paravent ou un alibi pour dédouaner des actes pédophiles.

*

La sortie de *Tremblement de cœur* à Montréal offrit à certains l'occasion, sous couvert de défense de la liberté d'expression, de montrer leur vrai visage. J'eus ainsi droit, dans *Le Devoir*, à un texte déchaîné de Bernard Autet. « Au nom de qui parle-t-elle ? Probablement de tous ces gens de droite qui, au nom de la morale rétrograde [...] imposent, réglementent et dictent leurs lois [...]. Sainte Denise, nouveau Zorro des bonnes mœurs qui, de son épée, sépare l'ivraie du bon grain, les têtes bien faites des queues récalcitrantes, sera la reine d'un Ordre Moral auquel aspirent les ménopausées de l'esprit. Quant à Matzneff, il s'agit d'une œuvre qui, comme dirait Gide, porte en soi de quoi désorienter et surprendre, c'est-à-dire de quoi durer.» Le poète Paul Chamberland, l'un des créateurs de la revue indépendantiste révolutionnaire *Parti pris*, fit paraître dans le même organe de presse un brûlot contre moi dont la prose poétique virait à l'éloge soutenu des amours décomposées.

Au Québec, je fus aussi la cible d'appels anonymes et d'effractions mineures sur ma maison : vitres cassées, peinture sur le garage, lettres menaçantes où il était question de mon «joli petit garçon». Ma mère, qui vivait seule, s'alarmait de ce qu'elle lisait sur moi et des commentaires qui parvenaient jusqu'à ses oreilles. Je me gardais de lui raconter les retombées de cet épisode où j'appris que, paradoxalement, défendre ses principes à la face du monde, malgré la tourmente, procure un sentiment d'apaisement que d'autres appellent couramment celui du devoir accompli. Et, de cela, je retire de la fierté.

Chapitre 59

Durant la décennie quatre-vingt-dix, ma vie évolua au rythme de mes nombreuses activités professionnelles et de la remontée du nationalisme vibrant, lequel se fracassa le 30 octobre 1995 lorsque le référendum sur la souveraineté fut rejeté par 50,58 % des électeurs.

Après l'affaire Matzneff, je compris que la journaliste en moi porterait toujours ombrage à l'écrivaine. Or l'écriture m'est une nécessité vitale. Mon image publique et la notoriété qui s'y relie sont très éloignées de cette autre part indissociable de moi, plus pudique, blessée, fragile, presque, celle que je retrouve dans le silence, à l'écart des agitations du monde, et que j'arrive à exprimer (avec plus ou moins de bonheur) dans mes livres, romans comme essais. Aujourd'hui encore je n'ai pas fait le deuil de mon adolescence mystique, posé un voile sur les élans spirituels qui m'habitaient, abandonné les interrogations qui, inlassablement, me ramenaient à la conscience aiguë de ne devoir jamais insulter la vie. Une vie si riche, si angoissante aussi parfois, si exaltante et enivrante par ailleurs. Bien sûr, il m'est arrivé de frôler le découragement à certains moments de ma vie, mais je ne me suis jamais désespérée. Cela provient peut-être de mon enfance lorsque a monté dans mon esprit une conviction désormais arrêtée : tous les hommes n'étaient pas et ne sont pas comme mon père. J'ignorais à sept ans que, en voyant l'existence sous cet angle positif, j'allais paver la voie de ma vie personnelle en choisissant d'aimer des hommes qui m'aimeraient.

*

En cette décennie quatre-vingt-dix, j'évoluais intérieurement, je découvrai une forme de sérénité. Dès lors, chaque fois que je découvrais, autour de moi, des personnes inquiètes, compliquées, incapables de vivre sous la pression, plongées dans une insécurité psychologique qui freinaient leurs désirs, je m'étonnais. Quelle chance j'avais de ne pas connaître leurs affres. J'ai retrouvé dans mon journal, en date du 31 juillet 1991, une phrase détonante : « Si une vieille anxiété m'effleure, elle n'origine pas de mon passé. Mais d'un vague besoin de me sentir menacée pour vivre pleinement. »

C'est peu dire qu'à travers le travail je cherchais et avais réussi à conjurer nombre de démons. Les miens comme ceux des autres. J'éprouvais même – aujourd'hui encore d'ailleurs – une forme d'irritation lorsque les gens, très gentiment, me remerciaient de ce qu'ils appelaient mon « courage ».

J'ai vécu, un jour, une expérience révélatrice de mon caractère. Marcel Béliveau, l'incroyable et prolifique créateur de la série « Surprise sur prise », émission qu'il exporta en France avec succès, m'avait choisie comme victime. Avec la complicité du magazine *Châtelaine*, on m'avait demandé de faire des photos à bord d'un bateau de croisière voguant sur la rivière Richelieu. Mes horaires étant chargés, j'avais tenté de faire déplacer à Montréal la séance qui accompagnerait le portrait publié à l'occasion de la sortie d'un de mes romans, mais sans succès.

Le jour dit, une limousine noire, semblable à celle que louent les jeunes lors de leur bal de fin d'études, vint me chercher à Radio-Canada. Pour se rendre sur un quai au bord de la Richelieu. Deux douzaines de personnes attendaient pour monter à bord du bateau. « Qui sont-ils ? ai-je demandé à celle qui prétendait être la journaliste. — Des touristes », répondit-elle. Surprise, j'ai pensé qu'au retour il me faudrait avertir mes amies ayant des histoires extra-maritales de ne jamais aller se balader, la semaine, dans l'anonymat d'une croisière sur la rivière de peur de croiser quelqu'un qui les connaîtrait.

Une fois le bateau en route, la fausse journaliste me posa des questions auxquelles je répondais plutôt distraitement tellement la situation me paraissait étrange. Alors que le trajet nous faisait passer sous de petits ponts, de l'un d'eux je vis deux garçons enjamber le parapet et sauter sur le pont de notre navire. Et ce, au moment où deux employés avaient commencé le contrôle des billets. Les supposés touristes firent semblant de ne pas avoir vu les passagers clandestins. Jusqu'à ce que l'un des membres de l'équipage se présente devant les intrus et les démasque. Un autre employé, avec galons aux épaulettes de sa veste d'officier, se mit alors à les injurier, menaçant même de les lancer à l'eau. Évidemment, j'intervins pour mettre fin à cette scène grotesque en offrant de payer le passage des deux escogriffes. En vain puisqu'avant que j'aie pu poursuivre deux membres de l'équipage, aux torses impressionnants, s'emparèrent des clandestins et les jetèrent par-dessus bord. Je compris, dans la seconde, que je m'étais fait piéger. Et me suis mise à crier : « Où sont les caméras ? C'est "Surprise sur prise". » Le faux personnel essaya de me convaincre que non durant quelques minutes, puis Marcel Béliveau sortit de la cabine de pilotage et s'approcha. « Lorsque je suis arrivé à midi et que j'ai vu le scénario, j'ai su tout de suite que mon équipe avait fait une erreur en vous choisissant, sourit-il. Ce gag n'était pas fait pour vous. » Et pour cause : n'étant ni lâche ni pleutre, je m'étais d'emblée dissociée de l'indifférence coupable des faux touristes, j'avais à mon tour interpellé les deux zigotos et engueulé les supposés membres de l'équipage. Par ailleurs, la scène relevait de l'invraisemblance dans un pays comme le nôtre où les droits de la personne sont essentiels : jamais des autorités quelconques n'auraient jeté des concitoyens à l'eau. Le lendemain, Marcel Béliveau m'a invitée à déjeuner dans les jardins du Ritz. Il a prétendu, pour me flatter sans doute, que je relevais de la candidate quasi imprenable. C'est alors que j'ai demandé de nouveau où se cachaient les caméras. Il a souri et m'a suppliée de ne pas le provoquer. Car il mettrait alors un million de dollars pour me piéger et réussirait son coup. Nous avons ri. Hélas ! le génial producteur est mort avant de mettre ses nombreux talents à exécution.

Dans les jours qui suivirent, ce gag ayant fait patate, j'ai éprouvé des sentiments étranges. Et dressé un constat aussi troublant qu'encourageant. Nombre de personnes m'avaient joué la comédie sans que je m'en rende compte. De la rédactrice en chef du magazine *Châtelaine* en passant par le conducteur de la limo, de la journaliste aux touristes, des membres de l'équipage aux deux chenapans, tous avaient sans crier gare pris le contrôle de ma vie, que je n'avais récupéré qu'à la dernière minute. *A contrario*, j'avais réussi à flairer le coup monté, donc l'émission n'avait pas été diffusée : la maîtrise, je l'avais donc conservée. Ce hiatus me plaît, je l'admets. Et, en un sens, je comprends que l'on puisse se méfier de moi !

*

Il m'arrive souvent, lorsque je donne des conférences, d'être présentée comme une pionnière du néoféminisme. Alors que les nouvelles générations de femmes qui ignorent ma carrière, générations promptes à revêtir les oripeaux des victimes, ont plutôt tendance à me classer dans le camp des antiféministes, ce que je considère à la fois comme une hérésie et un procès d'intention blessant.

Il est vrai que je n'ai jamais revendiqué le statut de victime. Et que je me suis tue. Non par peur mais parce qu'une sourde colère, celle de la combattante, ne m'a jamais quittée. Si, à l'époque, j'avais exposé mes fragilités, si je m'étais lamentée sur mon sort, je ne serais jamais parvenue à faire ce métier qui m'apporte tant de plaisirs renouvelés, de satisfactions surprenantes, et qui m'a permis de poser un regard distancié mais jamais indifférent sur mes contemporains. Un métier qui m'a aidée, aussi, à canaliser mes indignations, à les hiérarchiser, donc à les relativiser. Dans le monde médiatique qui s'offre à nous aujourd'hui, toutes les informations se confondent, si bien qu'elles se voient dépouillées de leur contexte et perdent dès lors de leur valeur. En un mot, les informations se trivialisent jusqu'à l'insignifiance. Je ne veux pas dire qu'en cas de harcèlement il convient de se taire, mais qu'on ne peut regarder les silences ou prudences de certaines femmes, autrefois, ni juger leur engagement féministe d'hier avec uniquement un regard contemporain, des yeux de 2018.

En tant que femme, je n'ai pas été à l'abri des comportements grossiers, vulgaires et obscènes. Certains hommes, on le voit au long de ces mémoires, se sont comportés comme des goujats. Il est vrai que j'ai été crainte par beaucoup d'entre eux. Les qualificatifs employés pour me décrire en témoignent : « hystérique », « laide », « sorcière », « prétentieuse », « snob », « méprisante », « chipie »… et autres gentils compliments. Sans oublier : « On voit bien que vous n'avez pas d'enfant », injure qui m'a le plus blessée, comme je l'ai dit plus haut, surtout écrite ou prononcée par des hommes. Sans doute signifie-t-elle, pour ces castrés symboliques, que je ne serais pas une vraie femme, à savoir une maman. J'ai interviewé un jour le dirigeant d'une énorme entreprise. Lorsqu'il est entré en salle de maquillage, se dirigeant vers moi, il m'a tendu la main et dit : « Vous, vous me faites peur. J'espère que vous n'allez pas me malmener. — Vous voulez être materné ? » ai-je répondu. L'homme, assez beau, venait de perdre tout son charme par cette remarque. Lui qui exerçait un énorme pouvoir sur des milliers d'employés avait peur d'une femme parce qu'elle ne se laissait pas faire et avait coutume de poser des questions non complaisantes ? Quelle vision des femmes avait-il donc ? Sur la défensive, il apparut fort décevant en entrevue. Tant pis pour lui.

J'ai subi du harcèlement sexuel, été l'objet de comportements déplacés. Le dirigeant d'une institution puissante m'a invitée un soir à dîner, au Beaver Club, lieu qui était sa cantine même si ce très chic restaurant de l'hôtel Reine-Elizabeth ne correspondait pas à la cause qu'il représentait. La soirée fut très intéressante professionnellement bien que mon hôte me semblait avaler ses verres à un rythme inquiétant. Lorsque nous nous sommes quittés devant l'hôtel, j'ai tendu la main mais il s'est pressé sur moi et, dégainant plus vite que Lucky Luke, s'empara à deux mains de mon visage pour enfoncer au fond de ma gorge sa langue, qui devait bien mesurer huit à dix pouces. Je le repoussai vivement, les lèvres débordantes de sa bave d'ivrogne, quand il me dit : « Ça va pas ? » Comme si, moi, j'étais malade.

Que serait-il arrivé si, le lendemain, j'avais raconté l'incident autour de moi ? Je serais devenue « Denise Bombardier qui s'est faite : "frencher" par X. » On aurait ri dans mon dos et j'aurais été décrédibilisée. L'époque ne voulait pas cela, ni ne permettait une telle franchise. J'ai retrouvé cet homme sur mon plateau quelques années plus tard, alors qu'il avait quitté son poste et qu'il enseignait à l'université. Un conflit social créait des tensions au Québec et sa notoriété en faisait un invité crédible. Nous n'avons évidemment pas évoqué son attitude plus que déplacée du dîner, mais je l'ai quelque peu malmené en entrevue, agacée de le voir pratiquer, cette fois-ci, une langue de bois qui n'avait rien de commun avec celle, grouillante, qu'il avait introduite dans ma bouche.

Au retour de mon année éprouvante à Paris, j'ai vécu une autre expérience peu agréable. Disons qu'elle est anecdotique mais qu'elle m'a laissé un arrière-goût amer… sans que j'en vienne pour autant à généraliser les comportements masculins à cause d'elle.

Un des dirigeants du milieu médiatique m'avait invitée à déjeuner, un jour, au Beaver Club, où se retrouvaient – à l'évidence – les hommes de pouvoir. Celui-là se disait l'un de mes admirateurs. Que se serait-il passé s'il avait été l'un de mes contempteurs ? Durant le repas, nous avons parlé de l'avenir de la télévision, de l'évolution des mentalités grâce à cet instrument pédagogique de masse qui nous tenait tant à cœur. De nos jours, les hommes de pouvoir troquent souvent l'eau pétillante contre l'alcool, mais, voici trente ans, certaines décisions prises à chaud l'après-midi dans les entreprises tenaient au degré d'éthylisme du patron. Bref, celui qui m'avait invitée avait démarré le repas au scotch, avait continué au vin rouge et s'apprêtait à terminer ces libations avec un vieil alcool. Les degrés lui montant à la tête, à brûle-pourpoint il me lança : «Qu'a donc Lucien Bouchard que je n'ai pas ? Pourquoi lui et pas moi ?» Il s'enflamma et continua sur ce thème avec une colère retenue. D'abord je fus bouche bée. Puis, vite, j'enrageai. Mais contrairement à mon compagnon, je savais me contrôler. Le serveur vint déposer l'addition sur la table, mon hôte s'en empara et me la jeta au visage : «Tiens, c'est toi qui paies. Tu me dois bien ça pour m'avoir ignoré.» La note était salée, mais le mépris que je ressentis pour cet individu – par ailleurs brillant et hautement compétent – valait presque le prix de ses excès de table.

*

Pourquoi raconter ces incidents ? Pour éclairer mon parcours professionnel. Contrairement à d'autres consœurs, je n'ai jamais minaudé avec les hommes en situation hiérarchique. Je ne me suis jamais fait d'illusions et ne crois guère à la mutation des machos en hommes non pas roses mais favorables à l'égalité des sexes. Ces comportements masculins déplacés, indignes de ce que nous sommes, prendront des années à se transformer. J'ai été consciente d'avoir souvent pris la place des hommes, ayant été la première journaliste à animer une émission politique. J'ai été écartée plus tard pour avoir été une femme dérangeante, que des patrons n'arrivaient pas à mater. Non seulement ils percevaient que je ne les craignais pas, mais ils se sentaient, pour certains d'entre eux, inférieurs à moi. Le pouvoir qu'ils détenaient résultait de leur fonction et de leur situation hiérarchique dans l'entreprise, tandis que moi, pigiste éternelle, sans assurance contractuelle, mon pouvoir n'a été que moral. Aucune institution ne m'a jamais défendue. Et en ce sens je suis donc, malgré les apparences, une femme solitaire. Avec des solidarités affectives, sentimentales et intellectuelles. Et une fidélité essentiellement commandée par mon cœur.

*

Les balises de ma vie sont définies par les hommes que j'ai aimés. Soit l'exact contraire de la plupart des hommes, qui ont tendance à résumer leur existence aux étapes de leur parcours professionnel. Dès mon retour à Montréal, j'avais non seulement repris la vie commune avec Claude mais, manquant de courage, j'ai cédé à son désir d'un remariage. De son vivant, je n'ai jamais osé lui avouer que je m'étais détachée de lui parce que je m'ennuyais en sa présence. Beaucoup de femmes quittent les hommes par ennui, ces hommes qui s'installent plus facilement que nous dans la routine. Très souvent, ce sont les femmes, dans le couple, qui brisent le silence, provoquent des crises, remettent les choses en question et prennent les initiatives.

Ce mariage déraisonnable s'est déroulé en présence de quelques amis, devant Françoise Laporte, qui nous a mariés au palais de justice de Montréal. Le lendemain, Guillaume m'a dit : « Tu vas te séparer de nouveau de papa, je le sais. » Et ce, alors que j'avais posé ce geste pour que lui, mon fils, retrouve une forme de sérénité. Une telle lucidité m'affolait. D'autant qu'il avait raison : moins d'un an plus tard, l'angoisse reprenait ses droits. J'étouffais. Et la culpabilité à l'idée de donner raison à Guillaume me rongeait le cœur et l'esprit.

CHAPITRE 60

L'époque connaissait des bouleversements profonds, que ma vie personnelle illustrait de façon dramatique. Consciente de ces changements, je publiai des essais dont les titres témoignaient, révélaient, même, les évolutions fondamentales à l'œuvre : *La Déroute des sexes*, *Nos hommes*, *Le Mal de l'âme*, cosigné avec le psychiatre Claude Saint-Laurent. Personnellement, je tournais en rond et m'ennuyais. En 1991, le magazine « Aujourd'hui dimanche » fut retiré de l'antenne. Je n'en fus pas désolée même si j'avais trouvé un certain plaisir à faire cette émission, mais elle n'avait représenté aucun défi pour moi. Que faire d'autre ? Rien à l'horizon. Pour aller à Paris, j'avais quitté Radio-Canada, institution phare de la télévision perçue comme l'étalon de la qualité en comparaison avec la télévision privée et mon purgatoire s'éternisait. Or appartenir à Radio-Canada se portait comme une médaille à la boutonnière, phénomène qui existait partout, mais qui s'est révélé comme un quasi-élitisme avec l'arrivée des nouvelles technologies et des réseaux sociaux. Bref, je m'ennuyais, aussi, professionnellement. Jusqu'à ce que…

En mars, un ami français, Jean Mino, qui avait fait carrière dans le service public télévisuel, rejoignit le groupe Hachette de Jean-Luc Lagardère, qui récupérait une chaîne de télévision privée, jusque-là détenue par l'Italien Silvio Berlusconi : La Cinq. Quelques jours avant mon départ prévu depuis longtemps pour Paris, il me téléphona à Montréal et me proposa l'animation d'une grande émission de débats au titre évocateur : «À boulets rouges». Le 4 mars, je fus reçue par le nouveau patron de La Cinq, Pascal Josèphe. Ce dernier me flatta dans le sens du poil pour me convaincre d'accepter l'offre. Le même soir, Jean et moi avons donc sabré le champagne, les clauses générales du contrat ayant été validées entre nous. Mais, il y avait un mais : il me fallait au préalable obtenir l'approbation de Radio-Canada, puisque j'allais devoir, deux fois par mois, faire un aller-retour de quarante-huit heures à Paris afin d'enregistrer deux émissions. Comme je n'ai jamais reculé devant le travail, dans mon excitation, j'avais oublié une donnée importante : l'accord de ma direction. En vérité, en acceptant, je péchais par présomption. Car le rédacteur en chef d'«Aujourd'hui dimanche» – j'y étais encore – s'opposa fermement à ce «comportement de jet-set», comme il le qualifia, bien qu'il n'impliquât aucun conflit d'horaire, étant à l'antenne à Montréal tous les dimanches matin. Un cadre supérieur, prenant conscience que cette offre, émanant d'une chaîne française, faite à une journaliste québécoise de Radio-Canada, serait à l'avantage de l'institution, trancha le différend. Il avait senti, lui, le «coup de marketing», comme on dirait de nos jours. L'accord fut donc donné. Je savais la stabilité de cette nouvelle chaîne française flageolante après l'échec de la version précédente, mais le pari me tentait. Et le défi relevé valait le coup.

Hélas, après quelques mois, La Cinq déposa son bilan et je perdis quelques dizaines de milliers de francs de cachets impayés dans sa déroute. Cependant, l'expérience m'apprit beaucoup. Notamment sur la façon de travailler dans cette entreprise française. Sa désorganisation me fit apprécier davantage la rigueur, et même la sorte de rigidité dans l'organisation du travail chez nous. Je fus aussi choquée par la manière, extravagante, dont on dilapidait les budgets puisque, ayant aussi le statut de productrice, j'avais eu accès à ceux de l'émission : la légèreté avec laquelle on dépensait m'avait estomaquée. On ne reculait devant rien. Des milliers de francs servirent, par exemple, à payer le fauteuil stylisé sur lequel je trônais. Quant aux notes de frais de restaurant de notre équipe, composée de cinq personnes, elles s'élevaient à plusieurs centaines de francs par jour alors qu'on refusait de payer des cachets aux personnes venues participer aux débats, dont les enregistrements duraient pourtant parfois des heures. Je fus aussi le témoin d'improvisations de dernière minute qui semblaient être une règle, autant pour le choix des sujets que pour celui des invités. Si, au Canada, le copinage joue parfois un rôle dans la sélection des débatteurs, sur La Cinq c'était littéralement le club des copains. Lorsque, plus tard, j'ai découvert les analyses mettant la faillite financière de la chaîne sur le dos de raisons politiques, je n'ai guère été convaincue.

Une autre réalité s'est imposée : dans notre métier, s'exporter est difficile, sinon impossible. On peut faire une carrière internationale dans la chanson, la musique, mais l'animation d'émissions d'affaires publiques suppose une connaissance profonde d'une société, la capacité à sentir tous ses soubresauts, à appréhender tous ses codes, ses moindres susceptibilités, une sensibilité particulière permettant de s'adapter aux réactions spontanées des téléspectateurs et de rebondir sur elles, la faculté de bien comprendre le sens des mots afin d'en percevoir, en particulier, la connotation affective, souvent si différente d'un pays à l'autre. Ce qui est le cas, bien sûr, entre la France et le Québec. Nous sommes bel et bien nord-américains, ce que mes cinquante ans de vie partagée entre le Québec et la France m'ont permis d'expérimenter dans tous les secteurs d'activité. Même si cette chaîne généraliste privée avait été mieux dirigée et gérée, je doute fort que mes observations eussent été radicalement différentes. Ce passage à La Cinq fait donc partie de mes profits et pertes, aussi bien personnels que professionnels. Dont, au moins, j'ai tiré des enseignements.

*

Tandis que la fatigue s'accumulait à cause de ces allers et retours, je peinais à assumer ma deuxième séparation, décision qui me plongeait dans une sorte de culpabilité. Discrète et prudente lorsqu'il m'arrive d'en être témoin, je sais aussi que les confidences des amies en cours de rupture ne correspondent pas nécessairement à celles échangées avec leurs propres conjoints. Le mystère, le secret et le paradoxe définissent la vie à deux. Dans mon cas, cela pourra sembler déplacé mais j'avais décidé de rompre car je n'acceptais plus que mon mari surfe, en quelque sorte, sur mon énergie qui, je l'admets, est fort grande. J'en avais assez, pour écrire crûment les choses, de prendre toutes les décisions : du choix des repas aux destinations de vacances, de l'organisation de la vie sociale – qui incluait dîners et grandes fêtes, lesquels me procurent tant de plaisirs – à la participation aux activités scolaires et au choix des écoles.

Comme nombre de femmes actives, j'ai tendance à prendre l'initiative de ce genre d'activités mais, en même temps, je peux volontiers déléguer mes pouvoirs, notamment pour ce qui a trait à l'intendance par exemple. Femme contrôlante certes, mais qui apprécie le partage des tâches. Au travail, j'ai toujours fait confiance à mes collaborateurs, bien que changer d'émission de façon régulière m'ait obligée à m'adapter régulièrement à de nouvelles personnes – ceci avant que je devienne productrice, fonction qui m'a donné toute latitude pour sélectionner mes collaborateurs. Au travail, je n'aime ni les grandes équipes ni les personnes qui manquent de souplesse, d'humour ou dont les réflexes découlent d'une culture technocratique ou de réactions rigides. Comme je n'ai jamais compté mes heures, mes proches collaborateurs me ressemblaient !

*

À cette période de solitude de cœur, j'ai vécu entourée d'une bande d'amies, femmes exceptionnelles, dérangeantes et infiniment vivantes. Nous organisions ensemble des dîners interminables où se voyait conviée la Veuve Clicquot ! Vite auto-baptisée La Compagnie du Bas-Canada, nous avions même fait imprimer du papier à lettres reproduisant le sigle de ce club informel. Clémence Desrochers, Édith Butler, Louise Beaudoin et Lisa Frulla, l'une ministre du Parti québécois, l'autre du Parti libéral,

Lise Bissonnette, directrice du *Devoir* et quelques autres formions une bande qui incarnait, à sa façon, le pouvoir féminin de la fin du XXe siècle. Nos dîners donnaient lieu à des échanges parfois surréalistes tant nous nous exprimions à cœur ouvert, sans le filtre de la rectitude politique qui s'annonçait et qui, déjà, nous inquiétait.

Un jour, le *Globe and Mail* de Toronto, grand quotidien du Canada anglais, publia un article sur nous. Il s'intéressait, avec un sérieux réjouissant, à cette Compagnie du Bas-Canada que le journaliste présentait quasiment comme une entreprise. Et de s'interroger sur les éventuels conflits d'intérêts dans lesquels nos deux politiciennes, Louise et Lisa, la directrice du *Devoir* et moi-même, journaliste politique, pouvions nous trouver. Alors que nous formions juste un groupe d'amies, cet article loufoque nous choqua car il révéla l'espèce de paranoïa dans laquelle baignaient les médias canadiens-anglais lorsqu'ils regardaient les élites québécoises nationalistes. Le journaliste me téléphona, à titre de «présidente» du groupe, et je faillis m'étouffer lorsqu'il me demanda si notre compagnie comptait s'inscrire en Bourse. Par pure provocation, je me souviens lui avoir répondu que nous avions plutôt de l'intérêt pour la bourse des hommes, mais sa connaissance limitée de la langue française ne lui permit pas de saisir le double sens du terme bourse !

*

J'ai rarement vécu seule. Et, de mes premières rencontres à ce jour, presque toujours j'ai été amoureuse. Peut-on parler de faiblesse, comme me l'a laissé entendre un jour une admiratrice féministe déçue de m'entendre expliquer avoir besoin d'un homme ? Serait-ce une faille ou une nécessité vitale ? Peu me chaut.

En cette année 1991, un nouvel homme est entré dans ma vie. Un personnage extravagant, théâtral, bruyant, excessif, épuisant aussi – sans doute dirait-il les mêmes choses de moi ! En d'autres termes, je ne risquais pas de m'ennuyer en sa présence, même si vite il m'arriva de supplier le ciel pour que cet hyperactif disparaisse quelques heures ou quelques jours de mon champ de vision. André Joli-Cœur porte bien son nom. Mais ce nom ne doit pas faire oublier sa carrière exceptionnelle et son professionnalisme retors : cet avocat plaideur sera en effet choisi par le juge en chef de la Cour suprême, Antonio Lamer, pour être l'*amicus curiae* dans la célèbre requête déposée par le gouvernement Jean Chrétien, en 1996, sur la légalité d'une déclaration unilatérale d'indépendance du Québec. Dix ans durant, André et moi vivrons une histoire intense riche d'imprévus, de passions, d'affections, de turbulences aussi. Une histoire flamboyante et passionnelle, impossible à inscrire dans une permanence sauf en la transformant, au bout du compte, en une amitié profonde – ce que nous avons réussi. Car cet homme inclassable, provocateur et courtisan à la fois, intellectuellement brillant mais aussi roué que peuvent l'être les plus grands avocats, lesquels recherchent plus la vérité juridique qu'historique, possède nombre de qualités mais aussi de défauts – qui n'en a pas ? Toujours est-il que je n'ai pas vu passer ces années entre Québec, lieu de sa résidence, et Montréal où il me rejoignait le week-end. J'ai subi les esclandres qu'il adore déclencher, juste pour le plaisir de se disputer, mais aussi connu les bonheurs imprévus, lumineux qu'il a toujours su mettre en scène. Ainsi, j'adore le homard des îles de la Madeleine. Un jour, il a déplacé mer et monde pour en trouver un de sept kilos, qu'il a déposé sur la table, sans que je m'y attende, trônant sur un plateau d'argent lors d'un dîner entre amis. Il a aussi su aimer mon fils, lui-même attiré par les «fous» et qui, à ce jour, ne met pas les pieds à Québec sans aller le voir. Ces dix années en montagne russes, qui m'ont permis en partie de cicatriser mes blessures antérieures, ont pavé la voie vers l'entrée en scène de l'homme miracle que je n'attendais pas mais qui surgira. Cet homme érudit m'a offert une passion amoureuse électrique, sereine et épanouie.

*

Au cours de l'année 1991-1992, Pierre O'Neil – avec lequel, depuis la pénible expérience de l'émission «Le Point», j'ai toujours entretenu des relations distendues – a accepté mon idée de présenter l'information sous un angle inversé. J'allais donc animer « L'Envers de la médaille », émission dont l'objectif était de donner la parole à des invités dont le point de vue et les opinions prendraient le contre-pied des discours marqués par la rectitude politique en train de s'installer dans la société. Le vocabulaire se modifiait en effet déjà afin de s'adapter au « progressisme » loué par tous les bien-pensants qui sévissait chez nos voisins américains et n'avait pas besoin de passeport pour traverser la frontière. Ainsi, à l'antenne, dès qu'on avait le malheur de prononcer des mots comme « aveugle » ou « infirme », les protestations se multipliaient. Une « non-langue », comme on dit en France, prenait de l'ampleur : il aurait fallu, dans ces deux cas, dire « non-voyant » ou « handicapé », termes censés être moins stigmatisants, même si la réalité restait la même.

Les premières émissions produisirent une onde de choc chez les téléspectateurs. Et pour cause, nos invités ne craignaient guère la controverse. La loi du nombre étant incontournable, l'équipe a rapidement senti le besoin d'aller chercher à Paris des invités de qualité n'ayant pas froid aux yeux lorsqu'il s'agit de polémiques, afin de renouveler les têtes. Après quelques mois, nous avons fini par réaliser qu'une bonne idée – celle de briser le discours dominant – ne pouvait tenir l'antenne longtemps par manque d'intervenants crédibles. La population du Québec s'élevait alors à six millions de francophones et un million d'anglophones et allophones. De fait, même si les Québécois sont causeurs, cela ne signifiait pas qu'ils sont à l'aise dans les affrontements verbaux, exercice et même gymnastique intellectuelle que la France adore. Progressivement, y compris avec l'apport d'intervenants d'outre-Atlantique, je me suis retrouvée avec des invités qui présentaient certes l'envers de la médaille, mais de façon si outrancière, si échevelée que l'on pouvait craindre des dérapages à l'antenne – nous travaillions en direct. Aussi, à la fin de la saison, je poussai un soupir de soulagement. L'expérience ne serait pas reconduite et je m'en réjouissais.

D'autant que, dix ans après mon émission phare « Noir sur blanc », on m'offrait les commandes d'une série faite sur mesure pour moi, programme dont le titre fit tiquer car l'information n'aimait pas encore flirter avec ce qui relevait du monde du divertissement. En septembre 1992, je pris donc la barre de « Raison passion », émission au contenu politique dominant, mais pas seulement. Et je n'aurais pu rêver de premier invité plus spectaculaire que… Lucien Bouchard.

Ce dernier, après avoir quitté son poste de ministre dans le gouvernement de Brian Mulroney, avait été l'un des fondateurs du Bloc québécois, le parti souverainiste créé afin de donner une voix exclusive aux Québécois ! En septembre 1992, nous sommes donc en campagne référendaire à travers le Canada et c'est à moi que revient d'interviewer, dans « Raison passion », tous les chefs des partis, dont Lucien Bouchard.

L'équipe prit contact avec son attachée de presse Micheline Fortin, ma chère recherchiste de tant d'émissions. C'est donc moi qu'elle appela pour annoncer le refus net de son patron de participer à l'émission. Or « Raison passion » avait reçu le mandat exclusif de la direction de Radio-Canada des entretiens avec les principaux chefs des partis, avant le référendum prévu le 26 octobre suivant. Un référendum dont le Premier ministre Brian Mulroney était l'initiateur, en accord avec tous les gouvernements provinciaux, pour ratifier – ou non – l'accord de Charlottetown permettant de réformer la Constitution du Canada. Durant ces semaines politiques fébriles, j'allais recevoir le Premier ministre libéral du Québec, Robert Bourassa, le chef de l'opposition officielle, le péquiste Jacques Parizeau, à la veille du scrutin, et le Premier ministre du Canada lui-même… il n'était donc pas pensable que Lucien Bouchard nous – me – fasse faux bond !

Chapitre 61

Mon amitié avec Micheline Fortin, en qui Lucien Bouchard avait une grande confiance, permit d'ouvrir une négociation. Ce dernier accepta de discuter avec moi au téléphone. Depuis notre rupture, quelques années auparavant, ce serait la première fois que nous nous reparlerions. Mais j'animais l'émission politique de Radio-Canada et lui était devenu le dirigeant du Bloc québécois, nouveau parti qui cherchait à se faire connaître à travers le Canada.

« Ça n'a pas de sens, je ne peux pas être ton invité », me dit-il d'entrée de jeu. Avant de suggérer d'envoyer un autre membre de son parti à l'émission.

« C'est impensable, répliquai-je. Tous les chefs de parti ont accepté. Si tu refuses, le Bloc québécois ne sera pas à l'antenne. De plus, je devrai dire que tu as décliné l'invitation. »

Lucien Bouchard, redoutable négociateur, cette fois se savait coincé. Alors, il prit un ton moins professionnel et dit, cherchant à rétablir une connivence : « Mais tu sais bien que c'est impensable.

— Nous sommes deux adultes, Lucien. Notre crédibilité est grande dans la population et nous sommes au-dessus des considérations personnelles, n'est-ce pas ? »

Politiquement, il aurait été dommageable pour lui de décliner cette possibilité de s'adresser aux électeurs. En somme, les dés étaient jetés.

« Tu es sûre qu'on peut se prêter à cet exercice ? ajouta-t-il.

— Je n'ai aucun doute », le rassurai-je.

Cette conversation – un peu irréelle, j'en conviens – est la reproduction exacte de ce que j'ai transcrit dans mon journal, le soir même.

*

Cet entretien fut l'entrevue la plus difficile de ma carrière, tous les Québécois connaissant notre histoire, relayée même par les médias anglophones du Canada.

Les jours précédant cette première émission, je redoublai d'ardeur au travail et refusai de discuter avec quiconque de l'interview que j'allais mener. Trop heureuse de me retrouver à la tête d'une émission politique, consciente de l'enjeu de ce défi, face au stress je devais faire l'économie de mon énergie, normalement bien contrôlée.

La veille du jour fatidique, j'amenai Guillaume au meilleur restaurant de sushis de Montréal après être allée le chercher au collège sans l'avoir averti. Ravi de notre escapade en tête à tête, tous deux avons placoté longuement, heureux, moi de cette parenthèse de bonheur, lui de ce congé de devoirs inattendu.

Le 10 septembre 1992, entourée de mon équipe, composée entre autres du réalisateur Luc Paradis et de ma recherchiste aussi efficace que raffinée Hélène Letendre, je me retrouvai dans un studio au décor surprenant. L'arrière-plan se composait de tentures de velours noir et le sol accueillait un éclairage sophistiqué qui créait une ambiance propice à la confidence. Au milieu trônait une table étroite semblable à celle de « Noir sur blanc », qui nous plaçait, l'invité et moi, à la proximité maximale autorisée par la capacité des caméras à découper les images diffusées. Bien sûr, nous étions en direct, essence même du plaisir d'être à l'antenne.

Après le maquillage, je me retirai dans ma loge et attendis l'arrivée de Lucien Bouchard en relisant mes notes. Lorsqu'il fut maquillé, je le retrouvai dans le vestibule du studio. Alors que je l'avais aperçu à plusieurs reprises à la télévision au cours des précédentes années, il m'apparut moins ténébreux qu'alors. Je fus frappée de découvrir une certaine nervosité chez lui, allant jusqu'à altérer son aisance coutumière. En entrant seule dans le studio, je sentis l'équipe technique encore plus nerveuse que moi. Je m'installai à la table, la maquilleuse vint faire des retouches sur mon visage et le preneur de son installa deux micros sur ma veste. « *Good luck* », murmura-t-il.

Quatre minutes avant de prendre l'antenne, on fit entrer Lucien Bouchard en studio. Son sourire était crispé mais je connaissais sa puissance séductrice. J'eus un frisson particulier lorsque le générique de l'émission retentit. Et d'un coup je perdis la notion du temps, tout en le contrôlant à la seconde près.

Dans cet entretien, le non-dit apparut en filigrane d'une conversation hautement politique. Jusqu'au moment où le chef du Bloc québécois, plus détendu en la circonstance, devant près d'un million de téléspectateurs qui, pour la plupart, cherchaient à décrypter le vocabulaire utilisé par l'un et l'autre, lança, en souriant, cette phrase porte ouverte : « Vous savez, madame Bombardier, il n'y a pas que la politique dans la vie. »

« Nous le savons, monsieur Bouchard », ai-je répondu avant d'enchaîner avec le sérieux qui présidait à cette entrevue pour le moins inclassable.

Le lendemain, *La Presse* m'honora d'un titre en première page qui disait « Chapeau ». Et les contempteurs habitués à dénigrer ma personne plutôt que mon travail restèrent cois. Cette émission – je l'avoue sans modestie – devrait servir d'illustration de l'entretien politique réussi alors que vie privée et vie publique, ce cocktail néfaste, s'y mêlent. Nous avons été tous les deux à la hauteur du défi. Là-dessus, nous étions faits pour nous entendre.

*

Avec cette émission, avec la présence d'André, ma vie était redevenue trépidante. Je multipliais les allers-retours à Paris, où se lançaient mes ouvrages, ce qui supposait une présence en mai et juin à travers la France et ses salons du livre. J'y rencontrais des lecteurs et participais à des débats et entretiens très stimulants. Durant lesquels, ayant toujours le sentiment de représenter le Québec, je prenais soin d'afficher de la retenue dans mes commentaires, estimant avoir une espèce de devoir de réserve à l'égard du Québec. Ne dit-on pas qu'il faut savoir «laver son linge sale en famille» ?

*

Le 25 juin 1992, de passage à Paris, j'accompagnai le journaliste Philippe Meyer à la réception annuelle de l'hôtel Matignon. J'y rencontrai le Premier ministre socialiste Pierre Bérégovoy qui eut, comme tant d'autres, un mot gentil et affectionné pour les Québécois. Ce dernier se suicidera un an plus tard, suite à des allégations de corruption et à la défaite du Parti socialiste aux élections législatives en 1993. La France entière vécut sa disparition comme un drame humain. Au cours de la réception, la secrétaire du président Mitterrand, Paulette Decraene, m'annonça discrètement que la Légion d'honneur me serait remise l'année suivante par le chef de l'État lui-même, et à l'Élysée. Je fus sans voix. Car la Légion d'honneur ne se demande pas, elle s'obtient. C'était un honneur auquel je ne m'attendais aucunement : si j'avais été informée, quelques semaines auparavant, que l'on m'attribuait la médaille à titre de chevalier, comment aurais-je pu imaginer que la remise de la décoration se déroulerait à l'Élysée et par les mains de François Mitterrand. Immédiatement, j'ai pensé à ma mère et à mon fils, qui seraient à mes côtés, et au bonheur de les savoir là en ce grand jour. Paulette m'a demandé de garder le secret, lequel fut vite éventé au Québec.

Lorsque j'atterris à Dorval, le mardi suivant, chez moi une surprise de taille m'attendait, en effet. André avait organisé une fête joyeuse où les bouchons de champagne éclatèrent. Plusieurs de mes amis, habillés aux couleurs du drapeau français, m'accueillirent en criant leur joie. Un accordéoniste fit même danser toute la bande sur les airs les plus connus de la chanson française. Décidément, André savait surprendre et m'impressionner. Des idées originales qui compensaient les moments plus agités où il se comportait de manière moins sereine. Mais l'un n'allait pas sans l'autre et j'étais émue par lui. La veille de la première de «Raison passion», n'était-il pas venu de Québec dormir à Montréal pour «me rassurer», alors qu'il était plus nerveux que moi ?

Je reçus la Légion d'honneur en compagnie de ma mère, mon fils, mon frère et André. En arrivant à l'Élysée, dans la voiture mise à ma disposition par le délégué général du Québec, nous fûmes conduits vers la salle des fêtes. Maman marchait sur le tapis sous les ors de la République comme si elle avait vécu là toute sa vie. Quand je glissai à son oreille : «Tu vois le chemin parcouru entre la rue de Gaspé et l'Élysée ?» Elle répondit : «Ça me surprend pas tant que ça.» J'avais – exigence du protocole – une très courte liste d'invités. Dont Alain Peyrefitte. Lorsque je lui avais annoncé souhaiter sa présence, il m'avait demandé d'informer au préalable le secrétariat du Président, lui-même n'ayant jamais voulu remettre les pieds à l'Élysée depuis que François Mitterrand, le socialiste, y avait élu domicile. Il pensait que ce dernier refuserait de l'y voir. Quand je lui transmis la réponse positive du secrétariat, il en fut plus qu'étonné. Je l'aperçus donc dès l'entrée dans la salle, où une cinquantaine de personnes se trouvaient déjà, toutes debout. Un membre du protocole m'amena auprès des quatre autres décorés, dont la ministre de la Culture grecque et l'actrice Gina Lollobrigida.

Nous avons attendu au garde-à-vous une vingtaine de minutes que le Président fasse son entrée dans un silence solennel. La France officielle sait mettre en scène ses cérémonies avec classe, décorum et un sérieux qui oblige ceux qui y assistent à éprouver quasi physiquement la force de l'institution républicaine. François Mitterrand y ajoutait sa présence intimidante et distanciée. J'avais été avertie que le chef de l'État prenait grand plaisir à ces remises de Légion d'honneur. À chacun des récipiendaires, il rendait en effet hommage sans recourir au moindre texte. Dans mon cas, il utilisa les titres des émissions que j'avais animées et ceux des livres publiés comme fil conducteur de ma personnalité. «Noir sur blanc», «En tête», «Trait d'union», «L'Envers de la médaille» et «Raison passion» lui permirent, sans oublier *Une enfance à l'eau bénite*, de tracer mon caractère, de définir mes qualités littéraires et de dessiner mon identité de Québécoise. Durant une dizaine de minutes, il discourut sur mon parcours. La fin de son allocution m'a tant touchée que je m'en souviens encore : « Chère Denise Bombardier, vous êtes le trait d'union le plus vivant, le plus émouvant et le plus passionné entre la France et le Québec. » Ensuite, souriant, il s'avança vers moi, agrafa la médaille sur la veste de mon tailleur – que j'avais choisi bleu, vu les circonstances –, et me piqua légèrement la peau. Comme je sursautai malgré moi, durant l'accolade il murmura à mon oreille : « La rose ne vient pas sans l'épine. — Merci du conseil, monsieur le Président », ai-je soufflé à mon tour.

Une fois les rangs rompus, le Président, qui avait aperçu Alain Peyrefitte, se dirigea immédiatement vers lui. Alain m'a raconté par la suite leur court échange. Le Président lui avait assuré être ravi de le voir à l'Élysée en précisant : « Il a fallu cette chère Denise Bombardier pour nous réunir monsieur le Ministre. » Ce à quoi ce dernier avait répondu : « Le Québec exerce une influence indéniable sur nous. » « Nous en sommes ravis n'est-ce pas ? »

Le protocole m'avait informée que François Mitterrand viendrait discuter avec les membres de ma famille. J'avais donc prévenu ma mère. Lorsqu'il s'approcha de nous, je la lui présentai ainsi que Guillaume et mon frère. Maman lui dit d'emblée : « C'est bien dommage, monsieur le Président, que nous, les Québécois, on ne puisse pas voter en France parce que vous auriez mon vote. » François Mitterrand la remercia, à la fois amusé par son accent et par sa verve. « Je trouve que vous avez un bon jugement », poursuivit-elle. Alors il la regarda et se mit à rire. Rarement quelqu'un avait osé l'aborder ainsi. « Mais pourquoi, chère madame Bombardier, dites-vous que j'ai un bon jugement ? — Parce que vous avez donné la Légion d'honneur à ma fille, monsieur le Président. » Ce dernier s'empara de ses mains et l'embrassa sur les deux joues. Je crois que maman l'avait comblé. Quant à moi, à ce moment, j'ai adoré ma mère. Sans aucune restriction.

Les médecins lui avaient déjà diagnostiqué un cancer du sein, pour lequel elle avait tardé à voir les spécialistes et dont elle mourra en 1999. Je veux croire que cette conversation si naturelle entre elle et le président de la République française fut son heure de gloire.

Chapitre 62

Je me rends compte que le moment est venu de décrire la mort de certains proches. Celle de mon père, d'abord, en 1989. J'avais fait mon deuil de lui depuis longtemps, je l'avoue. Mais il était encore vivant. Durant ses dernières années, il était hospitalisé dans l'un de ces mouroirs que l'on désigne, au Québec, par le sigle CHSLD (Centres d'hébergement de soins de longue durée), euphémisme afin d'éviter de s'interroger sur le sens même de cette longue durée. Un jour, j'ai reçu un coup de téléphone de ma mère, à son chevet. «Ton père est mort. Arrive tout de suite.» Une demi-heure plus tard, j'entrai dans la chambre. Sa dépouille était recouverte d'un drap blanc. Son visage défroissé était paisible. Ma mère sanglotait mais je fis semblant de l'ignorer. Je ne versai pas une larme, mais l'assurai qu'avec mon frère et ma sœur nous allions nous occuper des funérailles. «Tu veux qu'il soit exposé combien de jours ? ai-je demandé. — Deux, c'est assez. On n'a plus de famille», répondit-elle. Du côté paternel tout le monde était décédé, en effet.

*

De son côté, ma chère tante Lucienne, née elle aussi en 1900, coulait des jours agréables depuis la mort de son frère Rolland, celui-là même qui avait fait la guerre de 1939-1945 et était décédé quelques mois avant mon père. Seule, entourée de vieilles amies aussi coriaces qu'elle, tante Lucienne lisait les journaux à haute voix, critiquait sans retenue les «niaiseux» et jouait aux cartes et au bingo dans la résidence où je l'avais installée confortablement. Dans les années quatre-vingt-dix, je la visitais souvent et lui parlais presque quotidiennement au téléphone, comme à ma mère, d'ailleurs. À quelques reprises, je les ai invitées au restaurant du Ritz où ni l'une ni l'autre ne déparait dans le décor. Ma possessive de mère n'appréciait guère la présence de son aînée, si bien que par la suite j'ai amenée celle-ci sans en glisser mot à sa sœur. Mais c'était plus fort qu'elle, ma tante finissait toujours par lui révéler nos sorties chic et secrètes. Ce qui renouvelait les querelles, bien sûr.

Le 5 décembre 1994, j'accompagnai tante Lucienne chez un ophtalmologue afin de se faire opérer d'une cataracte. Du haut de ses quatre-vingt-quatorze ans, elle se décrivait comme «grassette». De fait, elle était plutôt grosse, mais sa belle figure accusait si peu les rides qu'on lui donnait dix ans de moins. Après une heure d'attente ne restaient qu'elle et moi dans l'antichambre du cabinet ; aussi je suis allée m'informer au secrétariat. Que se passait-il puisqu'un médecin m'ayant reconnu était venu jeter un coup d'œil dans la pièce, m'avait saluée mais était reparti sur-le-champ ? En fait, en voyant ma tante et en consultant le dossier qu'il avait entre les mains, où son âge était inscrit, il avait cherché une vieillarde. Une fois la méprise révélée, tante Lucienne jubila : «Vous pouvez m'opérer les deux yeux, dit-elle en riant de bon cœur, ajoutant : Sachez que j'ai l'âge de vous dire que vous êtes un très bel homme.» Après la courte intervention, le médecin qu'elle avait, malgré son âge canonique, séduit lui demanda la recette de cette longévité éclatante. «Docteur, dit-elle, j'ai ri toute ma vie. Avec les autres et des autres…» Après que le docteur l'eut embrassée, nous avons quitté la clinique, toutes deux fort joyeuses. Je lui proposai d'aller manger au restaurant mais elle refusa net, car c'était l'après-midi bingo à sa résidence ; et, pour rien au monde, elle ne se serait privée du plaisir de jouer. Je la reconduisis donc chez elle, au bord de la Rivière-des-Prairies face à la prison de Bordeaux. «J'ai passé une journée comme je les aime, m'a-t-elle déclaré. — Ça te fait mal ? ai-je demandé. — Y a rien là, lança celle qui était dure à son corps comme elle aimait le répéter. Té ben *smart*», ajouta ma tante en se laissant embrasser.

Vers 16 heures, mon téléphone sonna. «Je suis l'infirmière de la résidence de Mme Désormiers. Je suis désolée, j'ai une mauvaise nouvelle pour vous, madame Bombardier. Votre tante vient de faire une crise cardiaque. — C'est grave ? demandai-je, ayant pressenti à son ton quelque chose de terrible. — Elle est décédée, foudroyée, donc elle n'a pas souffert.» Je poussai un cri. C'était une partie de mon enfance qui mourait avec cette tante chérie que la vie avait tant malmenée. Célibataire endurcie, comme on disait à l'époque, elle avait aimé peu de personnes à part moi, moi l'élue de son cœur. Elle avait trimé dur, subi des humiliations – dont celle d'avoir été peu scolarisée –, conservé aussi nombre de squelettes dans le placard.

C'est à tout cela que je pensais en traversant la ville à toute allure pour me rendre à la résidence qu'elle était fière d'habiter. Je fus accueillie par la directrice, et vite entourée par quelques vieilles personnes désireuses de m'exprimer leur sympathie, personnes à l'évidence sincères qui appréciaient, me confièrent-elles, l'humour et la bonne humeur de Lucienne. Et on m'a alors décrit comment elle avait poussé son dernier soupir. Dans la salle où se déroulaient le jeu, l'animatrice avait annoncé au micro les numéros et appelé le B14. Ma tante avait levé le bras bien haut, et crié «BINGO» puis s'était effondrée sur la table. Quelle fin de vie pour une joueuse ! Remporter le jackpot, n'est-ce pas la manière la plus éblouissante de défier la mort ?

Je suis convaincue qu'elle aurait aimé, de son vivant, assister à ses funérailles, enterrement que j'ai organisé et qui réunit nombre de mes amies célèbres, ainsi que certaines ministres et même Lisette Lapointe, la femme du Premier ministre du Québec Jacques Parizeau. «Un vrai monsieur» à ses yeux bien qu'il ait eu, pour elle, le défaut d'être séparatiste. J'avais aussi retenu les services d'un ténor, dont la voix emplit l'église Saint-Viateur d'Outremont de chants grégoriens sublimes.

Au lendemain de son décès, j'assistai à un autre enterrement : celui de ma belle-mère, Ninette Sylvestre, pour laquelle j'avais toujours eu beaucoup d'affection. La vie réserve des surprises, n'est-ce pas ? Les funérailles de ma tante Lucienne, qui avait travaillé toute sa vie comme repasseuse dans une manufacture de vêtements et dont l'intérieur de la main était recouvert de corne à cause du poids du fer à vapeur, furent plus solennelles que celles de mon ex-belle-mère, issue, elle, de la petite-bourgeoisie et qui ne fréquentait guère les gens de la basse classe. J'ai fait éclater la barrière de classe en permettant à Lucienne de gravir, le jour de son enterrement, l'échelle sociale ; ce clin d'œil, elle l'aurait apprécié.

*

La santé de ma mère, quant à elle, se faisait préoccupante. Je retrouve dans mon carnet de rendez-vous les traces de visites médicales auxquelles je l'accompagne. Ma présence la rassure alors que, moi, je m'affole et lutte de toute mon énergie afin qu'elle ne s'en aperçoive pas.

Je me souviens notamment d'une séance de chimiothérapie à l'hôpital Maisonneuve. Et de la tristesse ressentie en la voyant étendue, comme d'autres malades, sur une de ces chaises longues en plastique qu'on voit sur les terrasses à l'arrière des maisons. Autorisée à demeurer auprès d'elle – ce qu'elle souhaitait et qui m'était accordé comme privilège lié à ma notoriété, j'en étais consciente –, il me fallait surmonter l'angoisse que provoquait chez moi ce spectacle morbide. D'autres patients appréciaient ma présence, me déclara un jour une infirmière, car je parvenais à échanger avec eux d'un ton presque léger. En d'autres termes, je leur changeais les idées. « Ça va ? » dis-je soudain à ma mère sur le visage de laquelle je venais de capter une crispation. « Viens prendre ma place », répondit-elle, feignant de retirer le soluté de son bras. « C'est vraiment pas drôle de dire ça à votre fille, intervint sa voisine d'infortune. On souhaite à personne ce qui nous arrive. » « Il s'agit d'une farce, ma fille me connaît », assura ma mère. J'acquiesçai, en dépit de la violence du propos. Dans la voiture, alors que je la reconduisais chez elle, elle revint sur la remarque de cette femme. « Y en a qui sont pas intelligents, qui prennent tout au premier degré. Quelle niaiseuse que celle-là. » Je ne répondis pas, préférant changer de sujet. Je n'allais tout de même pas analyser ma mère rongée par l'angoisse. Donc j'ai accusé le coup. La preuve en est que cet incident, si chargé de sens, m'est toujours resté en mémoire.

*

La situation politique était, pendant ce temps, redevenue explosive. Et pour cause : en 1995, un autre référendum devait avoir lieu. Après les années de dépression endurées par les souverainistes et de répit pour les fédéralistes, voilà que s'annonçaient des matins qui pouvaient chanter aux oreilles des uns et assombrir la sérénité des autres. 1995 serait l'année de tous les tourments et espérances.

Elle s'ouvrit de façon spectaculaire avec la visite officielle en France du Premier ministre Jacques Parizeau, visite s'inscrivant dans la foulée de rencontres alternées entre les chefs de gouvernement français et québécois. Je me trouvai à Paris pour des tournages durant cette semaine du 23 au 27 janvier, avant d'y revenir quinze autres jours pour assurer la promotion de mon dernier ouvrage, *Nos hommes*, publié aux éditions du Seuil. La reprise d'antenne avec « Raison passion » n'interviendrait qu'en février.

À la fin janvier, je fus contactée à mon hôtel par Lisette Lapointe. Elle m'invitait à les rejoindre, son mari Jacques Parizeau et elle, à une brasserie-restaurant de la place des Ternes située à l'angle de la rue du Faubourg-Saint-Honoré. Je les retrouvai donc, vers 20 h 30, après mon dernier tournage, le mercredi 25. Le Premier ministre Parizeau, d'entrée de jeu, dit qu'il souhaitait que notre conversation soit ouverte et confidentielle. Je fus surprise et quelque peu méfiante, car bien que nous ayons développé des relations amicales depuis le temps d'Alice, je gardais une certaine distance avec lui en raison de mon métier. J'évitais, en général, les rencontres trop personnalisées avec les politiciens, qui risquaient de compromettre mon travail. Après que Jacques Parizeau m'eut fait part de sa rencontre avec, entre autres, son homologue Édouard Balladur, il changea de registre. Il m'avait invitée, confia-t-il, parce qu'il souhaitait me proposer d'entrer dans son gouvernement. Au poste de ministre de la Culture, des Communications et de la Charte de la langue française, vacant à la suite de la démission imminente (et forcée) de Rita Dionne-Marsolais, envers laquelle le milieu culturel exprimait un profond rejet, voire du ressentiment. Avant même de réfléchir, je déclinai cette offre flatteuse. Il parut surpris et presque vexé.

Je suggérai à Jacques Parizeau de prendre lui-même la direction du ministère durant les mois à venir. Étant spécialiste de la finance et amoureux de la culture, les artistes seraient, avec lui, doublement entre de bonnes mains. Il se laissa bercer par l'idée qui, visiblement, lui plut, mais l'année d'un référendum ne laissait au Premier ministre aucun répit pour chatouiller ce type de rêve.

J'expliquai donc à ce couple dont les connivences n'étaient pas qu'amoureuses – leur amour nourrissait leur engagement politique et j'avais le sentiment que l'offre du poste ministériel relevait de la décision commune – que je savais depuis longtemps ne pas avoir les qualités nécessaires pour être politicienne. D'abord, le militantisme était une contrainte intellectuelle à mes yeux. Ne l'avais-je pas constaté dans ma jeunesse ? L'adhésion quasi religieuse à un mouvement, un parti ou un gouvernement, serait pour moi un poids que mon tempérament ne supporterait pas. Je crois à des valeurs collectives, m'y rallie aisément, mais mon sens critique prend souvent le dessus. J'ai appris, avant même d'entrer en classe, que la vérité logeait derrière les apparences, que la faiblesse, la honte et la peur entravaient la liberté, et que l'on finissait par croire à ses propres mensonges si l'on n'y prenait garde. Arracher le voile du temple n'a de sens que si ce geste est posé par une personne bénéficiant du libre arbitre de sa propre liberté. Or la politique en démocratie est l'art ultime du compromis, lequel, souvent, malgré ce que l'on croit, rend difficile l'éclosion de la vérité incandescente, celle qui m'attire à la manière de la pierre philosophale.

Jacques Parizeau est revenu à la charge avec une autre proposition : la direction de Télé-Québec. «Je ne suis pas douée pour gérer les êtres humains, qui est la tâche, à mes yeux, la plus titanesque au monde», lui ai-je avoué. Ce fut donc un autre non. J'acceptai toutefois de servir de courrier entre lui et le président Mitterrand. Les deux hommes s'étaient entendus autour de mon nom pour ouvrir ce que, dans le jargon, on appelle un canal de communication privée. Un rôle de messager officieux entre le Québec et la France auquel j'ai dit oui en me sentant honorée, et que j'aurais approuvé également si Robert Bourassa ou Jean Charest me l'avait confié. À mes yeux, les relations entre le Québec et la France ne relèvent pas des querelles partisanes, elles appartiennent à ma conception de ce qu'est l'intérêt supérieur de la nation. Le Québec n'est pas un parti politique mais la patrie de tous les Québécois. La conjoncture politique a fait que ni le Président ni le Premier ministre n'ont eu besoin de mes services.

*

Fin février, au retour d'Europe, je repris le collier à «Raison passion». Le référendum se déroulerait à l'automne et j'avais du mal à endurer les humeurs des uns et des autres. Les tenants du «oui» réussirent à élargir leur base et attirer de nouveaux appuis, au-delà des souverainistes historiques. Mais ce ne serait pas assez. Dès la fin de la saison, en mai, j'étais repartie vers la France afin de participer à de nombreux salons du livre. Et je ne rentrerais à Montréal qu'à la mi-août. Comme si je fuyais ce Québec suspendu une seconde fois à l'attente de son destin ?

Chapitre 63

Durant ces années, je vécus seule avec mon fils, puisque André Joli-Cœur ne venait à Montréal que les fins de semaine. Guillaume, comme tant de garçons avec leur mère, me tenait en distance depuis l'adolescence. Consciente d'être une mère « particulière », je comprenais son agressivité et le fait qu'il soit souvent mon critique le plus virulent. Mais je n'étais pas dupe de sa vie hors de ma vue. Il expérimentait et apprenait de son côté. Plus tard, vers l'âge de vingt-cinq ans, il m'invita au restaurant. En ce jour de fête des Mères, il commanda d'autorité une bouteille de champagne et me lança, avec ce sourire dont l'ironie n'est jamais absente : « Eh bien, maman, je vais te raconter mes frasques d'adolescent. » Le sachant pudique et mystérieux de nature, je faillis lui répondre « Non merci », mais je me retins. Alors il me décrivit ses « expériences », convaincu qu'à l'instar de toutes les mères je croyais posséder des antennes redoutables mais que ses histoires de drogue m'avaient totalement échappées. Il affirma d'abord que la coke – à laquelle il avait touché – était une drogue pour ceux qui veulent se sentir intelligents. Et, dans la foulée, me raconta qu'une amie à moi lui en avait offert à seize ans, dans le but de « le violer », ajouta-t-il. Ayant un fils éminemment facétieux, je ne sus – et ne saurai jamais – le fin mot de l'histoire. Reste que, vrai ou faux, ce récit me choqua. D'autant qu'à l'évidence se faire séduire avec de la poudre blanche par une « vieille » de l'âge de sa mère l'avait un peu marqué, sinon perturbé.

Durant ce déjeuner de fête des Mères mémorable, il me confirma une vérité sur sa personnalité qui explique que mes inquiétudes à son sujet, durant l'adolescence, ne se transformèrent pas en drame : « Vois-tu maman, dit-il, j'ai fait des essais mais j'ai toujours su que je ne serais jamais dépendant des drogues. Je savais que je ne basculerais pas. » Lorsque je lui ai raconté que, enceinte, je m'étais contrainte à manger tous les légumes que je détestais pour qu'il ait un cerveau parfait et qu'il l'avait malmené en tétant de ces saloperies, il a ri jusqu'à en avoir le hoquet. Et nous avons vidé ce qu'il restait de champagne en trinquant à une si belle et forte connivence.

*

En septembre, avant la nouvelle saison de « Raison passion », je fis un saut en France, à Bransat plus exactement, où le sénateur Jean Cluzel – qui régnait alors sur le département de l'Allier – organisait des événements à caractère historique et culturel. Il m'invita, en compagnie d'Amélie Nothomb, écrivaine inclassable, reine des best-sellers, personnage à tous égards étonnant. Nous avons discuté durant deux heures devant un public nombreux, attentif, vibrant, même. Entre la Belge, fille de la haute bourgeoisie, et la Québécoise issue d'un milieu modeste, toutes deux causeuses, pratiquant une forme d'humour dissemblable, le public trouva son compte. Amélie et ses multiples talents désarçonne tandis que son charisme attire des fans qui, grâce à elle, découvrent la littérature. Ses admirateurs l'idolâtrent. J'en fus témoin dans de multiples salons du livre auxquels j'ai assisté en sa compagnie. À celui de Montréal – entre autres –, elle a fait fureur. L'événement qui m'a amenée à Bransat m'oblige à m'interroger aujourd'hui : comment avais-je pu quitter le Québec à deux mois d'un référendum aussi crucial ? Pourquoi, la semaine qui précéda le fatidique lundi 30 octobre, retournais-je à Paris participer à une émission spéciale de la télévision française consacrée à ce jour historique ? En écrivant ces lignes, vingt ans plus tard, je trouve étranges ces déplacements. J'émets l'hypothèse qu'ayant vécu le traumatisme de l'échec du référendum de 1980 qui provoqua une décompression collective, une grande partie de la population (et je m'y inclus) vécut le second référendum avec le sentiment de tanguer au bord d'un précipice. Sans doute trouvais-je alors toutes les excuses pour échapper au climat suffocant et au risque de revivre ce que nous avions enduré.

*

Cet automne-là, j'eus le plaisir et l'honneur de recevoir le prix Gémeaux, au titre de meilleure animatrice d'affaires publiques. Enfin, j'obtenais la reconnaissance de mes pairs. En mars précédent, le MetroStar, qui jaugeait la popularité, m'avait consacrée dans la catégorie Grandes Entrevues. Voici les seuls prix de journalisme reçus dans ma carrière au Québec.

À quoi cela tient-il ? Au fait que ma personnalité soit jugée clivante ? Peut-être, mais ai-je jamais «mal» fait mon métier ? Cette frilosité, voire distance à mon égard provient-elle du fait que, dans le petit monde médiatico-artistique du Québec, se trouvent nombre d'envieux et de jaloux qui carburent au ressentiment ? L'on m'objectera qu'il s'agit d'un trait de la nature humaine, certes, mais au Québec, une société historiquement repliée sur elle-même, où frustrés et vengeurs ont libre court encore à ce jour, on se méfie de la réussite personnelle, du succès, de la reconnaissance sociale. Je ne doute pas qu'en l'écrivant aussi clairement je risque de m'attirer ses foudres.

À preuve ? TV5 Monde États-Unis créa, en 1998, le Grand prix de la francophonie attribué à une personnalité dont la contribution professionnelle à travers la télévision marquait son époque. Ce prix, financé par la chaîne TV5 Monde, allait être octroyé chaque année à l'occasion du gala des Gémeaux de Montréal. Michel Drucker, icône de la télévision française, en fut le premier lauréat. L'année suivante, la direction de TV5 Monde me choisit et en informa le conseil d'administration des Gémeaux, lequel rassemblait des dirigeants de chaînes, des producteurs et des représentants de syndicats d'artistes et d'artisans de la télévision du

Québec. Le journaliste Simon Durivage, qui en faisait partie, entreprit une campagne contre la nomination, créant un immense malaise au sein du conseil qui, avec « courage », préféra reculer, et je vis ma nomination rejetée à cause de cette polémique. Mais TV5 Monde n'obtempéra pas et refusa de nommer quelqu'un d'autre. C'est ainsi que ce beau prix de la francophonie mourut, égorgé par Simon, par ailleurs gentil garçon, pianiste à ses heures, qui fit une longue carrière à Radio-Canada. Comme il aurait pu le dire avec son élégance verbale légendaire : «Je ne l'ai pas eu câlisse. À l'aura pas la crisse.» Et tout le milieu se tint coi. Un ami me révéla l'histoire et la cabale voici quelques années. J'ai hésité avant de l'écrire, mais l'ai finalement fait car elle me paraît révélatrice d'un trait culturel à mon sens détestable que je soumets au lecteur pour notre édification collective.

*

La campagne du référendum se déroulait, cette fois, sans exaltation ni jubilation, marquée avant tout par la gravité, accentuée par les sondages révélant la profonde fracture de la société québécoise. À quelques jours seulement du vote, les camps du oui et du non se trouvaient nez à nez. À mes yeux, cette tendance, qui s'avéra exacte, était la pire des situations. Un cauchemar, pour tout dire.

Au Canada anglais, la panique était palpable. Car la séparation du Québec signifierait la partition du pays, Terre-Neuve, l'Île-du-Prince-Édouard, la Nouvelle-Écosse et le Nouveau-Brunswick se retrouvant coupés géographiquement du Canada anglais. Même si la majorité des partisans du oui affirmait que 51 % des voix en faveur de la souveraineté permettraient d'ouvrir les négociations avec Ottawa, je doutais personnellement de la faisabilité d'un tel processus. Je savais que ce référendum, déclenché par le Premier ministre Parizeau, comme il l'avait promis aux Québécois, était non seulement voué à l'échec, mais serait instrumentalisé par le Canada anglais. Et qu'au final le Québec allait perdre son statut de société distincte reconnue historiquement. Pour remporter ce vote historique, il eût fallu que plus de 60 % des francophones disent oui, un score quasi impossible à atteindre puisque nous offrions aux adversaires anglophones nos propres divisions de frères ennemis.

Le Premier ministre du Canada, Jean Chrétien, mena la campagne du non avec une maestria incomparable. L'unité canadienne avait été le combat de toute la vie de ce populiste libéral qui malmenait la langue française par démagogie clientéliste, il n'hésitait pas à utiliser les pires arguments, aussi choquant fussent-ils, car à ses yeux la fin justifiait les moyens. Alarmer les personnes âgées, menacer de pertes d'emploi les fonctionnaires francophones travaillant pour le gouvernement fédéral, remettre en question la légalité même du référendum québécois, rien ne lui posait de problème éthique. Il se comporta donc comme un général d'armée. Puisqu'il lui fallait gagner « la guerre », il fut politiquement le combattant et le héros du Canada. Sans le génie politique de Chrétien, qui se réclamait tout autant de sa québécitude, les Québécois – galvanisés par la fougue de Lucien Bouchard et sa capacité à faire vibrer la fibre nationaliste inscrite au cœur des Canadiens français – se seraient à coup sûr mobilisés davantage.

À Radio-Canada, chacun surveillait ses arrières. Le lundi 30 octobre, je me retrouvai sur le plateau de l'émission spéciale consacrée à l'événement. Animatrice de la table ronde, je n'avais participé aucunement au choix des invités, ceux-ci se voyant sélectionnés par la direction de l'information selon des critères hautement politiques. Des invités raisonnables, modérés, nuancés. Comme au début de la soirée le résultat était incertain et les sondages serrés, on se rabattit vite sur les commentaires de ces invités. Après deux heures d'annonces des votes, circonscription par circonscription, nous n'étions toujours pas fixés. Alors que dire ? Quelles hypothèses soulever ? Quelles analyses développer ? L'attente, interminable, fut une épreuve pour tous. Toute projection finale étant impossible donc écartée, chacun retenait son souffle. Une caméra surprit et montra le Premier ministre du

Québec Parizeau marchant de long en large dans une salle vitrée, mais personne n'osa interpréter son attitude. Même si, à l'observer, les jeux semblaient faits.

Vers minuit, il prit enfin la parole. Physiquement, on ne percevait pas la dévastation qui l'amènera, le lendemain, à donner sa démission. « C'est raté mais de peu », dit-il d'entrée de jeu en annonçant le chiffre de cinquante mille suffrages de plus en faveur du non.

La voix éraillée, par l'alcool, diront certains adversaires et quelques journalistes, Jacques Parizeau poursuivit : « On se crache dans les mains et on recommence. [...] On a été si proches d'avoir un pays. » Et c'est alors que lui échappa cette phrase définitive : « C'est vrai qu'on a été battus par l'argent et des votes ethniques. Essentiellement. » Assise dans mon fauteuil, je crus cauchemarder. Et je regardai mes invités, dont certains étaient effondrés. Chez les partisans réunis au palais des congrès, on entendait des applaudissements et des huées. Jacques Parizeau poursuivit son discours tandis que je tentai de reprendre mes esprits. Comment, au retour en studio, allais-je relancer le débat ? Ça n'était pas à moi de commenter sa phrase explosive. Je donnai donc la parole à un premier invité qui s'insurgea, évidemment, contre pareils propos, suivi par tous les autres qui s'indignèrent avec plus ou moins de colère contre les paroles « irresponsables » du Premier ministre. Ne devait-il pas en effet, dans les circonstances, calmer les esprits et appeler à l'unité de tous les Québécois plutôt qu'attiser le feu ? Quelques minutes plus tard, le Premier ministre du Canada, Jean Chrétien, sérieux, grave, soulagé aussi, évita de polémiquer en reprenant ou rebondissant sur la déclaration explosive de Jacques Parizeau. « À mes concitoyens et concitoyennes du Québec qui ont appuyé le oui, je dis que je comprends votre profonde volonté de changement. [...] Il faut maintenant envisager des solutions innovatrices pour ne plus jamais retomber dans pareille crise existentielle. » Le Premier ministre du Canada admettra, quelques jours plus tard, que si le oui l'avait emporté avec une majorité trop faible, il aurait lui même bloqué le processus de sécession du Québec. Une des solutions « innovatrices » que Jean Chrétien proposa par la suite fut une loi sur la clarté référendaire afin d'empêcher la sécession du Québec en s'appuyant sur la Constitution canadienne. Chacun jugea de son sens de l'ouverture et de la main tendue.

Le lendemain du référendum, la direction de l'émission spéciale me reprocha de ne pas m'être insurgée à l'antenne contre les propos de Jacques Parizeau. Je protestai vivement contre cette vision de mon travail, estimant que, au titre d'animatrice de la table d'experts, mon rôle consistait à donner la parole aux invités, non à éditorialiser. Mais la – grande – période de la télévision où l'on apprenait à faire profil bas et à pratiquer une forme de neutralité politique à l'antenne semblait révolue. La réaction des responsables de l'information correspondait à une nouvelle approche du métier. Que le passage, sans transition, de conseillers politiques à des fonctions de cadres en information illustrait. Un changement de l'éthique journalistique au sein du service public de Radio-Canada émergeait. Lina Allard, ma patronne à l'époque, venait du cabinet de Claude Ryan, ex-directeur du journal *Le Devoir* qui, lui, avait fait le saut en politique, était devenu chef du parti libéral et, une fois élu, avait occupé le poste de chef de l'opposition à l'Assemblée nationale.

*

Trois jours plus tard, je repartais à Paris pour réaliser quelques entrevues, et où je fus happée par les médias français, désireux de comprendre l'échec du référendum. Ayant toujours été consciente de la nécessité de présenter une analyse politique du Québec et du Canada qui soit à la fois mesurée et respectueuse des faits, je restais sur cette ligne dans chacun de mes entretiens. Dont aussi celui que j'accordai, à sa demande, à un journaliste de *Paris Match* avec lequel j'échangeai de confrère à consœur, tout en ayant soin de préciser que j'avais un devoir de réserve en tant que journaliste. Puis j'oubliai cette entrevue, participant avec plaisir à la Foire du livre de Brive, où j'ai signé un nombre élevé d'ouvrages et me suis même retrouvée à la table d'honneur du grand dîner annuel. La majorité des lecteurs français étant attristée du résultat, je crois bien que la défaite du oui fit augmenter mes ventes ce week-end-là.

De retour à Montréal dix jours plus tard, je fus convoquée par Lina Allard. *Paris Match* venait de publier un article consacré au référendum à travers les personnalités québécoises les plus connues en France – ce qui m'incluait –, où les vedettes sélectionnées se voyaient réparties en deux camps. L'écrivaine acadienne Antonine Maillet était classée dans celui du non et moi, à ma stupéfaction, en partisane du oui, dichotomie plus vendeuse et «punchée», je suppose, pour l'hebdomadaire. C'était une instrumentalisation et même une déformation de mes propos, une violation malgré moi du devoir de réserve que j'ai toujours appliqué comme journaliste, mais la classification caricaturale allait faire des remous. Lina Allard me laissa en effet entendre que je serais remerciée de l'émission. Parce que c'était une entorse à l'éthique et que certains des cadres qui cherchaient à avoir ma peau depuis longtemps piaffaient d'impatience, retenant d'avance la porte de la sortie de Radio-Canada devant moi. Mais, encore une fois, je crois que Claude Saint-Laurent, le directeur, sauva ma tête. Cependant, il y eut quand même, à mes yeux, sanction : l'épisode, dont je n'étais en rien responsable, mit fin à ma carrière de journaliste politique à Radio-Canada puisque «Raison passion» se transforma bientôt en émission essentiellement culturelle et sociale. Les politiciens qui me craignaient ont alors sans doute sabré le champagne.

Chapitre 64

En décembre de cette année 1995 mouvementée, Claude Saint-Laurent, le directeur de l'information, me convoque à son bureau. Sans doute pour donner à notre rencontre un caractère officiel. Il engage la conversation sur les « problèmes » que posent mes « fréquentations politiques », se gardant toutefois d'avancer des noms. Visait-il Louise Beaudoin et Jacques Parizeau, du Parti québécois, ou Lisa Frulla, du Parti libéral ? Je ne le saurai jamais. Je rapporte ainsi dans mon agenda ce tête-à-tête : « Cela me fait croire que ma liberté journalistique est désormais sous surveillance. Je dois sérieusement m'interroger sur mon avenir à Radio-Canada. »

Par définition, on l'a vu, mon statut de pigiste me plaçait en situation précaire. Mais de mon éducation familiale – celle où les préoccupations monétaires prenaient le pas sur tout et avaient pourri mon quotidien puisque tout y était compté : « Attention, le beurre coûte cinquante sous la livre » ; « Pas question de t'acheter des chaussures, on n'a pas les moyens » – j'étais arrivée, avec l'âge et grâce à mon parcours, à me libérer. Après pareille conversation, je me rassurai donc, vite convaincue que, même si ma position changeait, je réussirais toujours à décrocher des contrats. N'avais-je pas accepté, les semaines précédentes, des rencontres avec la télévision privée TVA, compétiteur de Radio-Canada, échanges qui me permettaient d'espérer avoir l'opportunité de continuer à exercer mon métier ?

Pour autant, j'appartenais culturellement et sentimentalement au service public qui, en ces années-là, se distinguait de la chaîne concurrente, plus populaire et moins axée sur l'information. Produit de la culture radio-canadienne, où j'avais eu l'avantage d'avoir fait mes classes avec des patrons formés dans le moule humaniste, je ne me voyais pas forcément ailleurs.

*

Consciente de la situation, que les choses bougeaient, je renforçais mes liens personnels et culturels avec la France à cette période. Ma vie professionnelle se déroulait de plus en plus entre Montréal et Paris. Ainsi j'enregistrais de nombreux entretiens avec des écrivains et des artistes, comme Jean d'Ormesson, Bernard-Henri Lévy, Annie Ernaux, Serge Reggiani, Dalida, Yves Montand, Simone Signoret, des philosophes tels Michel Serres, René Girard.

En ce début 1996, les éditions du Seuil me signèrent par exemple un contrat pour écrire un livre de conversations-confidences avec celle qui faisait trembler le monde de l'édition dans l'Hexagone, la «papesse» Françoise Verny, comme on la désignait alors. Je l'avais croisée dans différents événements littéraires, mais surtout elle-même m'avait contactée après la sortie d'*Une enfance à l'eau bénite*, déclarant avoir «adoré» ce roman autobiographique dont elle appréciait la «force d'écriture», «l'authenticité et l'émotion sans complaisance». Pas dupe mais flattée, j'avais compris sa démarche : revenue chez Grasset, après un passage chez Gallimard et Flammarion, elle souhaitait me débaucher du Seuil. Une pratique qui lui avait permis, tout au long de sa carrière, de rassembler autour d'elle l'écurie littéraire la plus flamboyante de Paris. Françoise Verny était par ailleurs la meilleure ambassadrice pour un écrivain en quête de prix littéraire.

Elle avait déjà écrit quelques ouvrages, dont les thèmes étaient récurrents : Dieu, la religion et la foi. Je pris donc contact pour la convaincre de se livrer dans un ouvrage qui serait le fruit de nos rencontres. Elle m'invita à venir en discuter dans son appartement du 8e arrondissement. Dès mon arrivée, un énorme malaise m'envahit. Il était 11 heures et, déjà, Françoise Verny avait commencé à boire. Certes, le Tout-Paris la savait peu portée sur la tempérance, mais moi j'ignorais que son amour de la bouteille débutait si tôt. Je dus l'accompagner car, pour « fêter notre rencontre », elle me fit ouvrir du champagne. Si son alcoolisme était connu du milieu, par respect – ou intérêt – les gens qui l'approchaient feignaient d'ignorer son état. Élevée entourée de femmes qui buvaient jusqu'à plus soif, je n'étais pas dépaysée mais à tout le moins surprise. Et comment faire un livre en commun dans de telles conditions ? Je lui expliquai néanmoins que sa vie ressemblait à un roman, que dans ses propres livres elle révélait bien peu d'elle-même, et que je considérais venu le temps de parler. À vrai dire, je la flattais, mais sans conviction.

Au retour du rendez-vous, j'en fis part à mon ami Claude Cherki, qui m'invita tout de même à tenter l'expérience. « Étant étrangère au milieu littéraire parisien, ayant reçu son accord et n'ayant pas froid aux yeux, me dit-il, tu pourrais peut-être confesser la femme qui avait terrorisé et fasciné des générations de grands écrivains et d'éditeurs. »

Toutes les deux semaines, je me rendais donc à Paris pour passer plusieurs heures avec elle. J'enregistrais ses propos, dont la cohérence s'avéra vite difficile à démêler. Après ces premières tentatives, j'eus bientôt le sentiment que Françoise était en fait impénétrable. Désespérée d'avoir perdu son pouvoir, physiquement délabrée, exténuée aussi, elle tentait de s'accrocher à la vie, laquelle lui glissait entre les doigts. Désolée, je la voyais peiner à penser, à parler et à marcher. Catastrophée et bouleversée d'être le témoin d'une telle déchéance, je me trouvais obscène. Sur la trentaine d'heures passées en sa compagnie, j'estimai que rien, en vérité, n'était publiable. Elle-même paniqua, début mai, seule fois où je la vis pleurer. Je compris que c'en était fait du projet. Quelque part, j'en étais soulagée.

Françoise Verny mourut huit ans plus tard, ce qui démontre que la rage de vivre qui l'habitait avait mis du temps à la quitter, malgré l'alcool, la maladie et la vieillesse. Je n'ai pas côtoyé « la

Verny» des années de gloire, mais je peux témoigner de la douleur d'une femme qui fut abandonnée par la majorité de ceux qu'elle avait amenés vers la gloire littéraire. «Je ne me suis jamais aimée», écrivit-elle dans ses mémoires. J'ai été en mesure de constater les dégâts de sa haine d'elle-même. Ce qui confirme que la vérité des êtres existe dans les secrets qu'ils ne dévoilent pour la plupart jamais.

*

Parallèlement à la télévision et à l'écriture, j'animais, durant cette période frustrante et surprenante – même dans les entretiens politiques – mais surprenante, remplie d'offres de travail et de conférences, une série à la radio dont j'avais été l'initiatrice et au titre limpide : «Le biographe et sa passion». Étant lectrice de biographies, j'avais toujours été impressionnée par ces auteurs capables de consacrer des années à fouiller comme des archéologues la vie de la personne qu'ils avaient choisie d'étudier. J'avais évidemment exclu de cette série les biographies improvisées, construites à partir de documents copiés-collés et portant sur des vedettes qui, en aucune façon, ne traverseraient l'épreuve du temps. Un bon biographe, par définition, s'intéresse à l'être humain et doit être du genre obsessionnel! L'émission révélait donc des auteurs qui, contrairement aux romanciers, réussissaient à s'effacer au point de se confondre parfois avec les personnages historiques dont ils décrivaient presque dans les moindres replis la vie et l'œuvre. J'aurais pu faire perdurer l'émission durant des années si les objectifs de programmation du service public avaient mieux correspondu à mes préoccupations professionnelles et pédagogiques. Ma carrière devenait tout sauf linéaire. Heureusement que j'avais des centres d'intérêt variés et décloisonnés. En ce sens, j'étais adaptable donc douée pour gagner mon pain.

Négocier des contrats est un art. Les administrateurs de Radio-Canada – je l'ai écrit à différentes reprises – me trouvaient dure, ce qui signifiait que je ne me comportais pas comme mes consœurs. À vrai dire, le dernier tabou que les femmes doivent faire éclater est celui du rapport à l'argent. J'ai trop vu de consœurs tendues et nerveuses quand il s'agissait de négocier leurs contrats ou des avantages attachés à leurs tâches. Ce trait – détestable – participe à la perpétuation des stéréotypes féminins. Les féministes, qui revendiquent à juste titre la parité salariale, devraient s'intéresser de plus près aux femmes qui ont réussi, dans les dernières décennies, à accéder par elles-mêmes à l'argent. Comme si la solidarité féminine devait s'inscrire en parallèle exact à la lutte des classes et appartenait exclusivement à l'idéologie de gauche. Cela tendrait peut-être à expliquer l'incapacité d'un certain féminisme à rassembler autour de ses combats un large consensus. Je ne souhaite ni ne dis que les femmes doivent pratiquer une unanimité de pensée, mais j'estime que le radicalisme féministe n'est pas moins dommageable que le machisme dominant de nos sociétés modernes.

*

À propos de féminisme, j'ai eu la chance de rencontrer Benoîte Groult dans les années soixante-dix, à l'occasion d'une entrevue qu'elle m'avait accordée. Elle ne connaissait pas vraiment le Québec mais s'était prise d'affection pour les Québécoises et, ensuite, n'aura eu de cesse de les citer en exemple dans toutes ses activités. Benoîte venait d'un milieu parisien très bourgeois. Sa sœur Flora – aussi romancière – et elle furent élevées entourées d'artistes et d'écrivains. Ses origines et les miennes étaient donc aux antipodes puisque Benoîte et son mari, le cher Paul Guimard, appartenaient à la gauche « caviar » parisienne. En vérité, le féminisme de Benoîte s'est développé tardivement. La plupart de mes amies québécoises n'auraient même jamais accepté de subir les humiliations et les comportements machistes qu'elle a endurés. Benoîte, femme d'une autre époque – je ne la trahis pas en écrivant ce qui va suivre puisqu'elle-même l'a raconté dans ses ouvrages –, a vécu avec des hommes qui refusaient la contraception, si bien qu'elle a plusieurs fois avorté. Un jour, lors d'une de nos discussions vives à bâtons rompus – nous avions des différends –, elle m'a accusée d'être antiféministe. Ce à quoi je lui ai rétorqué que, théoriquement, c'est ce qu'il paraissait mais que, dans la pratique, contrairement à elle, je n'aurais jamais accepté de faire l'amour avec un homme qui refusait de porter un condom au prétexte que cela diminuerait son plaisir !

Benoîte écrivait en orfèvre. Et croyait sincèrement au combat des femmes. Reste qu'elle n'aurait jamais pu avoir une conversation avec mes tantes Edna et Irma, tant il lui était impossible culturellement d'imaginer leurs vies. Ma mère, plus instruite, pouvait partager certaines références culturelles avec Benoîte, mais elle ne s'est pas laissé séduire, jalouse de l'affection que je témoignais à cette écrivaine célèbre. Il est vrai que maman avait depuis longtemps le sentiment que je lui échappais et fut, à cause de cela, jalouse aussi de tous les hommes de ma vie. Je fus en tout cas accueillie à bras ouverts par la famille Groult-Guimard. Paul exerça, en tout bien tout honneur, son charme sur moi. Et pour Blandine et Lison de Caunes, les deux filles de Georges de Caunes, son ex-mari, je suis devenue une sœur québécoise. Grâce à Benoîte et Paul, j'ai pu écrire dans l'un des plus beaux paysages au monde : leur cottage édifié sur les collines dominant Waterville, en Irlande. J'y suis retournée plusieurs étés, chaque fois éblouie et émue avec la même intensité. La culture catholique irlandaise – où l'Église pèse de tout son poids – ne m'était en rien étrangère. Mais, heureusement, nous, Québécois, avons connu un destin moins tragique : les Irlandais, bien qu'ayant accédé à l'indépendance en 1921, sont marqués plus profondément par l'oppression religieuse. Quand on pense que l'avortement y a seulement été légalisé en 2018 ! Je demeure par ailleurs une fervente admiratrice de la brillante Edna O'Brien, écrivaine maîtresse femme, comme on les apprécie chez nous.

À la fin de sa vie, Benoîte – qui exprimait difficilement ses émotions en dehors des pages de ses livres et gardait une distance physique avec les gens – est apparue plus affectueuse. Ainsi, volontiers elle me caressait les bras et me disait des mots tendres. Même si sa mémoire s'était quelque peu embrumée, je garde en mon cœur les dix jours que mon mari et moi avons vécus seuls en sa compagnie, dans sa maison si bellement bretonne de Doëlan. Elle adorait Jim – je reparlerai de notre rencontre plus loin – qui lui chantait de sa voix de ténor des ballades irlandaises qui la transportaient. Lorsque nous l'avons quittée, en août 2016, alors que la fin de sa vie s'annonçait, elle m'a enlacée tendrement, tandis qu'il pleuvait à boire debout et que la mer était en furie. « Tu vois ma chérie, la Bretagne pleure parce que tu la quittes. » Lorsque, l'année suivante, avec ses trois filles Blandine, Lison et Constance, le compagnon de cette dernière et mon Jim, nous avons répandu ses cendres au milieu de la rivière qui se jette dans la mer face à sa maison, j'ai cru un moment réentendre ces dernières paroles. Cette femme, je l'ai aimée de tout cœur.

*

Avant sa disparition en 1996, j'avais revu en tête à tête, à l'Élysée, le président Mitterrand. À une ou deux reprises, me semble-t-il. Je me souviens qu'à l'une de ces rencontres il me déclara tout de go qu'il n'était jamais malade. Qu'il n'avait même jamais été alité une seule journée depuis qu'il occupait le pouvoir. L'aveu – faux – m'avait surprise puisque tout le monde le savait souffrant. Était-ce du déni ? Un refus de l'inéluctable, un message à faire passer à ceux que je voyais ? Il s'enquit comme les autres fois des personnes que je rencontrais à Paris, s'informant de ce que pensaient et comment allaient Alain Peyrefitte et Claude Imbert, le directeur du *Point*. Le Québec n'étant pas son sujet de prédilection, il préférait plutôt que je lui fasse part de ma vision de la France. Sa curiosité quant à ce qui se disait dans les dîners en ville où j'allais ne faiblissait pas. Lorsqu'il mourut, en janvier, je reçus un coup de fil de mon amie Paulette Decraene, si triste d'avoir perdu son président. Elle m'informa que je pourrais voir sa dépouille si je décidais de venir à Paris. Alors à l'antenne, je ne pouvais m'autoriser un tel aller-retour en quarante-huit heures. Mais, en me sachant sur la liste des personnes invitées à lui rendre un dernier hommage dans son appartement donnant sur le Champs-de-Mars, je fus surprise et touchée. Même si je n'ai jamais été en mesure de décoder ce personnage complexe, homme de droite ayant choisi la gauche qui incarnait, par sa personne, une France encore imprégnée de sa grandeur, de son mythe et de son incommensurable orgueil. En lisant les *Lettres à Anne*, la correspondance amoureuse de plus de trente ans qu'il entretint avec la femme qu'il avait aimée au-delà des mots – dont il use, dans cet ouvrage, avec une sincérité qu'on ne connaissait pas à l'homme politique –, j'ai compris l'épaisseur du mystère de celui qui demeure, à mes yeux, le dernier président gaullien de la République française.

Chapitre 65

Durant la dernière année de «Raison passion», celle où j'étais interdite d'invitations de politiciens, je décidai, un jour, d'interviewer la femme du Premier ministre Jean Chrétien, Aline. Celle-ci se révéla égale à elle-même, épouse de qualité mais aussi femme à l'instinct politique imparable, défendant un mari qu'à l'évidence elle admirait et épaulait. Au final, cet entretien m'ouvrit définitivement les yeux : la situation était aussi cocasse qu'absurde : ne pas avoir le droit de recevoir des hommes politiques mais parler d'eux *via* leurs épouses était incohérent. J'en conclus qu'il était temps de quitter cette émission où je tournais en rond et même autour du pot, comme avec Aline Chrétien.

J'abandonnai le service de l'information pour rejoindre celui de la télévision générale. Et je m'associai avec la maison de production Avanti. Jean Bissonnette, réalisateur et producteur de tant d'émissions de divertissement et de variétés, devint mon coproducteur. Avanti était une des boîtes de production les plus prospères et prestigieuses de cette fin de siècle. La direction de Radio-Canada me souhaitant à l'antenne, je proposai un programme dont le contenu serait culturel au sens très large du terme, ce qui me convenait. J'ai beaucoup aimé travailler avec Jean et son équipe, tant grâce à sa personnalité ludique et rigoureuse qu'à la qualité des collaborateurs de l'entreprise, dont Denise Dion, directrice de production épatante, personne non seulement dévouée mais responsable, qui ne compte jamais son temps, sait gérer les egos des uns, les angoisses des autres tout en demeurant volontairement dans l'ombre. Dans cette entreprise privée, j'ai découvert que la souplesse n'était pas incompatible avec la qualité. Et pris la mesure de la lourdeur bureaucratique et de la fréquente suffisance des artisans des services de l'information fréquentés jusqu'alors.

Par la suite, la chance mettra sur ma route une directrice de production formidable, Marie-Hélène Tremblay, qui me secondera avec excellence lorsque je créerai ma petite entreprise de production. Je fus en effet quelques années mon propre patron, activité qui m'a permis, entre autres, de prendre conscience de mes responsabilités envers mes collaborateurs. J'employais une dizaine de personnes, la plupart jeunes parents avec enfants, qui donc comptaient sur moi pour vivre, pécuniairement, s'entend ! Cette expérience m'a rendue plus attentive aux défis relevés par les dirigeants de PME. Et a agi sur moi comme une sorte d'atterrissage dans le « vrai monde », expression galvaudée par les théoriciens sociaux protégés par la permanence d'emploi – ils l'emploient souvent – mais pourtant si vraie, concrète même.

*

La santé de ma mère se détériorait progressivement. Consciente de l'échéance comme de sa souffrance, je n'osais parler de la mort avec elle. Et m'abstenais moi-même d'y penser. Je m'efforçais de l'accompagner à ses rendez-vous chez ses médecins lorsque je ne me trouvais pas à l'étranger. Et les diagnostics tombaient. Terribles. On lui détecta des métastases au foie, puis aux os. Et elle souffrait, passivement dirais-je. Elle choisit d'aller vivre à la campagne chez ma sœur, qui s'occupait d'elle avec une patience infinie et dont la présence lui était préférable. Mon énergie, ma vitalité, ma vie de nomade, et ma notoriété sans doute, s'accordaient mal avec son état et une fin de vie qu'elle souhaitait plus sereine, apaisée, au calme.

Un jour, je lui proposai que nous allions toutes les trois à New York. « Je vais réserver une suite au Waldorf Astoria », ai-je dit, hôtel mythique fréquenté autrefois par les acteurs préférés de ma mère, Betty Davis, Cary Grant, Humphrey Bogart, Audrey Hepburn.

Malgré ses douleurs, malgré sa faiblesse – c'était quelques mois avant sa mort –, elle accepta ce voyage, qui serait son dernier, nous le savions chacune. Ayant prévenu l'hôtel, celui-ci nous a surclassées. « Es-tu contente ? » ai-je demandé lorsque fut ouverte la porte de notre immense suite. Maman a souri doucement, gardant toutes ses forces pour assister, le soir même, à Broadway, à la comédie musicale *Madame Butterfly*. Ma sœur et moi l'avons installée confortablement ; j'ai insisté pour qu'elle appelle le room service en cas de besoin, signe de luxe à ses yeux mais elle a refusé : « Ce serait gaspiller, je manque d'appétit, dit-elle, incapable d'abandonner son vieux réflexe d'économie. — Tu peux tout me demander, c'est moi qui paie, tu le sais bien », ai-je rétorqué, mais elle a hoché la tête, l'air de dire : « Fais pas semblant. Tu sais bien que je suis trop malade. »

Ma sœur Danièle et moi avons quitté la suite pour, selon le souhait de notre mère, nous promener des heures dans cette ville qui n'est pas étrangère à la majorité des Québécois. Au retour, j'ai commandé le repas au room service, histoire ne pas fatiguer davantage maman en l'amenant au restaurant avant le spectacle. Dans le taxi en route vers le théâtre, situé à quelques rues du Waldorf, distance qu'elle n'aurait pu parcourir à pied, elle s'est animée, retrouvant un fond d'énergie à la vision des rues illuminées, remplies de gens pressés, bruyants, sûrs d'eux. En voyant que nous avions les meilleures places dans la salle au décor de velours grenat, elle manifesta son plaisir. Et lorsque le rideau se leva, elle nous jeta un regard presque heureux. Je crois que ce soir-là, entourée de ses filles, notre mère – qui adorait l'histoire de *Madame Butterfly* et connaissait les paroles de tous les airs – a oublié qu'elle allait mourir. Quant à moi, je n'ai cessé de la regarder être encore vivante.

Nous étions en novembre 1998 et ma mère avait émis le souhait de passer le cap du XXIe siècle. Le destin en a décidé autrement.

Elle mourut dans un service de soins palliatifs le 26 février 1999. Ma sœur, constamment à ses côtés, était repartie vers sa campagne à la fin de l'après-midi et mon frère, arrivé par la suite, reprit la route dans la soirée, ne pouvant supporter son agonie. Restée seule avec mon fils, j'ai noté dans mon agenda l'instant où elle s'est éteinte : 22 h 40. Assis de chaque côté du lit, Guillaume et moi tenions ses mains quand j'ai entendu la voix basse et étouffée de mon fils murmurer : « Maman, Mamie n'a plus de pouls. » D'un coup, je me suis tétanisée. « Il faut prévenir les autres », ai-je finalement trouvé la force de dire. « Je m'occupe de marraine, appelle oncle Pierre », conseilla Guillaume. Mon frère rentrait dans sa résidence à l'instant où je l'ai joint. « J'arrive », a-t-il répondu. Ma sœur, qui habitait à cent kilomètres de Montréal, fut dans l'impossibilité de revenir. Dans une famille, aucun des enfants n'a la même mère ni le même père, chacun possède sa version de l'histoire commune, chacun vit la disparition des parents avec sa propre mémoire, ses émotions intimes, ses blessures et sa vérité. Enfant, je paniquais parfois en songeant que ma mère mourrait un jour. Puis j'ai apprivoisé l'idée, en même temps que je prenais conscience de ma propre mort un jour ou l'autre. Après sa disparition, j'ai compris autre chose : tant que je vivrais, je l'immortaliserais. Et ces mémoires l'attestent : dans ce long récit de vie, sans cesse elle a surgi.

On le voit dans ces souvenirs, je me suis construite grâce et contre ma mère. Sa peur constante m'a vaccinée contre mes propres peurs, sa soumission a fouetté ma combativité et sa complaisance de victime m'a révoltée. À sa différence, j'ai aimé des hommes qui m'ont aimée sans me traiter en inférieure. En revanche, je lui suis redevable de la curiosité intellectuelle qui est le moteur de ma vie. Elle m'a aussi transmis la passion de la langue française, ce dont je la remercierai toujours. En fait, elle m'a aimée comme on aime une personne qui vous échappe. Je crois même qu'elle s'en voulait de m'aimer, alors que, d'une certaine manière, j'avais brisé sa vie puisqu'elle s'était retrouvée enceinte de moi à dix-huit ans. Elle s'est éteinte, quasiment dans mes bras, sans jamais m'avoir avoué la « faute » à l'origine de ma naissance. J'aurais tant aimé qu'elle se réconcilie avec elle-même et me pardonne, enfin, d'être venue au monde.

*

Faut-il que je le répète, mon besoin de me mettre en distance du Québec m'a aidée à me protéger des réactions – plus épidermiques que rationnelles – que je suscite souvent dans la société québécoise. Yvon Deschamps, le plus décapant et perspicace des humoristes, artiste qui a atteint un degré de popularité à mes yeux inégalé, a résumé le paradoxe québécois dans une formule douloureuse mais criante de vérité : « Le vrai Québécois y sait qu'est-ce qu'y veut. Pis qu'est-ce qui veut, c't'un Québec indépendant dans un Canada fort. » Et de compléter le portrait en ajoutant : « Le vrai Québécois, c't'un communiste de cœur, c't'un socialiste d'esprit, pis c't'un capitaliste de poche. » Ces contradictions flagrantes demeurent vraies aujourd'hui encore, même si le Québec de jadis, « tricoté serré », est devenu une société multiculturelle dans un laps de temps relativement court. Si bien que les Québécois, contrairement aux Français par exemple, craignent la polémique. La rectitude politique actuelle – en France on parlerait de culte du consensus, voire de politiquement correct – a remplacé l'unanimité d'antan clamée du haut de la chaire à l'église, quand les curés incitaient leurs ouailles à voter pour le bon bord le jour des élections. Mais elle est imposée. Ainsi les Québécois francophones sont-ils divisés politiquement de la gauche à la droite tout en se départageant entre nationalistes et multiculturalistes. Les anglophones et allophones, eux, votent massivement pour le Parti libéral, qui, en revanche, n'a le soutien que d'une minorité de francophones. Ce qui signifie que ce parti pourrait, en raison du système électoral, remporter des élections et diriger le Québec… sans bénéficier de l'appui de sa majorité francophone, opposant ainsi la légalité du pouvoir à sa légitimité.

Les Québécois demeurent, qu'ils s'en défendent ou non, complexés par leur identité et leur langue. Sur la défensive, ils s'excusent souvent, marqués par la culture culpabilisante dont ils ont hérité.

Ainsi ils craignent la polémique, les affrontements verbaux – « Pas de chicane dans ma cabane », pourrait être leur devise –, ont conservé de l'héritage catholique la notion de péché. Bien qu'en incroyants s'estimant affranchis des tyrannies historiques, ils aient sauté à pieds joints – on pourrait écrire qu'ils soient tombés à genoux – dans la rectitude politique, version puritaine d'une laïcité mal digérée. Autrement dit, ils ont adhéré aux péchés mortels de l'époque, lesquels gangrènent nos sociétés. Ainsi ils laissent les fondamentalistes de toutes les revendications fondées sur la religion, la race, le sexe, l'ethnicité, les culpabiliser et les excommunier.

Il est facile aux représentants d'une minorité quelconque de déstabiliser un Québécois. Soucieux de ne pas faire de vague, de ne pas blesser, de ne pas être mal perçu, celui-ci cherchera d'abord, et parfois avant tout, à réduire, voire supprimer les éléments conflictuels. N'avons-nous pas inventé une expression qui reflète ce tempérament collectif ? Devant les requêtes concernant les droits de la personne, par exemple, ne parlons-nous pas de pratiquer des « accommodements raisonnables » ? « Accommodements raisonnables » au nom desquels une femme peut se promener en burqa et voter. On le voit, je n'apprécie pas la rectitude politique qui flotte actuellement au-dessus du Québec.

Jusqu'à ce que je devienne chroniqueuse, d'abord à TVA puis au journal *Le Devoir* et enfin au *Journal de Montréal*, c'est en France uniquement que je me suis trouvée au cœur de polémiques. Au Québec, je demeurais en distance. À la fois par choix et au nom de l'éthique qui impose aux journalistes des médias de demeurer à l'extérieur des sujets dont ils traitent. Même si, parfois, j'ai posé des questions qui fâchaient, uniquement parce que j'avais tendance à croire qu'elles étaient d'abord et avant tout pertinentes. Je crois aussi – heureusement cela a changé – que le fait d'être une femme qui n'a pas froid aux yeux a contribué à la création du « personnage Denise Bombardier », personnage dans lequel je ne me reconnais qu'à moitié. Ceux qui me connaissent savent en effet que je suis bien plus modérée, tolérante que les caricatures que certains font de moi – un personnage qui ne représente qu'une parcelle de ma vérité mais qui m'a permis de rebondir lorsque la télévision de Radio-Canada mit fin aux émissions que je produisais et animais, dont «Parlez-moi des hommes», «Parlez-moi des femmes» et «Parlez-moi de votre enfance». Car après ces succès interrompus en plein vol, c'est la polémiste qu'on est venue chercher, ce qui m'a permis de continuer à exercer ce métier passionnant. Des intérêts multiples et diversifiés, une curiosité insatiable, l'obsession de comprendre mes contemporains, le besoin constant de contextualiser les événements, le sens de la synthèse furent et sont des atouts précieux que j'essaie de mettre en pratique chaque jour.

*

Existe-t-il meilleure méthode pour savoir qui l'on est réellement que de vivre à l'étranger ? La France m'a permis de m'affirmer comme écrivaine. J'ai la chance d'y être publiée, de mon premier ouvrage jusqu'à ce livre de mémoires. Cet ancrage m'a ouvert les portes de la francophonie. En 1999, je fus ainsi l'invitée d'honneur du Salon de Beyrouth, où mon fils, qui débutait dans le cinéma, m'accompagna. Durant ce dernier voyage effectué tous les deux, sa sensibilité, son ouverture et sa curiosité firent de Guillaume un compagnon précieux. Nous avons parcouru le pays jusqu'aux frontières de la Syrie où la situation était déjà tendue. Grâce à la présence de l'écrivaine Noëlle Châtelet, sœur du Premier ministre français Lionel Jospin, alors au pouvoir, toutes les portes du Liban se sont ouvertes pour nous. J'en ai conservé un souvenir impérissable, malgré la tristesse et les tensions que l'on percevait déjà.

*

Après la mort de ma mère, en février, je vendis ma résidence à Outremont pour déménager dans un immense loft de Montréal. Guillaume ayant pris son envol, le besoin de changer de décor se faisait sentir. À l'automne, j'achetai aussi un pied-à-terre à Paris, place de Mexico, de la terrasse duquel j'avais le bonheur de voir la tour Eiffel. J'aimais l'idée de posséder des vieilles pierres dans un pays où je n'ai pas à faire d'efforts pour être moi-même. Car c'est bien connu : « Nul n'est prophète en son pays. »

Chapitre 66

Sept ans après la France, le Québec me reconnut certains mérites. Je reçus ainsi l'Ordre national du Québec, le 28 mai 2000, des mains de Lucien Bouchard, alors Premier ministre. Ce fut aussi étrange qu'émouvant de l'entendre me rendre hommage dans un discours court que, visiblement, il avait écrit lui-même. Lorsqu'il découvrit Guillaume, je perçus, chez lui, une émotion réelle. Ce qui me toucha.

En 2016, j'accepterai l'Ordre du Canada, ce que certains Québécois me reprocheront. Mais pour quelles raisons aurais-je décliné cet honneur ? Le Canada n'est pas une dictature, que je sache. En outre, après avoir été mise en candidature à différentes reprises auparavant mais écartée au prétexte de mes liens passés avec Lucien Bouchard, «le séparatiste» – exclusion confirmée par des amis à la fois fédéralistes et peu fiers de ce sectarisme –, je n'allais pas refuser cette médaille. Si je respecte les personnalités québécoises qui ont renoncé à la décoration canadienne par conviction souverainiste, y voyant une espèce de trahison de leur croyance, j'ai de mon côté estimé que, tant que nous ferons partie du Canada, tout honneur conféré à un Québécois retombe sur la société québécoise elle-même. L'Ordre du Canada n'est pas une carte de parti politique et ne signifie en rien que ceux qui le reçoivent adhèrent à quoi que ce soit ni ne sont des traîtres à la patrie du Québec. Les écrivains et les intellectuels ne sont, en outre, pas corvéables ou enrégimentés. J'assume donc cette médaille, que je porte en certaines occasions au Canada, comme j'arbore l'Ordre national du Québec et la Légion d'honneur lors d'événements officiels partout dans le monde.

Je ne m'attendais pas, après ces décorations prestigieuses, à monter en grade en France en passant du titre de chevalier à celui d'officier de la Légion d'honneur, c'était en 2009, et une surprise totale. Je déclinai avec force remerciements l'invitation à la recevoir des mains du président Nicolas Sarkozy à l'Élysée, non pour des raisons politiques mais afin de ne pas effacer l'émotion ressentie lorsque François Mitterrand m'avait faite chevalier treize ans plus tôt. J'ai souhaité la recevoir des mains d'un homme envers lequel j'éprouve de l'amitié, l'ancien Premier ministre Jean-Pierre Raffarin, ami du Québec. Et c'est à la résidence du délégué général du Québec, avenue Foch à Paris, seul territoire reconnu diplomatiquement québécois hors du Québec, qu'eut lieu la cérémonie. Soit dit en passant, cette extraterritorialité est un cadeau accordé par le général de Gaulle lors de l'ouverture de la délégation générale en France, en 1961. En clair, les bureaux de la délégation et la résidence du délégué sont des territoires québécois. Et le délégué a statut d'ambassadeur au même titre que celui du Canada.

Pour l'anecdote, Jean-Pierre Raffarin, au moment de prononcer la formule officielle, annonça à l'assistance qu'il allait, par affection pour les féministes, transgresser une tradition et me décora « "Officière" dans l'ordre de la Légion d'honneur ». Ma chère Benoîte Groult, présente à la cérémonie, n'en crut pas ses oreilles. « Je n'aurais jamais cru cette féminisation possible et par un homme de droite, déclara-t-elle au groupe d'admirateurs qui l'entourait. Je ne croyais voir cela de mon vivant. C'est pas avec la gauche que j'aurais vu ça. » Mais nous étions en territoire québécois et tout était possible. Même après le référendum de 1995, l'influence du Québec, en France, dont le progressisme à l'égard de la cause des femmes est envié et même admiré demeure. Ce qui m'attache encore plus à ce pays de cœur.

L'année suivante, je fus honorée par le gouvernement du Québec lui-même. En 2010, sous le gouvernement libéral, le ministre des Relations internationales, Pierre Arcand, me remit le prix Reconnaissance-Francophonie. Une récompense attribuée pour ma « contribution exceptionnelle à la promotion de la langue française et de la culture québécoise sur la scène internationale ». L'Assemblée nationale me rendit honneur le 20 mars dans le cadre de la Journée internationale de la francophonie. Ce qui me fit encore plus chaud au cœur, c'est de voir tous les porte-parole des partis politiques s'accorder pour saluer mon travail. Pauline Marois, alors chef de l'opposition, eut même la courtoisie et la délicatesse de proposer à Louise Beaudoin de faire, au nom du Parti québécois, le discours de circonstance qui se transforma en témoignage personnel d'amitié. Il n'y eut qu'un impair au cours de cette heureuse journée pour ma famille et moi : le chef de Québec solidaire, Amir Khadir, se leva et, sans référence aucune à ma présence dans la galerie de l'Assemblée nationale, fit l'éloge d'Aimé Césaire, le grand écrivain martiniquais.

Après la cérémonie, des élus de tous partis, le Premier ministre Jean Charest en tête, vinrent s'excuser d'un geste aussi grossier. À vrai dire, je n'en fus pas étonnée. Sous ses dehors civils et affables, l'homme a révélé sa vraie nature d'idéologue qui partage le monde entre camps ennemis, sectarisme qui insupporte ceux qui sont en mesure de l'affronter intellectuellement et n'ont que faire de ses oukases. C'est pourquoi mieux vaut voir des personnes aussi intolérantes dans l'opposition qu'au pouvoir.

*

Au cours de ces premières années du XXIe siècle, j'ai produit plus d'une centaine d'émissions à la télé de Radio-Canada et vu mon rythme d'écriture s'accentuer. Tout en partageant mon temps entre Montréal et la France, et en voyageant dans nombre de pays dont la Chine, l'Inde, la Thaïlande, l'Argentine et partout en Europe. Mon goût des lieux sauvages me fit acheter un camp de pêche au nord de La Tuque, près du barrage du Rapide-Blanc, que La Bolduc a jadis immortalisé dans une chanson qu'il m'est arrivé de chanter devant un public français qui en redemandait. Un lieu idéal pour assouvir ma passion pour la pêche.

Et puis, un jour, je reçus un appel du ministère des Relations internationales du Québec. Qui m'informait qu'un professeur du Trinity College de Dublin, le Dr James Jackson, cherchait à me joindre par courriel mais n'y parvenait pas. N'étant aucunement férue de nouvelles technologies, j'avais acheté un ordinateur, mais la masse de courriels reçus m'effrayait et même me rendait méfiante au point d'oublier de répondre. Je répondis donc, par politesse, à ce Dr Jackson, que je parvins à joindre aisément. Il m'invitait, comme conférencière principale – *keynote speaker* –, à faire le bilan de la Révolution tranquille à Belfast, en Irlande du Nord. James Jackson, directeur des études canadiennes de son université, lesquelles regroupaient avant tout des québécistes, estimait important d'offrir un point de vue concret sur ces sujets aux spécialistes des études canadiennes donc québécoises à travers le monde. Je découvrirai, par la suite, que l'éminent professeur était un spécialiste du XVIIIe siècle français et du XIXe siècle québécois. Je l'imaginais des plus irlandais mais j'avais au bout du fil le plus francophile des hommes et – je l'ignorais encore – le plus beau et le plus élégant des Anglais. La suite de cette rencontre se trouve dans un roman à saveur autobiographique, *L'Anglais*, que j'ai publié par la suite chez Robert Laffont en 2012, histoire qui fera rêver toutes celles et ceux en quête de l'âme sœur, voire du Prince charmant, lequel n'est pas réservé aux productions Disney.

*

Je ne suis adepte d'aucune pensée magique. L'astrologie, le karma, les bonnes ondes me laissent froide. Je sais que la vie, en revanche, peut réserver de belles surprises. Si j'ai rêvé, enfant, de trouver un père de remplacement à l'énergumène qui m'avait conçue, si je n'arrive pas, encore aujourd'hui, à cerner cet homme si disjoncté et imprévisible qui proclamait, dès qu'il avait un coup dans le nez, que les Anglais étaient nos maîtres, je sais que sa révolte, son regard décapant sur le Québec catholique et soumis, ont contribué à me rendre allergique à tout embrigadement. J'ai donc été élevée, contrairement à la majorité des Québécois, sans détester les Anglais. Très jeune, j'ai appris à faire la différence entre l'Anglais et le Canadien anglais. À trois ans et demi, je parlais déjà en anglais, étant la seule enfant de notre rue à fréquenter nos voisins irlandais et anglais qui, plus âgés que moi, ne prononçaient pas un mot de français. Même si je ne crois pas à l'existence de signes envoyés d'on ne sait où, il m'amuse de me souvenir qu'un de mes petits amis, voisin de palier, s'appelait Jimmy Jackson ! Et qu'à l'adolescence, j'ai rencontré, à Montréal, où il effectuait un stage, un étudiant en génie de Bristol qui fut le premier à m'embrasser d'un *french kiss*, ce baiser péché mortel contre lequel les prêtres nous mettaient en garde et que je trouvais, jusqu'à ce que ce Ralph m'y initie, totalement antihygiénique.

J'en conclus que si le destin n'existe pas, j'ai été, de façon inconsciente, programmée sentimentalement pour tomber un jour amoureuse d'un digne représentant de notre conquérant. Le père de Ralph était amiral de la marine britannique et James Jackson, docteur en philosophie d'Oxford, professeur de littérature française au Trinity College de Dublin fondé sous le règne de la reine Elizabeth Ire.

Grâce à ce trait de caractère chez moi, qui m'évite de vivre dans le regret, je suis convaincue que les quelques hommes qui ont marqué ma vie amoureuse s'inscrivent dans une continuité qui mène à mon mari. Sa passion pour la langue française, à laquelle il a consacré toute sa vie, m'a attirée vers lui aussi fortement que ses autres qualités, à l'exception de sa passion, que dis-je, sa folie pour le soccer, qui le transforme en être totalement irrationnel lorsqu'il s'y adonne. Ainsi j'ai intérêt à ne jamais m'évanouir pendant un match tant plus rien sur terre n'existe dans ces moments où je le vois « scotché » devant l'écran de télé. J'aime son obsession pour la précision du vocabulaire, sa quête de justesse absolue de l'accent tonique et son goût de la perfection de l'accent tout court. Vingt-quatre heures sur vingt-quatre, je deviens l'élève du professeur Jackson qui, au moindre doute sur l'emploi d'un mot, un terme, une expression – qu'il s'agisse de moi comme de lui – vérifie dans le dictionnaire. Avec lui et grâce à lui ma hantise de m'ennuyer avec un homme a disparu. J'admire aussi sa culture, vaste et jamais ostentatoire. Jim connaît par exemple le Québec du XIXe siècle mieux que 95 % d'entre nous. L'histoire des Patriotes de 1837-1838 n'a aucun secret pour cet Anglais pur jus, véritable inconditionnel du Québec, même lorsque l'accent trop accentué et le joual l'isolent quand il m'accompagne à des spectacles d'humoristes ou se retrouve au milieu de gens tricotés serrés ignorant qui sont Louis-Joseph Papineau, Diderot ou Rousseau. Il éprouve alors ce qu'on appelle un choc anthropologique.

*

J'ai vécu, en 2008-2009, une expérience qui a transformé ma perception de la culture populaire.

Dans le passé, les universitaires spécialisés en sciences sociales ont rarement consacré leurs recherches à certains phénomènes populaires. Longtemps, par exemple, la culture pop, considérée comme inférieure à la classique, fut méprisée et dédaignée par les classes supérieures. L'évolution sociale a fait éclater ces barrières. Certains y voient une démocratisation de la culture, d'autres une trivialisation de celle-ci. Ainsi, quelques années avant sa mort, en 2007, la grande cantatrice française Régine Crespin m'accorda une entrevue pour la télévision. Après le tournage, alors que nous discutions à bâtons rompus, elle me dit : « Céline Dion est québécoise, n'est-ce pas ? Quel dommage qu'elle n'ait pas choisi l'opéra. Elle a le registre de voix de Maria Callas, vous savez ! » Et d'ajouter : « Quel gâchis tout de même. » Je lui fis alors remarquer que Céline Dion était parvenue au sommet de la gloire planétaire. Que, dans sa famille comme au Québec en général, la musique classique et l'opéra étaient historiquement réservés aux classes supérieures. Mais la diva n'en démordit pas : « Pareille voix est un cadeau du ciel. »

Ce que je n'allais pas démentir, convaincue aussi du talent incroyable de notre chanteuse la plus populaire, au sens noble du terme. Une diva, elle aussi, que j'aurai l'occasion de fréquenter sur la durée. Car, un jour, René Angélil me téléphona. Pour me demander d'écrire une chanson destinée à sa célèbre épouse.

Surprise et flattée, j'osai relever le défi et je me laissai inspirer par l'idée d'un mariage vocal entre la diva classique – la Callas que Céline Dion admire – et la diva pop.

> *J'avoue que certains soirs*
> *Quand je suis sur la scène,*
> *J'aimerais que ma voix*
> *Se confonde à la sienne.* [...]
>
> *Tous les bravos du monde*
> *N'ont pas pu apaiser*
> *Maria la Magnifique*
> *La diva écorchée.*
>
> *Quand je fuis la lumière*
> *La nuit quand tout s'efface*
> *Surgit dans le désert*
> *L'ombre de la Callas.*

Telles sont les paroles que j'ai mises dans la bouche de la plus grande star planétaire. Une star devenue, pour les Québécois, une richesse naturelle au même titre que le majestueux Saint-Laurent, nos lacs et rivières, que j'aurais rêvé d'entendre reprendre les grands airs d'opéras italiens du XIXe siècle : *Norma* de Bellini, *Tosca* de Puccini, *La Traviata* de Verdi.

Avec l'accord du couple Angélil-Dion, j'ai eu la chance énorme d'accompagner la tournée mondiale « Taking Chances » de Céline. C'était en 2008-2009 et afin de préparer un essai intitulé « L'énigmatique Céline Dion ». L'ouvrage sera publié chez XO-Albin-Michel, à Paris, en 2009. Le couple m'avait entièrement donné carte blanche sans chercher une seconde à relire le texte. Ainsi, je n'ai offert un exemplaire de l'ouvrage à René Angélil que la veille de sa sortie en librairie. Au cours des neuf mois passés dans l'entourage immédiat de la chanteuse, je fus d'abord renversée, éblouie, impressionnée par l'organisation de la machine l'entourant. Durant ces semaines, je découvris aussi l'ampleur de sa popularité dans tous les pays où se donnaient les spectacles. J'ai rencontré au Mexique des fans qui avaient appris le français à l'Alliance française de Mexico dans le seul but de comprendre ses chansons. Les voies du Seigneur étant impénétrables, que ceux, au Québec et d'ailleurs, dont en France, qui ont levé le nez sur Céline Dion parce qu'elle a réussi une carrière en anglais à partir des États-Unis fassent désormais leur *mea culpa*. Car Céline chante toujours des chansons en français, s'adresse au public dans sa langue maternelle, que ce soit en Chine, en Corée, aux Émirats arabes unis, en Australie, en Afrique du Sud, et bien d'autres où je l'ai accompagnée. J'en vins à devenir « groupie » quelques semaines avant de reprendre mes esprits et de retrouver la distance critique nécessaire qui permette d'analyser la personnalité et la carrière de cette phénoménale Québécoise. Je fus peu étonnée de voir que cet ouvrage fut boudé par les quelques universitaires qui s'intéressent au « cas » Céline Dion, alors qu'une partie l'écoute sans l'avouer, comme un vice caché, comme il fut négligé par ses fans les plus accros, irréductibles incapables d'accepter qu'un regard qui n'est pas le leur ose se poser sur celle qui les hante jour et nuit depuis des décennies. Du reste, le phénomène des fans, à lui seul, justifierait maints ouvrages universitaires de psychologie et de sociologie.

En vérité, bien qu'elle ait déjà révélé tous les aspects de sa vie privée, Céline Dion reste pour moi une énigme. J'en viens à croire qu'une part de son mystère demeure enfouie en elle, ce qui expliquerait qu'elle n'ait jamais perdu la tête, à la différence de la quasi-totalité des rares artistes isolés au sommet, là où se raréfie l'oxygène.

Dans l'histoire du Québec moderne, l'union Angélil-Dion – un Syrien-Libanais d'origine et une Canadienne française pure laine –, couple qui a aboli les frontières et s'est imposé sans se dénaturer, a joué un rôle de pionnier. Pas étonnant que des artistes ayant suivi leurs traces – tels Robert Lepage, Guy Laliberté, du Cirque du Soleil, Yannick Nézet-Séguin, devenu récemment le directeur musical du Metropolitan Opera de New York – soient des admirateurs respectueux de la star. Car ces figures parvenues au faîte de la gloire ont un trait commun : ces solitaires sont tous habités par leur talent et possèdent un souffle de vie unique.

CHAPITRE 67

L'un des grands défis posés au métier de journaliste est la capacité à s'adresser aux publics les plus divers. Je n'ai pas hésité, au retour de Paris, doctorat en poche, entre l'enseignement universitaire et le journalisme. À l'époque, la hiérarchisation imposait ses règles. Les plus instruits, ceux qui composaient l'élite intellectuelle, réservaient leur savoir aux étudiants ; j'ai même connu des universitaires qui refusaient de « s'abaisser » en acceptant de participer à des émissions de télévision. Mais « la société du spectacle » a rapidement fait craquer et flancher ces dogmatiques quasi religieux et, à vrai dire, stériles.

J'ai choisi le journalisme car j'ai toujours considéré cette discipline comme un formidable instrument de pédagogie populaire. La curiosité intellectuelle n'étant pas réservée aux détenteurs de diplômes, je préfère – de loin – m'adresser à des publics avides de savoir qu'à des gens qui croient tout connaître ou qui refusent, voire sont inaptes à partager leur culture avec ceux qu'ils estiment « inférieurs ».

Si j'ai apprécié les années durant lesquelles j'ai écrit une chronique dans *Le Devoir*, quotidien pour l'élite au tirage en conséquence, parce que je ne ressentais pas le besoin d'user d'un vocabulaire allégé, rapidement je me suis aperçue que le lectorat ne me lisait pas comme je le pensais. Un public diplômé n'est pas forcément cultivé ou tolérant. La preuve, certains de mes textes provoquaient des réactions violentes. Je me demandais pourquoi jusqu'au jour où j'ai pris conscience qu'un certain nombre de lecteurs avaient du mal à saisir le deuxième degré ; que, au Québec, contrairement à la France, l'écriture ironique, l'usage de métaphores et autres figures de style allusives échappent à beaucoup de lecteurs. D'un coup, mon plaisir d'écrire s'est trouvé diminué.

Le journalisme le plus périlleux, je l'ai pratiqué quatre ans durant à l'antenne de TVA, la chaîne de télévision la plus populaire du Québec. Commentatrice de l'actualité quotidienne dans le journal de 22 heures, en trois minutes trente, ni plus ni moins, je devais traiter de sujets parfois complexes, explosifs, sans texte préparé puisqu'il s'agissait d'échanges avec la présentatrice Sophie Thibault. Comme elle intervenait, cela favorisait une conversation naturelle et spontanée, mais j'étais consciente que la mauvaise utilisation d'un nom, l'emploi d'un adverbe ou d'un adjectif pouvaient décrédibiliser ma pensée, voire la trahir. Quel défi que d'être précise, percutante et nuancée en deux cent dix secondes ! J'ai adoré cet exercice aussi difficile qu'exigeant. Comme j'ai aimé, à travers l'auditoire de TVA, retrouver mes racines familiales, dominées par mes tantes adorées, incultes certes mais plus intelligentes, futées et subtiles que bien des membres de ma confrérie journalistique et tant de lettrés, psychologiquement indigents et faussement proches du « peuple ». Ce qui explique mon allergie, qu'aucun antihistaminique ne peut guérir, aux pédants, prétentieux et autres hautains personnages, incapables de converser avec le « monde ordinaire », autrement dit les personnes qu'ils considèrent d'un niveau qui n'est pas le leur et avec lesquelles ils usent généralement de condescendance.

*

Je n'ai jamais masqué mes origines sociales. Au contraire même, j'en tire de la fierté et, je l'avoue, des avantages. Mais, aux yeux de nombreux Québécois complexés, j'ai le défaut d'avoir l'air « intelligente » et de m'exprimer dans une langue que je souhaite soutenue et sans accent montréalais relâché. Par gratitude envers ma mère – qui m'a voulue instruite – et par respect pour mes tantes – dont je faisais la fierté et qui auraient trouvé intolérable que je m'exprime à leur manière, jugeant que leur vocabulaire et leur élocution trahissaient leur faible scolarité. Tant de gens me remercient de m'adresser à eux «dans cette belle langue française» qu'on ne leur a pas transmise, disent-ils.

Aussi, je me désole, je l'avoue, de constater combien l'inculture, l'ignorance – de l'histoire en particulier – se soient généralisées. Je me scandalise d'entendre de jeunes Français malmener leur langue, la truffer de termes anglais, se faire une gloire d'aimer uniquement la musique anglo-saxonne et n'être pas loin de croire qu'ils appartiennent à une culture vieillotte, dépassée, dont ils ne revendiquent les qualités que lorsqu'ils débarquent à l'étranger.

*

J'ai passé la plus grande partie de ma vie professionnelle à poser des questions. Sans devoir exprimer mes opinions. Devenue chroniqueuse, je dois bien sûr bousculer cette neutralité, oser dire, me commettre, mais pour autant, je n'ai pas de réponses concrètes à offrir la plupart du temps aux sujets que je soulève. Cela explique, je le répète, mes refus successifs de faire le saut en politique.

J'estime avoir contribué et participé, à ma façon et à ma modeste échelle, à l'évolution de la démocratie depuis les années soixante. Avant d'assister à ce que j'estime être une dégradation de la culture démocratique. En effet, qui aurait pu prévoir les conséquences du culte du narcissisme à travers le monde, culte si bien décrit par l'historien Christopher Lasch, société du moi qui entraîne la perte du sentiment d'appartenance à notre pays, qui néglige le passé, qui gomme notre mémoire et qui oublie l'œuvre et les combats de ceux qui nous ont précédés. Cette perte a fait éclater la notion de famille et la solidarité collective, sans lesquelles nous risquons de nous retrouver dans une jungle où l'homme est un loup pour l'homme. J'ai parfois le sentiment d'avoir vécu dans un monde aujourd'hui disparu.

*

J'ai connu nombre de politiciens, chez nous comme en France. À part les idéologues à la tête fêlée, malgré leurs faiblesses, leurs vanités voire leurs fourberies, ces hommes et femmes politiques ont su garder en eux le sens de l'État et l'envie de servir avec sincérité leurs concitoyens. En général, ils ne sont ni des héros ni des lâches. Juste des humains plus ou moins dignes de leurs tâches.

Nous vivons à une époque où l'égocentrisme et le nombrilisme règnent *via* les réseaux sociaux qui permettent à tous de se déchaîner et de croire sa parole passionnante. Et le narcissisme exacerbé est arrivé au pouvoir, incarné jusqu'à l'outrance caricaturale par Donald Trump. Celui-ci s'est hissé au sommet de l'État sans trop d'efforts, en multipliant les mensonges et en se vantant, lui, le milliardaire, de ne pas payer d'impôts. Tout en traitant mal les gens, en insultant ses adversaires, cet adepte compulsif de Twitter croule sous les applaudissements de ses supporters, indifférents au fait qu'il avait cumulé les faillites. Mais Trump n'est pas un accident de l'histoire, il est plutôt le produit de la post-démocratie.

Aux États-Unis, le journalisme est devenu un drone à abattre. Quel journaliste peut s'assoir devant Donald Trump et le confronter intellectuellement ? Aucun. Car lui ne veut pas. Voilà qui en dit long sur la dégradation de la liberté d'expression. Une démocratie émotionnelle, indissociable de la politique des apparences dans laquelle nous baignons, s'est mise en place. Et participe à la déshumanisation actuelle qui consiste à mettre la raison au service de l'insignifiance, tandis que, pendant ce temps, les drogués de pouvoir n'ont plus aucune entrave qui les empêche de kidnapper la liberté.

Le journalisme, qui était le quatrième pouvoir, mais ne l'est plus, se trouve relégué derrière tous les lobbies qui occupent l'avant-scène, ces lobbies doués pour manipuler les foules grâce aux nouvelles technologies. Mon monde est à des années-lumière du système qui s'est récemment imposé à notre insu. Alors que j'ai toujours aimé entrer dans les grandes librairies en France, aux États-Unis, chez nous comme ailleurs dans le monde, heureuse de voir tant de livres à portée de main, aujourd'hui je n'ose plus cliquer sur un site Internet sans craindre de me transformer en Alice au pays des merveilles. De peur d'entrer non dans le monde angélique et surréaliste de Lewis Carroll mais dans l'autre dimension de son chef-d'œuvre, univers sans logique, effrayant, violent, incontrôlé, enveloppé de folie. Un monde où l'on est dépossédé de son identité.

*

Après avoir laissé ma mémoire ressurgir à travers ce livre, il apparaît clairement je crois que ma vie a toujours été inscrite dans un espace de liberté, que j'ai entretenu, protégé, cajolé même. Cette liberté, je l'exerce malgré les frontières, les obstacles et la peur qu'elle suscite. Je comprends l'attirance que j'exerce pour les uns et la méfiance que je déclenche chez d'autres. J'ai pu inquiéter les institutions qui m'ont accueillie, comme Radio-Canada, où je suis demeurée une étrangère. J'ai apprécié d'avoir une influence intellectuelle en étant journaliste, jamais regretté de ne pas en avoir d'autres. Car, paradoxalement, je suis une femme qui respecte les règles et les codes. Qui sait composer avec les patrons. La psychanalyse m'a été d'un grand secours pour comprendre que l'on ne doit jamais s'opposer frontalement à ceux qui détiennent un pouvoir institutionnel. j'ai réalisé que la vanité est le talon d'Achille de beaucoup de ceux qui exercent un certain pouvoir et se croient irremplaçables. Les personnes lucides, capables d'autodérision, ne sont jamais autoritaires et n'auront jamais la grosse tête. J'ai eu la chance d'en côtoyer quelques-uns au cours de ma vie.

J'ai retiré mes plus grandes joies professionnelles lorsque j'étais entourée de passionnés, de curieux, d'insatiables. Si j'ai constaté que mon métier attirait des esprits libres comme des pleutres, des audacieux ou des pusillanimes, rarement ai-je été en présence de gens ennuyeux. L'intérêt pour l'actualité, la quête de la vérité derrière les apparences animaient chacun ; l'énorme satisfaction d'être lu, écouté, vu et critiqué relevait du bénéfice supplémentaire mais marginal dans un métier qui, jadis, avait une âme. Mais sans doute était-ce avant que la notoriété, démultipliée par la médiatisation et les réseaux sociaux, fasse perdre pied à tant de journalistes autoproclamés prêts à marcher sur le corps de leur propre mère pour être reconnus publiquement.

*

Un autre phénomène est apparu au cours des décennies : journalistes, humoristes, acteurs, chanteurs, voire politiciens ont été transformés par la moulinette de cette fameuse notoriété en « vedettes interchangeables ». Il m'arrive ainsi d'être interpellée par des gens qui, spontanément, déclarent : « On vous aime tous, vous autres les artistes. » Je les remercie sans tenter de les contredire et de leur expliquer qu'il s'agit de métiers bien différents. Une attitude que j'aurais adoptée, plus jeune, à l'époque d'avant le décloisonnement général des activités humaines. Avant que tout un chacun se prenne pour un chanteur grâce à YouTube. Avant que les internautes des réseaux sociaux s'enrôlent dans la cohorte mondiale d'un prétendu « nouveau journalisme ». Avant que les malades, grâce à Wikipédia, se convainquent par la grâce de quelques clics d'en savoir plus que des médecins cumulant dix ans d'études doctorales et post-doctorales.

*

L'on me permettra aussi d'assumer mon âge et de clore ces mémoires en m'autorisant quelques impertinences.

Au début des années quatre-vingt, l'éditorialiste en chef de *La Presse*, Marcel Adam, m'invita à déjeuner. Quelle ne fut pas ma surprise lorsqu'il me proposa de rejoindre son quotidien en tant qu'éditorialiste. Trop polie pour éclater de rire, j'ai répondu, en souriant, que, bien que flattée par l'offre, je m'estimais trop jeune alors pour franchir un tel pas. À mes yeux, les journalistes d'opinion doivent posséder une grande expérience doublée d'une épaisseur de vie que seul l'âge permet d'atteindre. Mon métier de chroniqueuse est donc arrivé à point nommé. Comme l'aboutissement d'un long parcours d'expériences diverses, de séjours multiples à l'étranger, comme l'addition de connaissances et le fruit de l'approfondissement de mon bagage intellectuel. Donc d'une maturité impossible à acquérir par mutation.

J'ai rédigé plus de vingt ouvrages depuis le milieu des années quatre-vingt. En écrivant comme d'autres prient. Dans le silence absolu, loin des rumeurs urbaines, la plupart du temps face à l'océan Atlantique – que je préfère au Pacifique. Mon inspiration prend sa source dans mon âme, mon cœur et ma raison. J'écris et j'aime pour vivre, non le contraire. Par ailleurs, je ne m'éloigne jamais de mes intuitions premières, qui me servent de radar interne. Ce qui me permet d'être avant tout à l'écoute de ce qui n'est pas dit. J'ai payé assez cher pour en arriver là. Écrire permet de réfléchir, de creuser afin de s'approcher au plus près de la vérité.

En relisant ces pages, un sentiment aussi étrange qu'heureux me gagne : je me redécouvre telle que j'étais avant d'entrer à l'école ! Je vibrais déjà, je m'enthousiasmais des surprises que la vie réserve. Un midi d'hiver, en revenant de cours, j'aperçus, sous la glace vive qui recouvrait le trottoir, une pièce de dix sous, mine d'or pour une fillette de sept ans. Hélas, je n'avais aucun outil pour casser la glace. Comme il faisait un froid de loup, je demandai à ma voisine et compagne de classe d'aller prévenir ma mère afin qu'elle rapporte une hachette aidant à libérer mon trésor. J'attendis vingt minutes, le pied posé sur la glace afin que personne ne vienne subtiliser mon bien. Ma mère arriva avec l'outil. Exaltée, j'arrachai la hache de ses mains pour, enfin, m'emparer de la piécette. « Je veux m'acheter un livre », dis-je alors à ma mère, lorsque celle-ci voulut récupérer dix sous, savourant d'avance ce plaisir comme un grand moment de bonheur.

Cette anecdote me semble la métaphore de ma vie. Récompensée par mon attention aux détails, excitée par ma trouvaille, efficace grâce à mon pouvoir de conviction sur cette petite camarade, le tout pour avoir les moyens de m'acheter un livre par la suite relu cent fois jusqu'à ce que ses pages se déchirent : l'histoire des trois oursons qui désobéissaient à leurs parents. Si j'avais suivi les conseils de ma mère et lui avait donné ma pièce, j'aurais oublié de rêver. Et si j'avais répondu aux injonctions de mon père – qui criait à la cantonade, dans ses délires éthyliques : « Ah, mes maudites putains ! » –, je me serais, les années suivantes, laissée berner par un homme à la poche garnie de billets verts, comme me le conseillait tante Irma.

Ces dix sous furent prémonitoires de ma vie future. Une vie de révolte contrôlée où j'ai parfois frôlé le danger sans jamais m'y engloutir. Parce que j'avais eu trop peur, trop jeune.

En guise d'épilogue
Pour la suite du monde

Ma vie s'est déroulée et inscrite dans une époque passionnante. J'ai vécu, en toute conscience, les bouillonnements d'un Québec qui a redéfini, à sa manière – turbulente –, sa liberté comme ses rêves. Je suis de la génération qui, de Canadiens français, s'est rebaptisée Québécois, réduisant sa géographie pour mieux cerner son identité nouvelle. J'ai chanté ces débuts d'un temps nouveau dans l'allégresse, l'espoir, l'audace et la griserie collective.

Or, le rêve de l'affranchissement commun s'est fracassé à deux reprises, laissant dans les cœurs des blessures incicatrisables. Et, triste réalité, les Québécois ne sont plus tricotés serrés. Notre avenir en français demeure donc incertain.

J'ai découvert la France en mai 1968, alors qu'elle se croyait encore le nombril du monde. Par la suite, j'ai infiniment aimé y vivre tant l'amour que j'éprouve pour le pays de mes ancêtres est indissociable de l'affection que je porte aux Français qui l'ont bâti, embelli, magnifié. La France me fut parfois un refuge, jamais un repli, toujours une source à laquelle j'ai puisé et me suis nourrie intellectuellement. Un lieu où j'ai construit et développé des amitiés d'une fidélité imparable.

De nos jours, je souffre de voir cette France – longtemps idéalisée – subir les assauts de ceux, souvent issus de ses propres rangs, qui lui vouent une haine féroce, comme je souffre de l'aveuglement de ceux qui s'excusent désormais d'être français, éprouvant le sentiment d'appartenir à une culture périmée, à une langue dépassée.

En tant que femme, j'ai réussi à briser des plafonds de verre et lutté à ma façon, en solitaire, contre d'autres femmes parfois, l'amitié et la solidarité étant à la merci de nos propres contradictions. Les femmes ne sont pas les uniques dépositaires de la vertu.

Les hommes qui m'ont aimée ne m'ont jamais déçue. Car tous furent plus gentils, attentifs, attentionnés que mon propre père, même lorsqu'ils m'ont fuie ou blessée. En vérité, je les savais tous fragiles et même sentimentalement vulnérables, chacun à sa manière.

J'ai souvent croisé des gens exceptionnels, extravagants, surprenants, généreux, mais aussi nombre de brutes, de vulgaires, de faibles et de malcommodes. Je ne m'en suis jamais étonnée – la nature humaine est ainsi. Sublime et minable, bouleversante et apeurante, fourbe et admirable. Mon enfance m'a au moins évité de croire aux chimères.

Le journalisme m'a blindée contre les outrances dans lesquelles j'aurais pu me perdre. J'ai choisi un métier où la raison devait triompher de toutes les tentations comme de tout aveuglement.

J'ai hérité d'une énergie qui, depuis le début, ne cesse de m'étonner. Et cette énergie, je la retrouve chez mon fils Guillaume, vieille âme depuis sa naissance, seul homme qui a traversé et traversera toute ma vie, seul homme qui m'éblouira toujours, un être enfermé dans son propre mystère. Un fils dont j'admire la ténacité, la force tranquille, la capacité d'admirer, et le talent de réaliser des films où la vérité, la tendresse, le raffinement et le don de perception sont toujours présents.

Ces mémoires, provisoires, ne pouvaient s'achever sans souligner la naissance, le 15 mai 2017, de ma petite-fille Rose. Un jour celle-ci lira l'histoire de sa grand-mère, qui est aussi l'histoire du Québec et de la France, pays où je rêve de l'amener un jour parce qu'il est la terre de ses ancêtres. Rose ressemble à sa mère – elle en a la beauté – et à son père, qui lui a transmis son intensité. De cette enfant, je ne connaîtrai jamais la vie d'adulte. Mais j'aurai le temps, je l'espère, de lui transmettre quelques-unes de mes qualités – et certains de mes défauts : ma passion de la langue française, la curiosité, le sens de l'humour et une fascination pour les êtres humains. Je souhaite que Rose prenne un jour conscience elle aussi du sens tragique de la vie, legs qui lui permettra d'éviter la complaisance et le ressentiment, ces poisons du cœur. Mon seul souhait est que ma Rose, en grandissant, apprenne à aimer sa grand-mère comme moi j'ai aimé la mienne. Elle s'appelait Agnès, et elle fut le rempart contre les « méchants » de mon enfance.

Remerciements

Je voudrais d'abord remercier Vivien Viviers, ma fidèle collaboratrice, première et précieuse lectrice, mon amie qui déchiffre mon écriture – comme mes pensées d'ailleurs – depuis vingt-sept ans déjà. Sans elle, je souffrirais de ne pouvoir écrire à la main, ma seule façon de mettre en mots sur la page blanche – avec un stylo à encre bleue – mes essais, mes romans et, aujourd'hui, cette histoire de ma vie.

Merci à Renée-Linda Leblanc, complice et amie qui s'est assurée de m'éviter tout souci autre que l'écriture en s'occupant de gérer l'intendance autour de moi.

Merci à mes anges gardiens de North Hatley, Louis Maréchal et Normand Jolicoeur, qui, dans ces mois de canicule 2018, m'ont accueillie à leur table et dans la fraîcheur de leur belle et calme maison.

Merci à mon amie Lise Ravary qui m'a tenu la main, m'a conseillée, m'a rassurée chaque jour. Sans Lise, sans son intelligence, son affection indéfectible, cet ouvrage n'aurait pas été le même.

Merci à milord Thierry Billard, mon éditeur, dont le regard distancié sur cette histoire québécoise m'a confortée dans ma démarche. Merci aussi de m'avoir permis de rire en sa compagnie.

Merci à tous mes amis dont j'ai dû m'éloigner tant de mois pour accomplir ce travail.

Merci à mon fils Guillaume et à sa compagne Anie pour leur affection et pour avoir illuminé la rédaction de ces mémoires avec la naissance de Rose, notre trésor.

Merci enfin à Jim, mon mari, qui a subi les états d'âme de sa femme avec patience, sans se plaindre. Sans son amour inconditionnel, aurais-je eu la force de mettre en mots cette introspection personnelle et collective ?

Imprimé au Canada

Dépôt légal octobre 2018

Marquis Imprimeur